Le masque de

LA TULIPE NOIRE

Le masque de
LA TULIPE NOIRE

Lauren Willig

Traduit de l'anglais par
Karine Mailhot-Sarrasin (CPRL)

Éditeur : François Doucet
Traduction : Karine Mailhot-Sarrasin (CPRL)
Révision linguistique : Féminin pluriel
Correction d'épreuves : Nancy Coulombe, Catherine Vallée-Dumas, Carine Paradis
Conception de la couverture : Matthieu Fortin
Photo de la couverture : © Thinkstock
Mise en pages : Sébastien Michaud
ISBN papier 978-2-89752-819-5
ISBN PDF numérique 978-2-89752-820-1
ISBN ePub 978-2-89752-821-8
Première impression : 2015
Dépôt légal : 2015
Bibliothèque et Archives nationales du Québec
Bibliothèque Nationale du Canada

Éditions AdA Inc.
1385, boul. Lionel-Boulet
Varennes, Québec, Canada, J3X 1P7
Téléphone : 450-929-0296
Télécopieur : 450-929-0220
www.ada-inc.com
info@ada-inc.com

Diffusion

Canada :	Éditions AdA Inc.
France :	D.G. Diffusion
	Z.I. des Bogues
	31750 Escalquens — France
	Téléphone : 05.61.00.09.99
Suisse :	Transat — 23.42.77.40
Belgique :	D.G. Diffusion — 05.61.00.09.99

Imprimé au Canada

Participation de la SODEC.
Nous reconnaissons l'aide financière du gouvernement du Canada par l'entremise du Fonds du livre du Canada (FLC) pour nos activités d'édition.
Gouvernement du Québec — Programme de crédit d'impôt pour l'édition de livres — Gestion SODEC.

Catalogage avant publication de Bibliothèque et Archives nationales du Québec et Bibliothèque et Archives Canada

Willig, Lauren

[Masque of The Black Tulip. Français]
Le masque de la Tulipe noire
(Série de l'Œillet rose ; tome 2)
Traduction de : The Masque of The Black Tulip.
ISBN 978-2-89752-819-5
I. Beaume, Sophie, 1968- . II. Titre. III. Titre : Masque of The Black Tulip. Français.

PS3623.I4766M3714 2015 813'.6 C2015-941176-9

À Brooke, parangon des petites sœurs,
dont la ressemblance avec Henrietta n'a rien
d'une coïncidence.

Remerciements

J'avais espéré que le passage d'une année ferait de moi le type d'auteure blasée qui, la deuxième fois, pourrait terminer la page des remerciements en un coup de crayon. J'ai plutôt accumulé davantage de gens à qui je dois dire merci.

Premièrement, aux personnes fantastiques de chez Dutton, qui se sont embarquées dans l'aventure de La série de l'Œillet rose avec un zèle qui aurait inquiété Napoléon, à mon agent faiseur de miracles, dont la débrouillardise et la patience n'ont d'égal que ses pouvoirs de superhéros, ainsi qu'aux merveilleuses femmes de Romance Writers of America (avec une attention toute particulière à la division de Nouvelle-Angleterre), qui ont eu la générosité de m'accepter dans leurs rangs.

À mes parents, qui possèdent maintenant la plus vaste collection de livres roses en Occident et qui continuent à m'accueillir chez eux et à me nourrir, bien que j'aie techniquement mon propre appartement ; à mon frère Spencer, parce que sans ses colis de provisions de truffes et de fromages qui arrivaient à point nommé, Henrietta et Miles seraient toujours pris au milieu du pont de Westminster ; ainsi qu'à ma petite sœur Brooke, qui a plus que mérité la dédicace de ce livre – même si elle m'a piqué tous mes Julia Quinn.

Aux suspects habituels, aussi connus sous les noms de Nancy, Abby et Claudia, les piliers de mon existence. À Liz, qui a réfléchi à des intrigues jusqu'à ce que nos cafés soient froids ; à Jenny, qui n'était jamais trop occupée pour écouter la crise du jour (et à la mère de Jenny, qui a acheté une quantité d'exemplaires de *La mystérieuse histoire de l'Œillet rose* suffisante pour rivaliser avec mes parents) ; à Lila, qui organise les meilleures fêtes de ce côté-ci de l'Atlantique ; à Kimberly, qui n'a pas encore appris qu'il est très dangereux de poser la question « Comment va le nouveau livre ? » ; à Chris et Aaron, qui ont tous deux été suffisamment masculins pour lire un livre à la couverture rose – en public – ; à Weatherly et Elina, qui savent rendre amusante même la jurisprudence médiévale ; ainsi qu'aux stagiaires de l'été 2005 chez Cravath, qui ont égayé la pratique du droit (vous vous reconnaissez – sinon, vous avez beaucoup trop bu à la fête au Zoo).

Finalement, les derniers et non les moindres, aux magiciens de la caféine du Starbucks de Broadway Market, qui non seulement m'ont permis d'occuper une petite table du fond pendant des journées entières, mais m'ont aussi approvisionnée en lattés au pain d'épice pendant ce temps.

Merci à tous et à toutes !

Chapitre 1

Londres, Angleterre, 2003

Je me mordis les lèvres pour retenir un « Quand est-ce qu'on arrive ? ».

Si jamais le silence avait déjà été mère de sûreté, c'était maintenant. Des vagues de mécontentement palpables d'une densité suffisante pour constituer une présence supplémentaire dans la voiture émanaient de l'homme assis à côté de moi.

Faisant mine d'inspecter mes ongles, je jetai furtivement un autre regard en coin vers mon compagnon de voyage. De cette perspective, tout ce que je pouvais voir, c'était une paire de mains crispées sur le volant. Leur aspect bronzé et calleux contrastait avec les manches en velours côtelé de sa veste, le soleil de fin d'après-midi faisait ressortir une fine couche de poils blonds et, sur sa main gauche, la pâle cicatrice d'une vieille coupure détonnait sur la peau plus foncée. De grandes mains. Des mains agiles. À cet instant, il les imaginait probablement autour de mon cou.

Et certainement pas en une étreinte amoureuse.

Je ne faisais pas partie des plans de monsieur Colin Selwick pour la fin de semaine. J'étais un caillou dans sa chaussure, un grain de sable dans l'engrenage. Et le fait qu'il était un engrenage très attirant et que j'étais très célibataire à ce moment-là n'avait absolument aucune importance.

Si vous vous demandez ce que je fabriquais dans une voiture en direction d'une destination inconnue avec un individu qui m'était relativement étranger et qui aurait été très heureux de me larguer dans un fossé — eh bien, j'aimerais préciser que moi aussi. Mais je savais très bien ce que je faisais. Cela se résumait en un mot : archives.

J'avoue que les archives ne sont habituellement pas le genre de choses qui donnent des palpitations, mais c'est le cas pour quelqu'un qui en est à sa cinquième année d'études au cycle supérieur, qui est en quête d'une thèse et dont le directeur a commencé à faire des allusions menaçantes à propos de conférences, d'emplois, ainsi que des choses fâcheuses qui arrivent aux étudiants des cycles supérieurs affaiblis qui n'ont pas rédigé une pile de papiers avant leur dixième année. Selon ce que j'ai compris, ils sont subtilement traînés hors du Département d'histoire de Harvard au milieu de la nuit pour être jetés en pâture à une horde d'implacables crocodiles mangeurs d'universitaires. Ou ils se retrouvent en faculté de droit. D'une manière ou d'une autre, c'était clair : je devais trouver des sources primaires et je devais le faire au plus vite avant que les crocodiles ne s'impatientent.

Il y avait une minuscule petite motivation supplémentaire. La motivation avait les cheveux bruns et les yeux noisette et occupait un poste de professeur adjoint au Département de sciences politiques. Il s'appelait Grant.

Je me rends compte que j'ai oublié sa principale caractéristique : il était un tas de boue infidèle. Et je le dis de façon tout à fait objective. N'importe qui serait d'accord pour dire qu'embrasser une étudiante en première année des cycles supérieurs – pendant la fête de Noël de mon département à laquelle il assistait parce que *je* l'y avais invité – est une preuve indiscutable d'appartenance à la race des tas de boue infidèles.

Bref, il n'y avait jamais eu de moment plus propice pour partir faire des recherches à l'étranger.

Je n'avais pas inclus l'histoire de Grant dans ma demande de bourse. Il y avait une certaine ironie dans tout cela, n'est-ce pas? Grant... *grant*[1]... Le simple fait que je trouve cela résolument amusant n'était qu'une preuve de l'état pathétique auquel j'avais été réduite.

Cependant, si la masculinité moderne m'avait laissé tomber, le passé promettait du moins des spécimens plus radieux. Notamment le Mouron rouge, la Gentiane pourpre et l'Œillet rose, ce trio d'espions élégants qui avaient gardé Napoléon bouillant de rage et la population féminine d'Angleterre bouillante de quelque chose de tout à fait différent.

Évidemment, lorsque j'avais soumis ma demande de bourse à mon directeur, j'avais omis toute référence à des ex diaboliques ou aux propriétés esthétiques des hauts-de-chausses. J'avais plutôt parlé très sérieusement des impacts des agents secrets aristocratiques anglais sur le déroulement de la guerre contre la France, de leur influence sur les politiques parlementaires et des profondes implications culturelles de l'espionnage en tant que construction sexuée.

Toutefois, ma véritable mission avait peu à voir avec le parlement ou même le Mouron. J'étais sur les traces de l'Œillet rose, l'espion qui n'avait jamais été démasqué. Le Mouron rouge, immortalisé par la baronne Orczy, était

1. N.d.T.: Grant signifie «bourse» en anglais.

connu dans le monde entier comme Sir Percy Blakeney, baronnet, propriétaire d'une vaste collection de monocles et porteur des foulards les plus impeccablement noués de Londres. Son successeur moins connu, la Gentiane pourpre, avait continué son œuvre avec assez de succès pendant plusieurs années jusqu'à ce qu'il soit, lui aussi, vaincu par l'amour et que la presse internationale proclame qu'il était Lord Richard Selwick, l'élégant dépravé. L'Œillet rose restait un mystère tant pour les Français que pour les intellectuels.

Mais pas pour moi.

J'aurais aimé pouvoir me vanter d'avoir décrypté un message codé, déchiffré un texte ancien ou suivi une carte incompréhensible jusqu'à une cache de documents. En fait, il ne s'agissait que de pure chance qui avait pris l'apparence d'une descendante âgée de la Gentiane pourpre. Madame Selwick-Alderly m'avait donné le libre accès tant à sa demeure qu'à une vaste collection d'archives familiales. Elle ne m'avait même pas demandé de lui sacrifier mon premier-né en échange, ce qui, si j'ai bien compris, est souvent le cas avec les fées marraines dans ce genre de situation.

L'unique inconvénient de cet heureux arrangement était le neveu de madame Selwick-Alderly, le propriétaire actuel de Selwick Hall et gardien autoproclamé de l'héritage familial. Son nom ? Monsieur Colin Selwick.

Oui, *ce* Colin Selwick-là.

Dire que Colin n'avait pas été très heureux de me voir feuilleter les papiers de sa tante aurait été comme affirmer qu'Henri VIII n'avait pas eu beaucoup de chance en amour. Si la décapitation était toujours considérée comme un moyen légitime de régler les problèmes conjugaux, ma tête aurait été la première sur le billot.

Influencé soit par ma charmante personnalité ou par le fait que sa tante lui avait sévèrement passé un savon (je soupçonnais la deuxième option), Colin avait commencé à se détendre jusqu'à adopter un comportement presque humain. Je dois avouer que le processus était impressionnant. Lorsqu'il ne m'abreuvait pas d'insultes, il arborait un de ces grands sourires radieux qui font soupirer à l'unisson toutes les femmes d'une salle de cinéma. Si on aimait le genre blond costaud et athlétique. Personnellement, j'étais plutôt du genre grand brun intellectuel comme moi.

Non que ce fût un problème. Toute trace de relation que nous aurions pu avoir développée s'était désintégrée lorsque madame Selwick-Alderly avait suggéré à Colin qu'il me donne accès aux archives familiales de Selwick Hall pour la fin de semaine. « Suggérer » est un peu faible ; « lui forcer la main » serait plus près de la réalité. Les dieux de la circulation n'avaient rien fait pour améliorer la situation. J'avais abandonné l'idée d'essayer de bavarder quelque part sur l'autoroute 23, où il y avait eu un bouchon de circulation épique dans lequel étaient impliqués une voiture immobilisée, un poids lourd renversé et une dépanneuse qui, par solidarité, était vite tombée en panne en arrivant sur les lieux du crime.

Je jetai un autre coup d'œil furtif en direction de Colin.

— Veux-tu bien cesser de me regarder comme si tu étais le Petit Chaperon rouge, et moi, le loup ?

Peut-être n'avais-je pas été aussi furtive que je le croyais.

— Ma foi, Mère-grand, comme vous avez de grandes archives ?

Ce n'était pas génial comme tentative de blague, mais considérant le fait que c'était la première fois que mes cordes vocales faisaient de l'exercice depuis deux heures, j'étais raisonnablement satisfaite du résultat.

— T'arrive-t-il de penser à autre chose ? s'enquit Colin.

De la part de n'importe qui d'autre, j'aurais interprété ce genre de question comme une tentative de drague. De la part de Colin, cela sonnait seulement comme de l'exaspération.

— Pas avec une date de remise de thèse qui approche à grands pas.

— Nous, prononça-t-il d'un ton menaçant, devons toujours discuter plus précisément de ce que contiendra ta thèse.

— Mmm, répondis-je d'un air énigmatique.

Il avait déjà exprimé clairement ce qu'il en pensait, et je ne voyais pas l'utilité de lui donner l'occasion de le répéter. Moins on en parlait, plus c'était facile de l'ignorer. Il était temps de changer de sujet.

— Bonbon ?

Colin émit un bruit étouffé qui aurait pu devenir un rire s'il l'avait laissé grandir. Ses yeux croisèrent les miens dans le rétroviseur ; il arborait une expression qui aurait pu vouloir dire « J'admire ton sang-froid » ou alors « Oh, mon Dieu, qui a laissé cette folle monter dans ma voiture et où puis-je la déposer ? ».

Tout ce qu'il finit par dire fut « merci », puis il tendit la main, paume vers le haut.

Dans un esprit de bonne camaraderie, j'écartai un bonbon orange pour en faire tomber un rouge dans sa main. Je mis l'orange méprisé dans ma propre bouche et le suçai d'un air méditatif en essayant de trouver une phrase d'approche qui n'aborderait pas un sujet tabou.

Colin le fit à ma place.

— Si tu regardes vers la gauche, dit-il, tu devrais pouvoir voir la maison.

Je captai un aperçu attrayant de remparts à créneaux, qui se profilèrent derrière les arbres tels les vestiges perdus d'un plateau de tournage d'un film de Frankenstein avant que la voiture prenne un virage et que la maison devienne entièrement visible. Construite en pierre couleur crème, la demeure était d'un style que les magazines pourraient appeler « manoir historique » : une section centrale carrée avec les ornements classiques habituels et une aile plus petite qui ressortait de part et d'autre du bloc central. C'était une résidence de gentilhomme du XVIIIe siècle parfaitement normale, exactement le genre où l'on s'attendrait à ce que la Gentiane pourpre ait vécu. Il n'y avait pas de remparts.

La voiture s'arrêta en cahotant dans le cercle de gravier devant l'entrée. Sans attendre de voir si Colin allait m'ouvrir, j'attrapai le fourre-tout surdimensionné que j'avais bourré d'assez de vêtements décontractés pour deux jours et me hâtai de sortir de la voiture avant qu'il n'atteigne la portière, bien décidée à être aussi serviable que possible.

Mes talons crissèrent sur le gravier tandis que je suivais Colin jusqu'à la maison, les petits cailloux faisant subir un mauvais traitement au cuir de mes mocassins à talons bottiers. On se serait attendu à ce qu'un assortiment de domestiques soit aligné dans le hall d'entrée, mais celui-ci était plutôt nettement vide lorsque Colin fit un pas de côté pour me laisser entrer. La porte se referma avec un claquement assurément menaçant.

— Tu peux simplement me conduire à la bibliothèque puis m'oublier complètement, proposai-je aimablement. Tu ne te rendras même pas compte que je suis là.

— Avais-tu l'intention de dormir dans la bibliothèque ? demanda-t-il, non sans un certain amusement, en regardant le fourre-tout sous mon bras.

— Euh... Je n'y avais pas vraiment pensé. Je peux dormir n'importe où.

— Eh bien.

Je sentis mon visage devenir aussi rouge que l'alarme de feu d'une école secondaire et tentai de corriger rapidement la situation.

— Je veux dire que je ne suis pas difficile.

Argh. De pire en pire, comme dirait Alice. Il y a des moments où je ne devrais pas être autorisée à sortir de chez moi sans muselière.

— Enfin, pas difficile comme invitée, précisai-je d'une voix étouffée en remontant mon sac sur mon épaule.

— Je crois que l'hospitalité de Selwick Hall peut aller jusqu'à te fournir un lit, répondit sèchement Colin en ouvrant la voie jusqu'en haut d'un escalier dissimulé d'un côté du hall.

— C'est bon à savoir. C'est très généreux de ta part.

— C'était trop compliqué de nettoyer les donjons, expliqua Colin en ouvrant une porte pas très loin sur le palier pour révéler une chambre de taille moyenne dotée d'un lit à baldaquin.

Les murs étaient vert foncé, ornés de motifs dorés en forme d'animaux qui ressemblaient à des dragons ou à des griffons assis sur leurs pattes arrières et dont les ailes stylisées touchaient les pattes avant de l'animal au-dessus. Colin fit un pas de côté pour me laisser entrer.

Je laissai tomber mon sac sur le lit et fis demi-tour pour faire face à Colin, qui était toujours appuyé contre la porte. Je repoussai les cheveux qui me tombaient devant les yeux.

— Merci. Vraiment. C'est vraiment sympa de ta part de m'accueillir ici.

Colin ne prononça aucune des platitudes habituelles selon lesquelles ce n'était rien ou qu'il était ravi que je sois là.

— Les toilettes sont deux portes plus loin à gauche, dit-il à la place en inclinant la tête en direction du hall. L'eau chaude a tendance à couper après dix minutes, et la chasse doit être tirée trois fois avant de fonctionner.

— C'est bon, répondis-je.

Il gagnait au moins des points pour l'honnêteté.

— J'ai compris. Toilettes à gauche, tirer deux fois.

— Trois fois, me reprit Colin.

— Trois, répétai-je d'un ton ferme, comme si j'allais réellement m'en souvenir.

Je suivis Colin le long du couloir.

— Éloïse ?

Quelques mètres devant moi, Colin tenait une porte ouverte au bout du couloir.

— Désolée !

Je me hâtai le long du couloir pour le rejoindre et me précipitai par la porte à bout de souffle.

— C'est donc ça, la bibliothèque, dis-je avec un peu trop d'enthousiasme en croisant les bras sur ma poitrine.

Il ne pouvait certainement y avoir aucun doute à ce sujet ; jamais une pièce n'avait autant ressemblé à l'idée préconçue que les gens s'en font. Les murs étaient couverts de panneaux en bois riche et foncé, bien que le vernis ait été écaillé à certains endroits où des livres avaient trop souvent frotté contre le bois en passant. Un escalier de fer en colimaçon, dont les marches étroites en pointe de tarte promettaient de casser le cou aux imprudents, montait jusqu'à la mezzanine. Je penchai la tête en arrière, purement et simplement étourdie par le nombre de livres ; rayon après rayon, il y avait là plus de livres que ce que le plus dévoué des bibliophiles pouvait espérer consommer en passant sa vie entière à lire. Dans un coin, une pile de livres à couvertures souples qui tombaient en miettes – James Bond, remarquai-je en plissant les yeux pour regarder du coin de l'œil, avec des couvertures clinquantes des années soixante-dix – conférait à l'ensemble une touche légèrement incongrue. Je repérai une pile de magazines *Country Life* moisis nez à nez avec la collection complète de *L'histoire d'Angleterre* de Trevelyan, ornée d'une reliure victorienne originale. L'air était saturé d'odeurs de papier en décomposition et de vieilles reliures en cuir.

Au rez-de-chaussée, où je me tenais avec Colin, les étagères laissaient la place à quatre grandes fenêtres, deux à l'est et deux au nord, toutes décorées d'épais rideaux rouges à carreaux bleus, à l'opposé du tapis bleu moucheté de rouge. Sur le mur ouest, les rayons cédaient la place d'honneur à une cheminée massive assez grande pour y rôtir un cerf, surmontée d'un manteau sculpté qui aurait fait la fierté d'Ivanhoé.

Bref, la bibliothèque était un fantasme gothique.

Mon visage se décomposa.

– Ce n'est pas d'origine.

– Non, pauvre innocente, répondit Colin. Toute la maison a été détruite peu avant le début du siècle. Du siècle dernier, ajouta-t-il d'un ton tranchant.

– Détruite ? demandai-je d'une voix tremblante.

Bon, d'accord, je sais que c'est absurde, mais j'avais entretenu l'illusion romantique de marcher où la Gentiane pourpre avait marché, de m'asseoir au bureau où il avait rapidement rédigé ces notes sur lesquelles avait reposé le sort du royaume, de voir la cuisine où ses repas étaient préparés… Je me gratifiai moi-même d'une expression dégoûtée. À ce stade, je n'étais qu'à un pas de fouiller dans les ordures de la Gentiane pourpre et de serrer ses bouteilles de porto vides sur ma poitrine palpitante.

– Détruite, répéta Colin avec fermeté.

– Le plan d'étage ? demandai-je, pathétique.

– Complètement redessiné.

– Mince.

Les rides de sourire aux coins de sa bouche se creusèrent.

– Enfin, ergotai-je, quel dommage pour la postérité.

Colin haussa un sourcil.

– C'est considéré comme l'un des grands modèles du mouvement *Arts & Crafts*. La plupart des tapisseries et des rideaux ont été conçus par William Morris, et dans l'ancienne chambre d'enfant, les carreaux de la cheminée sont de Burne-Jones.

– Le préraphaélisme est vraiment surfait, répliquai-je amèrement.

Colin s'approcha nonchalamment de la fenêtre, les mains derrière le dos.

– Les jardins n'ont pas changé. Tu peux toujours aller te balader dans le domaine si tu commences à te sentir submergée par le style victorien.

– Ce ne sera pas nécessaire, dis-je avec autant de dignité que je pus en rassembler. Tout ce dont j'ai besoin, ce sont vos archives.

– Très bien, répondit vivement Colin en se détournant de la fenêtre. Nous devrions t'installer dans ce cas, qu'en dis-tu ?

— Y a-t-il une salle des scellés ? demandai-je en suivant Colin.

— Rien de si grandiose.

Colin se dirigea directement vers l'une des bibliothèques, ce qui me causa temporairement des palpitations d'appréhension. Les livres sur l'étagère paraissaient incontestablement anciens — du moins, si l'on pouvait se fier à la quantité de poussière sur leurs dos —, mais il ne s'agissait que de livres. De la matière imprimée. Lorsque madame Selwick-Alderly avait dit qu'il y avait des archives à Selwick Hall, elle n'avait pas précisé de quel type de documents il s'agissait. Pour autant que je sache, elle aurait très bien pu vouloir dire l'une de ces ignobles publications futiles de la période victorienne compilées à partir de « documents perdus » et intitulées *Quelques documents ayant préalablement appartenu à la famille Selwick, mais tragiquement échappés dans les toilettes l'année dernière* ; elles ne citaient jamais leurs sources et avaient tendance à présenter uniquement les extraits jugés intéressants en omettant tout ce qui risquait de ne pas faire honneur aux ancêtres.

Mais Colin dépassa les rangées de livres aux reliures en cuir. Il s'accroupit plutôt, d'un mouvement aussi fluide qu'il était inattendu, devant le lambris en acajou finement sculpté qui faisait le tour de la pièce à la hauteur des genoux.

— Hé ?

Je faillis trébucher sur lui et m'arrêtai si brusquement qu'un de mes genoux heurta son omoplate. M'agrippant au bord d'une étagère pour reprendre mon équilibre, je baissai les yeux d'un air hébété sur Colin tandis que celui-ci se penchait au-dessus du panneau en bois. Sa tête m'empêchait de voir ce qu'il fabriquait. Je ne voyais rien d'autre que des cheveux pâlis par le soleil, plus foncés à la racine, où les effets de l'été s'estompaient, ainsi qu'un dos penché, large et musclé, sous une chemise Oxford. Les effluves d'une odeur de shampoing récemment appliqué contrastaient avec l'odeur étouffante de renfermé, de vieux livres et de cuir en décomposition.

Je ne pouvais pas voir ce qu'il fabriquait, mais il devait avoir tourné une espèce de loquet, parce que le lambris, dont le joint était habilement camouflé par les motifs du bois, s'ouvrit. Maintenant que je savais où regarder, il n'y avait rien de mystérieux là-dedans. En jetant un coup d'œil autour de la pièce, je pus voir que le lambris était aligné avec le bord des étagères au-dessus, ce qui laissait un espace inapparent d'environ soixante centimètres de profondeur.

— Ce sont tous des placards, m'expliqua brièvement Colin en bondissant aisément sur ses pieds à mes côtés.

— Évidemment, répondis-je, comme si je l'avais toujours su et n'avais jamais entretenu d'affolantes visions de moi, forcée de lire des transcriptions qui dataient de la fin de l'époque victorienne.

Une chose était certaine : je n'avais nullement besoin de m'inquiéter de devoir me divertir en lisant de vieux numéros de *Punch*. Il y avait là des tas d'épais dossiers reliés entre des papiers de garde marbrés, une effusion de minces enveloppes en carton fermées à l'aide de ficelles et des régiments entiers de ces boîtes sans acide gris pâle utilisées pour contenir des documents volants.

— Comment as-tu pu garder tout ça pour toi pendant toutes ces années ? m'exclamai-je en tombant à genou devant le placard.

— Très facilement, répondit sèchement Colin.

Sans interrompre mon examen, je fis un signe de la main en direction de l'endroit où il se trouvait pour lui indiquer qu'il pouvait disposer. Je m'approchai pour mieux voir et inclinai la tête pour essayer de lire les étiquettes dactylographiées que quelqu'un avait collées sur les épines il y a longtemps, si l'on pouvait se fier à leur état jauni et à la forme des lettres. Les documents semblaient grossièrement classés par personne et par date. Sur les vieilles étiquettes, on pouvait lire des choses comme LORD RICHARD SELWICK (1776-1841), CORRESPONDANCE, DIVERS, 1801-1802, ou encore SELWICK HALL, COMPTABILITÉ DOMESTIQUE, 1800-1806. Passant par-dessus la comptabilité domestique, je poursuivis mon exploration. Je tendis la main vers un dossier au hasard et le retirai prudemment de sa place à côté d'un petit carnet format poche avec une reliure en cuir rouge usée.

— Je te laisse, d'accord ? demanda Colin.

— Mmm-mmm.

Le type de volume ressemblait à ceux de la British Library ; de vieux documents collés sur les pages d'un grand livre vierge, avec des annotations d'une écriture beaucoup plus récente dans les marges. Sur la première page, une main de l'époque édouardienne avait écrit en caractères penchés « Correspondance de Lady Henrietta Selwick, 1801-1803 ».

— Dîner dans une heure ?

— Mmm-mmm.

J'en feuilletai délibérément la fin en parcourant rapidement les salutations et les dates. Je cherchais des références à deux choses : l'Œillet rose ou l'école d'espionnage fondée par la Gentiane pourpre et son épouse après qu'ils furent obligés d'abandonner le service actif. Ni l'Œillet rose ni l'école d'espionnage n'avaient vraiment existé avant mai 1803. Remettant le volume à sa place, je tirai sur le suivant pour le sortir d'en dessous en espérant qu'ils avaient été empilés dans un certain ordre chronologique.

– Arsenic avec un accompagnement de cyanure ?

– Mmm-mmm.

C'était le cas. Le dossier suivant comprenait la correspondance de Lady Henrietta, de mars à novembre 1803. Excellent.

J'eus à peine conscience d'entendre la porte de la bibliothèque se fermer.

Je reculai et m'assis lourdement sur le sol à côté du placard ouvert, le volume ouvert étendu sur mes genoux. Nichée au sein de la correspondance d'Henrietta, il y avait une lettre rédigée d'une écriture différente. Alors que l'écriture d'Henrietta était ronde avec des lettres pleines de boucles ornées de fioritures occasionnelles, cette écriture-ci était assez régulière pour être une imitation de script faite par ordinateur. Sans l'aide des avancées technologiques, cette écriture indiquait une main méthodique et un esprit encore plus méthodique. Plus important encore : je connaissais cette écriture. Je l'avais vue dans la collection de madame Selwick-Alderly, entre les gribouillis peu soignés d'Amy Balcourt et l'écriture franche de Lord Richard. Je n'avais même pas besoin de tourner la page afin de voir la signature pour savoir qui l'avait rédigée, mais je le fis tout de même. « Affectueusement, votre cousine, Jane. »

Il y eut de nombreuses Jane au cours de l'histoire ; la majorité d'entre elles étaient aussi douces et sans prétention que leur nom. Lady Jane Grey, l'infortunée reine d'Angleterre pendant sept jours. Jane Austen, l'auteure au visage agréable idolâtrée par les étudiants en littérature anglaise et les adeptes de drames historiques de la BBC.

Puis il y eut mademoiselle Jane Wooliston, mieux connue sous le nom de l'Œillet rose.

J'empoignai la reliure du volume, comme s'il y avait des risques qu'il s'enfuie si je relâchais mon étreinte, tout en me retenant d'émettre de petits cris de jubilation. Colin me prenait probablement déjà pour une folle sans que j'aie besoin de lui en donner des preuves supplémentaires. Mais j'exultais intérieurement. Pour le reste de la communauté d'historiens (je me permis un peu d'exultations personnelles), les seules références à l'Œillet rose qui avaient survécu étaient des mentions dans les journaux de l'époque, ce qui n'était pas exactement la source la plus fiable. En effet, certains universitaires croyaient même que l'Œillet rose n'avait jamais réellement existé et que les frasques qui avaient été attribuées à cette fleur mythique sur une période d'une dizaine d'années – le vol d'une cargaison d'or sous le nez de Bonaparte, l'incendie d'une usine française de bottes, la disparition d'un convoi de munitions au Portugal pendant la guerre d'indépendance espagnole, pour n'en nommer que quelques-unes – étaient le fait de plusieurs acteurs qui n'avaient aucun lien entre eux. L'Œillet rose, insistaient-ils, était quelque chose comme Robin des Bois : un mythe pratique propagé pour remonter le moral des gens pendant les jours sombres des guerres napoléoniennes, alors que l'Angleterre était résolument seule à se tenir debout tandis que le reste de l'Europe tombait sous le joug de Bonaparte.

Ils allaient avoir une sacrée surprise !

Grâce à madame Selwick-Alderly, je savais qui était l'Œillet rose. Mais il me fallait plus que ça. Je devais être en mesure de relier Jane Wooliston aux événements attribués à l'Œillet rose par les gazettes afin de fournir une preuve concrète que non seulement l'Œillet rose avait existé, mais aussi qu'il avait été continuellement en service pendant cette période.

Cette lettre sur mes genoux était un excellent point de départ. Une référence à l'Œillet rose aurait été bien. Une lettre de l'Œillet rose en personne était encore mieux.

Je parcourus avidement les premières lignes.

« Chère cousine, depuis ma dernière lettre, Paris a été un tourbillon de gaieté, et je n'ai guère eu le temps de me reposer entre tous mes rendez-vous… »

Chapitre 2

Petit déjeuner vénitien : *excursion nocturne clandestine.*
— tiré du livre de codes personnel de l'Œillet rose

«… Hier, j'ai pris part à un petit déjeuner vénitien chez un gentilhomme très près du consul. Il a été plus qu'aimable. »

Dans le petit salon à Uppington House, Lady Henrietta Selwick vérifia le niveau de liquide dans sa tasse de thé, plaça un petit carnet rouge sur le coussin à côté d'elle et se pelotonna contre le bras de son canapé favori.

Sous son coude, le tissu commençait à se déchirer et à s'effilocher, la soie rayée blanc et jaune était maculée de douteuses taches de la couleur du thé, et des zones usées plus bas sur le canapé témoignaient du fait que les deux pieds couverts de chaussons qui les occupaient à l'instant les avaient déjà occupées auparavant. Le petit salon était généralement réservé à la maîtresse de maison, mais Lady Uppington, qui était incapable de rester assise au même endroit plus longtemps que nécessaire pour livrer une épigramme lapidaire, avait depuis longtemps cédé la pièce ensoleillée à Henrietta, qui l'utilisait tant pour recevoir ses visiteurs que comme bibliothèque (puisque la vraie bibliothèque avait le défaut regrettable d'être trop sombre pour réellement y lire) et bureau. Baignée des rayons du soleil en fin de matinée, c'était une pièce agréable et paisible ; une pièce parfaite pour les rêveries innocentes ainsi que pour prendre le thé en privé.

À cet instant, c'était une plaque tournante de l'espionnage international.

Sur le petit canapé blanc et jaune reposaient des secrets pour lesquels les meilleurs agents secrets de Bonaparte auraient donné n'importe quoi – même leurs yeux, d'ailleurs, n'eût été le fait que cela les empêcherait de lire le contenu du petit carnet rouge.

Henrietta étala la dernière lettre de Jane sur ses genoux couverts de mousseline. Même si un espion français s'était justement trouvé à regarder par la fenêtre, Henrietta savait exactement ce qu'il verrait : une jeune dame sereine (Henrietta se hâta de replacer une mèche de cheveux qui s'était échappée du chignon grec au sommet de son crâne) en train de rêvasser devant sa correspondance et son journal intime. Cela suffisait à endormir un espion, ce qui était précisément la raison pour laquelle Henrietta avait proposé le plan à Jane au départ.

Pendant sept longues années, Henrietta avait cherché à être impliquée dans l'effort de guerre. Il ne lui paraissait pas très juste que son frère ait le droit d'être décrit dans les gazettes illustrées comme étant « cette figure séduisante de l'ombre, cette épine dans le pied de la France, ce sauveur silencieux connu uniquement sous le nom de la "Gentiane pourpre" », alors qu'elle-même était coincée dans le rôle de la petite sœur casse-pieds de l'ombre séduisante. Tel qu'Henrietta l'avait fait remarquer à sa mère l'année de ses treize ans – l'année où Richard s'était joint à la Ligue du

Mouron rouge –, elle était aussi intelligente que Richard, aussi créative que Richard et certainement beaucoup plus discrète que Richard.

Malheureusement, elle était aussi, comme sa mère le lui avait rappelé, beaucoup plus jeune que Richard. Sept ans plus jeune, pour être précis.

– Ah, pfff ! avait répondu Henrietta, puisqu'il n'y avait vraiment rien à répondre à cela et qu'elle n'était pas du genre à aimer rester sans rien dire.

Lady Uppington l'avait regardée avec empathie.

– Nous en reparlerons quand tu seras plus âgée.

– Juliette s'est mariée à treize ans, vous savez, avait protesté Henrietta.

– Oui, et regarde ce qui lui est arrivé, avait répliqué Lady Uppington.

À quinze ans, Henrietta avait décidé qu'elle avait assez attendu. Offrant sa meilleure imitation du plaidoyer de Portia, elle avait plaidé sa cause devant la Ligue du Mouron rouge. Les gentilshommes de la Ligue n'avaient pas été émus par ses réflexions sur la valeur de la clémence ni impressionnés par son argument selon lequel une jeune fille intrépide pouvait se faufiler là où un homme adulte resterait pris dans le cadre de la fenêtre.

Sir Percy lui avait jeté un regard sévère à travers son monocle.

– Nous en discuterons…

– Je sais, je sais, avait répondu Henrietta d'un air las. Quand je serai plus vieille.

Elle n'avait pas plus connu de succès lorsque Sir Percy avait pris sa retraite et que Richard avait commencé à en imposer dans les prisons françaises et les gazettes anglaises en tant que Gentiane pourpre. Richard, puisqu'il était son grand frère, s'était montré beaucoup moins diplomate que Sir Percy. Il n'avait même pas fait l'obligatoire allusion à son âge.

– Es-tu devenue folle ? lui avait-il demandé en passant nerveusement une main gantée de noir dans ses cheveux blonds. As-tu une *idée* de ce que mère me ferait subir si je te laissais même approcher d'une prison française ?

– Ah, mais mère a-t-elle besoin de le savoir ? avait astucieusement suggéré Henrietta.

Richard lui avait répondu par un autre regard qui voulait dire « Es-tu devenue entièrement et complètement cinglée ? ».

– Si on ne le dit pas à mère, elle le découvrira. Et lorsqu'elle le découvrira, avait-il lâché entre ses dents, elle me *démembrera*.

– Ce ne serait sûrement pas si…

– En milliers de petits morceaux.

Henrietta avait insisté un peu, mais puisqu'elle n'arrivait à obtenir de son frère rien de plus que d'incohérents marmonnements à propos de sa tête plantée au sommet des grilles d'Uppington Hall, de ses jambes données en pâture aux chiens et de son cœur et son foie servis sur un plateau dans la salle à manger, elle avait abandonné et était allée s'adonner elle-même à quelques grommellements au sujet de grands frères autoritaires qui croyaient tout savoir simplement parce que la *Voix du Kent* avait publié un dossier de cinq pages sur leurs exploits.

Implorer ses parents s'était révélé tout aussi inefficace. Après que Richard eut été suffisamment imprudent pour se faire capturer par le ministère de la Police, Lady Uppington était devenue carrément déraisonnable en matière d'espionnage. Les demandes d'Henrietta s'étaient heurtées à des « Non, certainement pas. Il n'en est pas question, jeune dame », et même à un mémorable « Il y a toujours des couvents en Angleterre ».

Henrietta n'était pas tout à fait certaine que sa mère eût raison à ce sujet – il y avait eu une Réforme, et plutôt approfondie –, mais elle n'avait aucune envie d'en faire la preuve. En outre, sa nouvelle belle-sœur, Amy, lui avait décrit avec d'horribles détails la salle de torture du ministère de la Police, et Henrietta doutait fort que son hospitalité lui plût davantage qu'elle n'avait plu à Richard.

Mais lorsqu'on avait cherché à faire quelque chose pendant sept ans, il était plutôt difficile d'abandonner ainsi. Donc, lorsque la cousine d'Amy, Jane Wooliston, aussi connue sous le nom de l'Œillet rose, avait mentionné par hasard qu'elle avait du mal à transmettre ses rapports au ministère de la Guerre parce que ses messagers avaient la fâcheuse habitude de se faire tuer en chemin, Henrietta n'avait été que trop heureuse de lui offrir son aide.

Il s'agissait, se disait Henrietta pour soulager sa conscience, d'une mission qui comportait si peu de risques que même sa mère ne pourrait rien trouver à y redire ni se mettre en quête du dernier couvent anglais en fonction. Ce n'était pas Henrietta qui allait devoir courir dans les ruelles sombres de Paris ni chevaucher à bride abattue sur les routes françaises pleines d'ornières dans une tentative désespérée d'atteindre la côte. Tout ce qu'elle avait à faire, c'était de rester assise dans le petit salon d'Uppington House et d'entretenir une correspondance qui paraissait totalement anodine avec Jane au sujet de bals, de robes et d'autres sujets qui promettaient de faire pleurer d'ennui les agents secrets français.

Paraître anodin était la clé. Pendant qu'elle était à Londres pour le mariage d'Amy et de Richard, Jane avait passé quelques jours assise à son pupitre à gribouiller dans un petit carnet rouge. Lorsqu'elle était finalement réapparue, elle avait présenté à Henrietta un lexique complet de termes absolument normaux de la vie quotidienne, mais dont les significations n'avaient absolument rien à voir avec la vie quotidienne.

Depuis que Jane était retournée à Paris deux semaines plus tôt, la tactique s'était révélée formidablement efficace. Un échange sur les avantages relatifs des fleurs par rapport aux boucles comme garniture sur une robe de soirée ne sèmerait pas le moindre doute, pas même chez le plus endurci des agents secrets français, et une description de cinq pages du petit déjeuner vénitien de la veille à la résidence parisienne de la vicomtesse de Loring garantissait un regard vide même de la part du plus déterminé des intercepteurs de lettres anglaises.

Ils ne risquaient guère de se rendre compte que « petit déjeuner vénitien » était un code pour parler d'une incursion nocturne au ministère de la Police afin de s'emparer des dossiers secrets. Le petit déjeuner, après tout, était censé avoir lieu tôt le matin et faisait donc un parfait analogue pour « au beau milieu de la nuit ». Quant à « vénitien »... Eh bien, le système de classement de Delaroche était aussi complexe et mystérieux que les rouages de la Seigneurie de Venise au sommet de sa décadence pendant la Renaissance.

Ce qui ramena Henrietta à la lettre qu'elle avait en main.

Jane l'avait commencée par « Ma très chère Henrietta », une salutation qui signifiait des nouvelles de la plus grande importance. Henrietta se redressa sur le canapé. Jane avait fouillé le bureau de quelqu'un — la lettre ne précisait pas de qui —, et cette personne avait été plus qu'aimable, ce qui voulait dire que, peu importe les documents que Jane était venue chercher, ils avaient été faciles à trouver et Jane n'avait pas été dérangée.

« J'ai envoyé un message à notre grand-oncle Archibald à Aberdeen – il s'agissait de William Wickham au ministère de la Guerre – aux soins du cousin Ned. » Henrietta tendit la main vers le livre de codes recouvert de maroquin rouge. Elle avait déjà vu le mot cousin ; il se traduisait simplement par « messager ». Henrietta atteignit la bonne page du livre de codes. « Voir Ned, cousin », avait indiqué Jane. Marmonnant un peu pour elle-même à propos des gens qui ont l'esprit déplorablement méthodique, Henrietta continua de feuilleter jusqu'à la lettre N. « Ned, cousin : messager professionnel au service de la Ligue ».

Henrietta jeta un regard noir au petit carnet rouge. Jane l'avait fait aller jusqu'à la lettre N pour cela ?

« Étant donné la tendance de Ned à s'entourer de mauvaise compagnie, poursuivait Jane, je crains fort qu'il ne soit si occupé à faire ribote et bombance qu'il négligera de remplir ma petite mission. »

Ayant quelque peu saisi la façon dont fonctionnait l'esprit de Jane, Henrietta se rendit directement à la lettre C et se permit un petit sourire satisfait lorsqu'elle vit « compagnie, mauvaise » juste au-dessous de « compagnie, bonne » et « compagnie, conviviale », et au-dessus de « compagnie, vaut mieux ne pas rechercher ». Son sourire s'effaça quelque peu quand elle sut que « compagnie, mauvaise » signifiait « une bande d'agents secrets français meurtriers, employés dans le principal objectif d'éliminer les agents du renseignement anglais ». Pauvre cousin Ned. Dans le même ordre d'idées, « ribote », quelques pages plus loin, n'avait rien à voir avec des bacchanales, mais faisait plutôt référence au fait d'être « engagé dans une lutte à la vie à la mort avec les sbires de Bonaparte », une activité qui semblait hautement désagréable.

— Mais de quoi *s'agit*-il ? murmura Henrietta à l'indifférent bout de papier dans ses mains.

Jane avait-elle découvert de nouveaux plans visant à envahir l'Angleterre ? Une ébauche de projet pour détruire la flotte anglaise ? Il pourrait même s'agir, songea Henrietta, d'une nouvelle tentative d'assassinat du roi George. Son frère en avait déjoué deux, mais les Français continuaient d'essayer. Du moins, ils supposaient que c'était les Français et non le prince de Galles qui tentait de se venger de son père parce qu'il l'avait forcé à épouser Caroline de Brunswick, qui avait l'honneur de porter le titre douteux de « princesse la plus malodorante d'Europe ».

« Dis à l'oncle Archibald », poursuivait cruellement Jane après une longue et pénible description des robes portées par la moitié des femmes présentes au petit déjeuner vénitien imaginaire, « qu'un nouveau roman abominable est en ce moment même en route vers Hatchards et devrait déjà y être le temps que tu reçoives cette missive ! ».

Henrietta feuilleta le petit carnet de Jane. « Roman abominable : un as de l'espionnage de l'espèce la plus sournoise ».

Il n'y avait pas d'entrée sous « Hatchards », mais comme la librairie du même nom était à Piccadilly, Henrietta était certaine que Jane tentait de lui dire que cet as de l'espionnage était en ce moment même dans les environs de Londres.

« Je t'assure, ma chère Henrietta, qu'il s'agit du plus abominable des romans abominables ; je n'en ai jamais lu de plus abominable. Il est vraiment très, très abominable. »

Henrietta n'eut pas besoin de consulter le livre de codes pour saisir toute l'importance de ces lignes.

Le fait qu'il y ait des espions français à Londres n'était pas terriblement choquant ; la ville en était truffée. Pas plus tard que deux semaines auparavant, les gazettes avaient claironné la capture d'un groupe d'espions français, qui se faisaient passer pour des marchands de foulards.

Richard, au cours de l'une de ses dernières apparitions en tant que Gentiane pourpre, avait éradiqué la plupart des espions du réseau personnel de Delaroche, un groupe hétéroclite composé de filles de cuisine, de pugilistes, de courtisans et même de quelqu'un qui se faisait passer pour un membre de la famille royale élargie (la reine Charlotte et le roi George avaient tellement d'enfants qu'il était pratiquement impossible de savoir qui était qui). Certains espions rendaient des comptes à Delaroche, d'autres à Fouché, certains travaillaient pour la dynastie des Bourbons en exil, et d'autres encore espionnaient pour le bien de l'espionnage et fournissaient leurs renseignements au plus offrant.

De toute évidence, cet espion-ci sortait de l'ordinaire.

Assise là, la lettre froissée sur les genoux, Henrietta eut une idée ; une idée qui lui étira les coins de la bouche vers le haut et alluma une étincelle d'espièglerie dans ses yeux noisette. Et si… non. Henrietta secoua la tête. Elle ne devrait pas.

Mais si…

L'idée la titilla et la piqua avec autant d'insistance qu'un furet affamé. Henrietta regarda au loin, perdue dans ses pensées. Les coins de sa bouche, étirés vers le haut, se transformèrent en un véritable sourire radieux.

Et si elle démasquait elle-même cet espion particulièrement abominable ?

Henrietta s'appuya contre le bras du canapé et posa le menton dans sa main. Quel mal cela pourrait-il faire qu'il y ait une paire d'yeux et d'oreilles supplémentaires dévouées à la cause ? Ce n'était pas comme si elle avait l'intention de faire quelque chose d'idiot, comme cacher l'information au ministère de la Guerre et entreprendre la mission toute seule. Henrietta, une grande adepte des romans à sensation, avait toujours cultivé le plus vif mépris pour les héroïnes au cerveau de la grosseur d'un pois qui refusaient de recourir aux autorités compétentes et qui, à la place, insistaient pour taire des renseignements vitaux jusqu'à ce que le méchant les ait pourchassées dans des passages souterrains jusqu'au bord d'une falaise balayée par les vents.

Non, Henrietta ferait exactement ce que Jane lui demandait : elle transmettrait la lettre décodée à Wickham au ministère de la Guerre par l'intermédiaire de son contact à la boutique de rubans de la rue Bond. L'objectif, après tout, était d'appréhender l'espion aussi vite que possible, qui fût-il, et Henrietta savait que le ministère de la Guerre possédait beaucoup plus de ressources qu'elle, bien qu'elle fût la sœur d'un espion.

Malgré tout, quel joli coup ce serait si elle arrivait à trouver l'espion la première ! Certaines personnes – certaines personnes qui portaient le nom de famille Selwick, pour être précis – auraient droit à un beau « Je te l'avais dit ».

Il n'y avait qu'une petite ombre au tableau ensoleillé de sa rêverie. Elle n'avait pas la moindre idée de la façon dont il fallait s'y prendre pour attraper un espion. Contrairement à sa belle-sœur Amy, Henrietta avait passé son enfance à jouer à la poupée et à lire des romans, pas à chercher le chemin le plus court pour Calais au cas où elle serait chassée de Paris par la police française ni à apprendre comment se métamorphoser en vieux vendeur d'oignons ratatiné.

En voilà une idée! Si quelqu'un savait comment s'y prendre pour localiser l'espion le plus meurtrier de France avec le maximum de style, c'était Amy. À leur retour de France, Amy et Richard avaient, entre autres choses, converti le domaine de Richard dans le Sussex en école clandestine pour agents secrets, que la famille appelait, en plaisantant, la Serre.

Rien ne valait les conseils d'experts, se dit gaiement Henrietta en mettant la lettre et le livre de codes de côté pour sautiller à travers la pièce jusqu'à son secrétaire. Elle tourna la clé, abaissa le couvercle avec un bang exubérant et tira brusquement une petite chaise jaune.

« Chère Amy, commença-t-elle en plongeant sa plume dans l'encrier avec enthousiasme. Tu seras ravie d'apprendre que j'ai décidé de suivre ton bon exemple... »

Après tout, se dit Henrietta en écrivant activement, elle faisait vraiment une faveur au ministère de la Guerre en lui fournissant un agent secret supplémentaire sans frais supplémentaires. Dieu seul savait à qui le ministère de la Guerre pourrait confier la tâche s'il était laissé à lui-même.

Chapitre 3

Visite matinale : *rencontre*
avec un agent du ministère de la Guerre.
– tiré du livre de codes personnel de l'Œillet rose

– Vous vouliez me voir ? demanda l'honorable Miles Dorrington, héritier de la vicomté de Loring et dépravé notoire, en passant la tête par la porte du bureau de William Wickham.

– Ah, Dorrington.

Sans lever les yeux de la pile de papiers qu'il parcourait, Wickham montra d'un geste un siège en face de son secrétaire encombré.

– Exactement l'homme que je cherchais.

Miles se retint de faire remarquer qu'envoyer à quelqu'un une note avec les mots « Venez immédiatement » avait tendance à augmenter radicalement les chances de voir cette personne. On ne faisait tout simplement pas ce genre de commentaire au chef des services secrets d'Angleterre.

Miles manœuvra sa grande carcasse jusqu'à la petite chaise que Wickham avait pointée, posa les gants et le chapeau qu'il avait enlevés sur un de ses genoux, puis étendit ses longues jambes autant que le lui permettait la chaise minuscule. Il attendit que Wickham ait terminé, sablé et plié le message qu'il venait d'écrire.

– Bonjour, monsieur, prononça Miles d'un ton enjoué.

Wickham lui répondit par un hochement de tête.

– Un instant, Dorrington.

Après avoir inséré le bout d'un bâtonnet de cire à cacheter dans la bougie sur son secrétaire, il fit tomber d'une main experte plusieurs gouttes de cire rouge sur le papier plié avant d'y apposer efficacement son sceau personnel. Il se déplaça à vive allure de son secrétaire à la porte, remit le message à un garde qui attendait et lui dit quelques mots à voix basse. Tout ce que Miles entendit fut « avant midi demain ».

De retour à son bureau, Wickham extirpa plusieurs bouts de papier de son chaos organisé et les inclina vers lui. Miles résista à l'envie de tendre le cou pour lire ce qui était inscrit sur la première page.

– J'espère que je n'arrive pas au mauvais moment, insinua Miles, un œil sur le document.

Malheureusement, il s'agissait de papier de bonne qualité ; malgré la flamme qui vacillait à proximité, il aurait été impossible de lire à travers la page, et ce, même si Miles avait maîtrisé l'art de lire à l'envers, ce qui n'était pas le cas.

Wickham jeta à Miles un regard légèrement narquois au-dessus de ce qu'il lisait.

– Il n'y a pas eu de bon moment depuis que les Français sont devenus fous. Et ça empire constamment.

Miles se pencha en avant tel un épagneul qui sent un faisan mort.

– Y a-t-il du nouveau au sujet des plans d'invasion de Bonaparte ?

Wickham ne se donna pas la peine de répondre. À la place, il continua de parcourir le document qu'il avait en main.

– C'est du beau travail que vous avez fait pour démasquer cette bande d'espions sur Bond Street.

L'éloge inattendu prit Miles au dépourvu. Habituellement, ses rencontres avec le chef des services secrets anglais se résumaient plus à des ordres qu'à des compliments.

– Merci, monsieur. Tout ce qu'il fallait, c'était un bon sens de l'observation.

Et les plaintes de son valet concernant la piètre qualité des foulards que vendaient les nouveaux marchands. Downey remarquait ce genre de choses. Ses soupçons éveillés, Miles avait lui-même fait quelques « courses » dans l'arrière-boutique de l'établissement et découvert une demi-douzaine de pigeons voyageurs ainsi qu'une pile de minuscules rapports.

Wickham feuilleta distraitement le paquet de feuilles.

– Et le ministère de la Guerre n'ignore pas le rôle que vous avez joué dans les derniers exploits de l'Œillet rose en France.

– C'était un rôle très mineur, répondit Miles avec modestie. Tout ce que j'ai fait, c'était d'assommer quelques soldats français et…

– Néanmoins, l'interrompit Wickham, le ministère de la Guerre en a pris note. C'est pourquoi nous vous avons convoqué ici aujourd'hui.

Malgré lui, Miles se redressa sur sa chaise et resserra son emprise sur les gants qu'il avait enlevés. Ça y était. Les affectations. Les affectations qu'il attendait depuis des années.

Sept ans, pour être précis.

La France était en guerre contre l'Angleterre depuis onze ans, et Miles était au service du ministère de la Guerre depuis sept ans. Cependant, malgré la longue durée de son emploi au ministère de la Guerre, malgré tout le temps qu'il avait passé à faire la navette jusqu'aux bureaux de Crown Street, à transmettre des rapports et à recevoir des affectations, Miles pouvait compter le nombre de missions actives qu'on lui avait assignées sur les doigts d'une main.

Et il s'agissait d'une main normalement constituée, avec cinq pauvres doigts.

Le ministère de la Guerre avait surtout compté sur Miles pour lui servir de contact auprès de la Gentiane pourpre. Puisque Miles était le plus ancien et le plus cher ami de Richard et qu'il passait plus de temps à Uppington House qu'à son club (et il passait plus de temps à son club que dans son propre logement terne de célibataire), le choix du ministère de la Guerre n'était pas étonnant.

Pendant que Richard était en fonction en tant que Gentiane pourpre, ils avaient établi un système ensemble. Richard glanait des informations en France et les relayait au ministère de la Guerre au moyen de rencontres avec Miles. Miles, pour sa part, transmettait à Richard tout message que le ministère de la Guerre voulait lui faire parvenir. Miles avait bien décroché une ou deux petites affectations au passage, mais son rôle principal était celui d'agent de liaison avec la Gentiane pourpre. Ni plus ni moins. Miles savait qu'il s'agissait d'un rôle important. Il savait que, sans sa participation, il était très probable que les Français auraient suspecté la double identité de Richard bien des années avant que l'intervention d'Amy n'ait précipité les choses. Mais, dans le même temps, il ne pouvait s'empêcher de penser qu'on pourrait faire meilleur usage de ses talents –

et de façon plus excitante. Après tout, Richard et lui s'étaient entraînés ensemble pour ce genre de choses : ils s'étaient faufilés en bas des mêmes escaliers de service à Eton, avaient lu les mêmes récits grandioses d'héroïsme et de bravoure, avaient partagé les mêmes cibles de tir à l'arc et s'étaient audacieusement échappés des mêmes salles de bal bondées, poursuivis par les mêmes mères entremetteuses.

Lorsque Richard avait découvert que son voisin, Sir Percy Blakeney, était à la tête de l'opération d'espionnage la plus audacieuse depuis qu'Ulysse avait demandé à Agamemnon s'il pensait qu'un grand cheval de bois plairait aux Troyens, Richard et Miles étaient allés ensemble supplier Percy de les prendre dans sa Ligue. Après de considérables supplications, Percy avait cédé devant Richard, mais avait tout de même refusé Miles, dont il avait tenté de se débarrasser avec un « Tu me seras plus utile à la maison ». Miles lui avait fait remarquer que les Français se trouvaient, par définition, en France, et que s'il voulait sauver des aristocrates français de la guillotine, il n'y avait en réalité qu'un endroit pour le faire. Percy, arborant l'expression d'un homme qui doit se faire arracher une dent, avait versé deux verres de porto, passé le plus grand des deux à Miles et dit : « Morbleu, ce n'est pas que je n'aimerais pas te prendre aussi, mon garçon. C'est simplement que tu attires diantrement trop l'attention. »

Et là était le problème. Miles faisait un mètre quatre-vingt-dix sans chaussures. Entre la boxe l'après-midi au Gentleman Jackson's et l'escrime chez Angelo, il avait acquis le genre de musculature qu'on voit habituellement chez les statues de la Renaissance. Une comtesse s'était écriée lors de la première apparition de Miles sur la scène londonienne : « Ooooh ! Mettez-lui une fourrure de lion sur les épaules, et il aura tout l'air d'Hercule! » Miles avait refusé la fourrure de lion ainsi que d'autres offres plus intimes de la part de la dame, mais il n'y avait pas moyen d'y échapper. Il avait le type de physique à donner des palpitations aux femmes impressionnables et à envoyer Michel-Ange courir chercher son burin. S'il avait pu échanger tout cela contre le fait d'être petit, maigre et de passer inaperçu, Miles n'aurait pas hésité un instant.

— Et si je me recroquevillais beaucoup? avait-il proposé à Percy.

Percy s'était contenté de soupirer et de lui verser une dose supplémentaire de porto. Le lendemain, Miles avait offert ses services au ministère de la Guerre sans se soucier du poste qu'ils pourraient lui trouver. Jusqu'à maintenant, ce poste avait habituellement impliqué un pupitre et une plume plutôt que des capes noires et des escapades nocturnes grandioses.

— Comment puis-je vous être utile? s'enquit Miles en essayant de prendre le ton de celui qui est convoqué pour une affectation importante au moins une fois par semaine.

— Nous avons un problème, commença Wickham.

Un problème semblait prometteur, réfléchit Miles. Du moins, tant que ce n'était pas un problème lié à l'approvisionnement en bottes pour l'armée ou en carabines pour leur armement ou quelque chose du genre. Miles s'était fait avoir ainsi une fois déjà et avait passé de longues semaines à faire des additions encore plus longues. À un pupitre. Avec une plume.

— Un valet a été retrouvé assassiné à Mayfair ce matin.

Miles était assis, un pied botté posé sur le genou opposé, et tenta de ne pas avoir l'air déçu. Il espérait quelque chose d'un peu plus près de : « Bonaparte est sur le point d'envahir l'Angleterre, et nous avons besoin de ton aide pour l'arrêter ! » Ma foi, un homme avait le droit de rêver.

— C'est certainement une affaire pour les coureurs de Bow Street ?

Wickham attrapa un bout de papier usé parmi les débris sur son bureau.

— Reconnaissez-vous ceci ?

Miles baissa les yeux sur le fragment. En y regardant de plus près, ce n'était même pas assez grand pour être un fragment ; c'était plutôt une particule, un minuscule triangle de papier dentelé d'un côté, où il avait été déchiré de quelque chose de plus grand.

— Non, dit-il.

— Regardez encore une fois, répliqua Wickham. Nous l'avons trouvé accroché à une épingle à l'intérieur de la veste de l'homme assassiné.

Il n'était pas étonnant que le meurtrier n'ait pas remarqué le morceau manquant ; il mesurait à peine un centimètre et ne comportait aucune écriture. Du moins, aucune écriture identifiable comme telle. Un épais trait noir descendait le long de la déchirure avant de décrire une courbe vers l'extérieur. Ç'aurait pu être le bas d'un « I » majuscule ou d'un « T » particulièrement élaboré.

Miles était sur le point d'exprimer une seconde fois son ignorance — dans l'espoir que Wickham ne le lui demande pas une troisième fois — lorsque la mémoire lui revint subitement. Ce n'était pas le bas d'un « I », mais la tige d'une fleur. Une fleur stylisée très particulière. Une fleur que Miles n'avait pas vue depuis très, très longtemps et qu'il avait espéré ne plus jamais voir.

— La Tulipe noire.

Le nom laissa un goût de ciguë sur la langue de Miles. Il le répéta pour en mesurer l'impact après toutes ces années d'inutilisation.

— Ça ne peut pas être la Tulipe noire. Je n'y crois pas. Il y a trop longtemps.

— La Tulipe noire, riposta Wickham, est toujours plus meurtrière après avoir gardé le silence.

Miles ne pouvait pas le contredire sur ce point. Les Anglais en France étaient plus nerveux non pas lorsque la Tulipe noire frappait, mais lorsque ce n'était pas le cas. Comme le calme avant l'orage, le silence de la Tulipe noire laissait généralement présager un affreux nouveau malheur. Des agents autrichiens avaient été retrouvés morts; des membres de la famille royale élargie, enlevés; et des espions anglais, éliminés, tout cela sans tambour ni trompette. Ces deux dernières années, la Tulipe noire avait gardé un silence hermétique.

Miles grimaça.

— Exactement, dit Wickham en extirpant le bout de papier de la main de Miles pour le remettre à sa place sur son bureau. L'homme assassiné était l'un de nos agents secrets. Nous l'avions introduit dans la demeure d'un gentilhomme reconnu pour ses tendances nomades.

Miles se pencha en avant sur sa chaise.

— Qui l'a trouvé ?

Wickham écarta la question en secouant la tête.

— Une fille de cuisine d'une maison voisine; elle n'avait rien à y voir.

— A-t-elle été témoin de quelque chose qui sortait de l'ordinaire ?

— Mis à part un cadavre ? demanda Wickham en souriant d'un air grave. Non. Réfléchissez, Dorrington. Dix maisons — en passant, une soirée de cartes était en cours dans l'une d'elles —, des dizaines de domestiques allaient et venaient, et aucun d'entre eux n'a entendu quoi que ce soit qui sortait de l'ordinaire. Qu'est-ce que cela indique ?

Miles se creusa la cervelle.

— Il ne peut pas y avoir eu de lutte ; sinon, quelqu'un dans l'une des maisons voisines l'aurait remarqué. Il ne peut pas avoir crié, parce que quelqu'un l'aurait entendu. Je dirais que notre homme connaissait son assassin.

Une idée horrible traversa l'esprit de Miles.

— Notre type aurait-il pu être un agent double ? Si les Français ont cru qu'il avait fait son temps...

On aurait dit que les cernes sous les yeux de Wickham s'étaient approfondis.

— Ça, dit-il d'un ton las, c'est toujours possible. N'importe qui peut devenir un traître selon les circonstances... ou le prix. D'une manière ou d'une autre, nous nous retrouvons coincés avec notre vieil ami au cœur de Londres. Nous devons en savoir davantage. Et c'est là que vous intervenez, Dorrington.

— À votre service.

Ah, l'heure était venue ! À présent, Wickham allait lui demander de retrouver le meurtrier du valet, il pourrait faire de douces promesses sur le fait de servir la tête de la Tulipe noire sur un plateau d'argent et...

— Connaissez-vous Lord Vaughn ? lui demanda brusquement Wickham.

— Lord Vaughn, répéta Miles, pris au dépourvu, en se creusant la cervelle. Non, je ne crois pas connaître ce type.

— Il n'y a aucune raison pour que ce soit le cas. Il n'est rentré que tout récemment du continent. En revanche, vos parents le connaissent.

Wickham posa un regard perçant sur Miles. Miles haussa les épaules et se détendit sur sa chaise.

— Les connaissances de mes parents sont vastes et variées.

— Avez-vous parlé à vos parents récemment ?

— Non, répondit simplement Miles.

Bon, ce n'était pas le cas. Il n'y avait rien d'autre à ajouter.

— Avez-vous la moindre idée d'où ils se trouvent en ce moment ?

Miles était pratiquement certain que les espions de Wickham avaient des informations plus récentes que les siennes au sujet de l'endroit où ses parents se trouvaient.

— La dernière fois que j'ai eu de leurs nouvelles, ils étaient en Autriche. Puisqu'il y a plus d'un an de cela, ils pourraient bien avoir repris la route depuis. Je ne peux vous en dire plus.

Quand avait-il vu ses parents pour la dernière fois ? Il y avait quatre ans ? Cinq ans ?

Le père de Miles souffrait de la goutte. Pas un petit trait de goutte du genre qui résulte d'un abus d'agneau rôti au repas de Noël, pas la goutte sporadique, non. La goutte constante, dévorante, le genre de goutte qui nécessite des coussins particuliers, des diètes exotiques et de fréquents changements de médecins. Le vicomte avait sa goutte, et la vicomtesse avait un goût prononcé pour les opéras italiens ou, plus exactement, pour les chanteurs d'opéra italiens. Ces deux intérêts étaient mieux servis en Europe. D'aussi loin que Miles pût se souvenir, le vicomte et la vicomtesse de Loring avaient sillonné l'Europe de spa en spa, à utiliser assez d'eau pour noyer une petite armada et à jouer un rôle important dans la subvention des établissements musicaux d'Italie.

Penser qu'un de ses parents puisse avoir quelque chose à voir avec la Tulipe noire, des agents secrets assassinés ou quelque autre chose qui pût requérir des activités plus éprouvantes qu'une promenade en carrosse jusqu'à l'opéra le plus proche demandait un grand effort d'imagination. Malgré tout, le fait qu'ils aient retenu l'attention du ministère de la Guerre mettait Miles incontestablement mal à l'aise.

– Y a-t-il une raison pour laquelle vous vous êtes informé de mes parents, monsieur, ou était-ce par simple politesse ? demanda franchement Miles en posant fermement les deux pieds au sol et en mettant les mains sur ses genoux.

Wickham regarda Miles avec une lueur de quelque chose qui ressemblait à de l'amusement dans les yeux.

– Il n'y a aucune raison de vous faire du souci à leur sujet, Dorrington. Nous avons besoin d'informations sur Lord Vaughn. Vos parents font partie de son cercle social. Si vous avez l'occasion d'écrire à vos parents, vous pourriez avoir envie de leur demander, mine de rien, s'ils ont rencontré Lord Vaughn au cours de leurs voyages.

Soulagé, Miles se retint de souligner que sa correspondance avec ses parents, jusqu'à ce jour, pouvait tenir dans une tabatière de format moyen.

– Je n'y manquerai pas.

– Mine de rien, le prévint Wickham.

– Mine de rien, confirma Miles. Mais quel est le lien entre Lord Vaughn et la Tulipe noire ?

— Lord Vaughn, répondit simplement Wickham, est l'employeur de notre agent secret assassiné.

— Ah.

— Vaughn, poursuivit Wickham, est récemment rentré à Londres d'un séjour prolongé sur le continent. Un séjour de dix ans, pour être précis.

Miles s'adonna à un peu de calcul mental.

— Environ le moment où la Tulipe noire est entrée en service.

Wickham ne perdit pas de temps à reconnaître l'évidence.

— Vous évoluez dans les mêmes cercles. Ayez-le à l'œil. Je n'ai pas besoin de vous dire comment vous y prendre, Dorrington. Je veux un compte rendu détaillé d'ici une semaine.

Miles regarda Wickham en face.

— Vous l'aurez.

— Bonne chance, Dorrington.

Wickham se mit à fouiller dans ses papiers, un signal manifeste que l'entretien était terminé. Miles se leva de sa chaise et mit ses gants en se dirigeant vers la porte.

— Je m'attends à vous revoir à la même heure lundi prochain.

— J'y serai.

Miles fit tournoyer son chapeau de manière exubérante avant de l'enfoncer fermement sur ses cheveux blonds indisciplinés. Il s'arrêta dans l'embrasure de la porte.

— Avec des fleurs, ajouta-t-il en souriant à son supérieur.

Chapitre 4

– La Tulipe noire ? demanda Colin en souriant de toutes ses dents. Pas très original, je l'admets. Mais à quoi d'autre peut-on s'attendre de la part d'un espion français dément ?

– N'est-ce pas le titre d'un des romans de Dumas ?

Colin réfléchit à la question.

– Je ne crois pas qu'il y ait un lien. D'ailleurs, Dumas est plus récent.

– Je ne prétendais pas que Dumas était la Tulipe noire, protestai-je.

– Le père de Dumas *était* un soldat de Napoléon, déclara Colin en agitant son doigt d'un air autoritaire.

Mais il en gâcha l'effet en ajoutant :

– Ou peut-être était-ce son grand-père. Un des deux en tout cas.

Je secouai la tête avec regret.

– C'est trop beau pour être vrai, cette théorie.

J'étais assise dans la cuisine de Selwick Hall, à une longue table en bois entaillée, qui semblait avoir déjà été victime de cuisiniers aux gros bras armés de couperets, tandis que Colin enfonçait une cuillère dans une masse gluante sur la cuisinière en promettant que cela deviendrait vite le dîner. Malgré les dalles usées qui couvraient le sol, les appareils électroménagers de la cuisine semblaient avoir été modernisés à un certain moment au cours des deux dernières décennies. Ils avaient entamé leur vie au moment où cet affreux jaune moutarde avait tant plu, pour une raison quelconque, aux décorateurs de cuisine, mais avaient pâli avec le temps et l'usage, jusqu'à devenir d'un beige passé.

Il ne s'agissait pas de la cuisine modèle d'un décorateur. Mis à part un pot de basilic plutôt anémié perché sur le rebord de la fenêtre, il n'y avait pas de plantes suspendues, ni de casseroles en cuivre, ni de contenants aux couleurs assorties pleins de pâtes non comestibles, ni d'artistiques arrangements de bouquets d'herbes disposés de manière à ce que le visiteur imprudent se cogne la tête dessus. En revanche, elle avait l'aspect douillet d'une pièce réellement habitée. Les murs avaient été peints d'un jaune gai qui n'avait rien à voir avec la moutarde. Des tasses bleu et blanc étaient suspendues au-dessus de l'évier, une bouilloire électrique usée était posée à côté d'une théière brune cabossée avec un couvre-théière bleu effiloché, et des rideaux jaune et bleu à motifs bigarrés encadraient les deux fenêtres de la pièce. Le réfrigérateur émettait ce doux bourdonnement, aussi apaisant que le ronronnement d'un chat, bien connu de tous les réfrigérateurs de la Terre.

La fenêtre au-dessus de l'évier était à moitié recouverte par une branche de lierre artistiquement drapée le long d'un côté. À travers l'autre fenêtre, la faible lueur du crépuscule avait tendance à dissimuler plus de choses qu'elle n'en révélait en cette heure brumeuse à laquelle on peut imaginer des bateaux fantômes qui voguent éternellement dans le triangle des Bermudes, ou des soldats fantômes qui livrent à nouveau des batailles de jadis sur des landes désertes.

J'avais décidément passé beaucoup trop de temps enfermée dans la bibliothèque. Des soldats fantômes, vraiment !

Mais tout de même… Me tournant pour regarder Colin en face, j'appuyai un coude contre le dossier de ma chaise.

– Y a-t-il des fantômes à Selwick Hall ? lui demandai-je.

Colin s'arrêta de touiller pour me jeter un regard sincèrement amusé.

– Des fantômes ?

– Tu sais, d'effrayants spectres, des cavaliers sans tête, ce genre de choses.

– D'accord. J'ai bien peur que nous soyons plutôt à court de ce genre de choses pour l'instant, mais si tu veux aller chez les voisins, il paraît que l'abbaye de Donwell a quelques moines fantômes à louer.

– Je ne savais pas qu'on pouvait les louer.

– Après qu'Henri VIII a confisqué les abbayes, il a bien fallu qu'ils trouvent un moyen de gagner leur pain. Il y a toujours un manoir historique qui a besoin d'un ou deux spectres.

– Qui sont les fantômes de l'abbaye de Donwell ? J'imagine qu'ils ne sont pas de simples moines.

Colin donna un dernier coup de cuillère au contenu de la casserole avant d'éteindre la cuisinière.

– C'est l'histoire habituelle. Un moine renégat rompt ses vœux, s'enfuit avec la fille gracile du seigneur local… Les assiettes, s'il te plaît.

Je lui tendis une assiette à motifs bleu et blanc.

– Le moine entre, poursuivi par le seigneur ? proposai-je, paraphrasant l'une de mes didascalies favorites de Shakespeare.

— Presque, mais pas exactement.

Colin, l'air débonnaire, fit tomber une grosse motte de matière gluante de la cuillère dans l'assiette. Cela ressemblait un peu à de la nourriture pour chiens. Je lui tendis la deuxième assiette.

— Le seigneur local ne se souciait pas vraiment de sa fille, mais il a flairé une occasion de faire des profits. Avec tout l'outrage paternel approprié, il est entré en trombe au monastère et… Plus ?

Une cuillère pleine flottait dans les airs telle une main fantôme lors d'une séance de spiritisme.

— Non, merci.

— Le seigneur s'est précipité au monastère et a demandé une bande de terre située entre l'abbaye et son domaine en compensation de sa fille disparue. Les moines n'étaient pas très heureux. Personne ne sait exactement ce qui est arrivé cette nuit-là, mais l'histoire raconte que les moines ont rattrapé le couple dans un champ, pas très loin de l'abbaye.

— Qu'est-il arrivé ensuite ?

J'ai un faible pour les bonnes histoires de fantômes.

— Personne ne le sait avec certitude, répondit Colin d'un air mystérieux ; enfin, aussi mystérieux que possible quand on brandit une grande louche. Au matin, tout ce qu'il restait, c'était la capuche froissée d'un habit de moine abandonnée sur l'herbe. Il n'y avait aucune trace de la fille du seigneur. Mais la légende raconte qu'il la cherche toujours par les nuits d'orage et qu'on peut le voir errer sans fin sur les terres de l'abbaye de Donwell, à jamais à la recherche de son amour perdu.

De petits frissons me parcoururent les bras tandis que je m'imaginais la lande déserte, les pâles rayons de lune qui illuminaient leurs visages terrifiés… Une grosse masse informe de quelque chose de brun apparut sous mon nez.

— Pain grillé aux haricots ? demanda prosaïquement Colin.

Il est pratiquement impossible de conserver une ambiance macabre en présence de haricots et de pain grillé. C'est encore plus efficace que de brandir de l'ail sous le nez d'un vampire.

Les fantômes disparurent dans la sombre obscurité derrière la fenêtre tandis que nous mangions des haricots et du pain grillé dans la cuisine bien éclairée. Colin m'assura que c'était son unique talent culinaire.

— Si c'est un stratagème pour me chasser, ça ne fonctionnera pas. Maintenant que j'ai bel et bien vu les archives, une diète continue de cendres n'arriverait pas à me faire partir.

— Hum. Bon point. Qu'en serait-il d'une effrayante apparition toute blanche qui planerait au-dessus de ton lit ?

— Trop tard. Tu m'as déjà dit qu'il n'y a pas de fantômes ici.

Colin sourit d'un grand sourire canaille qui eut un effet étrange au creux de mon estomac — du moins, j'espère que c'était à cause de son sourire et non de ses efforts culinaires.

— Qui a dit que je parlais d'un fantôme ?

Avant que j'aie eu le temps de bien évaluer toutes les implications de cette déclaration, la porte s'ouvrit timidement de quelques centimètres, et une voix féminine roucoula :

— Colin… Colin, es-tu là ?

Colin se figea tel un renard dans le champ de vision d'un chasseur. Croisant mon regard, il me fit nerveusement signe de me taire.

— Colin…

La porte continua son inexorable mouvement vers l'intérieur, puis une tresse blonde apparut, suivie de sa propriétaire, une grande fille vêtue d'un pantalon moulant brun clair et d'une veste étroitement ajustée. Lorsqu'elle aperçut sa proie, elle entra dans la cuisine d'un pas leste en faisant claquer les talons de ses bottes sur les dalles du plancher et en balançant sa bombe d'équitation dans une main.

— Colin ! Je pensais bien te trouver ici. Quand j'ai vu ta voiture dans l'allée… Oh.

Elle m'avait aperçue, assise de l'autre côté de la table. La bombe d'équitation s'arrêta en plein balancement, et sa mâchoire se décrocha. L'expression ne lui allait pas très bien ; elle me fit penser aux portraits de quelques-uns des Habsbourg à la mâchoire la plus carrée. Ou à celui du loup dans le Petit Chaperon rouge. Elle avait de très grandes dents très blanches.

— Salut, dis-je au milieu du silence qui suivit.

La fille m'ignora, son regard pâle fixé sur Colin.

— Je ne savais pas que tu avais de la compagnie.

— Je ne vois pas pourquoi tu aurais dû le savoir, répondit platement Colin en posant sa fourchette sur le rebord de son assiette. Bonsoir, Joan.

Maintenant que sa bouche avait repris sa place et qu'elle avait les lèvres pincées en signe de contrariété, je devais admettre que la femme n'avait pas un physique totalement ingrat. Sa bouche était peut-être un peu trop étroite et son nez un peu trop épaté, mais l'effet global de ses pommettes hautes, de ses jambes interminables et de ses cheveux blonds pâlis par le soleil, qui contrastaient avec sa peau parfaitement hâlée, aurait pu orner une publicité de Ralph Lauren. J'étais prête à parier qu'elle était une de ces personnes agaçantes qui bronzent sans brûler.

Je remarquai que ses yeux étaient légèrement étroits et d'un bleu très pâle. Je n'ai pas l'habitude de remarquer la couleur des yeux des gens, mais ces yeux en particulier étaient toujours fixés sur moi de manière décidément hostile.

— Tu ne m'as pas présenté ton… amie.

On eût dit qu'elle mâchait les cendres que je m'étais proposé de manger.

— Éloïse, voici Joan Plowden-Plugge ; Joan, voici Éloïse Kelly, annonça Colin en se détendant sur sa chaise.

— Salut ! dis-je gaiement.

Joan continua de me dévisager avec le genre d'hostilité qu'on réserve habituellement aux gros insectes qui infestent son lit.

— Es-tu une amie de Séréna ? s'enquit-elle sur le ton ennuyé de quelqu'un qui est conscient de poser une question inutile.

— Eh bien…

Certes, j'avais une fois tenu la tête de la sœur de Colin au-dessus de la cuvette des toilettes alors qu'elle était terriblement malade, mais je n'étais pas certaine que cela suffise à nous qualifier d'amies.

— Pas exactement, me dérobai-je.

Joan me fusilla du regard. Je lançai un regard implorant à Colin, mais il était occupé à ne regarder personne en particulier tout en cultivant une expression d'indifférence amusée. J'allais manifestement devoir m'occuper de ce léger malentendu moi-même ou alors, comme Shakespeare l'avait exprimé avec tant d'éloquence, courir le risque annoncé de me faire griffer le visage.

— Je suis historienne, expliquai-je aimablement.

Joan me regarda comme si je venais tout juste de me porter volontaire pour la présenter au Chapelier fou.

D'accord, peut-être n'était-ce pas l'affirmation la plus éclairante que j'aurais pu trouver. J'essayai encore une fois.

— Colin a eu l'immense générosité de me permettre de consulter ses archives, précisai-je.

Le visage de Joan s'illumina.

— Oh. Tu étudies les morts.

Elle avait manifestement fréquenté la même école d'histoire que Pammy, selon laquelle Gengis Khan avait frayé avec Louis XIV sur les plaines de Bosworth — tous vêtus de robes à crinoline. Après tout, si ce n'était pas dans les tabloïdes de la semaine dernière, c'était au temps jadis, de toute façon. Si cela signifiait qu'elle ne me pourchasserait pas avec sa cravache d'équitation, il m'était complètement égal qu'elle crût qu'Attila le Hun était l'un des signataires du traité de Versailles.

— C'est une façon de voir les choses. Il se trouve que les morts que j'étudie en ce moment sont parents avec Colin, alors il a été assez aimable pour me laisser accéder à sa bibliothèque.

Les bibliothèques n'étaient visiblement pas un sujet de fascination permanente pour mademoiselle Plowden-Plugge. Avec un fouettement de tresse, elle me rejeta comme étant une entrave d'importance minimale et reporta son attention sur Colin. Compte tenu de sa position par rapport à la table, elle n'avait aucun moyen de m'exclure entièrement de la conversation, à moins de faire le tour de la table d'un pas lourd pour se placer entre Colin et moi, mais elle orienta son corps de façon à être le plus près possible de Colin et le plus loin possible de moi. De profil, son nez paraissait vraiment épaté.

Elle posa la main droite sur le bord de la table et se pencha vers Colin.

– Comment va cette chère Séréna ?

Colin inclina la tête dans ma direction d'un air désinvolte.

– Comment dirais-tu qu'elle va, Éloïse ?

– Tu l'as vue plus récemment que moi, répondis-je, perplexe.

– Mais c'est toi qui as si gentiment pris soin d'elle quand elle a été malade l'autre soir, répliqua Colin en me souriant béatement avant de se retourner vers Joan. L'autre soir, poursuivit-il sur le ton de la confidence, nous étions à une fête organisée par une amie d'Éloïse, et Séréna ne se sentait pas très bien. Mais Éloïse s'est occupée d'elle, n'est-ce pas, Éloïse ?

Rien dans cette affirmation ne pouvait être relevé comme étant techniquement faux. Pammy avait organisé une fête, Séréna avait été malade, et j'avais emmené Séréna aux toilettes. Évidemment, ce que Colin avait omis de mentionner, c'était que la fête était un somptueux déploiement de relations publiques organisé par Pammy dans le cadre de ses fonctions professionnelles et non une petite soirée intime, que Pammy avait invité Séréna en même temps que tout un groupe de ses anciens amis d'école et que moi, en tant que plus ancienne amie de Pammy, je suivais Pammy à la trace. J'avais été aussi étonnée de voir Colin et Séréna qu'ils l'avaient été de me voir. À ce moment-là, je m'imaginais aussi à tort que Séréna était la copine de Colin, mais ça, c'était une tout autre histoire.

Présentée comme Colin venait de le faire, toute l'histoire paraissait effectivement accablante – et il était évident que Joan sautait à toutes les conclusions auxquelles Colin voulait qu'elle saute.

– Je croyais que tu étais là pour la bibliothèque, dit-elle sur un ton de reproche.

Colin s'étira de cette façon exaspérante qu'ont les hommes de s'étirer et posa une main détendue sur le dossier de ma chaise. Ç'aurait pu être marrant si je n'avais pas été si contrariée ; j'étais assise tellement loin de lui que les bouts de ses doigts effleuraient à peine le dossier de la chaise. En l'état actuel des choses, il devait se décaler légèrement vers le bord de sa chaise pour atteindre la mienne.

– Oh, je ne crois pas. Éloïse est plutôt une invitée, en fait. Ne penses-tu pas, Éloïse ?

Ce que je pensais n'était pas imprimable. S'il y avait eu des fantômes familiaux en résidence, je les aurais tous lâchés sur lui. Les cavaliers sans tête, les femmes en blanc qui se lamentaient, tout ce que vous voudrez. Je n'ai jamais aimé jouer les arbitres. Surtout sans savoir qu'une partie était en cours.

Je gratifiai Colin d'un sourire acerbe.

– Jamais je n'oserais présumer.

Colin eut un petit rire étouffé.

– Si, tu le ferais, dit-il sans ménagement. S'il y avait un document historique en jeu.

Je me mis à rire malgré moi.

– Il faudrait que ce soit un document historique vraiment très important.

Bang !

La bombe d'équitation de Joan s'écrasa au centre de la table entre Colin et moi et fit tomber un bout de pain qui tenait en équilibre précaire au bord de mon assiette.

— Je vais vous laisser dans ce cas, d'accord ? demanda-t-elle sur un ton mielleux. Colin, tu viens à notre petite soirée demain, n'est-ce pas ?

— Je ne…, commença Colin, mais Joan l'interrompit.

— Absolument tout le monde sera là.

Elle se mit à énumérer une liste de noms manifestement faite pour convaincre Colin qu'il ne serait décidément pas dans le coup s'il n'enfilait pas une veste sport pour sortir. Je récupérai mon bout de pain.

— Nigel et Chloé seront là et ils emmènent Rufus et sa nouvelle copine. Bunty Bixler sera là aussi ; tu te souviens de Bunty Bixler, n'est-ce pas, Colin ?

Vers la fin, j'étais persuadée qu'elle inventait des noms simplement pour nommer plus de gens que je ne connaissais pas. À en juger par l'expression de Colin, il ne reconnaissait pas non plus la moitié des noms, et j'eus l'impression qu'il n'aimait pas particulièrement Bunty Bixler, qui que soit la personne qui avait le malheur de porter ce nom.

Sentant qu'elle perdait du terrain, Joan recourut à des tactiques désespérées.

— Tu peux emmener…

Joan me regarda avec des yeux de merlan frit.

— Éloïse, indiquai-je aimablement.

— … ton invitée, si tu veux, termina-t-elle du ton de celle qui fait une importante concession. Naturellement, me dit-elle avec aménité en se tournant vers moi, ce ne sera pas terriblement amusant pour toi, vu que tu ne connais personne. J'imagine que tu *pourrais* discuter avec le vicaire. Il aime bien parler de vieux trucs. Des églises et tout ça.

Je venais d'être proprement remise à ma place, à tituber dans le coin avec le clergé.

Comment pourrais-je refuser une invitation si courtoise ?

— Merci.

— Bien entendu, si tu es trop occupée dans la bibliothèque…

Je montrai les dents, qui étaient loin d'être aussi grandes ou blanches que les siennes.

— Je ne voudrais surtout pas rater ça.

Un ricanement étouffé provint du bout de la table.

Je regardai Colin avec insistance.

— Vraiment navré, dit-il platement. Un haricot pris dans la gorge.

Bien sûr.

Son humour malavisé eut pour effet secondaire bien mérité de ramener l'attention de Joan sur lui.

— On se voit demain alors, oui ? N'oublie pas, demain soir, dix-neuf heures trente.

La porte de la cuisine claqua bruyamment derrière elle.

Je me levai et laissai tomber avec fracas mon couteau et ma fourchette dans mon assiette. J'eus l'impression qu'il y avait eu quelque chose entre ces deux-là. Colin remua sur sa chaise derrière moi.

— Dois-je comprendre que tu ne veux plus de haricots ?

— Non. Merci.

Je pris mon assiette et l'apportai dans l'évier tandis que j'entendais le martèlement de sabots disparaître au loin. Je ne pensais pas que le moine fantôme de l'abbaye de Donwell ait envie de l'embêter, pas quand elle était d'une humeur pareille. De l'autre côté de la fenêtre de la cuisine, la vraie obscurité, celle qui n'existe qu'en campagne, était tombée. Dans la fenêtre, je voyais mon propre reflet, les lèvres pincées par la contrariété.

Ce n'était vraiment pas mes affaires.

Par la fenêtre, je vis Colin approcher, son assiette dans les mains. Oh, et puis zut ! S'il m'entraînait dans ses mésaventures amoureuses, *c'était* mes affaires. D'autant plus que c'était moi qui risquais d'être pourchassée par une Joan enragée à cheval. J'aimais encore mieux le moine fantôme ; au moins, j'aurais une meilleure histoire à raconter quand je rentrerais à la maison.

Jetant l'assiette et les couverts dans l'évier, je me tournai si vite que Colin faillit me foncer dessus l'assiette la première. Les objets dans la fenêtre peuvent être plus proches qu'ils n'y paraissent.

J'agrippai la bordure métallique du lavabo en me penchant en arrière au-dessus de l'évier pour éviter de me faire perforer l'abdomen.

— Écoute, dis-je, je n'ai rien contre le fait de servir de bouclier humain, mais la prochaine fois, j'aimerais recevoir un petit préavis.

Ou, du moins, c'est ce que j'avais l'intention de dire.

Ce qui sortit fut :

— Je vais faire la vaisselle. Puisque tu as préparé le repas.

Mince.

Colin recula d'un pas et balaya l'air de la main dans un geste élaboré. Puisqu'il avait réussi à me mettre sur la sellette à sa place, il était d'une bonne humeur exaspérante.

— Vas-y. Je m'en occupe.

— En es-tu certain ?

— Ça ne me dérange pas. Vas-y, dit-il en me donnant une petite poussée. Je sais que tu dois être impatiente de retourner à la bibliothèque.

— Bon…

Il était inutile de nier cette affirmation.

Colin ouvrait déjà les robinets.

— Tu peux préparer le repas demain.

— Ah, mais tu oublies que demain, dis-je en m'arrêtant dans l'encadrement de la porte, tu vas boire un verre avec mademoiselle Plowden-Plugge. Bonne nuit !

Je me glissai hors de la cuisine dans le couloir plongé dans l'obscurité en espérant que j'arriverais à retrouver mon chemin jusqu'à la bibliothèque. Cela gâcherait complètement ma sortie s'il fallait que je fasse demi-tour pour demander des indications. Si j'arrivais à me rendre jusqu'au hall d'entrée, je pourrais ensuite trouver mon chemin.

Il faisait vraiment noir à la campagne, sans les lampadaires, ni les phares de voitures, ni les vitrines éclairées des boutiques qui projetaient tous leur lueur amicale. Je trouvai mon chemin à tâtons le long du couloir, une main sur le papier peint nervuré, l'autre tendue prudemment devant moi comme pour écarter… Bon, pas des moines fantômes. Plutôt des tables basses et ce genre de trucs, qui ont l'habitude de bondir sur le tibia des gens dans les couloirs inconnus. Si je sursautai d'effroi devant quelques ombres et que je regardai un peu plus attentivement que nécessaire par l'embrasure d'une porte quelconque, disons tout simplement que j'étais bien contente que Colin ne soit pas là pour le voir.

Afin de me distraire des absurdes histoires de fantômes, je me concentrai sur la Tulipe noire. C'était un nom qui sortait tout droit d'un vieux roman de Rafael Sabatini comme *Captain Blood* ou *L'Aigle des mers*. La personne qui l'avait choisi devait avoir un grand sens du drame et, contrairement à Gaston Delaroche, un sens de l'humour tout en finesse pour imiter ainsi les *noms de guerre**[2] de ses rivaux. Je

2. N.d.T.: Les mots en italique suivis d'un astérisque sont en français dans le texte original anglais.

ne doutais aucunement du fait que le nom même de la Tulipe noire se voulait une réplique moqueuse à ceux du Mouron rouge et de la Gentiane pourpre. C'était une version plus mature et plus habile de l'universel chant de terrain de jeux « Tu ne m'attraperas pas, nananère ! ».

Si j'étais la Tulipe noire, où chercherais-je l'Œillet rose ?

Je réussis à contourner une table basse et me rendis compte avec un certain soulagement que j'étais arrivée dans le hall d'entrée. D'ici, je devrais être capable de retrouver mon chemin jusqu'à la bibliothèque... Enfin, je l'espérais. Mon sens de l'orientation défaillant était légendaire pour tous ceux qui avaient déjà essayé d'aller quelque part avec moi. Avec un peu de chance, je ne me retrouverais pas accidentellement dans le grenier ou la cave à vins.

Si je savais que l'Œillet rose avait été invité au mariage de Richard et d'Amy, mes premières recherches se porteraient sur la liste d'invités. Et puisque tous les invités, mis à part les parents d'Amy qui venaient du Shropshire, provenaient de l'échelon supérieur de la société londonienne, je tenterais d'infiltrer ce milieu.

Évidemment, me rappelai-je, la Tulipe noire n'avait pas besoin de faire partie de la noblesse ; des centaines de personnes qui gravitaient en marge de la société pouvaient prétendre aux mêmes accès — les femmes de chambre des dames, les valets, les professeurs de danse, les courtisans, les bottiers. Plusieurs hommes entretenaient une relation plus intime avec leur tailleur qu'avec leur femme ; Dieu seul savait ce qu'ils pouvaient révéler lors de l'essayage d'une nouvelle veste.

Mais c'était tellement moins séduisant d'imaginer la redoutable Tulipe noire se faire passer pour un domestique. Les Tulipes noires n'étaient pas censées faire des choses telles que blanchir des draps. Elles rôdaient dans les coins de ruelles sombres, faisaient tourner leurs verres de brandy et jouaient avec leurs moustaches. Ou quelque chose comme ça.

Aaah ! Je reculai en chancelant lorsque quelque chose bougea devant moi, une silhouette floue enveloppée de... Oh. C'était mon propre reflet dans une fenêtre obscure. Oups. Une méprise normale, me dis-je pour me rassurer.

Si je ne maîtrisais pas mon imagination, je finirais par être aussi ridicule que cette héroïne idiote dans *L'Abbaye de Northanger*, celle qui s'était emparée d'une liste de blanchissage en croyant qu'il s'agissait d'un récit d'activités paranormales. Colin me retrouverait le lendemain matin sur le plancher de la bibliothèque, roulée en boule, terrorisée, en train de bredouiller et de pleurnicher à propos de cliquetis de chaînes et d'yeux qui brillaient dans l'obscurité, là où il ne devait pas y avoir d'yeux. À quoi avais-je pensé lorsque j'avais lu toutes ces histoires de fantômes dans ma jeunesse ?

Prenant mon courage à deux mains, je continuai à avancer vers la bibliothèque avec une démarche assurée et un regard de défi. Tout de même, malgré ma résolution de ne pas penser aux fantômes, ni aux vampires, ni aux autres choses terrifiantes qui sortent la nuit, je ne pouvais m'empêcher de me demander...

Qu'entendait Colin par cette allusion à propos d'apparitions près de mon lit ?

Salles de réception Almack's :
embuscade astucieuse tendue aux agents secrets anglais insouciants par une bande d'espions français déterminés.
– tiré du livre de codes personnel de l'Œillet rose

Exactement cinq minutes avant vingt-trois heures, Miles traversa d'un pas nonchalant le portail sacré des salles de réception Almack's.

D'ordinaire, Almack's ne figurait pas au sommet de la liste des endroits où Miles préférait passer la soirée. Si on lui donnait le choix entre Almack's et un cachot français, il choisirait normalement le cachot. Comme il s'en était plaint à son valet plus tôt ce soir-là, la compagnie dans le cachot serait plus agréable, le divertissement serait plus divertissant, et, que le diable l'emporte, la nourriture était probablement meilleure aussi.

– Je suis certain que c'est le cas, monsieur, avait répondu Downey, qui s'affairait à tenter de nouer le foulard de Miles d'une manière qui ressemblât à la tendance actuelle. Et si monsieur voulait bien se retenir de parler un instant…

– L'ennui, avait protesté Miles, dont le menton avait écrasé les plis que Downey venait tout juste d'arranger avec tant de soin, c'est que j'ai donné ma parole. Que puis-je y faire ?

– Si monsieur ne me laisse pas nouer son foulard, avait fait remarquer Downey d'un ton acerbe en arrachant assez brusquement le foulard ruiné pour faire monter les larmes aux yeux de Miles, monsieur arrivera assez tardivement pour ne pas être admis dans les salles de réception.

Miles avait observé pensivement son valet. Hum. Le portail d'Almack's fermait à vingt-trois heures précises, à la demande de la patronnesse, et malheur à l'infortuné qui se précipitait à ses portes un instant trop tard. Ne serait-il pas dommage qu'il n'arrive pas à entrer et qu'il soit plutôt forcé par la cruelle nécessité de se rendre à son club et de boire quelques bouteilles d'un excellent bordeaux ?

Miles avait secoué la tête, gâchant par le fait même le troisième carré de tissu amidonné.

– C'est une excellente idée, Downey, mais ça ne passera tout simplement pas. J'ai promis.

Là était le problème. Il avait promis à Richard, et une promesse était une promesse. Une promesse à son meilleur ami était un serment de l'ordre d'un pacte signé dans le sang avec Méphistophélès. On ne pouvait tout simplement pas violer ce genre de choses.

– Tu tiendras Hen à l'œil pendant mon absence, n'est-ce pas ? lui avait demandé Richard en serrant la main de son meilleur ami pour lui dire au revoir avant de partir pour le Sussex et le bonheur conjugal. Faire fuir les jeunes mâles et tout ?

– Sois sans crainte ! avait gaiement promis Miles en donnant à son ami une rassurante claque dans le dos. Je la surveillerai d'encore plus près que le ferait un cloître.

La référence aux couvents avait touché dans le mille ; Richard était parti rassuré.

Après tout, comment pourrait-il être difficile de tenir à l'œil une fille de vingt ans lors de soirées occasionnelles ? Hen était une fille intelligente, pas du genre à filer sur un balcon avec des coureurs de dot ou à rêver au premier dépravé qui la regarderait. Tout ce que Miles avait à faire, c'était de lui apporter un verre de limonade de temps à autre, de plier la jambe durant l'occasionnelle danse folklorique et de se dresser d'un air menaçant devant n'importe quel bellâtre importun qui s'approchait un peu trop. Diable, la partie de l'air menaçant lui plaisait bien, et la danse n'était pas trop pénible non plus ; Hen ne lui avait pas marché sur les orteils – sur le plancher de danse, du moins – depuis qu'elle avait quinze ans. Cela ne pouvait pas être si difficile, non ?

Ha. Miles aurait ri amèrement de sa propre naïveté si cela n'avait pas trop attiré l'attention sur lui. Et l'attention était la dernière chose qu'il souhaitait attirer. Miles résista à l'envie de traîner comme un lâche dans l'embrasure de la porte.

Il y avait toutes ces… mères là-dedans. Des mères de la pire espèce. Des mères entremetteuses. Toutes déterminées à ferrer un vicomte pour leur progéniture.

Cela suffisait à ce qu'un homme courût trouver Delaroche pour le supplier de le mettre dans une jolie petite cellule bien sûre.

Si seulement il pouvait trouver Hen avant que quelqu'un le voie…

– Monsieur Dorrington !

Fichtre ! Trop tard.

Le son provenait d'une dame corpulente qui arborait une coiffure avec suffisamment de plumes pour vêtir une autruche assez dodue.

– Monsieur Dorrington !

Miles feignit la surdité.

– Monsieur Dorrington ! fit la dame en le tirant par la manche.

– Monsieur qui ? demanda platement Miles. Oh, Dorrington ! Je crois l'avoir vu entrer dans une salle de cartes. C'est par là, ajouta-t-il aimablement.

La dame plissa les yeux un instant, puis elle éclata de rire en frappant le bras de Miles si fort avec son éventail qu'il aurait pu jurer avoir entendu quelque chose craquer. Probablement son bras.

– Ooh ! Comme vous êtes amusant monsieur Dorrington ! Vous ne vous souvenez pas de moi…

S'il l'avait déjà rencontrée auparavant, Miles ne doutait pas qu'il s'en souviendrait. Il aurait eu les contusions pour le lui rappeler.

– … mais j'étais une bonne amie de votre chère mère.

– Comme c'est aimable de votre part, répondit Miles en évitant un autre coup d'éventail.

– Alors, bien entendu, à l'instant où je vous ai vu – l'éventail fondit une fois de plus sur Miles, ciblant son nez avec une précision absolue –, j'ai dit à ma fille chérie, Lucy – Où est-elle passée encore ? Oh, tu es là ! –, je lui ai dit « Lucy – Miles éternua violemment –, Lucy, il faut absolument que nous allions parler au cher fils unique de ma chère Annabelle ! ».

– Et vous l'avez fait. Oh, regardez ! Un marquis célibataire est à la recherche d'une épouse ! s'exclama Miles en pointant dans la direction opposée avant de prendre ses jambes à son cou.

Hen allait lui être redevable pour cela. Aussitôt qu'il la trouverait.

Miles se cacha derrière une colonne pour tenter à la fois d'éviter cette femme cinglée avec son éventail douloureux et de localiser Henrietta. Elle n'était ni sur le plancher de danse, ni à la table des rafraîchissements, ni dans la salle de cartes. De sa position privilégiée, Miles ne pouvait pas voir dans la salle de cartes, mais c'était inutile.

Par-dessus les voix qui bavardaient, Miles entendit un rire familier et pivota en direction du bruit. Quelque chose dans la nature sincère de cet amusement faisait qu'il ne pouvait s'agir de personne d'autre qu'Henrietta.

N'étant pas pour rien un intrépide agent du ministère de la Guerre, Miles traqua avec succès le bruit jusqu'à sa source. Son regard survola un groupe d'imitateurs de Beau Brummell qui décontenançaient les gens en les dévisageant à travers leurs monocles, ainsi qu'une jeune demoiselle dégingandée, qui avait visiblement eu un accident malheureux avec un fer à friser, avant de s'arrêter finalement sur une tête brun-roux familière ornée d'une simple barrette de perles. Henrietta et ses deux meilleures amies, Pénélope et Charlotte, étaient réunies dans un coin et communiquaient à l'aide d'une combinaison de chuchotements, de petits rires et de gesticulations. Tandis que Miles les observait, Henrietta fit un grand sourire et, ses yeux noisette brillants d'espièglerie, lança à Pénélope un commentaire par-dessus son épaule.

En réponse, un grand sourire se répandit machinalement sur le visage de Miles, mais fut vite remplacé par un froncement de sourcils lorsque ce dernier remarqua qu'un jeune mâle derrière Henrietta avait aussi remarqué tant le grand sourire contagieux que l'épaule nue par-dessus laquelle le commentaire avait été adressé. L'épaule et la gorge d'Henrietta luisaient à la lueur des chandelles, plus blanches que les perles autour de son cou. Miles lança un regard noir, sans obtenir beaucoup d'effet. L'homme leva son monocle. Miles fit un pas pour sortir de derrière sa colonne, se dressa de toute sa hauteur et fit craquer ses jointures. Puis il lui lança un regard noir. L'homme partit en hâte en direction de la salle de cartes, son monocle pendant au bout de son ruban. Miles hocha la tête d'un air satisfait. Il devenait plutôt doué pour cette histoire de chaperonnage.

Et c'était aussi bien ainsi. Le nombre de galants importuns qui devaient être décontenancés d'un regard noir avait augmenté récemment.

Caché derrière sa colonne, Miles examina Henrietta, dont les traits lui étaient plus familiers que les siens. Au cours de sa vie, il avait passé beaucoup plus de temps à regarder Henrietta qu'à se regarder dans un miroir. En apparence, elle n'avait pas beaucoup changé. Les mêmes cheveux châtains striés de roux doré là où ils étaient touchés par la lumière. Les mêmes yeux noisette, parfois brun-vert, parfois bleus, tournés vers le haut comme si elle était constamment en train de réfléchir. La même peau diaphane qui se couvrait rapidement de taches de rousseur au soleil et qui était sujette aux rougeurs causées par les orties, la laine ou toute autre substance irritante, un fait duquel Richard et lui avaient tiré un avantage éhonté pendant leur folle jeunesse. Les cheveux d'Henrietta étaient aussi longs et châtains, ses yeux aussi tournés vers le haut et sa peau aussi pâle que lorsqu'elle avait neuf, douze ou seize ans. Pourtant, lorsqu'on mettait tout cela ensemble, le résultat était maintenant bien différent de ce qu'il avait été, même un an plus tôt.

Portait-elle des corsages plus décolletés ? Ses cheveux étaient-ils coiffés différemment ? Elle n'apprenait peut-être pas aux flambeaux à illuminer, mais il y avait une aura lumineuse autour d'elle, quelque chose qui la distinguait de Charlotte et de Pénélope. Une nouvelle lotion pour la peau, peut-être ? Miles grimaça et abandonna. Les frivolités des femmes lui échappaient. Quant aux corsages, que le diable l'emporte, elle était la sœur de son meilleur ami, et il s'était engagé à la protéger. Il n'était pas censé être conscient du fait qu'elle *portait* un corsage. Évidemment, il aurait été fichtrement étrange qu'elle n'en portât pas, mais la question n'était pas là. Tout ce qui était sous le cou était carrément hors limite. Et son rôle consistait à s'assurer que tous les autres hommes dans la salle de bal respectaient aussi cette règle.

Levant les yeux, Henrietta aperçut Miles et s'interrompit, de façon assez gratifiante, au beau milieu de ce qu'elle était en train de dire à Pénélope et à Charlotte pour arborer un grand sourire de bienvenue.

Miles salua.

Henrietta inclina la tête et retroussa le nez dans une expression intéressée et incrédule manifestement destinée à exprimer « Mais que fais-tu derrière cette colonne ? ».

Il n'existait aucune contorsion faciale suffisamment complexe pour expliquer cela. Miles s'extirpa de derrière sa colonne, replaça son foulard et s'approcha tranquillement d'Hen d'un pas aussi nonchalant que s'il ne venait pas tout juste d'être surpris derrière une large pièce de maçonnerie.

— De qui te cachais-tu ? lui demanda Hen avec un certain amusement en posant une main gantée sur sa manche et en penchant la tête en arrière pour le regarder, les deux sourcils levés selon un drôle d'angle. Monsieur Delaroche ne s'est certainement pas procuré un laissez-passer pour Almack's.

– Oh non, la rassura Miles. Il s'agit de quelqu'un de beaucoup, beaucoup plus implacable.

Henrietta réfléchit.

– Ma mère ?

– Tu brûles, répondit sombrement Miles.

Accompagnant son récit des gestes appropriés, Miles raconta sa brève rencontre avec l'infernale mère entremetteuse qui brandissait un éventail.

Les yeux d'Henrietta s'arrondirent lorsqu'elle la reconnut.

– Oh, je la connais ! Elle a été aux trousses de Richard pendant toute la saison l'année dernière. En fait, il a renversé un bol de punch uniquement pour créer une diversion. Il a tenté de faire passer cela pour un accident, mais – Henrietta secoua la tête avec un air de sagesse las de ce monde – nous le savions.

– Quelqu'un aurait pu m'avertir, répliqua Miles en agitant le doigt en direction d'Henrietta.

Henrietta battit des cils d'un air exagérément innocent.

– Mais ç'aurait été déloyal.

– Envers qui ?

– Envers madame Ponsonby, bien entendu.

– Toi, tu vas m'être redevable jusqu'à la fin de tes jours, dit Miles en regardant Henrietta de ses yeux marron plissés.

– Tu l'as déjà dit hier soir. Et avant-hier.

– Certaines choses ne sont jamais assez dites, répliqua Miles avec fermeté.

Henrietta y réfléchit pendant un instant.

— Comme albatros.

— Albatros ?

Une mèche de cheveux blond-roux tomba devant les yeux de Miles lorsque celui-ci jeta un regard perplexe à Henrietta.

— J'aime seulement le dire, répondit joyeusement Henrietta. Essaie. Albatros. C'est encore plus amusant si tu étires un peu la première syllabe. *Al*-batros !

— Et Richard, qui était persuadé que la folie n'avait pas cours pas dans la famille, songea Miles à voix haute.

— Chut ! Tu vas effrayer mes maris potentiels.

— Ne crois-tu pas l'avoir déjà fait en criant *albatros* ?

— Je n'appellerais pas ça crier, justement. C'était plutôt une exclamation de joie.

Miles fit ce que tout bon dépravé faisait lorsqu'il perdait un débat. Il gratifia Henrietta d'un lent sourire charmeur du genre de ceux qui faisaient palpiter le cœur des jouvencelles et écrire des lettres parfumées aux veuves rompues aux usages de ce monde.

— Quelqu'un vous a-t-il déjà dit que vous aviez un rapport malsain avec les mots, Lady Henrietta ?

Ayant deux frères aînés, Henrietta était immunisée contre les sourires charmeurs.

— Toi, d'habitude. Généralement après que j'ai pris le dessus dans une discussion.

Miles se frotta le menton, l'air en grande réflexion.

— Je ne me souviens pas que ç'ait déjà été le cas.

— Oh, regarde ! s'exclama Henrietta sur le ton de la confidence en se penchant vers lui, tandis que l'ourlet brodé de sa robe bruissait sur le bout de ses bottes. Je crois que tu es sauvé. Madame Ponsonby a jeté son dévolu sur Reggie Fitzhugh.

Miles suivit l'éventail d'Henrietta du regard et nota avec un certain soulagement que la folle s'était effectivement rabattue sur Navet Fitzhugh. Navet n'était pas le premier sur la liste pour hériter d'un titre, mais son oncle était comte, et il avait un revenu de dix mille livres par an, ce qui était suffisant pour faire de Navet un mari potentiel très intéressant pour quiconque ne se souciait pas de l'absence totale de facultés mentales. Ce qui, selon ce que Miles avait vu des débutantes de cette année, ne semblait pas être un problème. D'ailleurs, Navet était un type bien. Pas le genre d'homme que Miles aimerait voir épouser l'une de ses sœurs (il y avait peu de risque que cela se produise, puisque les trois demi-sœurs de Miles étaient toutes beaucoup plus âgées que lui et casées depuis longtemps), mais il prenait bien soin de ses chevaux, partageait généreusement son porto et avait la bonne habitude d'effectivement rembourser ses dettes de jeu.

Il avait aussi un talent incontestable pour les catastrophes vestimentaires. Il était, remarqua Miles avec un mélange d'amusement et d'incrédulité, entièrement vêtu d'œillets, avec une énorme fleur rose à sa boutonnière, des guirlandes d'œillets brodées dans la soie de ses bas et même – Miles tressaillit – des dizaines de petits œillets tressés avec du lierre sur les côtés de ses hauts-de-chausses. Le récent séjour de Navet sur le continent n'avait visiblement rien fait pour améliorer ses goûts.

Miles grogna.

– Quelqu'un doit enlever son tailleur.

– Je trouve que ça ajoute une touche de couleur à la soirée, ne trouves-tu pas ? Notre amie fleurie sera si flattée.

Miles baissa la voix et fit mine de jouer avec un des plis de son foulard.

— Fais attention, Hen.

Les yeux noisette d'Henrietta croisèrent ses yeux marron.

— Je sais.

Puisqu'il était là au nom de Richard, Miles était sur le point de dire quelque chose de sage et digne d'un grand frère lorsqu'il fut distrait par un martèlement familier.

Ce n'était pas un mal de tête — étant un homme grand et fort, Miles ne succombait jamais à des affections aussi mineures qu'un mal de tête — ni l'artillerie française, et à sa connaissance, il n'y avait aucune tige de haricot productrice de géants dans les environs ; il ne pouvait donc s'agir que d'une chose : la duchesse douairière de Dovedale.

— Je vais aller te chercher cette limonade maintenant, d'accord ?

— Lâche.

— Pourquoi devrions-nous souffrir tous les deux ? répondit Miles en commençant à reculer tandis que la duchesse avançait d'un pas lourd.

— Parce que, répliqua Henrietta en l'attrapant par la manche et en tirant dessus, la consolation des malheureux est d'avoir des semblables.

Miles regarda intensément la duchesse douairière ou, plus précisément, la boule de fourrure pendue au bras de la duchesse tel un manchon particulièrement miteux, puis libéra brusquement son bras de l'emprise d'Henrietta.

— Pas ce semblable-ci.

— Ça fait mal, répondit Henrietta en serrant une main sur son cœur. Ici.

— Tu pourras verser de la limonade sur ta blessure, répliqua Miles, peu compatissant. Oh, diantre ! Elle arrive. Avec son petit chien. Damnation !

Miles s'enfuit.

— Pfff, fit la douairière en se dirigeant d'un pas lourd vers les trois filles. Est-ce Dorrington que je viens de voir s'enfuir ?

— Je lui ai demandé d'aller me chercher de la limonade, expliqua Henrietta de la part de Miles.

— N'essayez pas de me mener en bateau, jeune demoiselle. Je sais reconnaître une fuite quand j'en vois une, répondit la duchesse douairière en regardant avec une certaine complaisance Miles battre en retraite à la hâte. À mon âge, faire fuir les jeunes hommes est l'un des rares plaisirs qu'il me reste. Le jeune Ponsonby s'est jeté par une fenêtre du deuxième étage l'autre jour, ajouta-t-elle avec un gloussement.

— Il s'est tordu la cheville, dit doucement Charlotte à Henrietta.

Le fait que sa grand-mère soit dans les parages avait eu un effet considérablement apaisant tant sur l'humeur que sur la voix de Charlotte.

— Évidemment, ça n'a pas toujours été ainsi, poursuivit la duchesse douairière, comme si Charlotte n'avait rien dit, en riant aux souvenirs heureux. Quand j'avais votre âge, tous les jeunes mâles étaient fous de moi. Pas moins de dix-sept duels ont été engagés pour moi dans ma jeunesse ! Dix-sept ! Aucun d'eux n'a été mortel, ajouta-t-elle sur un ton de profond regret.

— N'êtes-vous pas heureuse de savoir que vous n'avez pas causé la mort d'un homme bien ? la taquina Henrietta.

— Pfff ! Tout garçon assez idiot pour se battre en duel mérite d'en mourir ! Nous avons besoin de plus de duels, dit la duchesse douairière en haussant le ton. Pour réduire le nombre d'abrutis qui encombrent les salles de bal.

– Pardon ? demanda Navet Fitzhugh en s'approchant tranquillement. Bien peur de ne pas avoir compris.

– Exactement ce que je disais, répliqua la duchesse douairière d'un ton sec. En parlant d'abrutis, où est allé le jeune Dorrington ? J'aime bien ce garçon. C'est un plaisir de le tourmenter, pas comme ces jeunes chiffes molles, ajouta-t-elle en jetant un regard noir au pauvre Navet, la chiffe molle la plus proche. Que fait Dorrington ? Il presse les citrons ?

– Il est probablement caché derrière une colonne quelque part, intervint Pénélope. Il est doué pour ça.

Henrietta jeta un regard exaspéré à sa meilleure amie.

Charlotte vint à sa rescousse.

– Il y a souvent foule devant la table des rafraîchissements.

La duchesse douairière dévisagea sa petite-fille d'un œil désapprobateur.

– Toute cette bonté à l'eau de rose te vient directement de la famille de ta mère. J'ai toujours dit à Edward qu'il affaiblissait la lignée.

Henrietta tendit subtilement une main gantée pour serrer le bras de Charlotte. Les yeux gris de Charlotte, chargés d'une gratitude silencieuse, croisèrent les siens.

– Ah ha !

La douairière laissa échapper un cri triomphant.

– Voilà Dorrington ! Il ne s'est jamais rendu jusqu'aux citrons. Mais qui est cette galante à qui il parle ?

Chapitre 6

Orgeat : 1) *sirop à saveur d'amande couramment servi lors de soirées* ; 2) *poison mortel à action rapide. Note : Il est pratiquement impossible de distinguer le premier du second.*
— tiré du livre de codes personnel de l'Œillet rose

Miles se dirigea vers les rafraîchissements, prenant soin de s'éloigner considérablement de la duchesse douairière de Dovedale — et de son petit chien excité. Miles et ce chien ne s'entendaient pas très bien — selon Miles, du moins.

Miles ne faisait que jeter un coup d'œil par-dessus son épaule pour s'assurer que le chien venu de l'enfer ne l'avait pas senti (il pouvait courir fichtrement vite quand il le voulait, ce qui était habituellement le cas lorsque Miles était dans les parages), lorsqu'un « Oh ! » guttural retentit tandis que quelque chose de chaud et humide coulait le long de sa jambe. Miles se tourna, s'attendant à voir une autre débutante vêtue de pastel.

Il se trouva plutôt face à une voluptueuse apparition en noir. Ses cheveux foncés étaient simplement retenus en arrière au sommet de son crâne et tombaient en longues boucles souples pour aller chatouiller la bordure d'un corsage aussi décolleté que ceux que l'on portait à Paris. La simplicité de sa coiffure accentuait l'ossature fine de son visage, le genre d'ossature qui, chez les dames plus âgées, était généralement décrite comme élégante ; des pommettes hautes et un menton pointu. Cependant, la femme devant Miles n'était pas âgée du tout. Sa peau, aussi pâle qu'une orchidée, contrastait avec les boucles de jais de ses cheveux, mais c'était la pâleur d'un teint soigneusement protégé du soleil et non celle de la maladie ou de la vieillesse. Ses lèvres, si rouges qu'elles auraient pu être maquillées, s'étirèrent en un sourire engageant.

Comparée à la beauté rose et blanc des jeunes filles à leur première saison, elle était aussi exotique qu'une tulipe dans un champ de primevères, une saisissante étude de lumière et d'ombre sur un mur d'aquarelles.

— Je suis vraiment navrée, dit la même voix rauque lorsque Miles sursauta au contact du liquide et que ses chaussures clapotèrent dans la flaque collante d'orgeat sous ses pieds.

— Ce n'est rien, répondit Miles, qui sentait l'orgeat s'infiltrer entre ses orteils. Je ne regardais pas où j'allais.

— Mais votre pantalon…

— C'est sans importance, répliqua Miles. Puis-je vous apporter un autre verre ? ajouta-t-il poliment.

La femme sourit d'un sourire lent qui commençait aux coins de ses lèvres et s'étirait jusqu'à ses joues, sans vraiment atteindre ses yeux.

— Je ne suis pas tout à fait mécontente d'en être débarrassée. Je préfère mes rafraîchissements plus… forts.

Le regard qu'elle lança vers les épaules de Miles laissa entendre qu'elle ne parlait pas uniquement de boissons.

— Dans ce cas, vous êtes au mauvais endroit, répondit franchement Miles.

Après tout, Almack's était connu pour ses boissons diluées et ses invités encore plus ternes. À moins qu'on soit passionnément épris de Lady Jersey, mais Miles doutait que cette femme fît partie de la secte des gens qui idolâtraient Lady Jersey.

Des cils aussi noirs que ses cheveux s'abaissèrent pour voiler des yeux sans fond.

– De temps à autre, on trouve l'exception qui confirme la règle.

– Cela dépend, dit Miles d'une voix traînante, jusqu'à quel point on est prêt à contourner les règles.

– Jusqu'à les briser.

La dernière syllabe resta délicatement suspendue dans les airs.

Miles la gratifia de son plus beau regard canaille.

– Comme le cœur d'une jouvencelle ?

Elle glissa délicatement sur la bordure de son éventail un doigt orné d'un ongle long.

– Ou la détermination d'un homme.

À l'autre bout de la pièce, Henrietta s'empara de la lorgnette de la duchesse douairière pour scruter la foule. Très visiblement, Miles était là – sa tête blonde était facile à reconnaître : personne d'autre n'arrivait à avoir les cheveux à ce point en bataille dans une salle de bal sans courant d'air. Et il était aussi, indéniablement, en pleine conversation.

Avec une femme.

Henrietta éloigna la lorgnette de son œil, l'inspecta pour s'assurer qu'elle était en bon état, puis essaya à nouveau. La femme était toujours là.

Henrietta était perplexe, et ce, avec raison. Au fil de toutes les fois où Miles avait été contraint de l'escorter, une routine agréable s'était installée. Miles se présentait aussi tard que la décence le permettait, ils se chamaillaient un peu, Miles allait lui chercher de la limonade et en rapportait même à Pénélope et à Charlotte lorsqu'il était de bonne humeur, puis il disparaissait dans la salle de cartes avec les autres frères et maris persécutés. Il en sortait de temps à autre pour s'assurer que tout se passait bien, aller chercher d'autres limonades et danser n'importe quelle danse restée vacante dans le carnet de bal d'Henrietta, mais autrement, il restait sagement dans le sanctuaire mâle de la salle de cartes.

Il ne parlait très certainement pas aux débutantes.

Évidemment, la dame en noir – Henrietta plissa les yeux à travers la lorgnette en souhaitant avoir plutôt des jumelles d'opéra – n'avait pas tellement l'air d'une débutante. D'abord parce que les débutantes ne portaient pas de noir. Et ensuite parce que leurs décolletés, pour la plupart, avaient tendance à être plus modestes que celui de la compagne de Miles. Juste ciel, cette robe avait-elle un corsage ?

Henrietta ravala une montée irrationnelle de haine pure. Évidemment, elle ne détestait pas cette femme. Comment pourrait-elle la haïr ? Elle ne l'avait même pas encore rencontrée.

Mais elle avait *l'air* détestable.

– Qui est-ce ? demanda Henrietta.

Pen renâcla de façon tout à fait indigne d'une dame.

– Une chasseuse de mari, sans doute.

– Ne le sommes-nous pas aussi ? riposta distraitement Henrietta tandis que la dame posait une main gantée de noir sur le bras de Miles.

Miles ne sembla faire aucun geste pour s'en défaire.

– Ça n'a rien à voir, décréta Pénélope.

— Je préférerais que ce soit mon futur époux qui me chasse, soupira Charlotte.

Pénélope sourit d'un air espiègle.

— Il se cachera sous ton balcon et criera : « Mon amour, mon amour ! Ô amour de ma vie ! »

— Chut ! intervint Charlotte en attrapant un des bras que Pénélope agitait dans les airs. Tout le monde nous regarde.

Pénélope serra affectueusement la main gantée de Charlotte.

— Qu'ils regardent ! Cela ne fera qu'augmenter l'aura de mystère qui t'entoure, n'est-ce pas, Hen ? Hen ?

Henrietta dévisageait toujours la femme aux cheveux noirs qui était avec Miles.

La douairière donna une tape sur la main d'Henrietta.

— Aïe !

Henrietta laissa tomber la lorgnette directement sur les genoux de la douairière.

— Beaucoup mieux, marmonna la douairière en levant sa lorgnette. Ah.

— Oui ? l'encouragea Henrietta en se demandant s'il serait possible d'aller se promener par là, tout à fait nonchalamment, pour écouter discrètement sans que ç'ait l'air intentionnel.

Probablement pas, conclut-elle avec regret. Il n'y avait rien d'assez large derrière quoi se cacher, mis à part Miles, et sa compagne se douterait probablement de quelque chose si elle voyait Henrietta jeter un œil par-dessus l'épaule de Miles. Elle lui en ferait sans doute part. Et Henrietta, aussi malsain que soit son rapport avec les mots, aurait beaucoup de mal à trouver une explication pour se sortir de cette situation.

— Ainsi, c'est elle ! Qui aurait cru qu'elle serait de retour à Londres ?

— Qui donc ? s'enquit Henrietta.

— Tiens, tiens, tiens, fit la duchesse pour exprimer son étonnement.

Henrietta jeta un regard exaspéré en direction de la duchesse douairière, mais savait qu'il valait mieux se taire. Plus elle se montrerait intéressée, plus la douairière mettrait du temps à en venir aux faits. Pousser les gentilshommes à sauter par les fenêtres des salles de bal n'était pas son unique source de plaisir : tourmenter les jeunes gens des deux sexes entrait dans la même catégorie — jeunes voulant dire n'importe qui de cinq à cinquante ans.

— Si ce n'est pas la jeune Theresa Ballinger ! Jamais je n'aurais cru revoir cette fille. Et c'était aussi bien ainsi.

— De qui s'agit-il ? demanda Pen en se penchant par-dessus l'épaule de la duchesse.

— Elle était la reine de la beauté en 1790 ; tous les hommes étaient fous d'elle. Les hommes ! renâcla la duchesse. Tous des moutons. *Je* ne l'ai jamais aimée.

Henrietta avait toujours su que la duchesse douairière faisait preuve de discernement et de beaucoup de bon sens.

— Elle a épousé un Français — titré.

— Un prince français ?

Henrietta n'avait pas pu résister.

— Un marquis français, la corrigea la duchesse. Non qu'elle eût refusé un prince si elle avait pu en trouver un. Cette fille n'a jamais perdu de vue ses intérêts. Je me demande pourquoi elle est revenue à Londres.

Les autres spectateurs outrés qui regardaient le petit badinage de Miles n'avaient aucun doute à ce sujet. Ce que la magnifique marquise de Montval faisait à Londres était beaucoup trop évident : elle ferait un vicomte. Puisque les vicomtes étaient une denrée rare, ses progrès étaient suivis avec une détresse certaine par une portion assez considérable de l'assemblée.

— Elle a déjà eu un mari ! se plaignit une fille de mauvaise humeur à sa mère. Et c'était un marquis ! C'est injuste !

— Allons, allons, ma chère, la rassura sa mère en jetant un regard noir en direction de Miles et de la marquise. Maman va te trouver un autre vicomte. Il y a ce gentil Pinchingdale-Snipe…

Elles n'avaient aucune raison d'être consternées. Miles n'était pas intéressé.

Bon, il n'était pas entièrement désintéressé — après tout, il était un homme qui n'avait pas de maîtresse actuellement, et une poitrine assez généreuse était présentée pour son plus grand plaisir. Il n'était tout simplement pas assez intéressé. L'offre était flatteuse, mais un vieil adage disait de ne pas salir son propre nid. S'il devait badiner, ce ne serait pas parmi la noblesse.

Alors plutôt que de faire un signe de tête vers la sortie la plus proche, Miles prit la main gantée qui lui était offerte et inclina le torse en une élégante révérence. Pour faire bonne mesure, simplement pour qu'elle n'ait pas l'impression d'avoir gaspillé ses charmes, il retourna sa main et posa un baiser sur sa paume gantée. C'était un geste qu'il avait appris quelques années plus tôt d'un vieux camarade italien appelé Giacomo Casanova. Cela ne manquait jamais de plaire.

— Ce fut un plaisir, madame.

— Pas le dernier de son espèce, j'espère.

— Les plus grands plaisirs ne sont-ils pas ceux qu'on n'attend pas ? se défila Miles.

Cela lui parut une façon plutôt astucieuse d'éviter de fixer un rendez-vous.

— L'anticipation peut parfois être aussi agréable que la surprise, le contredit la marquise en fermant son éventail d'un claquement éloquent. J'irai me promener au parc demain à dix-sept heures. Peut-être nos chemins se croiseront-ils.

— Peut-être.

Le sourire de Miles en disait aussi long — et aussi peu — que celui de la marquise. Puisque tout le monde se promenait au parc à dix-sept heures, les chances qu'ils se rencontrent étaient élevées, mais les chances que cela soit volontaire l'étaient moins.

Il lui avait traversé l'esprit qu'en tant que veuve d'un marquis français, elle pourrait lui être d'une certaine utilité pour explorer la possibilité qu'un espion se cache dans la communauté d'émigrés français, mais elle avait mentionné, au cours de leur brève conversation chargée de sous-entendus, qu'elle était rentrée de France deux ans plus tôt, mais que, entre-temps, elle avait discrètement vécu les premières étapes du deuil de son mari dans le Yorkshire. Miles avait des contacts mieux informés — bien que moins séduisants — dans la communauté des émigrés. En outre, son meilleur point de départ pour cette mission semblait toujours être Lord Vaughn, l'employeur de l'agent secret.

L'homme qui occupait les pensées de Miles se dirigeait, à cet instant précis, vers le groupe de jeunes dames rassemblées autour de la formidable duchesse douairière de Dovedale.

Henrietta examina le nouveau venu avec intérêt. Il n'était pas exactement grand — pas aussi grand que Miles, de toute façon —, mais sa silhouette agile donnait une impression de grande taille. Contrairement aux jeunes gens les plus aventureux de la noblesse, qui s'étaient parés de couleurs allant d'eau du Nil (aussi fatale pour le teint que le fleuve l'avait été pour les ambitions de Bonaparte) à un ton particulièrement atroce de puce, l'homme qui s'approchait était vêtu d'un mélange de noir et d'argenté, telle la nuit noire percée de rayons de lune. Ses cheveux respectaient le thème ; le noir d'origine était mis en valeur par quelques mèches argentées. Henrietta n'aurait pas été étonnée qu'il les ait volontairement rendues argentées, simplement pour qu'elles s'agencent avec son gilet. En effet, la convergence des couleurs était trop parfaite pour ne pas avoir été planifiée. Dans une main, il tenait une canne au pommeau argenté. Elle était visiblement plus décorative que pratique ; malgré la légère trace de gris dans ses cheveux, il se déplaçait avec la démarche sinueuse d'un courtisan.

Il ressemblait beaucoup, pensa Henrietta, à l'image qu'elle se faisait de Prospero. Pas Prospero sur son île sauvage, mais plutôt Prospero dans toute la décadence de Milan à l'époque où il était au pouvoir – élégant, intouchable et plus que légèrement dangereux.

Tandis qu'il s'approchait, manifestement résolu à se joindre à leur groupe, Henrietta remarqua le serpent argenté qui ondulait le long de la canne et dont la tête ornée de crochets constituait la poignée. Il s'agissait d'une canne en ébène, bien entendu. Henrietta était persuadée que les lignes courbes argentées sur son gilet se révéleraient, à mesure qu'il s'approcherait, être elles aussi les corps tortillés et ondulés de serpents.

Des serpents argentés, pour l'amour du ciel ! Henrietta se mordit les lèvres pour retenir un gloussement impertinent. C'était aller un peu trop loin pour tenter d'avoir l'air diabolique et mystérieux. Le mystère frisait si facilement le ridicule.

Elle maîtrisa de justesse son envie de rire ; Prospero les avait rejointes et se tenait devant la duchesse en souriant, une jambe légèrement pliée à la manière d'un acteur qui se prépare à déclamer.

— Vaughn, vieille fripouille ! s'exclama la duchesse. Il y a une éternité que je ne vous ai pas vu. Ainsi, vous avez décidé de rentrer, n'est-ce pas ?

— Comment aurais-je pu faire autrement, alors que tant de beauté m'attendait à la maison ? Je vois que durant ma longue absence, les trois Grâces sont descendues de l'Olympe pour illuminer les tristes salles de bal londoniennes.

— Et qui suis-je ? La Gorgone ? s'enquit la duchesse en inclinant sa tête poudrée. J'ai toujours rêvé de pouvoir changer les hommes en pierre. Ce serait un don si pratique dans les soirées ennuyeuses.

Lord Vaughn se pencha au-dessus de sa tête.

— Votre Grâce, vous êtes, depuis toujours, une sirène née pour faire mourir les hommes de peur.

— Je n'ai jamais entendu une insulte si bien lancée ! Et j'en ai moi-même lancé pas mal dans mon temps. Vous avez toujours été une fripouille enjôleuse, Vaughn. Mais je vais vous présenter ces jeunes dames, de toute manière.

La duchesse agita sa canne d'un geste dédaigneux en direction de Charlotte.

— Ma petite-fille, Lady Charlotte Lansdowne, poursuivit-elle.

Charlotte s'inclina pour faire une révérence respectueuse. Le monocle de Lord Vaughn passa sans s'y intéresser au-dessus de sa tête blonde inclinée.

— Mademoiselle Pénélope Deveraux.

Pénélope esquissa le plus petit semblant de révérence. Le monocle s'attarda un instant sur le visage aux traits fins et sur les cheveux flamboyants de Pénélope, puis continua son inexorable mouvement.

— Et Lady Henrietta Selwick.

— Ah, la sœur de notre galant aventurier.

De la bouche de Lord Vaughn, galant sonnait plutôt comme une insulte que comme un compliment.

— Sa renommée a atteint même les coins les plus reculés du continent.

— J'imagine qu'ils n'ont pas beaucoup d'autres sujets de conversation, répondit amèrement Henrietta en se relevant de sa révérence. Puisqu'ils sont si reculés.

Pour la première fois, Lord Vaughn la regarda en face, une étincelle d'intérêt dans ses yeux aux paupières lourdes. Il laissa tomber son monocle et s'approcha d'un pas.

— Leur enseigneriez-vous des sujets plus intéressants, Lady Henrietta ? demanda-t-il d'une voix caressante destinée à faire battre le cœur des dames plus rapidement et à faire rougir leurs joues.

Le pouls d'Henrietta s'accéléra — d'agacement. Ayant grandi avec deux dépravés en résidence, c'est-à-dire Richard et Miles, elle n'était pas facilement troublée.

— L'étude de la littérature antique est toujours une activité louable, suggéra-t-elle modestement.

Le monocle de Vaughn descendit en direction du décolleté de la robe d'Henrietta.

— Personnellement, je préfère la philosophie naturelle.

— Oui, je vois ça, répondit Henrietta avant qu'un diablotin interne la pousse à continuer. Je l'ai deviné simplement à voir les adorables serpents sur votre gilet, milord.

Lord Vaughn haussa un sourcil.

— Adorables ?

— Euh… oui.

Maudit soit ce diablotin interne. Il lui attirait toujours des ennuis. Henrietta chercha une réponse appropriée.

— Ils… ondulent avec tant de sinuosité.

— Peut-être préférez-vous les gilets fleuris ? suggéra-t-il doucement.

Henrietta secoua la tête. Puisqu'elle s'était mise dans cette conversation ridicule, elle se dit qu'elle ferait aussi bien de la poursuivre.

— Non, ils sont trop insipides. Ce dont un gilet a besoin, c'est d'une jolie créature mythique. J'ai un faible particulier pour les griffons.

— Comme c'est étrange.

Lord Vaughn l'observa d'un air légèrement perplexe, comme s'il tentait de déterminer si elle était exceptionnellement brillante ou si elle était une espèce de curiosité divertissante, à l'instar d'un perroquet capable de réciter un poème de Donne.

— Que pensez-vous des dragons ?

Henrietta regarda la duchesse douairière de Dovedale avec insistance.

— J'éprouve beaucoup d'affection pour certains d'entre eux.

— Si votre affection s'étend aux variétés orientales, j'ai en ma possession une modeste collection de dragons chinois. Ils sont très différents de tous ceux que vous avez vus, j'en suis convaincu.

— J'admets que mon expérience des dragons est limitée, milord, se déroba prudemment Henrietta.

Par-dessus l'épaule de Lord Vaughn, elle voyait sa mère traverser la pièce d'un pas déterminé et d'un air exceptionnellement mécontent.

– On en croise si peu, poursuivit-elle. Ils sont presque aussi insaisissables que les licornes.

– Ou que l'Œillet rose ? suggéra Lord Vaughn avec légèreté. Je donne un bal masqué chez moi dans deux jours. Si vous vouliez nous faire l'honneur de votre présence, je serai plus que ravi de vous présenter mes dragons.

– J'espère qu'ils n'ont pas l'habitude de croquer les tendres jouvencelles, lança malicieusement Henrietta dans l'espoir de ramener la conversation vers des sujets plus généraux et sans conséquence, tout en l'éloignant de son éventuelle présence à la mascarade de Lord Vaughn. Il paraît que les dragons ont cette tendance.

– Ma chère jeune dame, répondit Lord Vaughn en caressant de sa main aux longs doigts la tête de serpent de sa canne, je peux vous donner l'assurance que…

– Bonsoir ! dit Miles en s'immisçant brutalement dans la conversation. J'espère que je ne vous interromps pas. Hen, ta limonade.

– Merci.

Henrietta accueillit Miles avec un certain soulagement et jeta un regard dubitatif à son gobelet, qui contenait moins d'un centimètre et demi de liquide jaune. À en juger par le fait que c'était collant sous ses doigts, le reste avait manifestement été renversé pendant que Miles revenait avec enthousiasme de la table des rafraîchissements.

– Lord Vaughn, connaissez-vous monsieur Dorrington ?

– Vous avez dit Vaughn ?

Miles se revigora inexplicablement, puis son visage se détendit, et il sourit de toutes ses dents.

— Vaughn, mon vieux! s'exclama Miles en lui donnant une tape dans le dos. Une partie de cartes?

Henrietta ne savait pas que Miles connaissait Lord Vaughn. Apparemment, Lord Vaughn, qui regardait Miles comme s'il s'agissait d'un étrange phasme sorti de son verre de ratafia, ne le savait pas non plus.

— Cartes, répéta-t-il avec tact.

— Excellent! s'emballa Miles. Rien de tel qu'une bonne partie de cartes, hein, Vaughn? Pourquoi ne me racontez-vous pas vos voyages sur le continent...?

Prenant le comte par le bras, il l'entraîna en direction de la salle de cartes et croisa Lady Uppington en chemin.

— Bien joué de la part de Miles, commenta Lady Uppington d'un ton approbateur. Ton père aurait fait la même chose.

— Bien joué? répéta Henrietta, incrédule. Il l'a pratiquement enlevé.

— Il a fait exactement ce qu'il devait. Lord Vaughn, déclara Lady Uppington de son meilleur ton «Je suis ta mère, donc je sais tout», est un dépravé.

— Miles n'en est-il pas un? répliqua Henrietta en se rappelant plusieurs histoires dont elle n'aurait pas dû être au courant.

Lady Uppington sourit tendrement à sa fille.

— Non, ma chérie. Miles est un ange qui joue les dépravés. Lord Vaughn, ajouta-t-elle sur un ton désapprobateur, en est un vrai.

— Mais c'est un comte, la taquina Henrietta.

— Ma chérie, si jamais je me transforme en l'une de ces mères, tu as la permission de t'enfuir avec le premier malotru rencontré. À condition que ce soit un malotru qui a du cœur, ajouta Lady Uppington après coup. Non que j'aie une objection à ce que tu épouses un comte, mais le plus important, c'est que tu trouves…

– Je sais, l'interrompit Henrietta de son meilleur ton de benjamine lasse, quelqu'un qui m'aime.

– Qui a parlé d'amour ? répondit Lady Uppington, qui jouissait elle-même de l'une des rares unions d'amour de la noblesse, un mariage dont le bonheur était si écœurant qu'il avait entraîné des décennies de froncements de sourcils et de regards envieux. Non, ma chérie, ce que tu veux trouver, c'est un homme alléchant.

– Mère !

– Si facile à choquer, murmura Lady Uppington avant de reprendre son sérieux. Sois sur tes gardes autour de Vaughn. On raconte des choses…

Lady Uppington dirigea son regard vers la salle de bal, et un sillon marqué apparut entre ses sourcils élégamment arqués.

– Des choses ? l'encouragea Henrietta.

– Qui ne conviennent pas à tes oreilles.

– Oh, alors que reluquer le corps d'un gentilhomme, si ? grommela Henrietta.

Lady Uppington pinça les lèvres.

– Je ne sais pas ce que j'ai fait pour mériter des enfants si impertinents. Tu n'es pas mieux que tes frères. Que ton frère, se reprit-elle, puisque tout le monde savait que Charles était un modèle de bienséance. Mais seulement pour cette fois, Henrietta Anne Selwick, j'aimerais que tu m'écoutes sans discuter.

– Mais, mère…

— Miles ne sera pas toujours là pour te sortir des situations délicates.

Henrietta ouvrit la bouche pour faire une remarque narquoise sur le fait que c'était là l'unique but de l'existence de Miles. Lady Uppington la fit taire en levant la main.

— Écoute le judicieux conseil de ta vieille mère et reste bien loin de Lord Vaughn. Ce n'est *pas* un prétendant convenable. Bon, n'es-tu pas censée danser avec quelqu'un ?

— Grrr, répondit Henrietta.

Chapitre 7

Cartes, partie de : *jouer au plus fin avec un impénétrable agent secret du ministère de la Police. Voir aussi* hasard.
– tiré du livre de codes personnel de l'Œillet rose

– Qu'en dites-vous, Vaughn ? Une autre partie ? demanda Miles, qui étala le jeu de cartes en éventail sur la table pour le tenter.

Il ne croyait toujours pas à la chance qu'il avait eu de tomber sur Vaughn à Almack's ; qui l'eût cru ? Apparemment, quelqu'un quelque part voyait ses efforts d'un bon œil. Si Vaughn n'avait pas été en train de parler avec Henrietta à cet instant précis…

Il aurait fini par repérer Vaughn de toute façon. Ç'aurait simplement été plus long. Miles avait élaboré, au cours de l'après-midi, un plan d'action très logique pour filer Vaughn, qui impliquait de découvrir de quels clubs l'homme plus âgé était membre, à quels moments il avait tendance à les fréquenter et où il serait le plus susceptible de se laisser aborder. Ceci était beaucoup plus facile.

Le seul problème, c'était que Miles n'avait pas obtenu le moindre résultat avec ses questions pointues. Il avait tenté un commentaire désinvolte sur la difficulté de trouver de bons valets de nos jours. Lord Vaughn avait haussé les épaules.

— Mon homme d'affaires s'occupe de ça pour moi.

Pas de « C'est affreux, ils me claquent tous entre les doigts ! » ni de « C'est étrange, un de mes valets s'est justement éteint ce matin ». On était en droit de s'attendre à une réaction — incrédulité, agacement, désarroi — de la part d'un employeur dont le valet venait d'être assassiné. Il n'y avait pas eu de soudain sursaut de culpabilité ni de regards fuyants non plus, mais Miles avait trouvé l'absence de réaction tout aussi suspecte que le fait que Vaughn ne mentionne pas l'incident.

Les références aux exploits galants de nos amis fleuris, aux difficultés de voyager sur le continent en ces temps troublés, ainsi qu'à l'augmentation scandaleuse de la criminalité (et notamment des meurtres) dans la métropole ces dernières semaines n'avaient guère provoqué plus que des murmures polis. En fait, le seul sujet pour lequel Lord Vaughn avait montré quelque peu d'intérêt avait été la famille Selwick. Lord Vaughn avait posé plusieurs questions sur les Selwick. Miles, en sa qualité de jeune homme agaçant, l'avait bombardé de détails sans importance tels que la couleur du cabriolet de Richard et le fait que la cuisinière des Selwick faisait des biscuits au gingembre exceptionnels. Ni l'un ni l'autre de ces faits n'avaient semblé correspondre à ce que Vaughn voulait savoir.

Étrange, conclut Miles. Très étrange.

Malheureusement, rien ne venait confirmer ses doutes. Almack's, hélas, n'était pas idéal pour l'espionnage : la liqueur n'était pas assez forte pour amadouer Vaughn jusqu'à ce qu'il soit dans un état d'ébriété sociable, et les paris permis dans la salle de cartes n'étaient pas assez élevés pour que Miles réussisse à perdre suffisamment d'argent pour être forcé de lui donner sa parole (une façon astucieuse de justifier une visite chez Vaughn). Jusqu'à maintenant, Miles avait perdu exactement deux shillings et six pence. Il n'avait aucune chance de convaincre Lord Vaughn qu'il n'avait pas ce montant.

— Une autre partie ? répéta Miles.

— Je ne crois pas, répondit Lord Vaughn en reculant sa chaise. Je vais devoir renoncer à ce plaisir, ajouta-t-il sèchement.

Si Miles n'avait pas été convaincu que l'homme était un espion français meurtrier, il l'aurait presque plaint à cet instant. Mais puisqu'il s'agissait très vraisemblablement d'un espion français meurtrier, Miles n'éprouvait aucun remords à se montrer aussi agaçant que possible, basant sa performance sur Navet Fitzhugh dans ses moments les moins attachants.

— Oh, allez-vous à votre club ? Je pourrais…

— *Bonne nuit*, Dorrington.

Miles ravala une envie de sourire tout à fait inappropriée et tenta de paraître convenablement rejeté.

— Ah, bon, dit-il en s'enfonçant sur sa chaise d'un air qu'il espérait affligé. Une autre fois.

Vaughn accompagna sa retraite d'un staccato de sa canne. Miles attendit que les échos se soient affaiblis, puis se leva prudemment de la table. Il jeta un coup d'œil par la porte de la salle de cartes. Vaughn tira sa révérence à Lady Jersey, Lady Jersey agita les doigts dans sa direction et… Lord Vaughn sortit de la salle de bal.

Miles le suivit.

Il le suivit à bonne distance, s'assurant de rester caché dans l'encadrement de la porte tandis que Vaughn montait dans sa chaise à porteurs. C'était une grosse chaise aussi élégante que tout ce qui entourait Lord Vaughn. Les murs étaient couverts de laque noire et ciselés d'argent qui scintillait à la lueur des torches. Deux porteurs en livrée tenaient les pôles aux deux extrémités.

Il était très probable que Vaughn rentre simplement chez lui, ou qu'il aille à son club (Miles ne considérait pas comme fiable sa réponse négative un instant plus tôt ; diantre, s'il avait été Vaughn, il aurait menti simplement pour se débarrasser de lui), ou encore qu'il se rende dans une maison de plaisir ou dans n'importe quel autre endroit où l'on pouvait imaginer passer la soirée pour des raisons qui n'étaient absolument pas reliées à l'espionnage.

Mais si ce n'était pas le cas ?

Il n'avait rien à perdre à le suivre. Juste au cas où.

Miles se hâta de rejoindre une suite de chaises à porteurs à louer qui étaient alignées de l'autre côté de la rue. Les affaires marchaient bien, car nombreux étaient les quartiers de Londres malfamés après la tombée de la nuit avec leurs rues trop étroites pour le plus petit des phaétons, sans parler des carrosses normaux. Les porteurs bavardaient de façon décousue en attendant les clients — à en juger par ce que Miles entendit, ils se racontaient les détails les plus sanglants de la bataille de coqs de la veille.

Il n'attendit pas de savoir quel volatile avait gagné. Il se dirigea à grands pas vers la chaise qui semblait la plus solide, une boîte usée qui avait jadis été peinte en blanc, mais qui était maintenant grise de saleté, et s'éclaircit la voix assez bruyamment pour causer une tempête à Northumberland. Deux hommes se séparèrent à contrecœur du groupe de bourreaux d'oiseaux et s'approchèrent.

— Vous voulez qu'on vous conduise quelque part, m'sieur ?

La chaise de Vaughn tournait un coin. Dans un instant, il la perdrait de vue. Miles se hâta de grimper entre les pôles, tassant sa large silhouette dans la petite chaise.

— Suivez cette chaise !

— Il y aura un surplus si vous voulez que je coure, l'informa laconiquement le porteur avant.

Miles jeta une demi-couronne dans sa main.

— Partons !

Le porteur pointa du doigt son collègue à l'arrière.

— Pour mon ami aussi.

— Si vous me conduisez à temps et discrètement, cracha Miles, je vous en donnerai chacun le double. Maintenant, *partons* !

Les porteurs le levèrent et partirent. Par-dessus l'épaule du porteur, Miles crut tout juste apercevoir un coin de la chaise de Vaughn alors qu'elle prenait un virage, mais il ne voyait presque rien. Miles se pencha sur le côté, ce qui fit tanguer dangereusement la chaise et grommeler une épithète au porteur arrière, qui se débattit avec les pôles pour empêcher la chaise de basculer.

Miles se rassit au milieu du siège, regardant fixement les omoplates du porteur devant lui. Ce n'était vraiment pas une très belle vue.

Décidant qu'ils étaient assez loin derrière pour que les hommes de Vaughn ne le remarquent pas, Miles souleva le toit articulé de la chaise à porteurs et jeta un coup d'œil au-dessus. La chaise de Vaughn était tellement loin devant qu'il pouvait à peine apercevoir la lueur de la lanterne qui la précédait et qui dansait dans l'obscurité à la manière d'un feu follet.

Peu importe où elle allait, la chaise de Vaughn empruntait le chemin le plus sinueux qui fût. Les porteurs de Miles se contorsionnèrent dans de petites rues étroites où les maisons étaient penchées les unes vers les autres comme des ivrognes, passèrent devant des tavernes bruyantes et des églises silencieuses, négocièrent des virages serrés et traversèrent des artères très fréquentées. La plupart du temps, les porteurs de Vaughn choisissaient les chemins les moins fréquentés ; des ruelles où le haut des chaises se prenait dans les cordes à linge et où les porteurs devaient ralentir pour ne pas glisser dans les ordures qui jonchaient le sol. Ils ralentissaient, mais ils ne faiblissaient pas et accéléraient le pas jusqu'à pratiquement courir aussitôt que le terrain le permettait.

Miles tenta de contenir son excitation grandissante. Vaughn pourrait être simplement pressé de rejoindre sa maîtresse… Mais qui donc garderait une maîtresse dans ce quartier ? Bien que les rues ne lui fussent pas familières, l'aiguille de la boussole interne de Miles avait tourné allègrement pour s'arrêter infailliblement au sud-est. Ils se dirigeaient, par leur chemin indirect, loin de Mayfair, loin de Piccadilly, vers la rivière et les quartiers les plus tumultueux de l'est. Ils ne se rendaient manifestement pas chez Lord Vaughn, à Belliston Square.

Dans une rue de commerces aux volets fermés et de tavernes miteuses, la chaise de Vaughn ralentit. Ses porteurs tournèrent docilement un coin au trot, puis s'arrêtèrent devant un débit de boisson dont l'enseigne grinçait doucement dans la brise nocturne.

Miles donna un petit coup entre les omoplates du porteur.

– Arrêtez-vous ici !

Juste avant la courbe, le porteur dérapa avant de s'arrêter si brusquement que Miles en eut les côtes broyées. Du moins, il eut l'impression d'avoir les côtes broyées. Elles avaient foncé tout droit sur la tête du porteur. Respirant bruyamment, Miles descendit de la chaise d'un bond, flanqua des pièces dans la main du porteur sans s'arrêter pour les compter, puis s'aplatit contre le coin de l'immeuble.

Miles observa Vaughn écarter d'un geste la main que lui tendait l'un de ses porteurs et descendre de sa chaise. Du moins, Miles supposa qu'il s'agissait de Vaughn. La silhouette qui émergea de la chaise était entièrement enveloppée dans une grande cape noire. Seule la canne à tête de serpent indiquait que la silhouette fantôme était bien celle de l'homme que Miles avait suivi à la trace. Après avoir fait une pause pour arranger quelque chose avec ses porteurs – sans doute l'heure à laquelle il souhaitait qu'on vienne le chercher, puisque le voisinage n'était pas le genre d'endroit où un gentilhomme voudrait se déplacer à pied –, Vaughn disparut dans la taverne.

Miles regarda l'enseigne délavée au-dessus de la porte en plissant les yeux. Sous une couronne ducale était peinte une paire de bottes à col évasé semblables à celles que portaient les cavaliers un siècle plus tôt. Miles arrivait à peine à déchiffrer l'inscription délavée : THE DUKE'S KNEES.

L'endroit en général avait un aspect malfamé, un air de délabrement avancé aggravé par des volets tombants et de la peinture écaillée. Malgré son aspect décrépit, il semblait plutôt populaire. Trois hommes qui se balançaient ensemble en chantant venaient tout juste d'en sortir en titubant, libérant un peu du vacarme de l'intérieur – ainsi que de forts relents de bière renversée – avant que la porte se referme.

Après mûre réflexion, Miles se pencha et détacha les boucles ornées de pierreries de ses chaussures pour les glisser dans la poche de son gilet. Dans ce quartier, elles brillaient comme un phare qui ne manquerait pas d'attirer l'attention, sinon de sa proie, des voleurs et des malandrins qui attendaient que la nuit tombe pour s'attaquer aux gentilshommes ivres. Si Miles avait pu enlever aussi ses bas blancs en soie et ses hauts-de-chausses, il l'aurait fait, mais il se dit qu'il susciterait en quelque sorte davantage d'intérêt s'il entrait à poil que s'il était vêtu comme pour une audience à la cour du roi.

Ce dont il avait besoin, c'était une cape ; une de ces capes amples qui couvraient bien, comme celle que Vaughn portait. Sacrebleu ! Restant dans l'ombre, Miles se maudit de ne pas y avoir pensé. Évidemment, il n'avait pas pensé qu'il jouerait ce soir les espions intrépides en plus de l'accompagnateur qui s'ennuyait. S'il l'avait su, il se serait habillé en conséquence. Pas en noir – personne ne portait le noir intégral, excepté les espions et les pasteurs, et Miles n'avait aucune envie qu'on le prenne ni pour l'un ni pour l'autre –, mais avec plusieurs tons de marron terne qui se fondent dans le décor et passent totalement inaperçus.

Comme le hasard faisait bien les choses, une cape brune exactement comme celle dont Miles avait besoin marchait vers lui. Malheureusement, elle était attachée à un individu costaud avec un nez crochu et des cicatrices au visage, qui annonçaient qu'il n'aurait pas peur de se battre. Une créature féminine vêtue de coton fleuri sale et de dentelle usée était accrochée à son bras – à voir leur allure, tant les vêtements que la femme étaient des biens de seconde main.

Miles quitta sa cachette devant le couple.

– Bonsoir, dit-il avec un sourire charmant. J'aimerais acheter votre cape.

– Ma cape ?

L'homme eut l'air d'avoir plus envie de le frapper que de négocier.

– Qu'est-ce que vous lui voulez à ma cape ?

– Il fait frisquet, ne trouvez-vous pas ? improvisa Miles en se frottant les bras et en feignant un frisson. Brrr !

– Oooh, donne-la-lui, Freddy, roucoula la belle pendue à son bras à la manière d'un écureuil sur une branche d'arbre. Je vais te garder au chaud.

– Une idée charmante, applaudit Miles. Et maintenant, pour ce qui est du prix…

La mention d'argent eut l'effet escompté. Miles s'éloigna, appauvri de plusieurs shillings, mais fier possesseur d'un bout de laine brune. Un volumineux bout de laine malodorante à capuche. Il jura de ne plus jamais quitter la maison sans en avoir une semblable.

Mais il n'avait pas le temps de méditer sur l'utilité des capes. Il avait déjà perdu trop de temps. Depuis combien de temps Vaughn était-il à l'intérieur ? Faisant tournoyer la cape autour de lui, Miles marcha d'un pas rapide vers le Duke's Knees. Il poussa avec précaution la porte qui, tenue en place par un semblant de gond sur le dessus, pendait mollement hors de son cadre. À en juger par les éclats de bois dans le cadre, on aurait dit que la porte avait été défoncée, et ce, plus d'une fois. Charmante, la clientèle de cet endroit.

Serrant sa cape autour de lui pour dissimuler ses bas blancs et ses hauts-de-chausses révélateurs, Miles garda le dos voûté et la tête basse. Le bar était plein. La cheminée dans le mur de gauche et les appliques en étain usées projetaient une lumière vacillante au-dessus des festivités. Dans un coin de la pièce, un groupe de voyous décoiffés et vêtus de chemises rêches jouaient à un jeu compliqué avec un couteau, dont l'objectif semblait être de ne pas se faire couper un doigt.

Miles pouvait dire avec certitude que Vaughn n'était pas parmi eux.

Dans un autre coin, des hommes jouaient aux dés, jetant des cubes d'ivoire d'un récipient en étain usé. Une serveuse à forte poitrine se tortillait sur les genoux d'un client au nez rouge, lui tapant les mains et poussant de petits cris de protestation plutôt pour la forme. Indéniablement pas Vaughn. Dans l'un des coins, un escalier escarpé menait à des chambres particulières à l'étage ; sans doute le genre de chambres destinées aux rendez-vous clandestins pour les amoureux. Ou les traîtres.

Miles se dirigea vers l'escalier. Toutefois, il restait un coin à la pièce. Son regard ne s'y était d'abord pas arrêté parce que le petit recoin était entièrement dans l'ombre, trop loin de la cheminée pour que la lumière l'atteigne. La chandelle au mur était morte — ou avait été éteinte par quelqu'un qui cherchait à dissuader les regards indiscrets.

Il y avait tout juste assez d'espace pour une seule petite table dissimulée derrière la courbe du comptoir, coincée dans un recoin à l'extrême droite. Une table à laquelle deux hommes étaient assis.

Vaughn. Aucun doute possible. Bien que la capuche fût tirée aussi loin que possible pour lui couvrir le front et lui voiler les yeux, il était impossible de ne pas reconnaître ce nez aquilin et ces élégantes mains d'esthète qui étaient posées de façon si incongrue sur le bois entaillé de la table. Ces mains n'étaient pas celles d'un ouvrier.

Miles s'approcha furtivement sous prétexte d'aller chercher un verre au comptoir.

Son compagnon aussi portait une cape et une capuche. Les capuches, se dit Miles avec un petit sourire narquois, semblaient avoir la cote cette saison. Ils étaient tous deux assis légèrement en diagonale ; Vaughn était plus près du bar et tournait le dos à la grande salle, alors que l'étranger était coincé dans le creux entre les deux murs. Puisque l'autre homme faisait face à la pièce, Miles aurait dû arriver à en discerner les traits, mais le manque de lumière transformait son visage en quelque chose qui sortait de ces romans dont Henrietta était si friande ; une horreur encapuchonnée avec rien d'autre que le vide à la place du visage. Des âneries dramatiques, pensa Miles en s'approchant lentement.

Il y avait une ombre légèrement plus foncée qui aurait pu être une moustache… Miles entra en collision avec le coin du comptoir et ravala un *ouf* de surprise.

Puisqu'il était là, Miles s'assit sur un tabouret. Il se voûta au-dessus du comptoir, tira davantage sa capuche sur son front, puis se concentra pour écouter.

— L'as-tu avec toi ? demanda laconiquement Vaughn.

— Tant de hâte !

La voix de l'autre homme avait un léger accent avec une intonation familière. Ç'aurait pu être français ; Miles était trop loin pour en être certain et, bien que la cape fît des miracles pour camoufler ses traits, elle avait une tendance incontestablement ennuyeuse à étouffer les sons.

— Pendant que nous sommes ici, un verre, peut-être ?

— Vous buvez quoi ?

Ce n'était pas la voix de Vaughn. C'était une voix aiguë, féminine, qui venait d'un endroit plus ou moins à proximité de l'oreille gauche de Miles.

— Hein ?

Miles tourna brusquement la tête pour rencontrer une quantité réellement alarmante de chair qui débordait d'un corsage décolleté.

La serveuse poussa le long soupir de quelqu'un qui souffre depuis longtemps, ce qui fit gonfler les tas de chair jusqu'à ce qu'ils atteignent des proportions inquiétantes.

— Vous buvez quoi ? J'ai pas toute la nuit. Quoi qu'pour toi, mon mignon — elle baissa la voix d'un ton suggestif tandis que sa poitrine s'approchait avec insistance du nez de Miles, apportant avec elle une odeur de sueur et de parfum bon marché —, j'pourrais peut-être changer d'avis.

— Euh...

Étouffé par la puanteur — asphyxie par poitrine ; il allait devoir expliquer ce concept à ses amis et connaissances —, Miles recula autant que son tabouret le lui permettait. Que buvaient les gens dans ces endroits ? Pas du bordeaux ; il se rappelait au moins cela. Il y avait si longtemps que Miles n'avait pas exploré les recoins les plus malfamés de Londres.

— Gin, dit-il d'un ton résolu et d'une voix rauque et grave, juste au cas où Vaughn écouterait.

Vaughn paraissait plutôt concentré sur sa propre conversation, parlant à voix basse sur un ton autoritaire, mais on ne savait jamais. Miles reporta son attention sur sa proie, supposant que la serveuse irait jouer sur un terrain plus fertile.

Il n'eut pas cette chance. La serveuse héla le barman d'un signe de la main.

– Hé, Jim ! Un verre de gin pour not' ami ici !

– Quoi, Molly ? demanda Jim en portant la main à son oreille. Je t'entends pas !

– Du gin ! hurla la serveuse, assez fort pour être entendue bien au-delà de la Tamise. Pour c'te belle pièce d'homme ici.

Tant pis pour la discrétion.

Miles ne pouvait que se réjouir d'être dos à Vaughn et à son compagnon. Même s'ils se retournaient pour le fixer, ils ne verraient rien d'autre qu'une vaste étendue de laine marron.

– … plus grande discrétion, disait Vaughn derrière lui.

– Aaaaalors – Molly, dont la voix mièvre dans son oreille couvrait ce à propos de quoi Vaughn tentait d'être discret, glissa une main sur l'épaule de Miles –, voudriez-vous aut' chose avec vot' verre, m'sieur ?

– Seulement le gin, marmonna Miles en tentant de garder une oreille en direction de Vaughn.

Que venait-il de dire ? Quelque chose à propos de…

Boum ! Miles agrippa le rebord du comptoir pour éviter de tomber à la renverse, directement sur la table de Vaughn, lorsque Molly se jeta sur ses genoux.

– Oh, soyez pas timide, m'sieur.

– C'est très flatteur, répondit Miles en essayant vainement de pousser doucement Molly, qui ne bougea pas, mais je ne suis pas intéressé.

Fichtre, fichtre, fichtre. Les voix derrière lui avaient baissé d'un ton, ce qui signifiait une conversation de nature hautement confidentielle et, donc, hautement intéressante. Sauf qu'il n'entendait absolument rien. Si seulement il pouvait trouver un moyen de s'approcher un tout petit peu…

– Si z'avez un problème, là, on peut s'en occuper.

– Je n'ai pas de problème, répondit Miles entre ses dents.

Du moins, pas ce genre de problème là.

– J'ai une maîtresse.

Bon, il n'en avait pas pour l'instant, en fait, mais il en avait eu une jusqu'à la semaine dernière. Les détails importaient peu.

D'un geste théâtral, Molly se releva de ses genoux.

– Bon, on fait la fine bouche, c'est ça ? Trop bien pour les gens comme nous…

Sa voix s'éloigna jusqu'à devenir un bourdonnement lointain. Ce fut à peine si Miles s'en rendit compte. Toute son attention était tournée vers la conversation derrière lui.

– Et le reste ? s'enquit Vaughn à voix basse.

Miles risqua un coup d'œil derrière lui, faisant mine de se pencher pour replacer l'ourlet de sa cape. Vaughn avait adopté une posture nonchalante, détendue, mais ses jointures étaient blanches sur le pommeau de sa canne.

– D'ici la semaine prochaine. Je vous garantis que nous ferons tout pour que vous soyez satisfait.

Vaughn relâcha son étreinte.

– Assurez-vous-en.

– Vous trahirais-je ?

– Très probablement, répondit Vaughn, l'air grave.

La silhouette encapuchonnée ricana.

– Milord n'est pas sérieux.

– Milord, répliqua Vaughn, a rarement été plus sérieux. Réglons ça, voulez-vous ? Je présume que vous l'avez apporté ?

— Mais bien entendu ! répondit la voix avec un accent en prenant un ton de dignité bafouée. Vous me prenez pour un incompétent, peut-être ?

— Oh, non, ça non, dit Vaughn sur un ton chargé d'ironie.

— Tenez.

Si son compagnon comprit l'insulte implicite, il l'ignora. Miles entendit le froissement d'une étoffe, puis le bruissement d'un papier.

— Voilà pour vous.

— Merci.

Miles se tourna juste à temps pour voir un message plié changer de mains, puis disparaître sous la cape de Vaughn. Lorsque ce dernier se leva de sa chaise en s'appuyant à deux mains sur la petite table ronde, Miles changea rapidement de position pour faire face au bar.

— Je communiquerai avec vous par les moyens habituels au sujet des... arrangements pour la semaine prochaine.

Miles entendit le bois racler contre le bois lorsque l'autre homme se leva à son tour. Un froissement, qui aurait pu être une révérence, l'extraction d'un mouchoir ou simplement la cape de Vaughn qui balayait le bord de la table suivit.

— Je ne vous décevrai pas, milord.

— J'en doute sincèrement, murmura Vaughn à voix si basse que Miles, qui était pratiquement dos à dos avec lui, l'entendit à peine. Je vous souhaite bonne nuit, termina-t-il vivement.

Agissant sur un coup de tête, Miles bondit en bas de son tabouret à l'instant où Vaughn commençait à s'éloigner et bouscula l'homme plus âgé.

– Navré, vraiment navré, milord, grogna-t-il d'une voix rauque de baryton et avec un accent qu'il espérait plus près du chantier naval que d'Oxbridge.

Il se mit à tâter maladroitement le torse de Vaughn comme pour vérifier qu'il n'avait rien de cassé.

– Suis si navré. Monsieur n'est pas blessé ?

– Non – Vaughn retira de force les mains de Miles de sur sa personne –, tout va bien, mon brave.

– Bien, monsieur. Merci, monsieur.

Miles s'inclina en reculant jusqu'à ce qu'il sente son dos heurter le comptoir, prenant soin de bien garder son visage environ à la hauteur du gilet de Vaughn. Il aurait fait des courbettes, mais cela lui parut un peu exagéré. D'ailleurs, ses mains, comme celles de Vaughn, ressemblaient trop à celles d'un gentilhomme. Il avait pris suffisamment de risques en s'attaquant à son gilet.

Mais Miles avait réussi à faire exactement ce qu'il voulait. Sous le couvert de sa capuche, il se permit un petit sourire d'autosatisfaction.

Par prudence, il resta dans sa posture de soumission jusqu'à ce que le martèlement de la canne de Vaughn et les pas pressés de son compagnon sur le sol se soient éloignés, que la porte ait été ouverte, fermée et qu'on entende par les fenêtres ouvertes la voix de Vaughn, qui donnait des ordres à ses porteurs.

Alors, et alors seulement, Miles s'autorisa à se redresser.

Il était peut-être sage de laisser le temps à Vaughn et à son compagnon de quitter le quartier (l'autre homme pourrait encore rôder dans les environs). Miles prit donc le verre de gin que la serveuse offensée posa bruyamment devant lui et, après avoir demandé une chandelle, se retira à la table isolée que Vaughn et son compagnon venaient de libérer.

Il prit distraitement une gorgée de gin et tressaillit en sentant le goût âcre sur sa langue. Dégoûtant. Il comprenait pourquoi quelques chopines par jour pouvaient rendre les gens aveugles.

Miles repoussa le verre à l'instant précis où Molly, sa serveuse plus tellement aimable, posait brusquement sur la table devant lui la chandelle qu'il avait demandée. Il s'agissait du plus petit bout qu'on puisse trouver, collé à la soucoupe par sa propre cire et, à en juger par son allure, il ne lui restait tout au plus qu'une demi-heure à vivre.

Miles s'en moquait. Il n'avait pas l'intention de rester aussi longtemps.

Exultant d'impatience, il sortit de sa cape le message plié qu'il avait extirpé de la poche de Vaughn. L'homme ne s'était rendu compte de rien, pensa Miles avec complaisance en admirant sa récompense. Le papier avait été plié en carrés minuscules pour être facilement passé de main en main et, vraisemblablement, il n'avait jamais été scellé. Il n'y avait aucune écriture sur les côtés exposés ; pas de nom ni d'adresse.

L'anonymat était, après tout, la marque de commerce de l'espionnage.

Qu'est-ce que cela pouvait bien être ? Des directives, peut-être, songea Miles. Des instructions de la part du ministère de la Police à son fidèle espion, transmises par un agent secret fraîchement débarqué. L'accent de l'autre homme ressemblait à un accent français.

Tirant doucement la chandelle vers lui, Miles déplia lentement la feuille et la tint devant la lumière vacillante. Ses yeux se fixèrent sur le mot « brûle » souligné à maintes reprises.

Grand Dieu, venait-il de mettre la main sur un plan pour brûler le Parlement ? Ce serait exactement comme l'histoire de Guy Fawkes, mais sans le roi Jacques 1er.

Miles approcha tellement le message de la chandelle que la flamme lécha dangereusement la bordure du fragile papier. Il plissa les yeux devant l'écriture pointue qui avait été tracée, sans la moindre considération, d'une encre brun pâle.

« Je brûle pour toi », disait la phrase entière.

Fichtre. Cela ne ressemblait pas à un plan pour faire sauter le Parlement.

Miles redirigea son attention sur la lettre. « Chaque nuit, je rêve de tes caresses ; je me languis d'entendre ta voix à la fenêtre, de sentir tes mains sur... »

Non, certainement pas un complot pour immoler les membres du Parlement. Enflammé, oui. Traître, non.

Miles passa au paragraphe suivant, qui continuait sur la même lancée. Il pourrait s'agir, se dit-il, désespéré, d'une simple ruse au cas où la lettre tomberait entre de mauvaises mains. S'arranger pour que cela ait l'air d'une lettre d'amour, puis glisser les informations pertinentes quelque part au milieu.

Avec une expression très déterminée, Miles lut la lettre en entier du début à la fin. Rendu à la dernière ligne, il pouvait affirmer avec certitude qu'aucun mouvement de troupes ne s'y cachait. Elle pourrait être codée... Mais il faudrait un esprit pervers pour en arriver à un code aussi détaillé, aussi convaincant, aussi explicite. À côté de certaines de ces descriptions, *Les Mémoires de Fanny Hill* de Cleland, pourtant l'un des ouvrages de contrebande favoris parmi les amis de

Miles à Eton, paraissait tout à fait sobre, et même guindé. Delaroche avait assurément l'esprit pervers, mais pas dans ce registre-là.

La signature était totalement illisible, un long gribouillis qui aurait pu être n'importe quoi d'Augusta à Xénophone. Quant aux salutations… Eh bien, « Très cher amour » était rarement un nom à proprement parler.

Oh, bon sang !

Une expression de profond dégoût s'afficha sur le visage de Miles lorsqu'il en vint à une conclusion malheureuse mais inévitable. Il laissa tomber la feuille sur la table, résistant à l'envie de faire de même avec sa tête, idéalement en la frappant très fort plusieurs fois d'affilée. De toutes les choses stupides qu'il aurait pu faire ! Puisque se flageller n'était pas une option, Miles tendit la main vers le gin. Il avait volé le fichu mauvais message.

Chapitre 8

Revue de mode : *dossiers personnels*
de l'ancien adjoint au ministre de la Police.
– tiré du livre de codes personnel de l'Œillet rose

La nuit enveloppait le bureau de Delaroche. Aussi épaisse qu'une couche de poussière, l'obscurité recouvrait le secrétaire, le placard, la chaise, le plancher de dalles irrégulières, ainsi que les murs dénudés. L'ancien adjoint au ministre de la Police l'avait lui-même quitté une demi-heure plus tôt, après avoir fermé ses placards et replacé sa chaise dans la cavité sous son secrétaire avec une précision mathématique. Tout était calme dans le bureau de celui qui était le dixième sur la liste des hommes les plus craints en France.

À l'exception d'un frémissement de mouvement le long du mur extérieur.

À l'instar d'un insecte aquatique qui glisse à la surface en bordure d'un lac plein d'algues, si discrètement que cela dérange à peine l'obscurité enveloppante, une minuscule pointe en métal s'approcha peu à peu de l'ouverture centrale de l'unique petite fenêtre de la pièce. Le métal argenté rencontra le crochet qui tenait la fenêtre fermée, puis s'arrêta. Un instant plus tard, il continua sa remontée, tel le mercure dans un baromètre, soulevant le crochet dans le même mouvement.

Le métal disparut. Les carreaux de la fenêtre, qui n'avaient pas été ouverts depuis les premiers jours du règne de Louis XIII, s'ouvrirent vers l'extérieur avec une facilité qui témoignait de gonds bien huilés. La surface tranquille du bureau ondula tandis qu'une ombre, plus sombre que le reste, se glissait par-dessus le rebord de la fenêtre et sautait avec élégance dans la pièce. Les carreaux de la fenêtre furent à nouveau fermés doucement et verrouillés par souci de sécurité. Une longueur de tissu quitta les épaules de l'intrus pour couvrir la fenêtre dépourvue de rideaux. Le travail de ce soir allait nécessiter de la lumière, et la lumière risquait d'attirer une attention indésirable. Un plus petit bout de tissu noir tissé serré semblable à l'autre recouvrit la petite grille de la porte.

Une fois les préparatifs terminés, la silhouette silencieuse sortit une petite lanterne à volets et alluma doucement la flamme. La mèche ne laissa échapper ni étincelles, ni fumée, ni crépitements. Un instant, c'était l'obscurité et, l'instant suivant, une douce lueur.

La silhouette vêtue de noir hocha la tête, satisfaite, puis suivit la lumière tamisée jusqu'au secrétaire de Delaroche.

La chaise, si soigneusement placée à peine une demi-heure plus tôt, fut reculée doucement et placée avec tout autant de soin à une courte distance, ce qui laissa juste assez d'espace pour que la silhouette sombre puisse s'accroupir sous le secrétaire afin de tâter le mur du fond de ses longs doigts gantés de noir. Elle trouva une pointe en bois pas plus grosse qu'un éclat, et aussi doucement que la Belle au bois dormant avait sombré dans le sommeil, un panneau de bois coulissa pour révéler une cache juste assez large pour contenir un dossier.

D'un mouvement fluide, l'intrus vêtu de noir sortit de sous le secrétaire et se releva sans heurt pour poser le dossier sur le sous-main immaculé de Delaroche. Une main gantée inclina la petite lanterne vers le dossier, produisant un flot régulier de lumière, tandis que l'autre main en feuilletait rapidement mais régulièrement le contenu afin de le mémoriser.

Alors qu'il restait deux pages, la lanterne vacilla, projetant des lignes sinueuses de lumière qui dansèrent sur les murs. L'Œillet rose stabilisa rapidement la lanterne, mais ses yeux, plissés d'inquiétude, ne quittèrent à aucun moment la page couverte d'une écriture serrée.

Ainsi, on en était là, n'est-ce pas ?

Dans le dossier, paraissant aussi innocent que seule une feuille de papier peut le paraître, se trouvait un brouillon des dernières instructions envoyées par Delaroche à la Tulipe noire. Et là, au milieu de la page, brillait le nom « Lady Henrietta Selweecke ».

L'Œillet rose savait que les fautes d'orthographe dans le nom ne permettaient pas d'espérer que les instructions soient mal interprétées ; ce n'était qu'une indication du mépris de Delaroche envers les Anglais, exprimé par un mauvais emploi volontaire de l'alphabet. Delaroche ordonnait à la Tulipe noire de porter une attention particulière à Lady Henrietta Selweecke et à monsieur Miles Doreengton, tous deux associés à la perfide Gentiane pourpre. Tous deux seraient en mesure d'utiliser les ressources de l'ancienne Gentiane pourpre, soit sa ligue et ses contacts, afin d'affaiblir la République française. Tous les moyens étaient bons. « Tous les moyens » était souligné à maintes reprises.

L'Œillet rose parcourut rapidement la page, son cerveau en ébullition, tandis que ses yeux survolaient le fouillis constitué de l'écriture de Delaroche, qui lui était désormais aussi familière que la sienne.

Si elle avait eu un tempérament différent, l'Œillet rose aurait peut-être fermé brusquement le dossier ou juré ou joint les mains pour les empêcher de trembler. Puisqu'elle était Jane Wooliston, son teint pâlit d'un ton, son dos devint un peu plus raide, et elle pinça les lèvres.

Ça n'allait pas du tout.

Elle avait déjà – si ses messagers avaient survécu au voyage – prévenu Henrietta et le ministère de la Guerre de la présence de la Tulipe noire à Londres. Ils devraient être immédiatement avertis de ces nouvelles informations. Elle enverrait une lettre codée dès cette nuit. Il n'y avait aucune raison de rompre la communication avec Henrietta ; Delaroche soupçonnait Henrietta uniquement à cause de ses liens avec Richard, pas du volume inhabituel de sa correspondance avec la France.

N'était-ce pas typique de Delaroche de soupçonner la bonne personne pour les mauvaises raisons ? réfléchit sagement Jane en replaçant le dossier dans sa cachette.

Il faudrait y mettre un terme. Elle ne laisserait pas Henrietta courir des risques. Jane choisit de ne pas s'attarder sur cette phrase menaçante qui commençait par « tous les moyens » ni sur les histoires encore plus sinistres qu'elle avait glanées sur les activités antérieures de la Tulipe noire. Cela n'aiderait en rien ni Henrietta ni monsieur Dorrington. Jane orienta plutôt ses pensées vers des sujets plus pertinents.

Jane pourrait, évidemment, créer une diversion quelconque en France afin de détourner l'attention des soupçons qui planaient sur Henrietta et monsieur Dorrington, tout en forçant le rappel de la Tulipe noire sur le continent. Cependant, Jane mijotait des plans de plus grande envergure, qui ne prévoyaient pas d'action immédiate. Cela ne servirait absolument pas sa cause si l'ancien adjoint au ministre de la Police fanatique apprenait que l'Œillet rose était toujours en France.

Son attention avait récemment été attirée par la possibilité d'un soulèvement irlandais fomenté à partir de Paris. Les dossiers de Delaroche avaient confirmé qu'une rencontre était prévue entre le ministre de la Guerre de Bonaparte, le général Berthier, et Addis Emmet, un représentant des Irlandais unis ; il fallait infiltrer la rencontre et empêcher les Français d'utiliser l'Irlande. Il y avait aussi la question des généraux : des généraux mécontents que Bonaparte avait actuellement dans sa poche, mais qui commençaient à trouver le Premier Consul autoritaire, et l'asservissement, étouffant. Tout ce dont ils avaient besoin, c'était qu'une main les pousse délicatement dans la bonne direction. Jane venait tout juste d'entamer la série de petits coups de coude délicats qui pourrait les pousser à la trahison. Que l'attention de Delaroche fût concentrée de l'autre côté de la Manche était une aubaine inespérée à laquelle elle n'était pas encore prête à renoncer.

De faux renseignements pourraient circuler et être portés à l'attention de Delaroche, des renseignements qui dirigeraient l'attention de la Tulipe noire vers… Qui ? Une description suffisamment vague, décida Jane. Quelque chose qui pourrait s'appliquer à une demi-douzaine d'œillets de la noblesse, mais surtout pas à Henrietta ni à monsieur Dorrington. Depuis que Sir Percy Blakeney avait réussi à se faire passer pour un dandy passionné par la mode, les gens qui prétendaient se plonger dans la mode rendaient les Français résolument nerveux. Quelques commentaires au sujet de la coupe des gilets cette saison, glissés dans des « rapports » destinés à être interceptés, devraient suffire à agiter suffisamment la communauté du renseignement français. Deux agents doubles étaient à la solde de Jane exactement pour ce genre de missions. Ils coûtaient cher, mais valaient chaque penny investi.

Comme mesure préventive, cela valait la peine, mais ce n'était pas suffisant. Aucun agent secret du calibre de la Tulipe noire ne se laisserait distraire par un rapport aussi imprécis. Elle se mettrait peut-être à recueillir des informations supplémentaires, mais son attention serait, au mieux, diluée sans être détournée.

Jane fronça les sourcils en réalignant parfaitement la chaise de Delaroche.

Déménager à la campagne serait tout aussi futile ; en fait, peut-être plus dangereux encore. Tant d'accidents pouvaient survenir à la campagne. Un cheval pouvait broncher, un tir pouvait partir de travers, la mauvaise sorte de champignon pouvait être ajoutée dans une sauce. Non. Henrietta serait plus en sécurité en ville, où les règles de bienséance imposaient la présence d'un chaperon.

Après avoir soigneusement évalué puis rejeté mentalement la plupart des options viables, Jane Wooliston retint le seul plan acceptable : ils allaient tout simplement devoir trouver la Tulipe noire.

Delaroche mettrait quelque temps à remplacer un agent aussi doué. Jusqu'à ce qu'il réussisse à le faire, Henrietta et monsieur Dorrington seraient tranquilles, et Jane pourrait mener à bien son plan global. Tout cela serait très bien.

Il n'y avait qu'une seule chose à faire : éliminer la Tulipe noire.

Un message étiqueté comme étant de la plus haute importance serait envoyé à Henrietta et au ministère de la Guerre. Ses propres hommes à Paris seraient envoyés à la recherche de la moindre bribe d'information qu'ils pourraient dénicher concernant l'identité de la Tulipe noire. Il faudrait fouiller dans les dossiers de Fouché.

Il n'y avait aucune raison, conclut Jane, pour que la Tulipe noire ne jouisse pas de l'hospitalité de Sa Majesté dans les deux semaines. Il fallait simplement s'attaquer rationnellement au problème.

Un sillon se creusa entre les pâles sourcils de Jane. Tout cela pourrait être très facile — à condition que la Tulipe noire ne frappe pas la première.

Jane refoula ses inquiétudes avec autant de soin qu'elle avait fouillé les dossiers de Delaroche. Son messager pourrait être à Londres après-demain. D'ici trente-six heures, Henrietta serait avertie, et Jane espérait qu'elle modifierait ses habitudes en conséquence. Il fallait simplement survivre aux trente-six prochaines heures. Un espion si fraîchement débarqué à Londres voudrait certainement tâter le terrain avant de recourir à des méthodes plus funestes.

Ayant trouvé une solution satisfaisante au problème, l'Œillet rose ferma les volets de la lanterne. Elle récupéra sa cape à la fenêtre et son bout de tissu sur la porte. Elle disparut dans la nuit aussi silencieusement qu'elle était apparue, laissant le bureau de Delaroche enveloppé de sommeil, exactement comme il l'avait laissé.

Chapitre 9

Jalousie : *guerre émotionnelle menée par un agent secret particulièrement rusé en matière de nature humaine ; tentative de s'attaquer aux sentiments de quelqu'un pour le détourner de sa mission.*

– tiré du livre de codes personnel de l'Œillet rose

– Hen ! s'exclama Pénélope, agacée. Tu n'écoutes pas !

– Quoi ? demanda vaguement Henrietta en levant les yeux des tourbillons ambrés dans sa tasse de thé.

Pénélope lui jeta un regard noir.

– Je viens de te demander si tu voulais de l'arsenic dans ton thé, et tu as répondu « oui, deux, s'il te plaît ».

– Oh, désolée.

Henrietta posa sa tasse de thé sur le bois marqueté de sa table favorite dans le petit salon, puis sourit d'un air désolé à la plus ancienne de ses amies.

– Je pensais à autre chose.

Pénélope leva les yeux au ciel.

– Ça, c'était évident.

Henrietta succomba à l'envie de jeter une fois de plus un regard à la délicate horloge en porcelaine sur la cheminée. Il était presque midi. Et Miles n'était pas encore passé. Miles passait tous les jeudis matin. Le jeudi matin, la cuisinière faisait des biscuits au gingembre auxquels Miles vouait un culte équivalant à celui de Pétrarque pour sa Laura. Que Miles n'apparaisse pas un jeudi matin équivalait au fait que les cloches de St-Paul ne sonnent pas ; ça n'arrivait tout simplement pas.

À moins que Miles soit occupé ailleurs. Dans les bras d'une beauté aux cheveux noirs, par exemple.

Ce n'était pas le genre de Miles de disparaître d'Almack's sans passer leur dire au revoir. Et pourtant, c'était exactement ce qu'il avait fait. Habituellement, il partait avec les Uppington, qui l'accompagnaient jusqu'à ses appartements dans Jermyn Street, où il prenait congé en faisant une blague et en tirant sur l'une des boucles d'Henrietta. Elle trouvait cette dernière habitude vraiment déplaisante et s'en était plainte à Miles à maintes reprises. Mais sans lui… la soirée lui avait semblé incomplète.

Cette femme avait disparu à peu près en même temps.

Coïncidence ? Henrietta en doutait fort.

Pas que c'eût de l'importance, d'une manière ou d'une autre. Miles était un adulte, et ce n'était pas comme s'il n'avait jamais eu de maîtresses auparavant ; Henrietta n'était pas *si* naïve. Il serait simplement très ennuyeux que Miles se mette à fréquenter quelqu'un de méchant, raisonna Henrietta. Après tout, avec Richard loin dans le Sussex et Geoff affreusement obsédé par cette vilaine Mary Alsworthy, Miles était sa principale source de limonade et de plaisanteries lors des soirées considérées *de rigueur** par la noblesse. S'il devait commencer à être aux petits soins pour une tentatrice au regard froid, ce ne serait tout simplement pas commode — c'était tout. Il n'y avait certainement rien d'autre que cela.

— Oh, Pen !

Le cri de Charlotte interrompit les pensées d'Henrietta. Les grands yeux gris de Charlotte triplèrent de volume.

— Tu n'es pas sortie sur le balcon avec Reggie Fitzhugh ?

— Oh, Charlotte ! l'imita Pénélope avec, en plus, un éclat de malice dans l'œil. Il a un revenu de dix mille livres par an. Tu ne peux certainement pas t'opposer à ça.

— Et les facultés mentales d'un navet, intervint sèchement Henrietta, qui accepta de se laisser distraire de ses spéculations décidément peu agréables.

Charlotte gloussa.

— J'imagine que tout cet or doit dorer le navet.

Pénélope la regarda de travers.

— Dorer le *navet* ?

— Tu sais, comme dorer la pilule. Sauf que c'est un navet.

Henrietta secoua la tête pour effacer les images de mauvais goût, puis regarda Pénélope avec insistance.

— Pour revenir au sujet qui nous intéresse…

— N'en fais pas toute une histoire, Hen. Qu'aurait-il pu arriver de si grave ?

— Le déshonneur ? suggéra Charlotte.

— Un mariage avec monsieur Fitzhugh, la prévint Henrietta.

— Beurk ! fit Pénélope.

— Exactement, répondit vivement Henrietta.

Henrietta était sur le point de lui faire comprendre la gravité du geste lorsqu'elle fut distraite par le bruit de pas bottés dans l'embrasure de la porte. Tournant brusquement sa chaise, elle aperçut l'objet de ses spéculations préalables, appuyé de façon charmante contre le jambage. Il était visiblement passé par les cuisines en premier ; il tenait un biscuit au gingembre de la cuisinière dans chaque main et prenait des bouchées de l'un et de l'autre en alternance.

— Bonjour, mesdemoiselles, déclara-t-il avec un sourire charmeur à peine gâché par ses joues bien remplies.

— Tu sais que Richard n'habite plus ici, non ? lui demanda sèchement Pénélope.

Henrietta balaya mollement l'air de la main.

— Oh, ça ne fait aucune différence pour Miles. Il vient ici seulement pour…

— … pour les repas, termina obligeamment Miles à sa place en avalant une dernière bouchée de biscuit au gingembre.

Henrietta inclina la tête.

— Tu es de bonne humeur ce matin.

— Comment pourrait-il en être autrement quand sont alignées devant moi trois demoiselles si mirifiques ? demanda Miles en s'inclinant cérémonieusement.

Charlotte rougit.

Pénélope renâcla.

Henrietta plissa suspicieusement ses yeux noisette.

— Hier soir, c'était « Allez, oust, les enfants, je galantise ».

Miles joignit les mains derrière son dos et regarda les ouvrages en plâtre élaborés au plafond.

— Je ne vois pas de quoi tu parles.

— As-tu une nouvelle maîtresse ? tenta Henrietta.

— Hen ! s'exclama Charlotte.

— Tu n'es pas censée être au courant de ce genre de choses, déclara Miles en agitant un doigt.

Henrietta remarqua qu'il n'avait pas démenti l'allégation.

— Ne veux-tu pas dire « ce genre de femmes » ?

— Ce genre de liaisons, corrigea Miles, hautain.

— C'est précisément à des liaisons que je faisais référence, répondit Henrietta, plus brusquement qu'elle l'aurait voulu.

— Richard t'en dit beaucoup trop, répliqua sombrement Miles.

— Si tu savais la moitié de ce qu'on chuchote dans les salons réservés aux dames, tu serais tellement choqué que les oreilles t'en tomberaient.

— Ça pourrait lui faire du bien, marmonna Pénélope.

— Je ne pense pas que les oreilles puissent tomber si facilement, intervint Charlotte d'un air songeur.

— Qui a les oreilles qui tombent ? s'enquit Lady Uppington en faisant irruption dans le petit salon avec un bruissement de soie émeraude.

— Miles, répondit sèchement Pénélope.

— Pas avant ce soir, j'espère. Tu viendras avec nous au bal des Middlethorpe, ce soir ?

— Euh…

— Bien. Nous passerons te prendre à tes affreux appartements de célibataire à vingt-deux heures. C'est vingt-deux heures, cela dit. Pas cinq minutes avant vingt-trois heures.

— J'ai eu des ennuis avec mon foulard, se défendit Miles.

Lady Uppington émit l'un de ses infâmes raclements de gorge.

— Ne t'imagine pas que je ne connais pas déjà tous tes trucs, jeune homme.

Henrietta réprima un petit rire.

Elle ne parvint pas à le réprimer suffisamment. Les yeux verts perspicaces de Lady Uppington se posèrent sur sa fille.

— Henrietta, ma chérie, ta robe en soie vert lime pour ce soir, je crois. Je viens d'apprendre que Percy Ponsonby sera là…

— Je n'aime pas Percy Ponsonby.

— … avec Martin Frobisher.

— Et Martin Frobisher ne m'aime pas.

— Ne sois pas stupide, ma chérie. Tout le monde t'aime.

— Non, il ne m'aime pas du tout.

— Elle a renversé du ratafia partout sur sa nouvelle veste la semaine dernière, expliqua Pen en échangeant un regard amusé avec Henrietta. Elle était complètement ruinée, ajouta-t-elle avec plaisir.

— C'est un pur sacrilège que de ruiner une veste Weston, grommela Miles.

— Il a dit des choses qu'un gentilhomme ne devrait pas dire, intervint Charlotte, se portant à la défense de son amie.

— Qu'a-t-il dit ? demanda sombrement Miles.

— Rien de tel ! répondit vivement Henrietta. Il a simplement fait une suggestion à propos du balcon et mis la main à un endroit où sa main n'aurait pas dû se trouver.

— S'il essaie à nouveau…, commença Miles.

— Quand je verrai sa mère chez les Middlethorpe ce soir…, dit en même temps Lady Uppington d'un air renfrogné.

— Oh, non ! gémit Henrietta. C'est exactement pour cette raison que je ne vous ai rien dit. Mère, s'il vous plaît, ne dites rien à sa mère. Ce serait trop humiliant. Et toi, dit-elle en pointant Miles, peu importe ce que tu pensais faire, ne le fais pas. Je vais *bien*.

— Contrairement à la veste de Martin Frobisher, gloussa Pénélope.

– Chut!

Charlotte tenta de donner un coup de pied à Pénélope, mais heurta plutôt le pied en griffe de son fauteuil et se recroquevilla sur son propre fauteuil en poussant un petit cri de douleur.

– N'aviez-vous pas des courses à faire avant ce soir? demanda sèchement Henrietta à ses anciennes meilleures amies en leur jetant un regard qui semblait dire : « Je ne vous raconterai plus jamais rien. »

– Oh, mon Dieu! s'exclama Lady Uppington en tapant des mains. Charlotte, j'ai promis à ta grand-mère de vous déposer toutes les deux chez le *modiste** à midi. Allez, on y va; plus vite que ça! On ne traîne pas, Pénélope!

– Je vais rester à la maison, coupa Henrietta. J'ai des lettres à écrire.

Ou du moins, elle pourrait trouver des lettres à écrire. À quelqu'un. Elle n'avait tout simplement pas envie de choisir des rubans et de s'écrier devant des volants, ce matin. Un bon roman abominable bien lugubre serait parfait.

Lady Uppington jeta un regard perçant à Henrietta, mais son œil de mère ne dénota pas de rougeur de fièvre. Sans cesser de donner des ordres, elle poussa donc Pénélope et Charlotte hors de la pièce dans un tourbillon de volants et un bruissement de jupons.

– N'oublie pas, Miles. Vingt-deux heures!

Miles alla errer dans le couloir.

– Comment fait-elle ça?

– C'est de la magie noire, répondit ouvertement Henrietta en se levant du canapé pour le rejoindre juste devant le petit salon. Un œil de triton et un orteil de grenouille, avec une pincée d'essence de hérisson.

— J'ai entendu ! résonna la voix de Lady Uppington depuis l'autre extrémité du couloir.

— Ça explique aussi son ouïe exceptionnelle, ajouta Henrietta sur le ton de la confidence.

La porte d'entrée se ferma avec un déclic, ce qui fit taire la cacophonie de voix féminines. Henrietta leva la tête pour regarder Miles.

— J'ai une faveur à te demander.

Miles tendit nonchalamment un bras au-dessus de la tête d'Henrietta pour s'appuyer contre le mur.

— Je t'écoute.

Ils s'étaient tenus ainsi des centaines de fois déjà — Miles aimait s'appuyer contre, s'adosser à et se pencher sur des choses —, mais, pour la première fois, Henrietta se sentit mal à l'aise. Envahie. Elle était profondément consciente du bras de Miles tendu près de sa tête, de ses muscles qui se découpaient sous la manche bien taillée de sa veste. L'odeur chaude de santal et de cuir qui appartenait incontestablement à Miles emplissait l'espace entre eux. Elle était si proche qu'elle voyait les minuscules poils blonds sous son menton, si proche que le moindre vacillement vers l'avant la jetterait dans ses bras.

Ce concept n'était pas compatible avec Miles ; Henrietta trouva l'idée incontestablement troublante.

Elle fit donc ce que toute jeune femme mature et posée ferait dans une situation pareille : elle enfonça son doigt dans le torse de Miles.

— Arrête ça.

— Aïe ! s'écria Miles en faisant un bond en arrière. Je ne le fais pas bien ?

Henrietta s'éloigna rapidement du mur.

– Oui, magnifiquement, mais c'est très agaçant d'essayer de tenir une conversation avec le dessous de ton menton. Ton valet t'a coupé en te rasant, n'est-ce pas ?

Miles porta la main à son menton d'un geste protecteur.

Elle se sentit beaucoup mieux – beaucoup plus elle-même – à un mètre de lui, avec les carreaux blancs et noirs du plancher pour les séparer.

– À propos de cette faveur…, commença-t-elle.

Miles plissa les yeux.

– Quel genre de faveur as-tu en tête ?

Henrietta secoua la tête, exaspérée.

– Rien de si compliqué.

– « Compliqué », répondit sombrement Miles en frottant le gilet qu'elle avait malmené, est une notion très relative.

– Voudrais-tu danser avec Charlotte ce soir ?

– Pourquoi ? demanda suspicieusement Miles.

– Quel genre d'arrière-pensée malfaisante pourrais-je avoir ?

Miles haussa un sourcil.

– Tu ne crois pas que… Je n'essaie pas de jouer les entremetteuses ! s'écria Henrietta, elle-même étonnée de la véhémence de sa réaction. Tu n'es pas du tout le genre de Charlotte.

– Bon, c'est rassurant, marmonna Miles. Enfin, je crois.

– Oh, pour l'amour du ciel, soupira Henrietta. Charlotte était très abattue à Almack's hier soir parce que personne, mis à part les chasseurs de fortune les moins subtils, ne l'a invitée à danser. Elle n'a rien dit, mais je m'en suis rendu compte. C'est ainsi depuis le début de la saison.

— Elle est très réservée, dit Miles pour essayer de défendre la gent masculine.

— Ça ne signifie pas qu'elle n'a pas de sentiments, répliqua Henrietta. C'est très démoralisant pour elle de devoir passer toute la soirée à côté de sa grand-mère.

— Je serais démoralisé, moi aussi, si je devais passer toute la soirée à côté de sa grand-mère. Cette femme est une menace pour la société.

Henrietta regarda Miles avec l'air d'attendre quelque chose.

— Alors ?

— Dis-lui de me réserver le premier quadrille.

— Tu es vraiment un ange, dit Henrietta avec un grand sourire en se hissant sur la pointe des pieds pour déposer un petit baiser sur la joue de Miles.

Sur ses lèvres, sa peau était chaude et étonnamment douce. S'il tournait juste un peu la tête vers la droite...

Henrietta redescendit bruyamment sur ses talons avec tant de célérité qu'elle chancela.

— Je sais, répondit Miles d'un air suffisant.

— Crapaud, répliqua Henrietta en s'enveloppant dans l'insulte comme s'il s'agissait d'une vieille couverture qui lui était chère.

— Tu viens faire un tour avec moi cet après-midi ? demanda Miles.

Henrietta secoua la tête avec regret.

— Je ne peux pas. Mon nouveau professeur de chant sera là à dix-sept heures.

— Un nouveau professeur de chant ? s'enquit Miles en se dirigeant tranquillement vers la porte avec Henrietta. Qu'est-il arrivé à *signor* Antonio ?

Une fossette apparut furtivement dans la joue droite d'Henrietta.

– La cuisinière et lui ont eu un différend artistique.

– Un différend artistique ?

– *Signor* Antonio pensait qu'un véritable artiste n'avait pas besoin de permission pour se servir dans les biscuits de la cuisinière. La cuisinière n'était pas d'accord, poursuivit Henrietta en levant les yeux vers Miles. La cuisinière, comme tu le sais, s'y prend merveilleusement bien avec le rouleau à pâtisserie.

– Pas avec moi, répondit Miles d'un air suffisant.

– Fanfaron.

Miles s'écarta lorsqu'un valet arriva au pas de course pour lui ouvrir la porte.

– La jalousie ne te va pas, très chère.

Henrietta s'arrêta juste devant la porte ouverte.

– Qui a dit que j'étais jalouse ?

– N'essaie pas de le cacher, répondit sciemment Miles. Trop sciemment.

– Tu sais que c'est moi que la cuisinière préfère.

– Oh. Oui. La cuisinière, dit Henrietta en prenant une grande respiration. Bien entendu.

– Tout va bien, Hen ? Tu as l'air un peu troublée.

Henrietta se composa un sourire.

– Oui, parfaitement bien. Juste un peu… Euh, bon…

Miles enfonça son chapeau sur sa tête.

– À ce soir alors ! Dis à la cuisinière que je l'adore.

La porte claqua derrière lui. Henrietta resta là, dans le hall en marbre, à fixer l'intérieur de la porte. Elle resta là si longtemps que le valet changea de position, mal à l'aise, et lui demanda si elle désirait qu'il ouvre la porte à nouveau.

Henrietta secoua la tête sans être certaine de ce qu'il lui avait demandé parce qu'elle avait l'esprit tout à fait ailleurs, occupé à terminer cette dernière phrase. Elle n'était pas certaine que le résultat lui plaisait. En fait, elle était pratiquement certaine qu'il ne lui plaisait pas.

Juste un peu… jalouse ?

Chapitre 10

Poésie romantique : *rapport détaillé fourni par un agent du ministère de la Guerre.*
– tiré du livre de codes personnel de l'Œillet rose

Miles bondit joyeusement en bas de l'escalier devant la porte d'Uppington House. Sa joue picotait toujours là où Henrietta avait pressé ses lèvres, et Miles leva la main pour se frotter distraitement à cet endroit. L'odeur de son eau de toilette – une fleur ou une autre, Miles les confondait toujours toutes – lui chatouillait les narines. Elle sentait bon. À l'instar d'Henrietta. Enfonçant son chapeau plus profondément sur sa tête, Miles chassa cette pensée pour contempler la rue tachetée de lumière. Il était à peine plus de midi, et il avait encore toute la journée devant lui.

La journée, réfléchit Miles, s'annonçait exceptionnellement magnifique. Downey avait réussi à arranger son foulard en cascade après avoir ruiné seulement trois carrés de tissu, les biscuits au gingembre de la cuisinière étaient, comme toujours, la quintessence des délices au gingembre, la rumeur courait qu'il y avait une nouvelle soprano à Haymarket (et Miles se trouvait malheureusement, pour l'instant, entre deux maîtresses), et il avait un espion à attraper.

Secouant la tête pour écarter une boucle souple de cheveux blonds de son visage, Miles se retourna vers Uppington House et sourit. Même depuis qu'il avait son propre appartement à Londres, il s'y sentait toujours chez lui plus que n'importe où ailleurs.

La première fois qu'il avait monté ce petit escalier, il était un garçon de huit ans terrifié qui n'avait nulle part où passer les vacances de Noël. Ses parents étaient sur le continent, et sa vieille nounou avait été appelée ailleurs pour prendre soin de sa sœur malade ; Miles avait donc été livré à lui-même jusqu'à ce que Richard lui suggérât de l'accompagner chez lui.

Richard avait attrapé son ami par le col et l'avait tiré derrière lui.

— J'ai emmené Dorrington à la maison, avait-il aimablement annoncé.

Lady Uppington, qui avait quelques cheveux gris en moins, mais un tempérament tout aussi impérieux, s'était empressée de réagir.

— La famille de Dorrington sait-elle qu'il est ici ? avait-elle demandé.

Cette question avait, effectivement, échappé tant à Richard qu'à Miles. Richard avait réfléchi un instant.

— Non.

Lady Uppington, dont les pires craintes concernant la carrière de ravisseur de son fils venaient d'être confirmées, avait regardé sévèrement son rejeton imprévisible.

— Il va falloir que tu le ramènes.

— Ça va, avait répondu Miles, l'air de rien, à l'instant où une toute petite fille joufflue vêtue d'une robe à froufrous était entrée dans la pièce en trottinant. Ils ne veulent pas qu'on me ramène.

Avant que Lady Uppington ait pu réagir à cette affirmation étonnante, la petite avait mis sa poupée sale dans les bras de Miles. La tête en porcelaine pendait de façon inquiétante, et des morceaux de bourre s'échappaient de son cou.

– Joue.

Miles avait décidé que s'il allait passer toutes les vacances là, il allait devoir mettre certaines choses au clair.

– Les garçons, avait-il informé la gamine avec de grands airs, ne jouent pas à la poupée.

La petite n'avait pas semblé impressionnée du tout. Elle lui avait redonné la poupée.

– Joue.

– Dis donc, Selwick, ta sœur a-t-elle des petits soldats ?

Et c'était fait. Miles était solidement enraciné chez les Uppington. Lady Uppington avait, aussitôt, envoyé une lettre à la vicomtesse de Loring en se basant sur la théorie que la vicomtesse pourrait, d'une certaine manière, ne pas aimer qu'on s'appropriât son unique héritier, mais la réponse qu'elle avait reçue avait été si pleine de références aux *Noces de Figaro** et si dépourvue de la moindre mention de Miles que Lady Uppington avait grommelé quelques paroles très peu flatteuses en direction de l'Italie, puis entrepris de réétiqueter les malles de Miles. Ce soir-là, Miles avait eu droit à une très grosse portion de dessert et à un câlin de bonne nuit qui l'avait mis en danger imminent d'asphyxie.

À partir de ce jour-là, il était tout simplement entendu que Miles passerait les vacances de Noël et d'été, et toutes les autres entre-temps, à Uppington House. Lord Uppington l'avait emmené à la pêche et au champ de tir, puis lui avait enseigné les rudiments de la gestion de propriété. Lady Uppington l'avait réprimandé, dorloté et emmené s'équiper pour l'école de force tandis qu'il se tortillait et se plaignait. De temps à autre, Miles recevait d'Europe un paquet rempli de bouteilles d'eau minérale trouble, de partitions et de minuscules *lederhosen* qui auraient pu lui aller quand il avait deux ans. Mais pour tout ce qui comptait, son véritable chez-soi était à Uppington House.

Et il y avait ces biscuits au gingembre.

Miles envisagea de retourner en chercher une autre poignée, mais décida que douze était vraiment suffisant pour une seule journée. En outre, il avait du travail.

D'un pas léger et en sifflant joyeusement, il se mit en route pour son club. La veille, après le désastre du message, Miles était resté assis longtemps à la table isolée. Après quelques gorgées mordantes de gin, il avait cessé de se maudire à voix basse et abandonné toute idée séduisante d'autoflagellation. Rendu à la moitié de son verre, il en était venu à la conclusion que, franchement, tout s'était assez bien terminé. Après tout, il avait maintenant la preuve que Vaughn manigançait quelque chose de suspect, peu importe ce que c'était. Un homme qui n'avait rien à se reprocher ne tenait pas des rencontres clandestines dans les quartiers malfamés de la ville.

Quant au message… Eh bien, personne n'avait réellement besoin de le savoir, n'est-ce pas ?

D'ailleurs, que valait un message comparé à la possibilité d'obtenir des pages complètes de preuves ? À ce point, Miles avait bu les trois quarts de son verre de gin et se sentait résolument optimiste, même si la flamme de la chandelle avait vacillé avant de s'éteindre et que le regard noir de Molly la serveuse n'était pas subtil du tout. Plutôt que de s'en tenir à un message, avait décidé Miles, il recueillerait assez de preuves pour monter tout un dossier contre Vaughn et dénicher tous ses potentiels petits amis qui trottaient en ville.

Ce message, s'il avait réussi à s'emparer du bon, aurait pu suffire à inculper Vaughn – à ce moment-là, Miles avait plissé les yeux avec nostalgie pour évaluer la quantité de gin dans son verre et pris une autre gorgée –, mais il n'aurait servi à rien pour faire sortir ses complices de leurs cachettes. Là où il y avait un homme mystérieux encapuchonné, il devait y en avoir d'autres ; les espions poursuivaient habituellement leurs sombres desseins avec l'aide d'un réseau bien développé.

Le temps de vider son verre, Miles avait échafaudé un plan qu'il aurait tenté de mettre en œuvre immédiatement, n'eût été le fait qu'il n'était pas exactement en pleine forme. Il n'était pas rond, pas après un verre de gin – ou était-ce trois ? Il n'arrivait pas à s'en souvenir. De toute manière, il était tout simplement un peu… fatigué. C'était bien ça : fatigué.

La difficulté qu'il avait eue à trouver la poignée de la porte en sortant de la taverne l'avait convaincu qu'il valait mieux prendre la nuit pour réfléchir à son plan et l'exécuter dans toute sa splendeur le lendemain. Quand il pourrait à nouveau marcher droit. Par ailleurs, il avait besoin d'un complice et il savait exactement où en trouver un.

Après avoir tourné sur St. James's Street et évité en cours de route un phaéton conduit d'une main inexpérimentée, Miles se dirigea d'un bon pas vers le White's, espérant y trouver un grand verre de brandy et un complice.

C'était dans des moments comme celui-ci que Richard lui manquait. Miles ne l'avouerait jamais – à voix haute, du moins –, mais il trouvait le White's affreusement vide quand son meilleur ami n'y était pas. Richard aurait fait un complice de premier choix pour une telle entreprise ; ils avaient même développé leur propre code pendant leurs années d'école, et ce dernier n'avait jamais été décodé, pas même par le plus déterminé des agents secrets français. Mais non, il avait fallu que Richard tombe amoureux. Fichtrement inconsidéré de sa part.

Ce n'était pas que Miles n'aimait pas Amy. Elle semblait bien gentille. Assez jolie, intelligente et visiblement dévouée à Richard. Pas le genre de Miles, mais c'était probablement une bonne chose, car il ne pouvait imaginer quelque chose qui soit plus troublant et moins honorable que d'entretenir une passion défendue pour la femme de son meilleur ami – excepté, peut-être, entretenir une passion défendue pour la sœur de son meilleur ami. Miles n'était donc pas bouleversé par le fait de ne pas voir exactement ce que Richard trouvait à Amy. Il n'aurait pu espérer mieux pour son meilleur ami.

Mais toute cette histoire d'avoir une femme dans les parages changeait un homme. Peu importe que la femme en question fût acceptable ou non. Sacrebleu, autrefois, Richard aurait été au White's. Ils auraient partagé une bouteille de bordeaux, échangé plusieurs plaisanteries au sujet de s'être montrés plus malins que Bonaparte, lancé quelques fléchettes et planifié la chute de Lord Vaughn avant de se diriger au Gentleman Jackson's pour une séance éclair d'entraînement. Mais où était Richard maintenant ? Il était parti vivre à la campagne dans le Sussex. C'était un sacré gâchis.

Oui, bon, au moins Geoff était toujours en ville et libre de toute entrave féminine. Miles partit donc à la recherche de son ami, qui était le deuxième sur sa liste d'ancienneté. Jusqu'à tout récemment, Geoff avait été à Paris avec Richard pour jouer le rôle de commandant en second de la Ligue de la Gentiane pourpre.

À présent, il venait justement de rentrer à Londres et était exactement l'homme dont Miles avait besoin pour l'aider à démasquer cet espion français. À une petite table au fond de la pièce, Miles aperçut le derrière d'une tête familière et se dirigea vers elle.

– Geoff ?

La tête, couverte de cheveux bruns coupés ras, resta penchée par-dessus la table tandis qu'une plume tapait avec impatience sur la surface rayée.

– Pinchingdale-Snipe ?

Toujours pas de réponse.

Miles s'approcha. Un faible bourdonnement provenait des environs de la table, ponctué par les coups de plume.

– Si – *tap* – de m'aimer – *tap, tap* – je pouvais – *tap, tap* – vous persuader…

– J'en serais très, très enchanté ? proposa Miles.

Geoff leva brusquement la tête.

– Que fais-tu ici ? demanda-t-il sans rien montrer du plaisir auquel on est en droit de s'attendre de la part de son deuxième meilleur ami.

Miles examina le bout de papier taché avec un certain amusement.

– Manifestement pas la même chose que toi.

Il appuya un coude sur la table et parcourut les vers rédigés de l'écriture soignée de Geoff.

— « Oh joyaux d'Albion à l'incomparable splendeur / Combien souhaité-je que vous fassiez mon bonheur » ?

— N'as-tu nulle part où aller ? demanda Geoff entre ses dents en cachant la feuille de papier d'une main tachée d'encre.

— Pas vraiment, répondit Miles en se penchant pour regarder entre les doigts de Geoff. Es-tu certain que ça respecte la métrique, vieux ?

— N'as-tu pas une maîtresse que tu pourrais aller embêter ? Quelque part très, très loin d'ici ?

— Pas pour l'instant.

Miles abandonna les tentatives littéraires de Geoff pour s'appuyer confortablement contre la table et étirer ses jambes bottées devant lui.

— J'ai donné son *congé** à Catalina la semaine dernière. Je suis arrivé en retard pour le dîner, alors elle m'a cassé un service à thé complet sur la tête.

Les lèvres de Geoff s'étirèrent malgré lui.

— Le sucrier et tout ?

— Jusqu'à la dernière soucoupe, confirma Miles. Le caractère d'artiste, c'est une chose, mais passer son temps à marcher sur des éclats de porcelaine devenait un peu lassant. Sans parler de la douleur.

Le souvenir fit grimacer Miles. Il avait fallu des heures pour retirer tous les fragments de porcelaine dans les plis de son foulard. Son valet, Downey, n'avait pas trouvé cela amusant du tout. Et s'il devait choisir entre son valet et sa maîtresse… Eh bien, la question ne se posait même pas ; personne ne gardait les étoffes aussi fraîches que Downey.

— Dans ce cas, ne devrais-tu pas aller en chercher une nouvelle ? suggéra Geoff sans enlever la main protectrice qu'il avait posée sur ses vers pernicieux. Il paraît qu'une nouvelle chanteuse d'opéra française se produit à Haymarket ce soir. Si tu te hâtes, tu pourrais être le premier à faire des avances à *madame** Fiorila.

— Je ne veux plus entendre parler de chanteuses d'opéra pour l'instant. Trop caractérielles. D'ailleurs, je suis condamné à la perdition sous des airs de bal chez les Middlethorpe ce soir. J'ai promis à Richard de tenir Hen à l'œil pendant qu'il est dans le Sussex. Éloigner les jeunes mâles, ce genre de trucs.

— Ça n'équivaut pas un peu à demander au loup de garder le poulailler ? demanda Geoff, qui tressaillit. Diantre ! Ce n'est pas ainsi que je voulais que ça sorte.

— Je ne sais pas ce qui est le pire entre tes blagues et ta poésie.

— Je vais faire comme si tu n'avais rien dit.

— Ça, c'est parce que tu sais que je suis meilleur tireur que toi, répliqua calmement Miles.

Geoff gratifia son ami d'un regard exaspéré, mais s'abstint de commenter.

— On se verra chez les Middlethorpe ce soir.

— C'est exactement ce que j'espérais t'entendre dire, répondit Miles en donnant une tape sur l'épaule de son ami avant de baisser la voix. J'ai besoin de ton aide.

Sentant le changement de ton dans la voix de Miles, Geoff posa sa plume, fit rapidement le tour de la pièce des yeux pour s'assurer qu'elle était vide et modifia son propre ton en conséquence.

— Pour quoi ?

— J'ai besoin que tu t'assures que quelqu'un reste dans la salle de bal pendant que je cambriole sa maison.

— Puis-je savoir quelle maison tu prévois de cambrioler, ou est-ce un secret ? Et, pourquoi ? Ce n'est pas à cause d'un pari, n'est-ce pas ? demanda Geoff d'un ton résigné.

Pfff. Il y avait huit ans de cela. Et il avait rendu le pot de chambre après avoir gagné le pari. On pouvait compter sur Geoff pour le lui rappeler.

Miles refusa de se laisser distraire par les sentiers épineux de l'autojustification.

— Que sais-tu de Lord Vaughn ?

Geoff fronça ses sourcils bruns tandis qu'il réfléchissait.

— Vaughn… Il est parti pour le continent dans des circonstances nébuleuses, alors que nous étions encore à l'université ; quelque chose au sujet du décès de sa femme. Elle était héritière et, à sa mort, toute sa fortune lui revenait, dit Geoff, l'air sombre. Vaughn avait des goûts dispendieux. Ça ne sentait pas très bon tout ça. Il prétendait qu'elle était morte de la variole, mais il y avait quelque chose de suspect dans cette histoire.

— Continue, le pressa Miles. Autre chose ?

— Il y a eu d'autres rumeurs aussi ; les trucs habituels à propos du Hellfire Club et de plusieurs autres sociétés secrètes. Que des ouï-dire, tu comprends. Rien n'a jamais été prouvé.

— Une de ces sociétés secrètes aurait-elle été impliquée dans des activités révolutionnaires ? demanda Miles avec impatience.

Il y avait eu de multiples sociétés révolutionnaires à la fin des années 1780 et pendant la décennie suivante ; des adeptes des ouvrages de Tom Paine, qui s'étaient réjouis des événements en France, considérés comme l'aube d'une nouvelle ère meilleure. Plusieurs de ces groupes avaient été infiltrés et encouragés par des agents secrets français, qui sentaient un terrain fertile pour la sédition. Le gouvernement avait fait de l'assez bon travail en matière de lutte contre les groupes les plus turbulents, mais c'était nécessairement un processus fragmentaire, et plusieurs leur avaient glissé entre les doigts. Les morceaux du casse-tête s'emboîteraient si bien…

Geoff secoua la tête, anéantissant la brillante théorie de Miles.

— Non, l'objectif était la débauche, pas la politique.

— Comment sais-tu tout ça ?

Geoff haussa un sourcil.

— Ça fait partie de mon travail de savoir tout ça.

Miles se renfrogna. Cette histoire de sourcil était diablement exaspérante, et Geoff le savait.

— J'en conclus que Vaughn est un suspect ? s'enquit Geoff.

— Jusqu'au cou, confirma Miles.

— Dis-moi ce que je peux faire, et je le ferai.

Geoff se retourna vers sa poésie et recommença à taper sur la table avec sa plume. À la connaissance de Miles, tout ce qu'il créait, c'était une charmante image abstraite formée de petits points.

Tant pis pour la bouteille de bordeaux et l'entraînement au Gentleman Jackson's.

— Certains d'entre nous ont un pays à sauver, grommela Miles en direction du dos voûté de Geoff, mais celui-ci était trop occupé à essayer de faire rimer « persuader » avec « délice » pour s'en rendre compte ou s'en soucier.

Ce ne serait pas si mal, réfléchit Miles, que Geoff écrive de la poésie languissante s'il pouvait, au moins, écrire de la *bonne* poésie languissante. Ce qui le mena à l'éternelle question : existait-il de la bonne poésie languissante ?

Probablement pas, conclut Miles. De toute façon, cela lui semblait être une fichue perte de temps.

Cupidon s'était-il servi dans l'artillerie de Bonaparte ? Avant qu'il ne s'en rende compte, même Reggie Fizthugh aurait des yeux de merlan frit devant un petit bout de femme. Peut-être était-ce une nouvelle stratégie des Français, songea sombrement Miles. Les Français avaient versé quelque chose dans leur brandy pour pousser les hommes par ailleurs raisonnables à se transformer en polissons follement amoureux tellement occupés à rêvasser en composant des poèmes – des poèmes ! – qu'ils ne remarqueraient même pas qu'une armée française traversait la Manche. Lui seul, Miles Dorrington, l'unique espoir et pilier de l'Angleterre, n'était pas affecté.

Levant les yeux au ciel, Miles partit à la recherche d'un beau fauteuil en cuir confortable dans lequel il pourrait s'asseoir et comploter sans être assailli par des ïambes.

Ce soir, il fouillerait la maison de Lord Vaughn. Demain, il consulterait les registres du Bureau des étrangers concernant les gens récemment débarqués du continent. En théorie, tout étranger était censé s'inscrire au Bureau des étrangers à son arrivée à Londres. Le contact de Vaughn s'était peut-être introduit illégalement (en fait, il y avait de fortes chances que ce fût le cas) ou peut-être qu'il était à Londres depuis plusieurs mois déjà et relayait des messages apportés par une autre personne arrivée plus récemment. Néanmoins, c'était logiquement le meilleur endroit où commencer à chercher un homme mystérieux avec un accent étranger.

Après tout, il fallait bien que *quelqu'un* protège l'Angleterre.

Quadrille : *danse de trahison mortelle.*
– tiré du livre de codes personnel de l'Œillet rose

À vingt-trois heures ce soir-là, Henrietta était profondément agacée, tant à cause d'elle-même que de l'univers entier.

Le dandy débile qui venait de la ramener à sa mère l'agaçait (qui donc lui avait dit qu'un gilet couleur puce allait bien avec une veste vert jaunâtre ?). Le valet qui lui avait offert un verre de champagne l'agaçait. L'écœurante odeur de lilas qui imprégnait la salle de bal l'agaçait. Et la frange de dentelle de son mancheron, qui lui irritait le bras et lui donnait envie de se tortiller comme une folle échappée de l'asile, l'agaçait.

Surtout, elle s'agaçait elle-même.

Ç'avait été une journée agaçante. Elle avait passé l'après-midi à commencer des lettres pour les chiffonner ensuite, à prendre des livres pour les poser à nouveau, à regarder aveuglément par la fenêtre et à se sentir globalement agitée, inutile et en colère. Trop tard, il lui était venu à l'esprit qu'il eût probablement été préférable qu'elle ait accompagné Charlotte à son essayage, ne fût-ce que pour avoir quelque chose à faire. Cette réflexion, qui lui était venue trois heures trop tard, ne fit que la mettre davantage en colère.

Surtout, par-dessus tout le reste, elle s'agaçait elle-même parce qu'elle connaissait en détail les déplacements de ce maudit Miles Dorrington. Henrietta avait dansé dix danses, en avait passé une autre assise à discuter avec Letty, la sœur cadette de Mary Alsworthy, avait tiré Pen d'un faux pas sur le balcon et de la déchéance sociale qui en aurait résulté, puis avait eu une longue conversation avec Charlotte sur les romans de Samuel Richardson, ainsi que sur le fait de savoir si Lovelace était un héros romantique (Charlotte) ou un goujat déloyal (Henrietta) – tout ce temps, elle était consciente de chacun des moindres mouvements de Miles.

Depuis leur arrivée au bal, Miles lui avait apporté de la limonade, s'était retiré dans la salle de cartes, était revenu une demi-heure plus tard pour voir si elle avait besoin de quelque chose et avait tenu une longue conversation sur les chevaux avec Navet Fitzhugh. Elle savait qu'il était sorti sur le balcon pendant vingt minutes avec un cigare et deux amis, qu'il avait accordé une danse de courtoisie à Lady Middlethorpe et qu'il avait reproduit avec beaucoup de vivacité des passages du combat de boxe de la veille pour l'édification du fils de dix-sept ans des Middlethorpe.

C'était horripilant. C'était idiot. C'était… Était-ce Miles là-bas ?

Non, ce n'était pas lui. Henrietta se rendit compte que l'étrange grincement qu'elle entendait provenait de ses propres dents.

Elle se conduisait, se dit-elle sévèrement, comme une véritable demeurée.

Ce dont elle avait besoin, décida-t-elle en se tortillant avec agacement à cause de la ruche diabolique qui frottait son bras, c'était de se distraire. De toute évidence, elle devait vraiment s'ennuyer ferme ; sinon, elle ne s'adonnerait pas à des jeux puérils avec elle-même, et surtout pas à cause de Miles. Il s'agissait de Miles, après tout, se rappela Henrietta pour la cinquantième fois de la soirée. Miles. L'homme qui avait déjà lancé un pot de chambre sur la flèche de Saint-Martin-des-Champs. Cela lui avait presque valu une excommunication. C'était aussi le même homme qui avait réussi à tomber à la renverse dans la mare aux canards à Uppington Hall alors qu'il jouait à la balle avec le défunt corgi de Richard. Certes, il avait treize ans à l'époque, mais Henrietta choisit de se rappeler plutôt les éclaboussures, les jurons et les cris (ces derniers provenaient des canards et non de Miles). Sans parler de sa performance mémorable en tant que moine fantôme de l'abbaye de Donwell. Henrietta en avait fait des cauchemars pendant une semaine.

Pour lui rendre justice, il l'avait aussi aidée à se faufiler discrètement dans la cabane dans l'arbre réservée aux garçons, lui avait apporté clandestinement son premier verre de champagne et lui avait donné sa peluche favorite, Lapinou-le-lapin (Henrietta n'était pas la fillette la plus créative). Mais Henrietta n'avait pas envie de lui rendre justice. Elle voulait retrouver sa capacité à ignorer Miles. Jusqu'à maintenant, elle n'avait jamais considéré cela comme un talent particulier.

À l'évidence, elle avait besoin de s'occuper. Chercher l'espion français constituerait la diversion idéale – cette pensée remonta un peu le moral d'Henrietta –, mais elle ne savait absolument pas par où commencer. Après tout, la lettre de Jane avait uniquement signalé la présence d'un nouvel agent secret, sans en donner aucune caractéristique distinctive. Lors d'un instant de désespoir dans l'après-midi, Henrietta avait envisagé l'idée de consulter son contact à la boutique de rubans de Bond Street à ce sujet, mais ses instructions sur ce point étaient claires : elle ne devait jamais avoir aucune autre discussion avec le vendeur de rubans que celles nécessaires à l'achat de rubans. Faire autrement pouvait compromettre la confidentialité de toute l'opération. D'ailleurs, pour ce qu'elle en savait, le vendeur de rubans était tout aussi ignorant qu'elle.

Non, son seul espoir, c'était Amy, qui devait bien avoir une petite idée. Amy avait toujours des idées. Henrietta s'adonna à des calculs désespérés. Même en supposant qu'Amy s'assoie pour répondre à sa lettre à l'instant où elle la recevrait – bien entendu, il était très possible qu'Amy soit distraite et qu'elle laisse la lettre sur son secrétaire pour la retrouver un mois plus tard, mais Henrietta refusa d'envisager cette éventualité – ; en supposant, dans le meilleur des cas, qu'Amy écrive plus vite que n'importe quelle femme avant elle et qu'elle donne sa réponse au messager avant qu'il ait pu faire autre chose que d'avaler un verre de bière dans les cuisines de Selwick Hall ; en supposant que le messager ait de nouveaux chevaux qui l'attendent le long du chemin et qu'il avance à la même vitesse que s'il avait dix voleurs de grand chemin à ses trousses ; en supposant tout cela… Il faudrait au moins un jour de plus, conclut Henrietta d'un air morose.

Zut !

– Oh, regarde ! s'exclama Lady Uppington en enfonçant son doigt dans le bras de sa fille.

Agacée, Henrietta frotta l'endroit. Splendide. Maintenant, elle avait des démangeaisons *et* des contusions.

– Miles danse avec Charlotte. N'est-ce pas charmant de la part de ce cher garçon ?

— Fichtrement, répondit aigrement Henrietta en suivant des yeux le doigt punitif de Lady Uppington jusqu'à la piste de danse, où Miles enchaînait les pas des élégantes figures du quadrille avec Charlotte.

On pouvait voir — du moins, Henrietta pouvait voir — qu'il faisait un effort courageux pour converser avec Charlotte même s'il ne savait pas du tout quoi lui dire. Elle pouvait le deviner à la manière dont les coins de ses yeux étaient plissés, bien que très légèrement, ainsi qu'à la manière dont ses sourcils étaient rapprochés sous l'effet de la concentration, comme s'il étudiait un théorème philosophique vraiment très compliqué. Il devait avoir trouvé quelque chose, très probablement un commentaire sur la météo, parce qu'une vague de soulagement lui éclaira tout le visage. Ses sourcils remontèrent, sa bouche s'ouvrit et un grand sourire engageant se peignit sur son visage.

Henrietta sentit son cœur se serrer d'une manière tout à fait inopportune pour Miles.

Par-dessus l'épaule de Charlotte, Miles croisa le regard d'Henrietta et lui sourit.

Henrietta sursauta, rougit et avala la moitié d'un verre de champagne de travers.

Ces bulles, dans son nez, faisaient *mal*.

Lorsque le pire de l'accès de toux d'Henrietta fut passé, Lady Uppington jeta un regard inquisiteur à sa fille à la respiration sifflante.

— Tu sais, ma chérie, tu sembles ne pas être de très bonne humeur ce soir.

Henrietta réprima l'envie de grogner, en partie parce que cela serait indigne, et en partie parce qu'elle avait l'impression que sa gorge avait été écorchée vive par le champagne.

— Je vais *bien*.

— Qu'est-ce qui ne va pas, ma chérie ? demanda Lady Uppington en lui lançant un regard chargé de reproches qui disait « n'essaie pas de mentir à ta mère ».

— Rien ! Je m'amuse fabuleusement. Fabuleusement. Complètement et *absolument* fabuleusement.

Henrietta battit l'air des bras, ce qui eut pour effet secondaire et malencontreux de laisser la voie libre à la ruche sur la peau sensible sous son bras. Elle se renfrogna.

— Ma manche pique.

— Je t'avais dit de ne pas choisir cette dentelle, répondit Lady Uppington, peu compatissante, en saluant une connaissance de la main.

Vingt ans, était-ce trop vieux pour se faire adopter ?

Henrietta vit Miles ramener Charlotte à sa grand-mère, faire un effort surhumain pour échapper à l'implacable carlin de la duchesse douairière et battre en retraite à la hâte. Droit vers elles. Henrietta descendit prestement la main qui s'était machinalement levée pour lisser ses cheveux.

Visiblement, quelqu'un d'autre avait suivi les déplacements de Miles, parce qu'au moment où Miles s'approchait de leur groupe, une forme sombre avança vers lui pour l'intercepter. Ce soir, elle portait du pourpre enfumé au lieu du noir, mais la silhouette dans la robe était facile à reconnaître. C'était cette Femme-là. De près, elle était encore plus insupportablement belle… Pourquoi ne pouvait-elle pas avoir un mauvais profil ? Ou des boutons ? Un gros bouton rouge ressortirait si bien sur cette peau blanche parfaite.

Ce n'était pas bien de la détester uniquement parce qu'à côté d'elle toutes les autres femmes dans un rayon de quinze mètres ressemblaient à des trolls, se réprimanda Henrietta. Après tout, regardez Hélène et Aphrodite, que leur beauté a rendues misérables – et, franchement, elles avaient peu d'autres choses à offrir. Ç'avait dû être très difficile d'avoir cette apparence. Détestées par les femmes, poursuivies par les hommes pour les mauvaises raisons. Peut-être était-elle timide.

Pfff. Henrietta elle-même n'arrivait pas à se convaincre de cela. Il n'y avait pas un soupçon de timidité dans la manière dont la marquise se pendait au bras de Miles. À ce stade, pourquoi ne se jetait-elle pas tout simplement à son cou, qu'on en finisse ? Comme si elle avait lu dans les pensées d'Henrietta, la marquise choisit cet instant précis pour tendre une main gantée vers la joue de Miles.

Oh, pour l'amour du ciel ! Henrietta en avait assez de rester en retrait à les fixer, bouche bée, telle la spectatrice d'une mauvaise pièce. En réalité, elle était censée danser avec Navet Fitzhugh, mais si Navet ne venait pas réclamer sa danse, il n'y avait aucune raison pour qu'elle ne s'amuse pas en discutant avec son vieil ami Miles.

Les lèvres figées en un sourire social radieux en guise de bouclier et un verre de champagne levé comme la matraque d'un officier de la cavalerie, Henrietta se dirigea vers Miles d'un air déterminé et le prit par le bras.

– Bonsoir ! fit-elle gaiement.

– Euh, bonsoir, répondit Miles en clignant des yeux devant son apparition soudaine.

Décidée à donner une chance à l'abominable femme, Henrietta se tourna vers la marquise avec le sourire le plus amical qu'elle put se composer.

– J'admire votre robe depuis le début de la soirée, dit-elle de sa voix la plus chaleureuse. La dentelle est exquise !

La marquise la regarda comme elle aurait regardé un furet importun.

— Merci.

Henrietta attendit le compliment de rigueur en échange. Il ne vint pas. Henrietta retira une certaine satisfaction sinistre du fait de savoir que la femme était tout aussi détestable de près que de loin. Bien. Elle n'aurait plus besoin d'essayer de se montrer charmante avec elle.

Miles se rappela tardivement son devoir.

— Madame de Montval, puis-je vous présenter Lady Henrietta Selwick ?

— Selwick ? demanda la marquise en pinçant convenablement les lèvres, perdue dans ses pensées.

Y avait-il quelque chose que la femme faisait qui n'était pas convenable ? Henrietta aurait volontiers parié tout le contenu d'Uppington House, dont trois Canaletto, une série de Van Dyck ainsi que la tiare familiale, que la marquise avait pratiqué la totalité de ses expressions faciales devant un miroir.

— Oh, bien sûr ! s'exclama la marquise en ouvrant son éventail avec un petit rire. La noble Gentiane pourpre ! Êtes-vous parents ?

— C'est mon frère, répondit brièvement Henrietta.

— Ceux d'entre nous, ma chère, qui ont souffert des récentes frictions ne savent que trop bien la dette qu'ils ont envers lui. Mais vous deviez être beaucoup trop jeune pour vous en souvenir.

— À la pouponnière, à me traîner à quatre pattes en bavant, confirma Henrietta, si gentiment que Miles lui jeta un regard sévère.

Elle fut tentée de faire un commentaire sur l'âge avancé de la marquise, mais refusa noblement de s'abaisser à son niveau. D'ailleurs, elle n'arrivait pas à trouver une façon brillante de le formuler.

Profitant de l'instant d'hésitation d'Henrietta, la marquise reporta son attention vers Miles et posa une main caressante sur son poignet.

— Notre promenade d'aujourd'hui au parc m'a beaucoup plu, murmura-t-elle.

Henrietta parvint tant bien que mal à empêcher sa mâchoire de tomber tellement elle était indignée. Leur promenade au parc ! Mais... Mais... C'était *sa* promenade. Bien entendu, c'était elle qui avait refusé l'invitation, mais cette réflexion ne fit rien pour apaiser la douleur.

— Jamais je n'aurais cru que la Serpentine puisse être si captivante, poursuivit la marquise en levant les yeux vers Miles sous ses longs cils noirs.

En quoi la Serpentine pouvait-elle être captivante ? C'était une étendue d'eau. Avec des canards.

— Tout dépend de l'angle selon lequel on la regarde, répondit modestement Miles.

Idéalement, se dit Henrietta, depuis le fond de l'eau tandis que des canards guerriers rendus fous lui donneraient de violents coups de bec.

— Ou, répliqua la marquise avec un sourire sensuel, de la personne qui vous accompagne.

Miles bafouilla humblement son désaccord.

La marquise s'opposa poliment.

Hen lutta contre l'envie d'agiter la main entre leurs visages et de roucouler « Bonsoir ! Je suis là ! ».

— Personnellement, je préfère me promener sur la Row, dit Henrietta à voix haute, uniquement pour dire quelque chose.

— Non, c'est faux, répondit Miles.

Henrietta lui lança un regard noir.

– C'est une opinion récemment forgée.

– Tu détestes la Row. Tu disais qu'il n'y avait que les dandys prétentieux et les dames trop bien habillées...

– Je sais, l'interrompit Henrietta. Merci, Miles.

– Les opinions changent si vite chez les jeunes gens, intervint tout naturellement la marquise, qui réussit à regarder Henrietta de haut bien qu'elles fussent environ de la même taille. En vieillissant, Lady Henrietta, vos goûts se fixeront.

– Oui, répondit Henrietta en hochant la tête tout aussi naturellement. J'imagine que c'est ce qui arrive quand on ne peut plus se déplacer si facilement. Souffrez-vous beaucoup de raideurs dans les articulations ? Si c'est le cas, ma mère connaît un excellent remède.

La remarque était mesquine, enfantine et pas tellement brillante, mais elle frappa dans le mille. La marquise plissa très légèrement les yeux. Cette expression ne l'embellissait pas du tout ; elle faisait apparaître de petites pattes d'oie aux coins de ses yeux. Henrietta espérait que Miles observait attentivement.

– Trop aimable.

Retirant sa main de son perchoir permanent sur le bras de Miles, la marquise ferma brusquement son éventail avec un fort claquement et scruta attentivement Henrietta.

– Dites-moi, Lady Henrietta, partagez-vous les intérêts de votre frère ?

Henrietta secoua la tête.

– Non, ma mère ne me permet pas d'aller dans les salles de jeux. Cela pourrait interférer avec l'heure à laquelle je dois aller au lit.

Miles lui donna un coup de coude. Un gros.

Henrietta lui en donna un en retour. Un plus gros.

– Diable, mais qu'est-ce qui ne va pas chez toi ce soir ? marmonna Miles.

La marquise n'aimait pas qu'on l'ignore.

– Je suis navrée, monsieur Dorrington. Avez-vous dit quelque chose ?

– Rien ! répondirent en chœur Henrietta et Miles à l'instant où la grande horloge dans le hall se mit à sonner minuit.

On l'entendait à peine à travers le vacarme de la foule – des centaines de voix qui parlaient et riaient, les musiciens qui jouaient, des pieds bottés qui tapaient sur le parquet –, mais le faible écho capta l'attention de Miles.

Bon sang, s'il voulait cambrioler la maison de Vaughn, il devait y aller immédiatement, avant que les divertissements insipides offerts dans la salle de bal des Middlethorpe commencent à ennuyer Vaughn et qu'il file chez lui. Il était très probable qu'il s'arrête ailleurs avant de retrouver son lit, mais Miles se sentirait plus rassuré s'il savait que Geoff le gardait à l'œil ici.

– Et si l'on continuait notre exploration du parc demain, monsieur Dorrington ? Il reste tant de sentiers à découvrir.

– Hum, certainement, répondit Miles sans savoir ce qu'il acceptait.

Miles s'inclina vers un point quelque part entre Hen et la marquise.

– Si vous voulez bien m'excuser, Mesdames, je viens de me rappeler quelque chose que j'ai promis à Pinchingdale-Snipe. Terriblement navré, mais quand il le faut, *et cætera*.

– Très bien, répliqua doucement la marquise en tendant une main gantée de manière à ce que Miles ne puisse faire autrement que la baiser. À demain, monsieur Dorrington. Bonsoir, Lady Henrietta. Ce fut un plaisir singulier.

– Aucun mot ne saurait exprimer la profondeur de mon ravissement, répondit poliment Henrietta.

Elle remua les doigts en direction du dos de la marquise qui s'éloignait.

– À quoi rimait tout ça ? demanda Miles en se tournant face à Henrietta.

Henrietta se hissa sur la pointe des pieds, bomba le torse et se pendit langoureusement d'une main au bras de Miles.

– Oh, là, monsieur Dorrington, vous êtes si complètement captivant ! J'annonce que l'extase de votre présence me fera certainement tomber en pâmoison.

– Est-ce si étrange que je puisse plaire à quelqu'un ? s'enquit Miles.

Henrietta renâcla.

– Si tu lui avais plu davantage, vous auriez été bannis de la salle de bal.

– Ne devais-tu pas danser avec quelqu'un ?

– Il a oublié.

– Ah, dit Miles. C'est donc ça qui t'a mise de si mauvaise humeur.

– Je ne suis pas de mauvaise humeur.

Miles lui jeta un regard hautement sardonique.

– Devrions-nous simplement dire que tu n'incarnes pas ton idéal habituel de charme et de bonne humeur ?

Henrietta lui lança un regard noir.

Miles recula d'un air exagérément terrifié.

– Ou je pourrais simplement ne rien dire du tout et disparaître en douce.

Hen battit l'air de la main dans sa direction.

– Oh, va-t'en. Je vais aller chercher un beau petit trou dans lequel me cacher.

Miles se demanda s'il devrait rester pour lui offrir des limonades et des quadrilles, mais les aiguilles de l'horloge dépassaient lentement mais sûrement minuit. En outre, qu'Hen soit de mauvaise humeur était un événement rare mais effrayant. Miles sourit donc simplement d'un grand sourire amical, la tint à l'œil jusqu'à ce qu'il la voie rejoindre Charlotte qui, à en juger par l'expression de mécontentement d'Hen, l'interrogea immédiatement sur sa mauvaise humeur – Miles entendit de loin un « Pourquoi tout le monde me pose-t-il sans cesse cette question ? » agacé qui lui parvint depuis l'autre bout de la salle de bal –, puis partit à la recherche de Geoff pour mettre en œuvre la première étape de son plan astucieux.

La tête brune de Geoff fut facile à repérer dans la foule ; il dépassait de plusieurs centimètres les douairières courtaudes et les minuscules débutantes (la population masculine de la pièce avait déjà commencé à se diriger lentement mais sûrement vers la salle de cartes et la table des rafraîchissements). Mais Geoff, remarqua Miles en grimaçant, était occupé ailleurs. Il avait convaincu ce joyau d'Albion à l'incomparable splendeur, aussi connu sous le nom de Mary Alsworthy, la plus grande charmeresse du côté anglais de la Manche, de lui accorder un quadrille et admirait ses boucles brunes avec la fervente dévotion d'un croisé qui apercevait la Terre sainte pour la première fois.

Miles s'installa en bordure du plancher de danse et fit de subtils signes à Geoff. Les yeux de Geoff restaient fixés avec adoration sur le dessus de la tête de Mary Alsworthy. Miles abandonna la subtilité. Il agita les bras dans tous les sens et fit des signes de tête en direction de la porte. Geoff croisa son regard et grimaça. Miles n'arrivait pas à décider s'il s'agissait d'une grimace qui voulait dire « Je suis à toi dans une minute » ou « Cesse d'agiter les bras dans tous les sens parce que tu me gênes diablement ». D'une manière ou d'une autre, Miles n'avait pas beaucoup d'autres options, à part traîner Geoff de force hors de la piste de danse. Il se retira donc, pas tellement de bonne grâce, en périphérie de la salle, et s'adossa au mur, les bras croisés.

— Tu m'as fait signe ? s'enquit Geoff avec ironie en se dirigeant vers lui à grands pas lorsque les couples sur la piste de danse se dispersèrent et qu'un nouveau groupe prit leurs places pour une danse folklorique rythmée.

Miles décida d'ignorer l'ironie.

— L'heure a sonné ! annonça-t-il avec grandiloquence en se redressant d'un bond de sa posture languide contre le mur.

— L'heure de m'embarrasser devant Mary Alsworthy ?

— Oh, pour l'amour de Dieu !

La demoiselle en question était déjà entourée de cinq autres prétendants. Miles se retint de le faire remarquer à Geoff, de peur que cela précipite son départ.

— Nous sommes en guerre, poursuivit Miles, tu te souviens ? Pouvons-nous nous concentrer là-dessus un instant ?

— Oh. D'accord.

Geoff, qui avait déjà repéré lui-même le nouvel entourage de Mary, regardait dans cette direction avec un pli d'inquiétude entre les sourcils.

Sorcellerie, conclut Miles. Il devait y avoir de la magie noire là-dessous. Il s'agissait, après tout, de Geoff, qui avait passé les sept dernières années à s'occuper avec compétence des aspects administratifs de la Ligue de la Gentiane pourpre tandis que Richard entreprenait les affaires les plus audacieuses. Rien de moins qu'une intervention diabolique ne pouvait expliquer cela.

L'Angleterre avait grand besoin d'une bonne chasse aux sorcières.

— Tu sais, dit astucieusement Miles, peut-être que ça attiserait son intérêt si tu l'évitais pendant quelques heures. Hen me dit que les femmes réagissent à ce genre de choses.

Geoff secoua la tête.

— Ça n'a pas de sens.

— C'est exactement pour ça que ça pourrait fonctionner, répondit Miles avec sagesse.

— Hum, c'est un fait.

Miles décida qu'il ne pouvait pas insister davantage sur ce stratagème sans éveiller les soupçons de Geoff. Évidemment, vu l'état dans lequel il se trouvait, Miles pourrait probablement lui dire que le roi George venait de se transformer en un énorme rutabaga, et Geoff ne ferait que hocher la tête et acquiescer.

— L'individu en question est là-bas, à côté de la grande statue de Zeus qui lance des éclairs, dit Miles sur le ton de la conversation, de sorte que les gens qui passaient près d'eux ne suspectent rien de clandestin. J'ai besoin d'environ une heure. Si tu vois qu'il se prépare à partir avant, trouve un moyen de le retenir. Je compte sur toi, Geoff.

— Une heure ?

— Davantage serait mieux, mais une heure fera l'affaire.

Geoff hocha la tête.

— Bonne chance.

Miles sourit, exécuta un petit mouvement d'escrime sophistiqué dans le vide, simplement pour rigoler, et fit demi-tour pour partir. Au dernier moment, une autre idée vint à l'esprit de Miles. Il donna une petite tape sur l'épaule de Geoff.

— Une dernière chose.

— De quoi s'agit-il ? demanda Geoff, méfiant.

C'était un bien triste jour quand son ami commençait à se méfier de tout.

— Tiens-les à l'œil, Hen et lui, veux-tu ? Je n'ai pas aimé sa façon de tourner autour d'elle hier soir.

— Assez simple, convint Geoff, soulagé. Je peux toujours l'entraîner sur le plancher de danse. Peut-être que si je pouvais rendre Mary jalouse...

— Je savais que je pouvais compter sur toi, mon vieux !

Avant que Geoff arrive au bout de sa pensée, Miles lui donna une bonne claque sur l'épaule, puis sortit gaiement de la salle de bal à grands pas avec l'agréable sensation d'avoir fait son travail.

En descendant l'escalier du perron, Miles prit une grande bouffée revigorante d'air nocturne — et faillit s'étouffer. Son visage se tordit de dégoût. L'odeur était facile à reconnaître, tout comme les bruits qui l'accompagnaient. Quelqu'un, la queue-de-pie dans les airs et la tête dans les massifs d'arbustes, écorchait le renard dans les buissons soigneusement taillés des Middlethorpe.

Lorsque Miles passa, le malade se redressa, chancela, atterrit avec une main dans les massifs d'arbustes — Miles tressaillit — et se releva encore de sorte que la lumière de la lanterne éclaira pleinement son visage blafard. Miles s'arrêta net. Il y avait là quelqu'un à qui il avait eu l'intention de parler. Ce n'était pas le meilleur moment, mais Miles préférait en finir le plus rapidement possible avec cette conversation en particulier. La puanteur ne lui fournirait qu'une motivation supplémentaire.

Miles attrapa un pan de foulard qui, par chance, était propre, et l'aida à se remettre debout.

– Frobisher, dit-il d'une voix traînante. Je voulais te parler.

– Un honneur, Dorrington.

Frobisher vacilla sur ses pieds lorsqu'il tenta de faire une révérence. Il regarda le sol en faisant la grimace comme s'il le soupçonnait de vouloir l'attaquer.

– Un plaisir, tu n'as pas idée.

Miles ne pouvait lui retourner le compliment. Il fit un pas de côté pour s'éloigner du souffle de vapeurs de brandy qui s'échappaient, telles les flammes de la bouche d'un dragon, lorsque Frobisher parlait. Son foulard pendait de guingois, sa veste grande ouverte révélait, sur son gilet, des traces de quelque chose dont Miles préférait ignorer la nature, et ses yeux injectés de sang étaient plissés par la simple difficulté d'essayer de fixer son regard sur Miles.

Ce crétin ivre avait eu le culot de toucher Henrietta. Les narines de Miles se dilatèrent de dégoût – une erreur, puisque cela permit le passage d'une plus grande quantité de la puanteur répugnante de Frobisher. À jeun, Frobisher était un spécimen parfaitement présentable, mais n'importe quel homme de son âge qui se mettait dans un tel état ne méritait pas d'être dans la même pièce qu'Hen et encore moins de la traîner dehors sur un balcon sombre. L'homme avait besoin qu'on lui enseigne une petite leçon de bienséance, à commencer par comment garder ses vilaines mains loin de la sœur du meilleur ami de Miles.

Du calme, se rappela Miles. Une simple petite conversation d'homme à homme. On ne pouvait pas se permettre de taper trop fort sur ses connaissances… Cela rendait la vie sociale fichtrement difficile. Il devait simplement s'assurer que l'homme comprenait que s'il osait ne serait-ce que regarder Henrietta encore une fois, il ferait diablement bien de commencer à penser à émigrer dans les recoins les plus reculés des Amériques.

Miles croisa les bras sur son torse.

— Il paraît que tu as eu un petit différend avec Henrietta Selwick ?

— Sacrément désagréable comme p'tit bout d'femme, bredouilla Frobisher. Ça fait la fière et ça se met en rogne juste parce que…

Il fut à nouveau catapulté dans les buissons.

Miles l'attrapa par l'arrière de son gilet et le releva une fois de plus. Frobisher était tellement rond qu'il ne se rendit pas compte que Miles le laissait pendre dans les airs un tout petit peu plus longtemps que nécessaire. Pas plus qu'il ne soupçonna le fait que Miles envisageât de remplacer sa main par une botte pour voir jusqu'où un coup de pied pouvait projeter un ivrogne dégénéré.

Miles laissa tomber Frobisher avec regret. Il devait d'abord lui transmettre un message. Le coup de pied allait devoir attendre.

— Merci, Dorrington, dit Frobisher en lissant son gilet, sans résultat.

Certaines substances ne réagissaient pas très bien au lissage. Frobisher jeta un regard noir à ses gants ruinés.

— Fichtrement bien de ta part.

— Au sujet de Lady Henrietta, commença Miles d'un ton menaçant, pressé de dire ce qu'il avait à dire et d'en finir.

– Je ne sais pas pourquoi elle était si contrariée, répondit Frobisher en secouant la tête devant les caprices des femmes. Ce n'était qu'un petit câlin. Une fille à sa troisième saison. On aurait pu croire qu'elle me remercierait.

– Qu'elle ferait *quoi* ?

L'homme était-il suicidaire ? Miles se concentra sur la possibilité d'avoir mal entendu. L'homme était ivre ; il ne s'exprimait pas clairement.

– Sa dernière chance, t'sais, expliqua gentiment Frobisher. Avant d'être vieille fille.

La digue fragile qui retenait la colère de Miles céda.

– Voudrais-tu répéter ça à l'aube ? dit Miles d'un ton tranchant.

Chapitre 12

Duel (n.) : 1) *lutte désespérée dans une pièce sombre ;*
2) *moyen de vider une salle de bal bondée.*
– tiré du livre de codes personnel de l'Œillet rose,
annoté par la duchesse douairière de Dovedale

Martin Frobisher était peut-être soûl, mais pas stupide. Du moins, pas complètement. Il était assez intelligent pour avoir très, très peur.

Dorrington avait un talent inégalé à l'épée et une habileté légendaire au tir, mais la perspective de se faire embrocher ou tirer dessus devenait insignifiante en comparaison à la menace beaucoup plus immédiate que représentait Miles en personne, lequel fléchissait les mains d'une manière qui n'avait rien à voir avec les règles du marquis de Queensberry. Frobisher recula, se heurta au massif d'arbustes et se retint au mur d'une main pour ne pas perdre l'équilibre.

– Ma foi, Dorrington…

– Oui, Frobisher ? Qu'as-tu à dire au juste ?

– Ce n'est pas ce que j'ai voulu dire, bégaya-t-il en se laissant glisser le long du mur pour s'asseoir lourdement dans une flaque qu'il avait lui-même créée. Sacrément bien, cette fille. Tout le monde la voudrait. Des seins comme… Argh…

La force de l'impact projeta la tête de Frobisher en arrière. Ses yeux s'écarquillèrent d'horreur lorsque Miles le saisit par le foulard pour le redresser.

— Tu ne toucheras plus jamais à Lady Henrietta Selwick. Tu ne danseras pas avec elle. Tu ne lui baiseras pas la main. Tu ne la câlineras pas, tu ne la caresseras pas, tu ne profaneras d'aucune façon quelque partie de son anatomie. Est-ce bien compris ?

— Je ne la toucherai pas, balbutia docilement Frobisher. Je ne lui parlerai même pas ! s'exclama-t-il, comme frappé d'une inspiration soudaine, en regardant nerveusement Miles.

— C'est encore mieux, répondit Miles d'un air sévère.

Ouvrant la main, il laissa retomber Frobisher — directement dans le tas de sa propre crasse. Frobisher s'effondra à moitié dans les buissons en se tenant la gorge, haletant de soulagement.

— Frobisher !

— Oui ? répondit une voix rauque depuis les buissons.

— À ta place, j'éviterais de mentionner quoi que ce soit à propos de ceci à tes petits amis. Prononce le nom de Lady Henrietta de façon irrespectueuse, et je te battrai jusqu'à ce que ta misérable vie ne tienne qu'à un fil avant de te vendre aux racoleurs. S'ils veulent de toi, ajouta Miles en lançant un regard désobligeant vers l'amas d'étoffe souillée couché en boule sous les buissons. Bonne nuit, Frobisher.

Un faible gémissement parvint jusqu'à Miles tandis qu'il avançait dans la rue d'un pas lourd et déterminé.

Le héros triomphant n'était pas du tout fier de lui. Il savait qu'il avait réagi de façon extrêmement excessive.

Extrêmement. L'homme était ivre, n'était pas en état pour un combat loyal et, pour être honnête, il n'avait même pas voulu être offensant ; il l'avait seulement été. Tout ce que Miles avait à faire, c'était de lui transmettre calmement et nonchalamment un avertissement, d'un gentilhomme à un autre, pour faire comprendre à Frobisher qu'Henrietta n'était pas sans protection et qu'elle n'était pas une proie facile. Assez simple. À la place, il avait perdu la tête, bandé ses muscles et prononcé des menaces à la manière d'un crétin borné fraîchement débarqué de la campagne. C'était un pur coup de chance que personne ne les ait vus.

Mais il y avait quelque chose au sujet de Frobisher, de la pensée qu'il avait imposé son affection à Hen, qui lui donnait envie de faire demi-tour et de terminer ce qu'il avait commencé. Comment osait-il parler ainsi d'Henrietta ?

Miles se renfrogna. Les paroles de Frobisher avaient rappelé à Miles un souvenir qu'il avait, depuis un mois, tout fait pour oublier. Il y était presque arrivé aussi. Il y avait eu un incident. Un incident qui impliquait Henrietta et une chemise de nuit. Une chemise de nuit fichtrement indécente. Les jeunes vierges innocentes n'étaient-elles pas censées être enroulées dans des mètres de laine afin d'éviter de heurter la sensibilité de tout célibataire qui pourrait passer par là ? Si ce n'était pas le cas, cela devrait l'être.

Henrietta avait descendu l'escalier en courant, vêtue d'une chemise de nuit qui donnait un tout nouveau sens au terme « diaphane ». Pour être honnête, Miles ne s'en serait même pas aperçu si Lady Uppington n'avait pas fait une remarque cinglante et ordonné à Henrietta de remonter se changer. Mais une fois qu'il s'en était aperçu, il fut difficile d'arrêter. Quand diable de tels seins étaient-ils apparus ? À travers le fin linon de sa chemise de nuit, la lumière de la chandelle n'avait vraiment pas laissé beaucoup de place à l'imagination. D'ailleurs, Miles doutait fort que l'imagination pût améliorer quoi que ce fût…

Miles chassa ce souvenir avant qu'il n'aille plus loin. En ce qui le concernait, Henrietta n'était pas censée avoir un corps. Elle était une tête sur deux jambes. Hum, c'était de très jolies jambes qu'il avait aperçues à travers… Non. Il y avait des règles qui interdisaient de convoiter la sœur de son meilleur ami. Bon sang, oublions les règles ; c'était plutôt des lois immuables de la nature. S'il les enfreignait, il y aurait d'étranges éclipses de lune, et les morts vêtus de leurs linceuls se lèveraient pour se lamenter dans les rues. C'était contre nature – c'était exactement ça : contre nature et mal.

Mais c'était tellement bien fait pour quelque chose d'aussi mal.

Que le diable l'emporte ! Miles accéléra, avançant furieusement en direction de Belliston Square. Il avait une maison à cambrioler et, grâce à cet idiot de Frobisher, il avait déjà perdu dix précieuses minutes de l'heure qui lui était allouée. Heureusement, la résidence de Vaughn n'était qu'à cinq petits pâtés de maisons de celle des Middlethorpe ; les longues jambes de Miles couvrirent la distance en quelques minutes.

Juste avant Belliston Square, il se força à ralentir pour faire un peu de reconnaissance. Il s'agissait, après tout, de l'endroit où l'agent secret avait été assassiné, et Miles voulait jeter un œil à l'extérieur autant qu'à l'intérieur. Titubant un peu à l'instar d'un gentilhomme bien aviné qui rentrerait chez lui après une réception de trop, Miles entra lentement sur la place en plastronnant et en observant attentivement sous le couvert d'une tête qui pendait négligemment.

D'un côté, la place était dans l'ombre de la masse aux volets fermés de Belliston House, un grand manoir de style palladien érigé au début du siècle précédent. Le duc actuel était un fervent sportif qui ne venait que rarement à Londres. En résidence, il n'y aurait que le personnel minimum nécessaire pour entretenir la propriété et garder ses inestimables collections, mais les chances étaient minces que quelqu'un à Belliston House remarquât des va-et-vient suspects sur la place (y compris ceux de Miles). Les trois autres côtés étaient identiques : chacun affichait une grande maison au centre, flanquée d'une petite maison de chaque côté, plutôt dans le style arc de triomphe. Celle de Vaughn était l'une des premières, nichée du côté sud de la place. Un immense fronton triangulaire soutenu par trois larges colonnes doriques dominait la façade, ce qui donnait à la structure une allure antique à la mode. Plus important encore, les lumières étaient éteintes.

Une fête avait lieu dans l'une des maisons voisines, une soirée avec de la musique, à en juger par les notes fluides qui s'échappaient par la fenêtre. Devant une autre, un valet taquinait une petite femme de chambre, qui gloussait et rougissait devant ses attentions. Miles s'arrêta pour s'étirer, s'appuya contre une grille, regarda la lune et tripota son épingle à cravate. Personne ne porta la moindre attention à lui. Miles continua son chemin, sa théorie confirmée. Les érables plantés au centre de la place faisaient en sorte que quiconque se tenait devant la maison de Vaughn ne pouvait être vu de la maison d'en face. Quant aux autres maisons, tant qu'un meurtrier avait l'air à sa place et qu'il se déplaçait assez rapidement, il pouvait être pratiquement certain de passer inaperçu.

En se faufilant hors de la place pour la contourner par une ruelle, Miles enfila les vêtements de camouflage qu'il avait apportés spécialement pour l'occasion. Ils n'étaient pas très élaborés ; rien à voir avec le costume recherché que Richard avait l'habitude de porter lors des escapades de la Gentiane pourpre, mais il y avait des limites à ce que Miles pouvait enfouir dans ses poches. Il défit son épingle à cravate en diamants pour se débarrasser de son foulard blanc, enroula ses gants tout aussi blancs dedans et cacha le tout derrière un buisson bien situé. Downey n'en serait pas très heureux, mais qu'importait un bout de tissu en plus ou en moins quand c'était pour une bonne cause ? Après avoir remplacé les gants blancs par de fins gants noirs, Miles sortit un carré d'étoffe noire de sa poche. Il le regarda d'un œil mauvais. Il ne se réjouissait pas du tout à cette idée.

Pour l'Angleterre, se rappela-t-il. *Rule Britannia*, que Dieu protège le roi, *et cætera*.

La mâchoire figée dans une expression d'extrême stoïcisme, Miles noua le tissu noir sur sa tête à la manière d'un bandana pour cacher ses cheveux blonds et couvrir une bonne partie de son front. Il grimaça lorsqu'il capta un reflet de lui-même dans une fenêtre obscure. Diantre, qu'on lui mette une boucle d'oreille, et il aurait l'air d'un fichu pirate. Il ne lui manquait qu'un tatouage sur le bras et un perroquet qui faisait des blagues.

Le pire était à venir. Par-dessus le bandana, Miles noua un masque en soie noir semblable à ceux que portaient les dames qui souhaitaient préserver leur réputation et les *roués** qui profitaient d'elles. Maintenant, il avait l'air d'un pirate dans un désir intense d'anonymat. Miles, le pirate timide, fléau des hautes mers. Si jamais Hen le voyait dans cet accoutrement, il en entendrait parler jusqu'à la fin de ses jours.

Tant pis. Miles secoua la tête. Au moins, s'il se faisait prendre, il pourrait toujours prétendre qu'il était en route pour une fête costumée huppée et qu'il était entré dans le jardin de Vaughn à la recherche de son perroquet fugueur.

Se sentant comme un parfait crétin, Miles se glissa incognito à travers la grille du jardin de Vaughn. Toutes les fenêtres du rez-de-chaussée étaient sombres. Tandis qu'il avançait petit à petit dans le jardin, dont l'air nocturne était chargé d'odeurs de roses et de lavande, Miles aperçut une faible lueur qui provenait de sous l'escalier. Le valet de Vaughn devait évidemment attendre le retour de son maître. À en juger par les éclats de joie qui s'échappaient de la fenêtre, il devait avoir de la compagnie. Bien, se dit Miles ; plus ils s'amusaient, moins ils risquaient d'entendre la silhouette sombre se glisser silencieusement à l'intérieur.

Aïe ! Il avait foncé tout droit dans un banc ornemental qu'un esprit diabolique quelconque avait placé juste là contre le mur. Miles ravala un hurlement de douleur et jura en silence, ce qui était loin d'être aussi satisfaisant que de jurer à voix haute.

La silhouette sombre avança en boitant tout en se frottant le tibia, examinant ses options. En haut d'un escalier de trois marches, il y avait un balcon avec des portes-fenêtres qui donnaient sur le jardin. L'escalier, évidemment, était au beau milieu du jardin, sous les yeux de quiconque se trouvait dans la maison. Les massifs ornementaux qui délimitaient les motifs du *parterre** ne fourniraient aucune possibilité de cachette ; ils arrivaient, au mieux, aux genoux de Miles.

La solution était assez simple, se dit Miles avec un sourire espiègle. Il plaça une main gantée de noir sur le coin de la balustrade en pierre, sauta par-dessus la rambarde et atterrit sur le balcon en s'accroupissant avec souplesse. En se relevant, Miles plia les bras d'un air suffisant.

À nouveau contre le mur, il s'approcha doucement des portes-fenêtres puis, d'une main gantée, essaya délicatement la poignée. Elle tourna facilement. Une fois à l'intérieur, Miles ne se permit pas de s'arrêter pour exulter ; il avait établi un plan d'action la veille et avait l'intention de le suivre. Il avait déjà perdu assez de temps à passer un savon à ce révoltant réprouvé de Frobisher.

Miles ramena ses pensées aux affaires courantes avant qu'elles s'aventurent en terrain glissant.

Le bureau de Vaughn serait l'endroit évident où chercher – ce qui était exactement la raison pour laquelle il ne ferait pas cela. Si Vaughn était l'impitoyable espion qu'il supposait, il aurait prévu l'éventualité de visites nocturnes et aurait caché ses documents en conséquence, en laissant de fausses informations dans les endroits les plus évidents tels que des tiroirs verrouillés de son secrétaire et des globes terrestres creux. En outre, Vaughn venait tout juste de rentrer de voyage ; il devait avoir pris l'habitude de garder ses documents les plus importants près de lui, prêts à être rangés et déplacés sans préavis. Et lorsqu'un gentilhomme voulait avoir quelque chose à portée de main, il le gardait dans sa chambre. Le même principe s'appliquait tant aux documents importants qu'aux maîtresses.

Même Delaroche, ce fanatique à moitié fou, gardait ses documents les plus importants sous son oreiller – ou plutôt, c'est ce qu'il faisait avant que Richard y fasse une rafle.

La demeure de Vaughn, remplie de vases vacillants et de statues inattendues, était un paradis pour l'amateur d'art, mais un enfer pour l'espion. Miles faillit trébucher en reculant dans l'un des premiers après avoir tourné un coin et s'être retrouvé face à face avec un Hercule haut de plus de quatre mètres qui gardait l'escalier principal. Un lion très déprimé était couché sous le pied d'Hercule, et le bâton dans sa main semblait pointé directement sur Miles.

– Salut, mon vieux ! murmura Miles, qui mit prudemment un pied sur la première marche tout en restant en équilibre sur la plante de ses pieds afin d'éviter que ses talons claquent de manière révélatrice sur le marbre.

Des tapis. C'était ce qu'il manquait à cette maison, décida Miles avec humeur. Beaucoup, beaucoup de tapis. Cela rendrait bien plus facile la tâche de se déplacer furtivement.

Hercule continua de le surveiller tandis qu'il montait l'escalier, qui tournait autour de la statue.

– Tiens le personnel à l'œil pour moi, tu veux ? lui demanda Miles.

Il avait toujours senti une sorte de lien avec Hercule depuis cet incident avec la comtesse déterminée. Et il partageait son aversion pour les serpents, une antipathie de laquelle Vaughn ne se faisait manifestement pas l'écho. Ces derniers figuraient au premier plan dans la décoration. Des appliques autour desquelles étaient enroulés des serpents ondulants étaient disposées à intervalles réguliers le long des murs.

Croisant les doigts pour la chance, Miles choisit une pièce au hasard, se glissa sans bruit à l'intérieur et ferma la porte derrière lui. Avec les épais rideaux fermés, la pièce baignait dans l'obscurité totale. Plutôt que de buter contre tout, Miles prit le risque de craquer une allumette. Dans le flamboiement momentané, il vit du papier peint fleuri, un secrétaire délicat, ainsi qu'un pare-feu brodé.

Ce n'était pas la chambre du comte — mais celle de la comtesse ?

Miles arriva à la fenêtre juste avant que l'allumette lui brûle les doigts et tira les rideaux, tout juste assez pour laisser entrer suffisamment de rayons de lune pour s'y retrouver. Tout était un peu flou, mais c'était moins risqué qu'une autre allumette, et ce qu'il vit confirma son hypothèse. La pièce était délicate et féminine, et rien ne datait de plus de dix ans. Des flacons vides de cosmétiques et de parfums étaient toujours disposés sur la coiffeuse, et un peignoir démodé était posé au pied du lit comme si on s'attendait à ce que sa propriétaire revienne l'enfiler à tout moment.

Plus important encore, chaque mur présentait une porte et, là où était la suite de la comtesse, la suite du comte ne devait pas être bien loin. Beaucoup plus facile que de trébucher sur tout dans le couloir et passer la tête dans d'autres portes ; on ne savait jamais qui pouvait se trouver de l'autre côté.

La porte à l'extrême gauche offrit à Miles ce qu'il cherchait. Il se trouvait dans la chambre de Vaughn. Et quelle chambre ! Un immense lit, surélevé sur une estrade à la française et orné d'innombrables décorations en velours bleu profond, dominait la pièce. Deux nymphes bien proportionnées soutenaient la tête de lit, un immense coquillage que Vénus aurait été fière de faire sien. Les gravures sur les colonnes du lit respectaient le thème maritime : des dauphins folâtraient avec des nymphes aquatiques, pendant que Triton les surveillait d'en haut. Miles frappa doucement les colonnes – les queues des dauphins semblaient parfaites pour servir de loquets à une cachette secrète –, mais n'y gagna rien de plus qu'une jointure endolorie.

La table de chevet refusa aussi de dévoiler quelque secret vital ; elle ne contenait rien de plus excitant qu'un pot de chambre. Déterminé à bien faire les choses, Miles en retira l'objet. Après tout, y avait-il un endroit plus retors où cacher des documents secrets ? Une inspection excessivement rapide démentit cette théorie. Parfois, un pot de chambre n'était qu'un pot de chambre.

Après que Miles eut fouillé tous les draps, inspecté l'armoire de Vaughn, passé à travers sa collection de cannes aux pommeaux argentés, jeté un œil sous un repose-pied brodé et dans la cheminée, son enthousiasme initial commença à s'estomper. Il ne s'attendait pas à trouver un volume de folios, avec la légende MA CARRIÈRE EN TANT QU'ESPION INTRÉPIDE ET AUTRES NOUVELLES commodément gravée dessus, sur l'oreiller de Vaughn, mais *quelque chose* aurait été bienvenu. Une lettre cryptée, peut-être. Ou un mystérieux bout de papier chiffonné. Il devait y avoir quelque chose. Manifestement, il ne regardait tout simplement pas au bon endroit.

Voulant se passer la main dans les cheveux, mais contrarié par le fichu bandana, Miles se tourna pour jeter un regard noir au lit de Vaughn. Qu'avait-il omis ? Il n'y avait pas de place où cacher quelque chose dans le coquillage, et les nymphes étaient entièrement solides ; Miles avait vérifié en portant une attention particulière aux parties les plus charnues. La table de chevet ne contenait rien d'autre que ce pot de chambre… Et un livre. Comment avait-il pu négliger le livre ?

Après avoir dérapé sur un petit tapis persan, Miles bondit à nouveau sur l'estrade et attrapa le livre sur le dessus de la table de chevet. C'était *Recherche philosophique sur l'origine de nos idées du sublime et du beau* d'Edmund Burke, et il n'était pas creux. Fichtre. Mais un bout de papier plié servait de marque-page.

C'était trop gros pour être la note qu'il avait vu changer de mains la veille ; Miles s'en rendit compte immédiatement. Insérant un doigt dans le livre pour ne pas perdre la page de Vaughn, il retira le bout de papier plié, puis le secoua pour le déplier. Fichtre, fichtre, fichtre. Rien de plus qu'un fichu billet de théâtre. Pas étonnant que Vaughn utilise la chose trois fois maudite comme marque-page.

Miles vint pour le remettre à sa place – mais se figea. Lentement, avec une excitation grandissante, il le tint à nouveau au faible clair de lune.

Ce n'était pas qu'un billet de théâtre. C'était un billet de théâtre français.

S'il ne s'était trouvé chez Vaughn dans des circonstances résolument suspectes, Miles aurait sauté de joie et ri aux éclats. Dans les faits, l'excitation provoqua un spasme involontaire qui fit tomber le livre. Miles l'attrapa avant qu'il atteigne le sol et le lança sur le lit sans cérémonie. Au diable la page ; il tenait son homme.

La France ! Vaughn était allé en France ! Et récemment, en plus. La date sur le billet n'était que deux semaines plus tôt, bien après que Bonaparte eut brisé la paix d'Amiens et flanqué tous les Anglais hors du pays au cas où ils fussent de potentiels agents secrets ennemis. Tout Anglais surpris en ville était passible d'emprisonnement immédiat. Jane avait échappé à la vigilance du ministère de la Police uniquement parce qu'elle était une femme et la cousine germaine d'Édouard de Balcourt, un lèche-bottes qui parasitait la cour du Premier Consul. Vaughn n'était pas simplement allé en France, mais à Paris, le Paris étroitement surveillé, où le ministère de la Police frémissait de terreur à cause de l'Œillet rose. Vaughn était allé à Paris et avait assisté à une fichue pièce d'opéra sous le nez des chiens de garde de Bonaparte. Toute cette histoire empestait jusqu'au paradis.

Miles avait envie d'embrasser ce billet de théâtre, mais il ne voulait pas faire couler l'encre.

Il emporta le document près de la fenêtre pour l'examiner de plus près au clair de lune. Il annonçait la performance d'une certaine madame Aurelia Fiorila, reine de la scène d'opéra. Le nom titilla Miles ; il savait qu'il l'avait déjà entendu, et ce, récemment. Il pourrait toujours chercher le souvenir plus tard ; pour l'instant, autre chose requérait son attention. Une adresse était gribouillée dans le coin droit au bas du billet : 13, rue Niçoise. Leurs espions en France devraient suivre cette piste. Cela pouvait être innocent ; le domicile d'une connaissance ou une boutique spécialisée en cannes d'ivoire… ou pas.

Miles était justement en train de replier le papier lorsqu'il entendit le bruit. Un bruit qui n'était pas le bruissement des feuilles dans les érables, ni le léger crépitement des braises dans le feu couvert, ni le tic-tac régulier de l'horloge dorée sur la cheminée. De l'autre côté de la place, la mélodie chantante s'était tue depuis longtemps. Dans le silence, Miles entendit le glissement furtif de pieds qui se déplaçaient délibérément sur le sol derrière lui.

Ce fut le seul avertissement qu'eut Miles avant qu'un reflet argenté brille dans la fenêtre. Instinctivement, Miles esquiva, et les crochets du serpent plongèrent dans la vitre plutôt que sur la tête de Miles, la faisant éclater dans un horrible fracas. L'assaillant de Miles leva la canne pour frapper à nouveau.

Se tournant brusquement, Miles attrapa la canne et frappa d'un coup de pied botté. Il entendit un craquement, puis un cri aigu de douleur. Son adversaire lâcha subitement la canne, ce qui projeta Miles sur l'armoire de Vaughn. Le temps qu'il secoue la tête pour se remettre les idées en place et qu'il bondisse à nouveau sur ses pieds, son assaillant avait ouvert avec force la porte qui menait à la chambre de la comtesse et disparu dans l'obscurité.

Miles jura de façon éloquente. Ramassant la canne abandonnée, il partit à la poursuite de son adversaire jusqu'à ce qu'un nouveau bruit l'arrête net.

Disons beaucoup de bruits.

La fenêtre cassée avait fait son œuvre ; elle avait réveillé la maisonnée, qui s'était mise aux trousses de l'intrus en criant à tue-tête. Miles entendit des cris d'alarme masculins, des hurlements stridents de femmes de chambre et, beaucoup plus inquiétant, le martèlement de pas dans le couloir qui s'approchaient de la chambre du comte.

D'un air grave, Miles se détourna brusquement de la porte qui menait à la chambre de la comtesse, par laquelle son assaillant avait disparu, pour regarder vers la poignée de la porte de la chambre de Vaughn, qu'on commençait déjà à secouer. Le verrou ne retiendrait que temporairement les gens qui, sans le savoir, étaient ses poursuivants. Il n'y avait malheureusement qu'une seule issue.

Priant pour que son agilité d'antan ne l'ait pas entièrement abandonné, Miles mit une main sur le bord de la fenêtre et sauta par-dessus — pour se retrouver dans une haie particulièrement épineuse.

Certaines choses ne changeraient jamais.

Assailli par une centaine de piqûres minuscules, Miles rampa sous les buissons, arrachant en cours de route le masque et le bandana. Encore quelques mètres, et il émergerait des massifs d'arbustes sur la place, se débarrasserait d'un geste de la poussière et déambulerait à nouveau calmement, sous ses airs d'homme du monde ivre. Les serviteurs chercheraient un bandit, pas un *bon vivant**. Miles se préparait tout juste à bondir hors des massifs d'arbustes quand, avec tout ce que la mémoire a de plus pervers, il fut frappé par la réponse.

Il savait où il avait entendu ce nom auparavant.

Malgré un genou endolori, un poignet tordu et des éraflures à des endroits de son anatomie auxquels il ne voulait même pas penser, un petit sourire en coin apparut sur le visage démasqué de Miles.

Demain, il irait à l'opéra.

Chapitre 13

– C'est verrouillé, dit Colin.

Avec l'impression d'être une héroïne de roman gothique qui venait de se faire prendre à faire des bêtises, je m'éloignai du cadenas que j'examinais. Le cadenas était relié à une porte en chêne très épaisse qui, à son tour, était reliée à une haute tour en pierre.

Après avoir passé la matinée dans la bibliothèque à étudier de près les archives de la famille Selwick, même mon dévouement avait commencé à faiblir temporairement. L'écriture d'Henrietta était parfaitement lisible, et celle de Jane représentait le rêve de tout historien, mais celle de Miles était absolument indéchiffrable. En outre, dehors, le soleil brillait, les oiseaux chantaient, et les alouettes étaient sur les ronces.

Ou était-ce l'escargot qui était censé être sur les ronces alors que les alouettes volaient dans les airs ? D'une manière ou d'une autre, ç'avait peu d'importance. Je voulais être dehors avec eux. Une belle journée de novembre en Angleterre, c'était trop rare pour ne pas en profiter.

Après avoir tout rangé soigneusement dans les petites boîtes sans acide, j'étais retournée dans ma chambre pour enfiler ma veste Barbour tout usage ainsi que mes chaussures les plus confortables. Malheureusement, étant donné la nature de ma collection de chaussures, elles n'étaient pas terriblement confortables ; c'était une paire de mocassins Coach à talons bottiers invraisemblablement étroits. Ils étaient parfaits dans les rues de Londres et paraissaient merveilleusement bien sous l'ourlet d'un pantalon, ce qui, jusqu'à présent, avait constitué ma principale préoccupation. Je doutais qu'ils s'en tirent aussi bien au moment de traverser la pelouse.

En sortant, j'avais regardé avec envie les paires de bottes en caoutchouc Wellies qui traînaient à côté de la porte de la cuisine – certaines semblaient être de ma taille –, mais puisque j'avais déjà envahi la maison de Colin, j'eus l'impression qu'il serait un peu exagéré de m'approprier les bottes de sa sœur. Dieu seul savait combien de femmes entraient et sortaient de la cuisine de Colin. J'étais là depuis trois heures seulement quand la première était apparue. Cela pouvait expliquer la grande quantité de bottes dans l'entrée.

Me sermonnant moi-même au sujet de ma stupidité, j'étais sortie de la cuisine et avait suivi le petit sentier de pierres que quelqu'un avait gentiment aménagé jadis. Les pierres irrégulières étaient séparées par de larges bandes de serpolet et d'autre végétation que je n'aurais su identifier ; l'effet était beaucoup trop charmant et naturel pour être involontaire. Je m'étais frayé un chemin de pierre en pierre en remerciant sincèrement, de la part de mes talons et de la mienne, la personne qui avait eu la brillante idée de mettre quelque chose entre ses pieds et la pelouse.

Le sentier faisait le tour de la maison et menait aux jardins. Il s'agissait de jardins relativement grands pour la modeste résidence d'un gentilhomme. En cinq minutes, j'étais perdue. Cela dit, j'avais réussi à me perdre à deux pâtés de maisons de mon propre appartement, alors cela ne voulait rien dire. Pour ma défense, bien que l'argument soit faible et peu convaincant, les jardins n'étaient pas aménagés selon le style français classique, où on peut voir à des kilomètres à la ronde et où même moi j'ai du mal à me perdre, mais selon le style anglais naturel conçu pour conduire le malheureux promeneur le long de sentiers sinueux jusque dans des *culs-de-sac** inattendus. Parfait pour des rendez-vous dans les buissons. Je m'étais demandé machinalement si c'était la raison pour laquelle ils étaient devenus à la mode au XVIIIe siècle. Il était très difficile de s'esquiver discrètement pour un baiser furtif au milieu de *parterres** sans relief.

Il n'y avait pas de vraie caverne d'ermite avec un ermite et une tortue *à la Arcadia**, mais j'étais réellement tombée sur une imitation de ruine romaine qui présentait les têtes plus grandes que nature de divers empereurs, ainsi que des colonnes écroulées artistiquement disposées. Du moins, j'avais supposé que c'était une imitation. Les Romains s'étaient-ils déjà rendus dans le Sussex ? Ils auraient pu ; ils avaient tendance à apparaître dans les endroits les plus inusités (ce n'est pas mon domaine, pour me rabattre sur la clause de non-responsabilité de prédilection des universitaires), mais je doutais plutôt qu'ils aient emporté leurs statues favorites en voyage. D'ailleurs, le nez de Marc Aurèle paraissait vraiment français. J'avais abandonné la folie classique pour un joli pavillon couvert de plantes grimpantes, dont les feuilles foncées et brillantes laissaient croire qu'elles pourraient se couvrir de roses à certaines périodes plus favorables de l'année.

J'étais restée à l'affût d'une tête blonde familière tandis que je me baladais dans les sentiers. Je n'avais pas vu Colin du tout depuis la soirée de la veille, quand je l'avais laissé à sa vaisselle. Lorsque j'étais descendue dans la cuisine ce matin, il y avait une note appuyée sur le sucrier qui disait « Dehors. Sers-toi. C. ».

On se devait d'admirer l'économie de langage. Hemingway aurait approuvé ; le Dr Johnson, non.

Où que fût « dehors », ce n'était pas dans les jardins. De tout ce que j'avais vu, ce qui ressemblait le plus à une forme humaine était un Apollon très suffisant qui jouait de la lyre au sommet d'une fontaine flanquée de naïades serviles, à l'instar d'Elvis entouré de préadolescentes en pâmoison. J'avais eu une sympathique conversation avec Apollon, au grand désespoir des naïades, puis j'avais grimpé sur le rebord de sa fontaine afin d'essayer d'avoir un meilleur point de vue. Cette balade était très amusante, mais j'avais un objectif, pour ainsi dire, et si je voulais l'atteindre avant que le ciel change d'idée au sujet de la pluie, j'avais intérêt à commencer à me concentrer un peu plus dessus.

Depuis que la voiture s'était arrêtée dans l'allée hier soir, je rêvais d'explorer ce gros tas de pierres au loin. La fenêtre de la bibliothèque en offrait une vue exceptionnelle ; l'œil était attiré au-delà des jardins, directement sur le noble monument à la silhouette dentelée de pierres écroulées sur la colline. Il se pourrait que ce ne soit qu'une autre folie, telle la charmante imitation de fontaine romaine – au XVIIIe siècle, les ruines gothiques étaient devenues tout aussi à la mode que les ruines classiques –, mais cela me paraissait un peu trop massif et dépourvu d'ornements pour n'être qu'une décoration de jardin. Peu importe ce que c'était, je voulais l'explorer.

Une étendue de terrain dégagée séparait les jardins de la petite butte de la tour. La marche était plus longue qu'elle en avait l'air, et la majeure partie était en pente ascendante. J'avais laissé dans mon sillage une petite piste de trous en forme de talons. Plus efficace que des miettes de pain pour retrouver son chemin, m'étais-je dit pour me rassurer.

La tour trônait au sommet de sa propre petite colline. Elle était plus grande qu'elle le laissait croire depuis la maison. Les pierres massives avec lesquelles elle avait été construite me donnaient l'impression d'être aussi minuscule que la première fois qu'on m'avait emmenée voir le temple de Dendour au MET quand j'étais enfant. J'avais lentement fait le tour de la structure en laissant glisser ma main sur la pierre brute du mur. Les murs étaient pleins, sans aucune ouverture pour permettre aux curieux de regarder à l'intérieur – ou aux envieux de l'assiéger. Plus haut, il y avait d'étroites archères sombres, mais au niveau du sol, l'endroit était totalement impénétrable. Ç'aurait été une prison parfaite pour Raiponce.

La seule façon d'entrer, c'était une porte épaisse du côté sud de la tour. Il n'y avait pas de clous en métal, ni de verrous en fer, ni de petite grille en haut de la porte, ni aucun autre attribut de conte de fées. Ce n'était qu'une simple porte standard avec une seule utilité : empêcher les gens d'entrer. Ce n'était visiblement pas la porte d'origine; le vieux bois avait dû moisir il y a longtemps. Quelqu'un, assez récemment, avait dû installer ce robuste truc en chêne. Au cas où des intrus – comme moi – ne capteraient pas le message, elle avait été fermée avec un cadenas de la taille d'un petit sac à main.

Le cadenas était très brillant et très récent. Et très résolument fermé.

Ce fut à cet instant que Colin apparut. Je me tournai pour lui faire face, plissant les yeux à cause du soleil.

— Je vois bien que c'est verrouillé, mais de quoi s'agit-il ?

Colin se redressa pour se tenir très droit, joignit les mains derrière son dos et adopta un regard vide.

— Vous avez devant vous, mademoiselle, le premier donjon construit par la famille Selwick au temps de Guillaume le Conquérant, dit-il d'une voix très crédible de guide touristique. Ça fera quatre livres cinquante pour entrer.

— Vraiment ?

Colin abandonna la posture. Il portait un jean délavé, qui avait cet aspect soyeux que prend un jean lorsqu'il est sur le point de se désintégrer au prochain lavage, ainsi qu'une veste verte usée. Il semblait détendu. Heureux. Ce n'étaient pas des attributs que j'associais à Colin. Tendu et anxieux étaient habituellement plus près de la réalité.

— Bon, cinq livres alors, répondit-il.

— Est-ce que ça date vraiment de la Conquête ?

Colin posa affectueusement la main sur la pierre brute du mur, tel un fermier qui tape la croupe d'une bonne vache.

— Probablement pas. Fulke Selwick a reçu cette terre du Conquérant aux environs de 1070, mais la forteresse d'origine était très probablement en bois. La plupart l'étaient, tu sais, m'informa-t-il.

Je ne le savais pas, mais je hochai quand même la tête d'un air entendu.

— Ce donjon date probablement du XIIe siècle, tout au plus.

J'écartai mes cheveux de mon visage. Le vent s'était levé, et mes cheveux étaient de cette longueur ingrate ; trop courts pour les attacher efficacement, mais juste assez longs pour qu'ils soient agaçants.

— Puis-je entrer ?

J'adore les vieux châteaux. Pendant un moment, j'avais envisagé d'étudier le Moyen Âge uniquement afin d'avoir une excuse pour grimper dans de vieux donjons qui s'écroulent. Par la suite, j'avais cependant découvert qu'il fallait des années de formation, ne serait-ce que pour déchiffrer l'écriture. Sans parler du fait qu'en lecture du latin, je suis toujours au niveau d'un élève de treize ou quatorze ans. Le XVIIIe siècle était beaucoup plus facile. Toutefois, je n'avais jamais vraiment perdu ma fascination pour les châteaux ; plus ils étaient délabrés, mieux c'était.

Colin secoua la tête.

— Désolé, pas de visites.

— Pourquoi pas ?

— L'endroit tombe en ruine. C'est un gros risque pour l'assureur.

— Oh.

Je dus paraître aussi déçue que je l'étais, parce que Colin eut pitié.

— Il n'y a pratiquement rien à voir. Les étages supérieurs se sont complètement désintégrés. En réalité, ce n'est qu'une coquille vide.

— Avec des archères, dis-je d'un ton nostalgique.

Les archères évoquaient toujours des images de films technicolor grandioses, dans lesquels Errol Flynn occupait les remparts et un moine combattant balançait sa bière en arrière-plan.

— Nous l'utilisions pour entreposer du matériel agricole, poursuivit impitoyablement Colin, jusqu'à ce qu'un morceau du couronnement s'écrase sur l'arrière d'un tracteur.

— Ton âme ne possède-t-elle aucun soupçon de romantisme ? demandai-je.

— Il n'y a rien de romantique dans le fait de détruire de l'équipement de bonne qualité, répliqua Colin.

— Ça t'apprendra à y ranger du matériel agricole. C'était probablement le fantôme de Fulke Selwick qui se vengeait parce que tu avais profané son donjon.

— Nous n'avons pas de fantômes, tu te souviens ?

Colin me prit par le coude d'une main et mit l'autre bras autour de mes épaules pour m'entraîner loin de la tour. Je me libérai machinalement. Colin laissa retomber son bras. Je ne savais pas si je devais être soulagée ou déçue.

Soulagée. Certainement soulagée.

Afin de cacher mon instant de confusion, je lui posai une question qui me trottait dans la tête.

— S'il ne s'agit pas de la résidence principale de la famille Selwick, qui était Uppington Hall dans le Kent, domicile de l'actuel marquis d'Uppington et destination favorite des autobus touristiques, pourquoi la tour d'origine est-elle ici ?

— Ça ne devrait pas être l'inverse ? demanda Colin en me jetant un regard en coin amusé.

Je le regardai d'un air exaspéré.

— Tu comprends ce que je veux dire.

— Il n'y a rien de mystérieux, répondit Colin en marchant aisément, les mains dans les poches, tandis que je m'arc-boutais contre la pente descendante de la colline.

Je commençais à regretter un peu d'avoir refusé sa main stabilisatrice.

— La famille n'a reçu son titre de noblesse qu'en 1485, poursuivit-il. Nous avons tenu le flanc droit à Bosworth Field contre ce bon vieux Bossu…

— Tu parles du moment où Henri Tudor a volé le trône à ce pauvre bon roi Richard ? Richard avait de bien meilleures prétentions au trône qu'Henri, affirmai-je en lui lançant un regard espiègle, qui ne fut que partiellement gâché par le fait que je trébuchai sur une pierre malveillante.

La pierre soutenait manifestement les Tudors.

Colin m'attrapa par le bras pour me retenir, puis me relâcha aussitôt qu'il devint évident que je ne courais aucun risque imminent de dégringoler jusqu'au bas de la colline.

— Je ne répéterais pas ça, si j'étais à ta place. Nous sommes assez attachés au bon roi Henri. Il a donné à William Selwick des terres confisquées à l'un des partisans de Richard près d'une petite ville appelée Uppington.

— Ah, dis-je. D'où le titre.

— D'où le titre, acquiesça Colin. Ce n'était qu'une baronnie à l'époque, mais après la Restauration, Charles II a élevé le baron au rang de comte.

— Pour ses loyaux services à la Couronne pendant la Grande Rébellion ? supposai-je, ce qui évoqua une image d'élégants cavaliers avec des casques à plumes.

— Ça, répondit Colin avec un haussement de sourcils suggestif, c'est l'histoire officielle. Le comte avait aussi une fille exceptionnellement belle.

— Non ! m'exclamai-je, facilement absorbée par les rumeurs vieilles de plusieurs siècles.

Charles II était connu pour ses mains baladeuses — et pour sa générosité lorsqu'il s'agissait de donner des titres à celles qui avaient veillé à réchauffer son lit.

— Nous ne le saurons jamais avec certitude, poursuivit cruellement Colin, mais Lady Panthea donna naissance à un fils à la peau très foncée, huit mois seulement après que son père eut été nommé comte.

— Lady Panthea avait la peau claire ? supposai-je.

— Exactement.

Nous hochâmes la tête en cœur en parfaite complicité historique. Ses yeux noisette croisèrent les miens. Ce regard à lui seul était une conversation complète, l'un de ces rares moments de communication non verbale où l'on sait sans le moindre doute que l'on est exactement sur la même longueur d'onde.

Ma satanée peau claire rougit à une pensée qui n'avait absolument rien à voir avec Charles II.

— Et pour le marquisat ? demandai-je d'un ton embarrassé en feignant un grand intérêt pour les dalles sous mes pieds.

Nous étions rendus au petit sentier qui menait à la porte de la cuisine, et je faisais mine de sauter d'une pierre à l'autre.

— Quand est-ce arrivé ?

Colin haussa les épaules.

— L'histoire est loin d'être aussi fascinante. Le comte de l'époque a remporté un certain succès en tant que général pendant la guerre de Succession d'Espagne. La reine Anne l'a élevé au rang de marquis.

Colin s'arrêta pour m'ouvrir la porte de la cuisine et attendit que je le précède à l'intérieur.

— Je te ferais bien visiter la maison, mais j'ai de la paperasse à terminer avant ce soir.

Je secouai la tête et sentis mes cheveux en bataille virevolter autour de mon visage.

— Ça va. De toute façon, je ferais mieux de retourner à la bibliothèque. Mais, écoute, pour ce soir… Si ça te paraît étrange que je t'accompagne à cette fête, ça ne me gêne pas de rester seule ici. Je ne me sentirais pas laissée pour compte ni rien.

Colin sourit de toutes ses dents.

— Tu ne te réjouis pas à l'idée de passer la soirée avec le pasteur, n'est-ce pas ?

Je me hérissai devant l'allégation de lâcheté.

— Non ! Ce n'est pas ça ! J'ai seulement pensé que... Peut-être serai-je de trop, terminai-je sans conviction.

— Crois-moi, dit sèchement Colin, je ne t'en veux pas pour l'intrusion.

C'était maintenant le moment de lui demander ce qui se passait avec Joan et ce qu'il pensait accomplir en m'utilisant comme bouclier humain.

— Mais mademoiselle Plowden-Plugge pourrait. Je ne veux pas être indiscrète, mais...

— Lire les lettres des autres ne l'est pas ?

— Pas lorsqu'ils sont morts depuis deux cents ans, rétorquai-je avant de me rendre compte qu'il venait de détourner habilement le sujet.

Mince ! Étais-je si facile à manipuler ?

— On peut se demander s'ils seraient d'accord, réfléchit Colin.

Je refusai de me laisser entraîner davantage sur cette pente.

— Pour ce soir...

— Si tu n'as rien à porter, m'interrompit doucement Colin, tu peux fouiller dans la garde-robe de Séréna.

Comment faisait-il cela ? Belligérante, j'ouvris la bouche.

— Ça ne la dérangera pas, me rassura-t-il. De toute façon, tout est démodé depuis plusieurs années.

— Merci, marmonnai-je. Je crois.

— Merveilleux ! Je te laisse dans ce cas, d'accord ?

Il sortit tranquillement en sifflant.

Pas étonnant qu'il siffle, pensai-je, indignée. Il venait de se prémunir d'une zone tampon ambulante et bavarde.

Ce n'était pas que cela me dérangeait, me dis-je en sortant de la cuisine d'un pas lourd pour longer le couloir couvert de papier peint rouge jusqu'à l'escalier principal. Ce qui m'embêtait, c'était simplement d'avoir été enrôlée sans qu'on m'ait demandé mon avis. Et peut-être, un tout petit peu, l'idée qu'il voulait que je l'accompagne pour d'autres raisons que ma charmante compagnie.

Je montai l'escalier très, très lentement en réfléchissant à cela. Pour être honnête envers moi-même — ce qui est vraiment très surfait —, ça me restait un tout petit peu en travers de la gorge de savoir que ce n'était ni mes yeux pétillants ni mon effervescente présence d'esprit qui l'avaient incité à m'inviter. Je comprenais très bien que j'avais été invitée uniquement pour tenir Joan Plowden-Plugge à l'écart. Je m'efforçai d'envisager la situation avec un amusement détaché. Après tout, les peccadilles amoureuses étaient toujours très amusantes quand on n'en était pas la cible. J'aurais dû ricaner gaiement dans ma barbe en pensant à Colin, caché derrière moi pour se protéger d'une prédatrice blonde ; il y avait là beaucoup de potentiel pour la bonne vieille comédie burlesque.

Ce n'était, en quelque sorte, pas aussi amusant que ç'aurait dû l'être.

Je m'arrêtai pour jeter un regard noir à un des ancêtres de Colin, qui me fixait de haut depuis un cadre richement doré au deuxième étage. Toi, me réprimandai-je, tu accordes beaucoup trop d'importance à un regard et à un sourire. Bon, d'accord, il y a un instant, si on revenait en arrière, on aurait dit qu'il y avait là la plus minuscule des étincelles. Et, je l'admets, peut-être avais-je été un tout petit peu – juste un tout petit peu – intriguée. Après tout, il était bel homme, si on aimait le style soigné et blond dans le genre prince William. Il était intelligent, amusant et engageant – quand il en avait envie. Sans compter qu'il y a très peu d'hommes qui peuvent évoquer les monarques anglais au cours d'une conversation. Pour moi, c'était plus fatal que n'importe quel degré de musculature abdominale.

Pour l'amour du ciel ! Je laissais visiblement l'état d'esprit d'Henrietta déteindre sur le mien. Jusqu'à maintenant, depuis le peu de temps que je connaissais Colin Selwick, il avait été incroyablement impoli dans une lettre, en avait rajouté en étant encore plus insupportable en personne, et ce n'était que depuis la veille, ou presque, qu'il s'était détendu jusqu'à se comporter comme un être humain normal.

De plus, même si Colin était réellement chaleureux, aimable et détendu de nature, c'était une très mauvaise idée de fréquenter quelqu'un dont j'utilisais les archives ; presque aussi mauvaise que de vivre une aventure au bureau. Et s'il se passait quelque chose (je rappelai à l'ordre mon esprit désobéissant avant qu'il ne se laisse emporter par une contemplation trop détaillée, dialogues inclus, de ce que pourrait être ce quelque chose), que ça se terminait rapidement, mais que j'avais encore plusieurs milliers de pages de manuscrits à lire ? Dans le meilleur des cas, ce serait extrêmement embarrassant. Dans le pire des cas, cela pourrait vouloir dire la fin de mon accès à sa bibliothèque. Les hommes passent, les manuscrits restent. Ou quelque chose comme ça.

Mais il y avait ces regards en coin…

Je longeai d'un pas lourd le couloir en direction de la bibliothèque, comme si le fait de produire un martèlement pouvait couvrir l'agaçant bourdonnement de mes propres pensées. Sur le point de sortir les manuscrits, je m'arrêtai. Dans cet état, je pouvais fixer la même page pendant une demi-heure sans lire un mot. Et communier avec les ancêtres de Colin n'était probablement pas la meilleure manière de m'enlever Colin de la tête.

À la place, je fouillai dans ma poche pour en sortir mon téléphone. Ce dont j'avais besoin, c'était de voix ; d'agréables voix humaines modernes. Comme celle de ma petite sœur Jillian. Elle me remettrait vite les idées en place. En revanche – je consultai ma montre –, il n'était que neuf heures trente aux États-Unis, et Jilly n'aimerait pas se faire réveiller avant midi un samedi. Pas plus que ses colocataires, en fait, qui seraient tous en train de dormir pour se remettre des festivités du vendredi soir. Le brunch ne se terminait pas avant treize heures à la cantine, alors pourquoi se lever avant midi quarante-cinq ? Ah, les premières années d'université.

Oh, bon, je pouvais toujours appeler Pammy. Je fis défiler ma liste de contacts pour trouver son numéro. Bien qu'elle ne soit peut-être pas très utile en cas de crises émotionnelles délicates, Pammy était excellente pour me dire que je me comportais comme une idiote.

J'appuyai sur APPELER en me dirigeant vers la fenêtre.

– Ellie ! s'écria Pammy.

Le diminutif venait du fait que nous nous connaissions depuis l'âge de cinq ans et que nous partagions une quantité révoltante de renseignements personnels embarrassants.

– C'est comment, le Sussex ?

— Je suis idiote, répondis-je en jetant un œil par la fenêtre.

— Qu'est-ce que tu as fait ?

— Rien... jusqu'à maintenant.

Était-ce une veste verte que je venais d'apercevoir là-bas au bout du jardin ? Non. C'était une plante quelconque. Il y en avait dans les jardins, me rappelai-je.

— Je me suis surprise à envisager l'idée de rouler une pelle à Colin. C'est fou, non ?

— Pourquoi ? hurla Pammy. Il est mignon. Tu es célibataire. Vas-y !

— Tu es censée me dire que je suis ridicule !

— C'était quand, ton dernier vrai rendez-vous ? me demanda sèchement Pammy.

Je fis un peu de calcul mental rapide. Ce rendez-vous arrangé en mars ne comptait pas, ni ce dîner en juin avec un collègue, qui était censé être platonique jusqu'à ce que le mec tente de me tripoter dans le taxi sur le chemin du retour. Une bonne claque sur la main offensante lui avait fait comprendre que son hypothèse était erronée. La vérité, c'est que je n'avais tout simplement rencontré personne pour qui il semblait valoir le coup de dépenser le temps et l'énergie nécessaires à l'entretien d'une liaison. Comme endroit où rencontrer des hommes éligibles, un campus se classe tout juste au-dessus des couvents et des concerts de musique folklorique (à moins d'être étudiant au premier cycle ; dans ce cas, c'est comme avoir son propre buffet à volonté). Et depuis que j'avais déménagé à Londres... Eh bien, il y a toujours une excuse, n'est-ce pas ?

— Décembre dernier, marmonnai-je.

Le moment de ma rupture chaotique et grandement médiatisée avec Grant.

— C'est pathétique !

— Moi aussi, je t'aime, Pams.

— Écoute, il y avait un article ce mois-ci dans *Cosmo*…

Un froissement de papier se fit entendre en arrière-plan tandis que Pammy feuilletait son imposante collection de magazines.

— Je l'ai ! « Dix façons faciles de le convaincre d'enlever son pantalon. »

— Mais je ne veux pas…

Pammy continua à toute allure.

— Mets quelque chose de sexy ce soir. Pas de tweed. As-tu un bustier ?

— Non ! hurlai-je.

— Oh, je te prêterais bien le mien, mais le fait que tu es dans le Sussex est un peu problématique. Que dirais-tu de…

— N'y pense même pas, répondis-je d'un ton sévère.

Pammy se situait en marge du monde de la mode. Combinez cela avec un manque total de goût et de pudeur, et vous vous retrouvez avec un bustier en cuir rouge, une robe faite de plumes multicolores ainsi qu'un pantalon à imprimé peau de serpent rose vif. Jeudi soir, elle avait tenté de me persuader de porter un ensemble entièrement constitué de deux foulards.

Je fus sauvée par la sonnerie agitée de la ligne fixe de Pammy.

— Oups ! Je dois y aller. Bonne chance pour ce soir ! Je veux tous les détails croustillants demain, et je dis bien tous ! Bisou !

— Il n'y aura pas de… Grrr !

La ligne était coupée.

Dire que Pammy était censée me remettre les idées en place. Oh, au diable tout ça ! J'enfouis le téléphone dans ma poche. J'allais retourner au XIXe siècle, où, au moins, personne ne publiait d'articles indiquant comment convaincre des idiots qu'on ne voulait pas séduire de toute façon d'enlever leur pantalon, même si on possédait un bustier, ce qui n'était pas le cas.

Peut-être devrais-je accepter l'offre de Colin de dévaliser la garde-robe de Séréna. Elle était un peu plus mince que moi, et un peu plus grande, mais dans une robe de cocktail, cela ne faisait certainement pas une si grande différence, n'est-ce pas ? Et si elle était un peu plus moulante et courte que voulu, eh bien…

Argh ! Et puis zut, je n'allais pas me faire une beauté, je n'allais séduire personne et je n'allais pas défaillir à cause de pommettes hautes et d'une référence opportune à Charles II. La folie est sur cette pente, avec de grands panneaux d'avertissement « Ici sont les dragons » inclus. Un dragon en particulier. Sujet à des colères soudaines. Qui a probablement englouti quelques vieilles filles du village pendant son temps libre pour n'en laisser que les bottes en caoutchouc.

Sortant la collection avec laquelle j'avais commencé à travailler, je défis les ficelles qui tenaient la boîte fermée et forçai mon esprit à revenir aux choses importantes, comme des espions français décédés depuis longtemps.

Si le satané cocktail de ce soir ne commençait pas avant dix-neuf heures trente et qu'il n'était que quatorze heures trente, je devrais arriver à abattre plusieurs heures de travail. M'habiller ne serait pas très long, me dis-je avec fermeté. Aucune raison ne justifiait d'y mettre un effort particulier, mais toutes les raisons justifiaient de rester le plus longtemps possible à la bibliothèque. Je n'avais toujours aucun indice de l'identité de la Tulipe noire, quoique, par égard pour Henrietta, je ne serais pas contrariée de découvrir qu'il s'agissait de la marquise de Montval.

Évidemment, il fallait aussi tenir compte de la conduite mystérieuse de Vaughn et de l'assaillant nocturne de Miles. J'avais relu trois fois la lettre dans laquelle il décrivait l'incident à Richard en espérant y trouver quelque chose que j'avais raté, un astérisque ou un post-scriptum qui donnerait une petite idée de l'aspect de la silhouette qui lui avait donné un coup de canne, mais il n'y avait rien. Soit il l'avait à peine aperçue, soit il pensait que ce qu'il avait vu ne méritait pas d'être mentionné.

Contrairement à ce billet de théâtre, sur lequel il avait écrit plusieurs paragraphes d'un ton de plus en plus excité. Personnellement, je croyais qu'il accordait trop d'importance à un marque-page — Dieu seul sait à quel point je suis sujette à attraper n'importe quel bout de papier qui traîne à portée de main (vieux billets de cinéma, facture de téléphone, cartes postales) pour le coincer entre deux pages. Le fait que Vaughn soit allé en France était intéressant, mais pas nécessairement accablant.

Quant à la chanteuse d'opéra… Tout comme dans le cas de Miles, la référence titilla ma mémoire. Je savais que j'étais tombée sur quelque chose de semblable auparavant, au début de mes recherches pour ma thèse avant de venir en Angleterre, alors que je lisais tout ce sur quoi je pouvais mettre la main dans les bibliothèques de Harvard, depuis les vieux périodiques conservés sur microfilms jusqu'à n'importe quelle correspondance contemporaine parue dans des éditions savantes. Il y avait eu quelque chose au sujet d'une chanteuse d'opéra, me rappelai-je, de plus en plus excitée. Des rumeurs de lien avec Napoléon. Des accusations d'espionnage. Et son nom se terminait par un « A ».

Tout comme celui de n'importe quelle autre chanteuse d'opéra, me rappelai-je sèchement.

Mince. Je pouvais pratiquement *voir* la page dans ma tête, alors que je faisais défiler le microfilm sur l'écran crasseux du lecteur dans le sous-sol du Lamont. C'était une espèce de rubrique potins — était-ce la chanteuse d'opéra qui avait été accusée d'espionnage ou son mari ? Évidemment, tout cela pourrait être très simple si j'allumais mon ordinateur et que j'utilisais la fonction de recherche dans mes notes, mais non ; ce serait beaucoup trop facile. J'étais engagée dans une lutte personnelle contre ma mémoire.

Catalani. C'était ainsi qu'elle s'appelait. D'accord, cela ne terminait pas par un « A ». Mais c'était une voyelle, n'est-ce pas ? Et il y avait deux A dans le nom alors, franchement, l'erreur était plus que légitime.

Mince. Ç'aurait été commode que la chanteuse d'opéra en question ait été madame Fiorila.

Tout bien réfléchi, toute cette histoire était arrivée beaucoup plus tard aussi… Pas avant 1807 ? 1808 ?

Peut-être, pensai-je follement, y avait-il là tout un réseau d'espions entièrement constitué de chanteuses d'opéra !

Peut-être étais-je complètement ridicule.

Certainement la dernière option.

Grimaçant légèrement devant ma propre stupidité, je me repliai jusqu'à mon fauteuil favori et défis les ficelles de la boîte sans acide qui contenait le journal d'Henrietta ainsi que sa correspondance de l'année 1803. Espérons que les réflexions d'Henrietta se révèlent plus productives que les miennes.

Au moins, elle ne perdait pas son temps à regarder fixement vers les jardins dans l'espoir d'apercevoir un certain homme parmi les massifs d'arbustes ! Manuscrits, me rappelai-je fermement. J'étais ici pour les manuscrits, pas pour les hommes.

Avec un coup de pied salutaire bien placé, je détachai mon regard de la fenêtre et le dirigeai avec fermeté sur les pages soigneusement rédigées du journal d'Henrietta.

Chapitre 14

Librairie (n.) : *lieu d'espionnage, de complots et de sédition.*
— tiré du livre de codes personnel de l'Œillet rose

— Là ! s'écria Pénélope. Tu viens de le refaire.

Tandis qu'elle parcourait les nouveautés à la librairie Hatchards, Henrietta s'extirpa d'une rêverie dans laquelle étaient impliqués Miles, un cheval blanc et elle-même, vêtue d'une robe qui flottait gracieusement.

— Refaire quoi ?

Elle leva les yeux des romans qu'elle examinait pour regarder son amie, qui lui lançait un regard noir par-dessus le présentoir, telle une demi-sœur sortie des pages d'un livre. Charlotte était à peine plus loin, immergée dans une nouveauté importée de France, qui promettait un ardent récit d'amour et de complots. Hum, l'amour. Les complots. Miles. Les lèvres d'Henrietta s'étirèrent en un sourire mystérieux.

— Ha ! fit Pénélope en pointant un doigt sur elle, projetant ainsi son réticule directement sur Henrietta comme s'il s'agissait d'une masse d'armes médiévale destinée à blesser. Ce… *sourire*. Tu as souri comme ça toute la matinée.

— Vraiment.

Henrietta essaya d'avoir l'air de celle qui n'avait aucune idée de ce dont parlait Pénélope. Elle attrapa un livre au hasard et commença à en feuilleter négligemment les pages.

Ce n'avait pas été *toute* la matinée. Elle s'était parfaitement maîtrisée durant le petit déjeuner et n'avait fait qu'une seule pirouette impromptue dans le couloir à l'étage, mais cela ne comptait pas puisque personne ne l'avait vue.

La nuit dernière, Henrietta était rentrée tôt de chez les Middlethorpe avec un volant déchiré — la manière dont ce volant avait pu se déchirer était un mystère pour les matrones de la salle réservée aux dames, qui avaient l'habitude de voir des jeunes femmes entrer en coup de vent avec un accroc à l'ourlet, mais rarement avec une déchirure à la manche — et une humeur en tout aussi mauvais état. Il n'y avait rien d'autre à faire que d'aller se coucher tôt et d'espérer que l'humeur passerait. Si le sommeil pouvait démêler l'écheveau embrouillé du souci, il pouvait certainement emporter un accès de mauvaise humeur. Henrietta s'était dit qu'elle irait au lit et que, quand elle se réveillerait, l'univers se serait réaligné de façon confortable et familière, puis que tout irait bien à nouveau.

Il n'y avait qu'un problème avec ce plan. Elle n'avait pas pu dormir. Chaque fois qu'elle avait fermé les yeux, Miles était là, imprimé à l'intérieur de ses paupières comme sur un panneau d'affichage voyant. Miles qui souriait, Miles qui mangeait des biscuits, Miles qui dansait avec Charlotte, Miles qui renversait de la limonade.

Miles qui surgissait assez près pour l'embrasser.

Henrietta avait essayé les yeux ouverts, mais c'était encore pire, parce qu'avoir les yeux ouverts signifiait être éveillée, et être éveillée signifiait penser. Et il y avait trop de choses auxquelles Henrietta s'efforçait de ne pas penser, comme à Miles, qui se promenait avec la marquise ou, pire encore, pourquoi diable il devrait lui importer que Miles se promène avec la marquise. Après tout, ce n'était pas comme si le fait qu'il emmène la marquise en promenade causait un préjudice direct à Henrietta. Elle avait une leçon avec *signor* Marconi à dix-huit heures le lendemain, qui excluait effectivement la possibilité d'une promenade avec Miles en après-midi, ce qui voulait dire qu'elle n'aurait pas pu se promener avec lui, et ce, même si elle l'avait voulu.

Mais elle n'avait tout de même pas envie que la marquise prenne sa place.

Henrietta avait grogné et s'était tournée sur le ventre, écrasant Lapinou par inadvertance.

— Désolée, désolée, avait-elle chuchoté avec empressement en se poussant pour enlever Lapinou de sous elle.

Sous ses oreilles en peluche pendantes, Lapinou l'avait toisée d'un air de reproche.

— Je suis une idiote, l'avait informé Henrietta.

Lapinou n'avait pas argumenté. Lapinou n'argumentait jamais. C'était habituellement l'une des plus grandes qualités de Lapinou en tant que *confident**. Une fille avait parfois besoin d'un peu d'approbation inconditionnelle.

— Ça devrait m'être complètement égal, qui Miles décide d'emmener en promenade, avait dit Henrietta avec fermeté. Pourquoi ça devrait avoir de l'importance, qui il emmène en promenade ? Ce n'est pas important pour moi. Bon, ce n'est *pas* le cas.

Il y avait eu un reflet hautement sardonique dans les yeux en verre noirs de Lapinou.

— Argh !

Argumenter avec des objets inanimés n'avait aucun sens s'ils finissaient par gagner sans même dire un mot.

Henrietta avait repoussé brusquement les couvertures pour se diriger d'un pas lourd vers la fenêtre, où la pleine lune baignait d'argent les plantes du jardin et scintillait dans les fenêtres des maisons voisines. C'était une lune parfaite pour les rendez-vous galants, pour les baisers clandestins dans les jardins, pour les mots doux à voix basse. Quelque part sous cette même lune, Miles était… avec la marquise ? En train de jouer aux cartes avec Geoff ? Seul dans ses appartements de célibataire ? Henrietta avait cessé de faire semblant que cela lui était égal. Ce n'était pas le cas. Elle ne savait pas pourquoi, mais ce n'était pas le cas.

Henrietta s'était laissée tomber sur la méridienne près de la fenêtre et avait remonté ses pieds sous l'ourlet brodé de sa chemise de nuit. Serrant ses jambes dans ses bras, elle avait appuyé le menton sur ses genoux et repensé aux derniers jours, quand l'univers avait commencé à se disloquer.

Elle ne pouvait pas accuser ses règles ; celles-ci étaient venues et parties une semaine plus tôt avec les crampes abdominales, les boutons et l'agressivité qui les accompagnaient. Ç'aurait été trop facile. Cette mauvaise humeur venait de l'esprit et non du corps et avait commencé avec l'arrivée de la marquise. Non, s'était corrigée Henrietta avec une honnêteté brutale. Pas avec l'arrivée de la marquise. Avec Miles, qui s'attardait pour parler à la marquise.

Henrietta s'était frappé la tête sur les genoux. Il n'y avait vraiment aucun moyen d'y échapper, n'est-ce pas ? Elle était jalouse. Jalouse, jalouse, jalouse. Miles était censé l'escorter *elle*, être *son* cavalier permanent.

Où il y avait de la jalousie…

Henrietta avait redressé la tête si brusquement qu'elle avait failli tomber du fauteuil. Elle ne pouvait pas être tombée amoureuse de Miles. Le simple mot, avec toute sa sonorité poétique, évoquait quelque chose de grandiose et de dramatique. Il n'y avait absolument rien de grandiose ni de dramatique dans les sentiments qu'Henrietta éprouvait pour Miles. C'était un concept vraiment très simple, en fait : elle ne voulait simplement pas le partager avec quelqu'un d'autre. Jamais. Elle voulait être la personne que ses yeux chercheraient dans une salle de bal bondée, la personne à qui il donnerait un coup de coude lorsqu'il devrait absolument raconter une blague vraiment formidable, la première personne qu'il verrait en se levant le matin, et la dernière personne à qui il parlerait le soir avant d'aller au lit. Elle voulait être la personne dans l'oreille de qui il chuchoterait à l'opéra et celle qui serait perchée à côté de lui dans son phaéton dangereusement chancelant lorsqu'il se promènerait au parc à dix-sept heures.

L'amour, s'était dit Henrietta avec une détermination qu'elle était loin de ressentir, était quelque chose d'un tout autre calibre.

Avant leur première saison, Pénélope, Charlotte et elle avaient passé d'interminables heures à manger n'importe quels biscuits qui restaient après que Miles eut dévalisé le plateau tout en discutant de l'Amour. L'amour avec un grand A, qui descendrait sur elles avec des ailes brillantes pour les emporter vers des royaumes enchanteurs insoupçonnés jusqu'à ce jour. L'amour, bien entendu, serait décemment vêtu d'un pantalon moulant en peau de daim, porterait un foulard parfaitement noué et aurait un petit air canaille. Son arrivée serait annoncée par des violons en arrière-plan, un impressionnant déploiement de feux d'artifice, ainsi qu'un unique coup de tonnerre ; le tout pour lui signaler instantanément que l'amour de sa vie venait vers elle. Et la voici, sans un seul éclair qui s'annonçait, en train de songer à Miles, ce Miles qui avait été présent pratiquement toute sa vie sans déclencher aucune espèce de pyrotechnie sentimentale.

C'était insensé. Si elle avait entretenu des sentiments plus profonds pour Miles, ne s'en serait-elle pas aperçue avant ? N'aurait-elle pas ressenti d'étranges serrements au cœur lorsqu'il volait des biscuits devant elle ou qu'il faisait des tonneaux dans la mare aux canards ? Tous les livres étaient plutôt clairs sur le sujet : quand son grand amour se montrait, on devait le *savoir*. Instantanément.

Évidemment, elle n'avait pas tout à fait deux ans quand Miles était apparu à leur porte pour la première fois et, à l'époque, sa vision de l'amour était intimement liée au lait chaud.

Henrietta avait tourné la tête pour regarder la lune d'un air songeur. Selon tous les paramètres classiques, elle ne pouvait pas être amoureuse de Miles. Mais comment expliquer le fait que la simple idée qu'il puisse se promener avec quelqu'un d'autre la remplisse d'armoise et de bile amères ? Quant à l'idée qu'il puisse épouser quelqu'un d'autre… La pensée était trop pénible pour seulement l'envisager.

Miles. Le nom sonnait bien à ses oreilles.

Henrietta avait gloussé dans l'obscurité. Évidemment que c'était le cas ! Au cours des dix-huit dernières années, elle l'avait prononcé de plusieurs tons d'assertion, d'agacement et d'affection. Dix-huit ans. Henrietta avait laissé son menton retomber sur ses genoux et pensé aux dix-huit années avec Miles. Elle avait pensé à la manière dont son foulard ne restait jamais noué et ses cheveux, jamais peignés, ainsi qu'à la manière dont ses sourires semblaient toujours trop grands pour son visage.

Des millions de souvenirs de Miles s'étaient bousculés les uns après les autres dans un magnifique désordre chronologique. Miles, qui lui laissait prendre les rênes de son cabriolet et conduire ses bais bien-aimés, soufflant dans son cou pendant tout ce temps… Pfff, c'était loin de la réalité. Miles, qui bondissait hors de sa garde-robe, déguisé en moine fantôme de l'abbaye de Donwell, mais qui en gâchait l'effet en arrachant le drap sur sa tête à l'instant où elle avait crié. Elle avait crié d'indignation plus que de peur (elle n'était pas naïve ; elle avait vu les chaussures noires qui dépassaient sous le costume), mais il lui avait semblé dommage d'en informer Miles alors qu'il était si occupé à s'excuser. Il y avait eu l'été où elle avait treize ans et était grimpée trop haut dans le vieux chêne derrière Uppington Hall. Ç'avait semblé une bonne idée sur le coup, la tour flottante d'une fée dans laquelle lire et rêvasser, mais une moins bonne idée une fois rendue là-haut, perchée en équilibre précaire sur une branche d'arbre, un livre coincé dans sa ceinture, et le sol, très loin en bas. Henrietta n'était pas le genre de filles à grimper aux arbres. Richard était parti chercher une échelle, mais Miles, grommelant sans cesse, avait escaladé le tronc de l'arbre pour l'aider à descendre une branche instable à la fois.

Il y avait pire que de tomber amoureuse de son plus ancien ami.

Un sourire avait commencé à se dessiner lentement sur le visage d'Henrietta. Il était resté là tandis qu'elle dormait, était revenu à son réveil et réapparu sporadiquement durant la matinée.

Pénélope baissa brusquement le livre qu'Henrietta tenait devant son visage.

– Cesse d'essayer de te cacher. Pourquoi tous ces sourires ?

– C'est Miles.

– Qu'est-ce qu'il a encore fait, le gros lourdaud ?

– Miles n'est pas un lourdaud, répliqua patiemment Henrietta.

Elles avaient déjà eu cette conversation.

– Non, c'est un *gros* lourdaud.

Un gloussement inattendu parvint de derrière le livre de Charlotte.

– As-tu déjà entendu parler d'un petit lourdaud ?

Henrietta décida d'intervenir avant qu'elles ne soient rendues trop loin sur cette pente fascinante.

– J'ai, dit-elle en laissant son doigt courir sur l'épine de son livre, développé une certaine tendresse envers Miles.

– Tu as développé quoi ? s'écria Pénélope.

– Je crois qu'elle a dit « tendresse », répondit aimablement Charlotte.

– Ne sois pas ridicule, répliqua Pénélope. C'est Miles.

Henrietta arbora le genre d'expression de béatitude qui est plus souvent associée aux ailes, aux auréoles et aux peintures d'autel de la Renaissance.

– Miles, confirma-t-elle.

Pénélope dévisagea sa meilleure amie d'un air d'incrédulité horrifiée. Désespérée, Pénélope tendit brusquement une main vers Charlotte.

– Parle-lui, toi !

Abaissant son livre, Charlotte secoua la tête, les lèvres traversées par un petit sourire.

– Je ne peux pas dire que je suis surprise. Je m'étais demandé…

– Quoi ? s'enquit Henrietta, impatiente.

Charlotte baissa la voix pour prendre le ton de la confidence.

– Ça ne t'a jamais paru étrange qu'à l'instant où tu entres dans une salle de bal, la première personne autour de laquelle tu gravites, ce soit Miles ?

– Elle aime la limonade ? proposa Pénélope.

– Je ne crois pas que ce soit la limonade, répondit Charlotte avant de se retourner vers Henrietta. Ç'a toujours été Miles et toi. Tu as simplement mis beaucoup de temps pour t'en rendre compte.

– Comment peux-tu le savoir ? riposta Pénélope avec humeur. Il ne s'agit pas de l'un de tes stupides romans d'amour. Ce n'est pas parce que Miles traîne toujours autour d'elle qu'il est… Qu'ils sont… Tu comprends !

Henrietta l'ignora.

– Quand tu dis que ç'a toujours été Miles et moi, tu veux dire que je l'ai toujours suivi partout, ou c'est différent ?

Charlotte réfléchit.

– Il te cherche aussi, dit-elle après une pause agonisante de plusieurs années.

Henrietta sentit sa colonne se détendre. Puis Charlotte dut en gâcher l'effet.

– Toutefois, ajouta-t-elle, je ne crois pas qu'il y ait quoi que ce soit de romantique. Du moins, pas encore.

– Zut.

Henrietta avait déjà réfléchi à tout cela, mais ce n'était tout de même pas plaisant à entendre.

– Comment puis-je l'amener à cesser de me considérer comme une petite sœur ?

– Ne lui parle plus jamais ?

– Pen ! Je suis sérieuse !

— Tu es certaine qu'il n'y a pas quelqu'un…

— Bien certaine, l'interrompit Henrietta. Aïe !

Elle chancela au moment où quelqu'un qui passait difficilement devant elle dans l'allée étroite lui marcha sur les orteils et fit tomber son réticule. Le petit sac se renversa sur le côté, répandant sur le sol des pièces de monnaie, plusieurs nouveaux rubans à cheveux et un mouchoir de rechange.

— Oh, pour l'amour du ciel !

Henrietta se laissa tomber sur le sol pour se jeter sur une pièce aventureuse avant qu'elle puisse tournoyer allègrement jusque sous la table. Charlotte courut en attraper une autre qui, par un miracle que seule la monnaie qui tombait pouvait accomplir, avait déjà réussi à rebondir plusieurs mètres plus loin. Henrietta prit un instant pour remercier le ciel d'avoir déposé son dernier rapport à la boutique de rubans avant de rejoindre ses amies chez Hatchards. D'une certaine façon, elle doutait que Jane eût approuvé le fait qu'il traînât sur le plancher d'une librairie, même s'il était correctement encodé.

Pénélope se laissa tomber à genoux sur le sol à côté d'Henrietta pendant que celle-ci remettait ses effets personnels dans son sac.

— C'est bon, marmonna Pénélope en s'étirant brusquement sous la table pour attraper un dernier shilling qui avait tenté de s'échapper et le mettre dans le réticule d'Henrietta. Je vais t'aider. Mais je pense toujours que c'est un lourdaud.

— Un gros lourdaud ?

Henrietta s'appuya sur la table pour se relever et posa un baiser sur la joue de sa meilleure amie. L'offre était peut-être maladroite, mais elle savait que Pénélope détestait

Miles depuis longtemps et que cette petite concession avait été durement gagnée. Après avoir ouvert son réticule juste assez pour permettre à Charlotte d'y glisser une dernière pièce, Henrietta enroula solidement son sac autour de son poignet.

— Merci, Pen. Maintenant, des idées ?

Charlotte fixa le vide d'un air absent.

— Dans *Evelina*, elle gagne le cœur de Lord Orville par sa gentillesse et sa bonté naturelles.

Pen évacua une partie de sa contrariété en lançant à Charlotte un regard cinglant.

— Quoi ? Elle m'a demandé si j'avais des idées ! protesta cette dernière.

— Comment fait-on pour incarner la gentillesse et la bonté ? demanda Henrietta.

— Si tu as besoin d'y réfléchir, c'est probablement que tu n'en es pas dotée, répondit sagement Charlotte.

Henrietta grimaça.

— Merci, Charlotte.

— Oh non ! s'écria Charlotte qui, dans sa détresse, laissa tomber son livre. Ce n'est pas ce que je voulais dire ! Tu es l'une des personnes les plus gentilles que je connaisse.

— Venez, dit Pénélope en tirant ses deux amies jusqu'au présentoir de magazines dans le coin de la librairie. Laissez tomber toutes ces sottises de beauté intérieure. Tu as besoin d'une approche plus pragmatique.

Elle s'empara brusquement d'un exemplaire du *Livret des dames cosmopolites* et se mit à le feuilleter.

Henrietta pointa l'un des grands titres.

— Tu devrais peut-être jeter un œil à celui-ci, Pen.

Pénélope retourna le magazine pour lire « Humiliation sur un balcon ! Les cinq minutes qui ont ruiné ma vie ».

— Oh, ha, ha. Hum, ça, ce n'est pas une mauvaise idée par contre... Si tu entraînais Miles sur un balcon et que tu t'arrangeais pour qu'un témoin, c'est-à-dire moi, fasse irruption avec indignation, tu pourrais être mariée avant la fin de la semaine.

Henrietta secoua la tête de manière résolue.

— Je ne veux pas le piéger. S'il m'épouse, je veux que ce soit par amour, pas parce qu'il y est forcé.

Charlotte hocha vigoureusement la tête pour montrer son accord.

Pénélope leva les yeux au ciel.

— Bon, d'accord, si tu veux emprunter la voie la plus difficile.

Regroupées dans un coin chez Hatchards, elles lurent « Dites-lui qu'il est le bon avec vos yeux » (Henrietta se mit à loucher à force d'essayer de fixer Pénélope dans les yeux avec éloquence), « Dix astuces pour mieux séduire avec votre éventail » (trois livres tombèrent au sol) et « Enchantez-le avec des roses », ce qui était loin d'être aussi émoustillant que c'en avait l'air puisqu'il était surtout question d'arrangements floraux.

— Génial, dit Henrietta d'un air dégoûté. Je peux l'immobiliser de stupeur en louchant, l'assommer avec mon éventail, puis lui coincer une rose entre les dents pendant qu'il est inconscient. Rien de mieux qu'une bouchée d'épines pour dire « je t'aime ».

— Et si tu baissais un tout petit peu le poignet lorsque tu ouvres ton éventail ? suggéra Charlotte.

— Ça ne sert à rien, répondit Henrietta en frottant l'articulation incriminée. Je ne me transformerai pas en une séductrice enchanteresse en un jour. D'ailleurs, ce rôle est déjà attribué.

Pénélope la regarda d'un air perplexe.

Charlotte grimaça lorsqu'elle comprit.

– La marquise de Montval.

– Elle-même, dit Henrietta.

– Oh, non, souffla Charlotte.

– Je sais, répondit Henrietta en grimaçant. C'est sans espoir, n'est-ce pas ?

– Non, siffla Charlotte en agitant les mains, dans tous ses états. Ce n'est pas ça. Elle est juste là. À ta gauche. Ne…

Henrietta et Pénélope pivotèrent toutes les deux brusquement vers la gauche.

– … regardez pas, termina faiblement Charlotte.

La marquise baissa les yeux pour jeter un regard désinvolte à Henrietta et à ses compagnes, puis continua son chemin jusqu'à la caisse, un livre à la main.

– Qui aurait cru qu'elle savait lire ? marmonna Henrietta.

– Chuuut…

Charlotte jeta un regard anxieux à la marquise en conduisant Henrietta et Pénélope vers le fond de la librairie, hors de portée de voix.

– Elle a pratiquement demandé Miles en mariage hier soir, fulmina Henrietta en jetant un regard noir au-delà des étagères en direction de la marquise. Devant moi !

– Mais a-t-il accepté ? s'enquit calmement Charlotte.

– Peut-être devrais-tu simplement le lui laisser, intervint Pénélope. S'il est le genre d'homme à succomber à une telle femme, pourquoi voudrais-tu de lui ?

– Quel homme ne succomberait pas à une telle femme ? répliqua Henrietta avec ironie.

Même de profil, à l'autre bout de la boutique, le teint parfait de la marquise brillait comme le légendaire phare d'Alexandrie.

Normalement, Henrietta était plutôt satisfaite de sa propre apparence.

Elle savait qu'une flottille de navires ne se mettrait jamais en route pour elle, mais elle aimait le visage ovale reflété par le miroir. Elle aimait ses épais cheveux châtains aux reflets roux, elle aimait ses pommettes hautes et son petit nez, et elle adorait particulièrement ses yeux en amande avec leurs coins retroussés qui, selon ce que Charlotte lui avait affectueusement assuré, lui donnaient un air exotique.

Comparée à la marquise, Henrietta avait l'impression d'être aussi exotique qu'un pouding au caramel collant.

Tandis qu'elle la regardait, la marquise enfouit son achat dans son réticule et sortit gracieusement de la librairie.

– Même sa *démarche* est un poème, grommela Henrietta.

– Je ne suis pas certaine que Miles soit aussi impressionnable que tu le crois, dit Charlotte en faisant courir un doigt sur le dos de l'un des romans sur la table à côté d'elle. Il ne semblait pas tenir à s'attarder à ses côtés.

– Il n'en avait pas besoin, répondit Henrietta à contrecœur en refusant de se laisser faussement réconforter par les paroles de Charlotte. Ils font une promenade ensemble aujourd'hui. C'est la marquise qui l'a suggéré, ajouta-t-elle avant que Charlotte ait le temps de poser la question. Mais Miles aurait pu refuser.

– Il n'y a qu'un seul moyen de le savoir, n'est-ce pas ? demanda Pénélope en se penchant en avant, balançant son réticule, les yeux brillants.

– Que veux-tu dire ? s'enquit Henrietta, méfiante.

– Nous pourrions les suivre. Nous nous tiendrons à l'affût dans Hyde Park et attendrons qu'ils passent devant nous. Si Miles repousse ses avances – le ton de Pénélope suggérait qu'elle trouvait cela plutôt improbable –, alors tu sauras qu'il mérite ton attention. Sinon…

Pénélope haussa les épaules.

– Comme c'est romantique, souffla Charlotte. Comme la femme du Chevalier vert qui met Sire Gauvain à l'épreuve.

– C'est une idée horrible ! protesta Henrietta. Et Sire Gauvain n'échoue-t-il pas au test ?

Les joues de Charlotte prirent une teinte rosée de culpabilité.

– Ha ! fit Pénélope en pointant un doigt sur Hen. Tu ne veux pas le faire parce que tu as peur de voir quelque chose que tu ne veux pas voir.

– Nooooon, répondit Henrietta en plantant ses mains sur ses hanches. Je ne veux pas le faire parce que c'est une idée horrible. C'est complètement irréaliste. Premièrement, nous n'avons aucune idée du chemin que Miles prendra. Deuxièmement, comment pouvons-nous l'observer sans qu'il nous voie ? Troisièmement… Euh…

Zut, elle n'avait pas de troisièmement. Elle savait qu'il y en avait un – et très probablement un quatrièmement, un cinquièmement et un sixièmement aussi –, mais aucun ne lui venait à l'esprit, mis à part une impression générale de malaise indigné qu'elle doutait que Pénélope admette comme un argument acceptable.

– Où Miles se promène-t-il habituellement ? demanda Pénélope.

– Le long de la Serpentine, marmonna Henrietta.

– Et a-t-il parfois dévié de ce chemin ? Pendant toutes ces années où tu t'es promenée avec lui ?

– Il pourrait le faire !

— Nous nous déguiserons, dit Pénélope avec enthousiasme. Nous pouvons nous cacher derrière une haie — ou encore mieux, dans un arbre ! Et lorsqu'il passera, nous n'aurons qu'à regarder en bas et…

— Jamais, répondit Henrietta avec fermeté. Il n'en est absolument pas question. Je ne m'abaisserai jamais à ce niveau.

— Est-ce vraiment s'abaisser si tu grimpes dans un arbre ? demanda Charlotte.

— Je n'arrive pas à croire que je suis en train de faire ça, grommela Henrietta trois heures plus tard.

Elle était penchée derrière un buisson à Hyde Park, Pénélope accroupie à côté d'elle, et Charlotte de l'autre côté de Pénélope. Elles étaient toutes vêtues en vert — pour se confondre dans le paysage, avait expliqué Pénélope avec plaisir — et ressemblaient davantage à une troupe de lutins perdus ou à un groupe de grenouilles qui avaient égaré leur nénuphar qu'à n'importe quoi d'autre.

Henrietta ajusta le *bandeau** vert dans ses cheveux.

— Je ne comprends pas pourquoi je t'ai laissée me convaincre de faire ça.

— Avais-tu une meilleure idée ? Pensons-y. Non, tu n'en avais pas.

Hum. C'était un fait. Henrietta se baissa à nouveau derrière le buisson. Après un moment, elle se redressa une fois de plus.

— Comment pouvons-nous seulement savoir qu'ils passeront par ici ?

— Si ce n'est pas le cas, nous n'aurons qu'à rentrer.

— Pourquoi ne rentrerions-nous pas tout de suite ? demanda Henrietta en commençant à lutter pour se relever.

Pénélope l'attrapa par la manche et la tira brusquement vers le sol.

— Assieds-toi !

Henrietta s'assit lourdement sur l'herbe humide.

— Je n'arrive pas à croire que je suis en train de faire ça.

Soudain, Charlotte, verte et silencieuse de l'autre côté de Pénélope, émit un cri aigu.

— Chuuut ! Je les vois ! Je les vois !

Henrietta se redressa encore, juste assez pour regarder par-dessus la haie qui lui arrivait aux épaules.

— Où ?

— Là ! répondit Charlotte en pointant vers le sinueux chemin de terre battue qui longeait la Serpentine.

Le phaéton haut perché bleu pâle de Miles était là, facile à reconnaître, tiré par ses deux bais assortis. La femme assise à côté de Miles était tout aussi facile à reconnaître ; elle portait une robe de promenade gris foncé bordée de pourpre qui, malgré son col montant, réussissait néanmoins à attirer l'attention sur tous les attributs qu'on pourrait vouloir faire remarquer si la séduction était à l'ordre du jour. Plutôt qu'essayer d'incarner une haie.

Henrietta remarqua avec un peu de complaisance que Miles arborait son expression d'homme du monde la plus neutre, ce qui, après traduction, signifiait qu'il n'écoutait pas un mot de ce que la marquise racontait. De temps à autre, il se rappellerait qu'il était censé tenir une conversation, se collerait un sourire temporaire au visage, hocherait lentement la tête et murmurerait quelque chose de ce grave grommellement qui, entre hommes, passait pour de la conversation. Henrietta connaissait bien cette expression. Miles ne l'utilisait plus avec elle parce qu'il n'aimait pas se faire enfoncer un doigt dans les côtes.

Cependant, cela ne semblait pas décourager la marquise le moins du monde. L'éclat rayonnant de satisfaction d'Henrietta s'estompa. Bien qu'ils fussent en public, la marquise se conduisait envers Miles de façon honteusement familière. Elle s'était tournée sur le siège de sorte que son corps était perpendiculaire à celui de Miles et son visage, sous les plus légères fioritures d'un chapeau, assez près pour l'embrasser. Elle souriait à son visage absent, tandis qu'une main lui caressait le torse. Juste ciel, cette femme avait-elle passé la main sous la veste de Miles ? Henrietta les fixa, dégoûtée mais fascinée.

Miles bougea distraitement.

Henrietta aurait dû, à ce point, plonger derrière la haie. Mais elle était trop occupée à fixer le torse de Miles, à se demander ce que la marquise pouvait bien faire avec sa main et s'il y avait un moyen de la déloger — une pierre lancée subtilement, peut-être ? — sans se faire remarquer ni, par le fait même, effrayer les chevaux. Plutôt que de chercher à se cacher, elle braqua les yeux directement sur Miles, son regard passant de son gilet rayé bleu et jaune à son visage, pour voir comment il réagissait à cette impudente agression sur sa personne.

Elle leva le regard en direction du sien… Et le croisa.

Henrietta se figea tandis qu'une vague d'horreur commençait à la submerger, partant du bout de ses orteils pour dépasser les fourmis qui montaient le long de sa jambe, puis arriver jusqu'à ses yeux écarquillés d'étonnement, très inextricablement rivés à une paire d'yeux bruns très familiers qui s'approchaient à un rythme régulier à mesure que les chevaux avançaient au trot. Oh, non. Il ne pouvait pas regarder vers elle. Il ne le pouvait pas.

Henrietta aurait pu sourire et le saluer de la main. Elle aurait pu simplement faire semblant de faire une marche. Elle aurait pu se diriger tranquillement dans la direction opposée en faisant mine de ne pas l'avoir reconnu. Elle aurait pu faire un grand nombre de choses parfaitement plausibles qui auraient suffi à dissiper les soupçons d'un individu de la gent masculine.

Henrietta jeta un regard paniqué à Miles, puis se jeta la tête première derrière le buisson.

Chapitre 15

Phaéton (n.) : 1) *fils d'Apollon, surtout connu pour avoir détruit le char de son père* ; 2) *type de véhicule loufoque privilégié par les amateurs de sports* ; 3) *échec spectaculaire d'une mission.* Voir aussi *accident* et *incendie.*
— tiré du livre de codes personnel de l'Œillet rose

— Tout à fait, répondit Miles en faisant un sourire charmant en direction de la femme assise à côté de lui. Absolument.

Dire que Miles était légèrement préoccupé reviendrait à dire que le prince régent était légèrement enclin à dépenser. Malgré le charme extraordinaire de la femme à ses côtés, son esprit était entièrement tourné vers autre chose. Vers une chanteuse d'opéra, pour être précis.

Fidèle à sa résolution, Miles s'était rendu dans l'après-midi à l'opéra de Haymarket afin d'avoir une petite conversation avec la nouvelle venue, madame Fiorila. Quelques recherches préliminaires avaient permis à Miles d'apprendre que sa première prestation avait eu lieu trois soirs plus tôt devant une salle comble. La veille, elle avait été engagée pour une soirée privée — pas *ce* genre de soirée privée, s'était empressé d'ajouter l'informateur de Miles. Il s'était agi d'une soirée de chants organisée par une noble dame âgée avec des prétentions musicales.

Après s'être paré de ses plus beaux atours de dandy, Miles s'était mis en route pour l'opéra, sous le couvert d'un fervent soupirant, prêt à courtiser madame Fiorila jusqu'à ce qu'elle lui livre tous les renseignements possibles au sujet de Lord Vaughn, de Paris ou de la mystérieuse adresse de la rue Niçoise. Dans une main, il tenait un bouquet de fleurs raffiné, et dans l'autre, un billet de la représentation du mardi soir (acquis de Navet Fitzhugh, qui était toujours prêt à rendre service) afin de donner de la crédibilité à l'histoire, selon laquelle il l'avait vue chanter et avait été subjugué par sa beauté et son charme. Bon sang, il espérait qu'elle était belle ; sinon, son histoire serait quelque peu boiteuse. S'il s'agissait d'une femme corpulente avec une poitrine de type traversin en plumes, il serait un peu plus difficile d'expliquer qu'il en était épris.

Il n'eut pas à se rendre jusque-là. Le portier l'informa que madame Fiorila ne recevait aucun visiteur. Qu'elle était indisposée. Une pièce de six pence ne parvint pas à faire bouger le portier. Une demi-couronne non plus, mais elle réussit à lui soutirer l'information selon laquelle madame Fiorila avait subitement annulé sa représentation de la soirée ainsi que tous ses engagements de la semaine. Elle était, répéta le portier, indisposée. Miles lui laissa les fleurs, ainsi que sa carte, et pressa le portier de l'informer s'il y avait quelque changement dans l'état de la dame.

Une autre piste qui ne menait nulle part. Évidemment, il pouvait toujours localiser ses appartements et les fouiller, ainsi qu'explorer plusieurs autres avenues, mais il était fichtrement ennuyeux de ne pas pouvoir la voir en personne ;

cela lui aurait au moins permis de juger si l'intérêt de Vaughn était professionnel ou amoureux.

Un arrêt au Bureau des étrangers afin de découvrir l'identité du compagnon encapuchonné de Vaughn se révéla tout aussi infructueux. Ce n'était pas la meilleure des journées, se dit Miles. Madame Fiorila s'était révélée insaisissable, le Bureau des étrangers, stérile, et il n'avait toujours pas la moindre idée de l'identité de son assaillant de la veille.

La première hypothèse de Miles, largement basée sur le fait qu'il avait vu une canne au pommeau d'argent plonger vers sa tête, voulait que Vaughn l'ait attaqué. Mais Geoff, interrogé à Pinchingdale House à une heure indue de la matinée (avant midi, en tout cas), avait fermement nié cette possibilité. Plusieurs fois. Avec de plus en plus de force. Non, il n'avait pas perdu Vaughn de vue. Oui, il en était bien certain. Non, Vaughn n'aurait pas pu quitter la pièce sans qu'il s'en rende compte. Miles voulait-il qu'il trouve quelque part une Bible sur laquelle jurer ?

Miles avait poliment refusé la Bible offerte. Franchement, Geoff était diablement susceptible ces jours-ci.

Geoff avait aussi mentionné, comme preuve de sa totale concentration sur les faits et gestes de Vaughn, que ce dernier avait effectivement approché Henrietta, qu'il lui avait réclamé une danse et qu'il avait réitéré son désir de la voir ce soir honorer son humble demeure de sa présence.

Trop de fichus hommes démontraient de l'intérêt pour Henrietta. D'abord Frobisher, puis Vaughn. Si Miles avait su que la garder loin des bras de ses prétendants allait être un emploi à temps plein, il aurait dit à Richard de la tenir à l'œil lui-même. Il ne manquait plus que Prinny commence à s'intéresser à Hen, et ils seraient vraiment dans de beaux draps.

Ne pourrait-elle pas simplement essayer d'être un peu moins attirante ?

Elle pourrait commencer par attacher ses cheveux avec un peu plus de rigueur. Ces petites mèches sur sa nuque appelaient pratiquement les caresses. Il y avait aussi ses robes. Les robes devaient résolument disparaître. Miles tira sur les rênes plus fort qu'il en avait eu l'intention. Pas dans ce sens-là. Les robes devaient résolument rester en place. Il n'y aurait pas de séance mentale de déshabillage. Absolument pas. Il ferait tout simplement comme si cette courte ligne de pensées n'avait jamais existé. Ce qu'il voulait dire, c'était que les robes devaient être remplacées, idéalement par un tissu épais et lourd qui ne lui collerait pas aux jambes quand elle marcherait. Et, quel que soit le résultat, il vaudrait fichtrement mieux que ce soit boutonné jusqu'au cou. Sacrebleu, à quoi Lady Uppington pouvait-elle bien penser pour laisser Hen se promener ainsi à moitié nue ?

Miles tira sur son foulard.

— Un temps anormalement chaud pour un jour de mai, n'est-ce pas ? dit-il à la marquise.

Du moins, c'était pour cela que Miles avait ouvert la bouche. Celle-ci resta grande ouverte, mais aucun son n'en sortit. À l'instant où il s'était tourné pour regarder sa compagne, son œil avait aperçu un front très familier.

Bon Dieu, était-ce… Henrietta ? Miles cligna des yeux à quelques reprises en se demandant s'il n'y avait pas un fond de vérité dans les contes de bonnes femmes, selon lesquels il suffisait de penser très fort à quelqu'un pour que cette personne apparaisse. Elle semblait plutôt réelle pour un produit de son imagination. Et verte. Très verte.

Tandis que Miles tentait de résoudre cette énigme, le regard d'Henrietta croisa le sien. Ses yeux noisette s'écarquillèrent, et une expression d'horreur indescriptible se peignit sur son visage. Le temps qu'il lève la main pour la saluer, le front d'Henrietta avait disparu. Tout simplement. Un instant, il était là, et l'instant suivant, il n'y était plus.

Miles arrêta son attelage en tirant sur les rênes d'une main de maître.

— Quelque chose ne va pas ? s'enquit la marquise, avec une toute petite pointe d'agacement dans la voix.

Miles ne répondit pas immédiatement. Il était trop occupé à se pencher aussi loin que possible par-dessus le bord du phaéton sans faire basculer tout l'engin. Il avait bien vu Henrietta, n'est-ce pas ? Du moins, un petit bout d'Henrietta qui dépassait au-dessus de ce buisson. Miles observa plus attentivement. Bon, le buisson avait tout l'air… d'un buisson. Vert. Touffu. En fait, cela ressemblait étrangement à ce truc épineux dans lequel il avait atterri la veille. Cela ne ressemblait en rien à Henrietta.

Miles fronça les sourcils. En était-il rendu à halluciner ? Il n'était certes pas aussi frais et dispos qu'à l'habitude — Miles ignora la petite voix dans sa tête qui pouffa à la dernière partie de cette affirmation ; c'était bien assez qu'il ait fait apparaître Hen derrière les buissons sans que sa voix s'en mêle en plus —, mais de là à voir des gens qui n'étaient pas là ? Peut-être devrait-il réduire sa consommation de bordeaux.

À l'instant où Miles allait se décider à se confiner dans une petite cellule sombre de l'asile, il l'aperçut. Une forme qui ne pouvait absolument pas appartenir au massif d'arbustes. En fait, cela ressemblait étrangement à un arrière-train bien rond.

La propriétaire de l'attribut en question était penchée tête baissée derrière la haie, s'accrochant désespérément à l'illusion intemporelle selon laquelle si elle ne pouvait voir personne, personne ne pouvait la voir non plus.

– Je suis une idiote, marmonna Henrietta, la bouche pleine d'herbes. Je suis une parfaite idiote.

Elle cracha un petit insecte qui s'était aventuré dans sa bouche, puis poursuivit en silence, les lèvres pincées, sa litanie de plaintes. Peut-être, se dit-elle, peut-être qu'avec beaucoup de chance, Miles ne l'aurait pas vue, après tout. Peut-être, pensa-t-elle, emportée par une vague d'optimisme grandissant, était-il trop préoccupé par les chevaux pour la remarquer. Même s'il l'avait remarquée, peut-être se convaincrait-il de l'avoir imaginée. Après tout, les gens étaient très doués pour ne pas voir ce à quoi ils ne s'attendaient pas, et Dieu seul savait à quel point Miles ne s'attendait pas à la voir accroupie derrière un buisson. Peut-être…

Deux ensembles de sabots s'arrêtèrent droit devant la haie derrière laquelle se cachait Henrietta.

Peut-être devrait-elle émigrer en Autriche sous un faux nom. Idéalement dans les cinq prochaines secondes.

– Ma foi, monsieur Dorrington ! s'exclama la marquise d'un ton mielleux inquiétant. N'est-ce pas votre jeune amie derrière cette haie ?

Quelqu'un gémit. Henrietta se rendit compte que c'était elle.

Plus loin derrière la haie, la loyale Charlotte s'était déjà redressée d'un bond.

– Bonjour, monsieur Dorrington ! dit-elle gaiement. Quelle surprise agréable et, euh, inattendue de vous voir ici.

Henrietta tourna la tête, hésitante. De son œil qui n'était pas enfoui dans l'herbe, Hen voyait, sous le couvert du feuillage, la main de Charlotte battre doucement l'air pour lui intimer de rester baissée. Cherchant du renfort, Charlotte tira Pénélope par le bras.

— Pénélope et moi étions justement en train de… euh…

Henrietta ne pouvait pas voir ce qui se passait dans le cabriolet, mais elle tressaillit rien qu'à se l'imaginer : la marquise, arquant les sourcils dans une expression d'incrédulité hautaine ; Miles, à moitié amusé et à moitié perplexe ; Pénélope et Charlotte, debout derrière la haie telle la garde d'honneur d'un lutin.

— Auriez-vous l'amabilité de dire à Henrietta que je suis là ? demanda poliment Miles.

Oh, zut. Zut, zut, zut.

Henrietta se releva très lentement, balayant l'herbe, la terre et les débris sur ses genoux, en espérant ardemment qu'elle n'avait pas de brindille dans les cheveux ni de taches de boue sur les joues, histoire de compléter davantage son humiliation.

— Bonjour, dit-elle, désespérée.

C'était exactement comme elle l'avait imaginé : la marquise, dans toute sa perfection, la regardait comme si elle était un insecte surdimensionné, tandis que sur le visage expressif de Miles, maudit soit-il, était peint un air amusé à peine contenu.

— Nous étions…

— Je sais, termina aimablement Miles à sa place. Justement en train de, euh. Charlotte me l'a dit. En passant, tu as une brindille dans les cheveux.

— Comme c'est original, intervint la marquise.

Henrietta releva le menton. La brindille se libéra et vint flotter de façon distrayante le long de sa joue.

— Nous faisions simplement une marche dans la nature, dit-elle gaiement en écartant la brindille. Pour regarder… euh…

— La nature ! termina Charlotte.

Pénélope, la traîtresse, ricana dans son mouchoir en dentelle verte.

Hum. Si Henrietta ne l'avait pas mieux connue, elle aurait soupçonné Pénélope d'avoir organisé tout ce fiasco humiliant afin de s'assurer que Miles ne pourrait plus jamais la regarder sans s'écrouler de rire. Être découverte tête baissée derrière un buisson n'était pas exactement le meilleur moyen d'inspirer une passion dévorante. Mais Pénélope n'aurait pas pu faire une chose aussi fourbe, n'est-ce pas ?

— La nature, répéta la marquise, qui n'avait manifestement jamais eu affaire à cet élément en particulier.

Ses yeux s'attardèrent avec éloquence sur les taches vertes qui maculaient les gants d'enfant d'Henrietta.

Après avoir pris une profonde inspiration et grincé des dents, Henrietta tapota le bord de la haie.

— Saviez-vous qu'il s'agit là d'une espèce de buisson extrêmement rare ? demanda-t-elle en imitant de son mieux la voix d'une gouvernante.

Miles jeta un coup d'œil perplexe à la masse verte épineuse.

— Vraiment ?

— Oui ! On l'appelle, euh…

— *Buissonus verdantus* ! intervint Charlotte avec empressement.

— Est-ce apparenté à la *Haietus epinus* ? s'enquit Miles.

— Ne fais pas l'idiot, répondit Henrietta d'un ton hautain. La *Haietus epinus*, ça n'existe pas.

— C'est vrai, répliqua Miles en hochant la tête d'un air très solennel, mais Henrietta vit ses lèvres s'étirer pour contenir un fou rire. Ce n'est pas comme le *Buissonus* — comment déjà ? — *victorius*, cette merveille bien connue de la botanique.

Serait-ce une entrave à leur éventuel bonheur conjugal si elle lui donnait un coup sur la tête avec une branche d'arbre tombée ?

Miles se mit à renâcler, tel un dragon sur le point de cracher.

— Comme — toussotement — c'est brillant de votre part de vous déguiser pour ne pas faire fuir les massifs d'arbustes.

— Les haies sont des petites bêtes craintives, acquiesça Henrietta.

Les reniflements et les toussotements prirent le dessus. Même les chevaux en rajoutèrent, ruant et renâclant jusqu'à ce que Miles se soit suffisamment remis pour rattraper les rênes tout en se tenant les côtes de sa main libre. Henrietta croisa le regard de Miles tandis qu'il se tordait d'hilarité et lui sourit à contrecœur en retour.

Bon, d'accord, *c'était* marrant.

Pénélope la regarda, l'air de dire « Tu veux que lui, il tombe amoureux de toi ? ».

— Que diantre faites-vous là en réalité ? demanda Miles une fois qu'il eut calmé les chevaux. N'es-tu pas censée avoir une leçon de chant ?

— Oh non ! s'exclama Henrietta en reculant d'un pas et en portant une main tachée d'herbe à ses lèvres à l'instar d'une actrice de mauvais mélodrame. Quelle heure est-il ?

Pénélope tira de son corsage la jolie montre en émail qu'elle portait sur une chaîne autour de son cou et l'ouvrit.

– Dix-huit heures quinze.

– Oh non, oh non, oh non, répéta Henrietta en regardant frénétiquement d'un côté, puis de l'autre, comme si elle espérait qu'un tapis volant se matérialise soudain dans les airs pour la ramener à Uppington House. J'aurais dû être à la maison il y a quinze minutes.

Miles se pencha par-dessus le bord du phaéton, et ses cheveux en bataille tombèrent comme à l'habitude devant son visage.

– Je peux te conduire chez toi, si tu veux.

À côté de lui, la marquise renifla de façon délicate mais vigoureuse.

Cela suffit à la décider.

– Merci, répondit fermement Henrietta. Je t'en serais très reconnaissante. À moins que…

Elle jeta un regard interrogateur à ses deux meilleures amies.

Pénélope secoua la tête et battit l'air de la main dans sa direction pour la chasser.

– Vas-y, dit-elle. Nous allons terminer notre marche dans la nature, termina-t-elle en regardant Charlotte.

– Il y a encore tant de buissons à explorer ! intervint cette dernière.

Merci, articula silencieusement Henrietta tandis que Miles descendait d'un bond du phaéton.

Une main sous son coude, il la fit monter sur le haut siège à côté de la marquise, qui regardait délibérément dans la direction opposée, l'air captivée par les merveilles du paysage.

Après avoir installé Henrietta dans le cabriolet, Miles monta pour reprendre sa place. Il n'y avait qu'un souci : il n'y avait pas de place à reprendre. Le phaéton avait été conçu pour deux personnes, pas trois.

— Pourrais-tu te pousser un peu ?

Henrietta glissa sur le banc pour couvrir le centimètre environ qui la séparait de la marquise, ce qui laissait au total huit gros centimètres pour Miles.

— Je ne crois pas pouvoir me pousser plus, dit-elle d'un air désolé. Je peux toujours redescendre et rentrer à pied.

Les chevaux commençaient à s'agiter à force de rester si longtemps sans bouger.

— Ce n'est pas grave.

Miles se laissa tomber sur le siège. Henrietta émit un *ouf!* involontaire lorsqu'elle fut projetée sur la marquise. La marquise ne dit rien, mais pinça les lèvres et plissa les yeux très fort.

— Tu vois ? Très confortable, dit vivement Miles en donnant un petit coup sur les rênes pour que les chevaux se mettent en marche.

Hen lui jeta un regard sceptique. La marquise était assise bien droite et avait posé ses mains gantées de mauve sur ses genoux, l'air tout sauf confortable. Coincée entre les deux, Henrietta avait l'impression d'être une enfant récalcitrante qui venait de se faire prendre à écouter aux portes et qu'on ramenait de force à la maison. Ce qui, admit-elle à contrecœur, n'était pas très éloigné de la vérité. Cette idée n'avait rien de réjouissant.

— Quels jolis gants, hasarda Henrietta afin de tenter de donner une légère tournure sociale à la situation.

Elle cala ses propres gants tachés d'herbe dans les plis de sa jupe en espérant que la marquise ne les remarque pas.

— Les avez-vous rapportés de Paris ?

— Je n'ai rapporté que très peu de choses de Paris, répondit froidement la marquise. Les révolutions laissent aux gens très peu de temps pour faire leurs bagages.

— Oh, répliqua Henrietta, qui aurait souhaité n'avoir rien dit. Naturellement.

— On nous a tout pris — le *château**, la maison de ville, les tableaux, même mes bijoux. C'est tout juste si j'ai pu fuir avec les vêtements que je portais.

De la bouche de la marquise, la fuite sonnait plus sensuelle que sordide ; elle évoquait des images de haillons artistiquement abîmés qui flottaient sur des courbes à peine cachées, à l'instar de Vénus, en détresse, qui fuyait son coquillage. Le cœur d'Henrietta se serra comme s'il était écrasé sous le poids des chevaux, et elle ressentit chaque martèlement de leurs sabots sur les pavés comme une pression supplémentaire sur sa poitrine. Comment avait-elle pu espérer être de taille à rivaliser avec elle ?

— Ça semble terrible, dit Henrietta avec raideur. Comment avez-vous réussi à vous enfuir ?

Pour couronner le tout, les hanches de la marquise étaient pointues comme cela ne devrait pas être permis, et Henrietta avait beau se tortiller, elle n'arrivait pas à y échapper. Chaque fois qu'elle arrivait à se soustraire à la marquise, Miles était de l'autre côté, à dévisager les rênes comme si elles l'avaient offensé.

Tandis qu'Henrietta s'efforçait d'entretenir une conversation polie avec la marquise — et d'éviter de se faire embrocher —, Miles passa de silencieux à en colère, puis à revêche. Eussent-ils été seuls, Henrietta l'aurait poussé du doigt avant de lui demander ce qui n'allait pas. Dans l'état actuel des choses, elle n'aurait pas pu libérer sa main pour le pousser du doigt, et ce, même si elle l'avait voulu, puisqu'elle était prise quelque part entre sa jupe et la cuisse de Miles. La courroie de son réticule était serrée autour de ses doigts, qui s'engourdissaient rapidement.

Henrietta tenta de tirer sur sa main.

Miles grogna.

— Est-ce que je t'ai éraflé ? lui demanda Henrietta, couvrant une description des charmes du marquis décédé et de ses châteaux.

— Non, grommela Miles, qui réussit d'une façon quelconque à prononcer la syllabe sans même ouvrir la bouche.

— Tout va bien ? s'enquit Henrietta en se tortillant sur son siège pour le regarder.

Miles continua de fixer les rênes.

Miles avait du mal à se souvenir de la définition de « bien aller ». Il rôtissait dans son enfer personnel. Pour une fois, cela n'avait rien à voir avec les Français. C'était entièrement la faute d'Henrietta.

Que le diable l'emporte, il s'était promené avec Henrietta des dizaines de fois auparavant — des centaines ! Jamais il n'avait eu la moindre difficulté à garder son esprit à l'écart des endroits embarrassants qui lui donnaient soudain l'impression que son foulard — ainsi que d'autres parties de ses vêtements — était trop serré. Évidemment, lors de ces autres promenades, il n'y avait pas eu trois personnes sur un siège conçu pour deux. Lors de ces autres promenades, Henrietta n'avait pas été intimement pressée contre lui, si intimement qu'il pouvait sentir se découper contre lui le contour de chacune des courbes de sa hanche et de sa cuisse avec autant de précision qu'une brûlure. Miles tenta, subtilement, de se pousser vers le côté, mais il n'y avait absolument aucun espace où se pousser ; ils étaient plus soudés l'un à l'autre qu'un voleur à la tire l'était à un sac à main.

À l'instant précis où Miles pensa qu'il n'y avait rien de plus insoutenable que de la sentir coincée contre son flanc, le satané véhicule cahota. Une partie chaude et ronde de l'anatomie d'Henrietta lui frôla le bras gauche. Puis elle se tortilla à nouveau.

Et Miles se rendit compte que ça pouvait être pire. Bien pire. Il était dans ce cercle particulier de l'Enfer de Dante, réservé à ceux qui s'étaient fait prendre à entretenir des pensées impures au sujet de la sœur de leur meilleur ami. Certes, il ne se souvenait pas que Dante ait mentionné celui-là spécifiquement, mais il était persuadé qu'il y en avait un. C'était sa punition pour s'être attardé sur certains détails de l'apparence d'Henrietta sur lesquels il n'aurait pas dû. En juste châtiment, œil pour œil, sein pour sein, il devait en supporter la proximité atrocement détaillée. Le pire, dans tout cela, c'était qu'il n'y pouvait absolument rien.

Jamais les cinq minutes de la route jusqu'à Uppington House ne lui avaient paru si longues.

– Hum, répondit Miles.

Ce qu'Henrietta, à la lumière de sa vaste expérience des caprices de la communication masculine, interpréta comme « Non, je suis d'une humeur massacrante, mais je ne peux pas l'avouer, alors laisse-moi tranquille ».

Henrietta avait la désagréable impression de connaître la cause de sa mauvaise humeur. Et ce n'était ni les chevaux, ni les rênes, ni l'état de la guerre contre la France. C'était une présence indésirable dans son cabriolet, qui le séparait de la séduisante marquise et de ses mains baladeuses.

Henrietta aurait obtempéré et l'aurait laissé tranquille – s'il y avait eu un moyen de fuir carrément le phaéton sans que cela implique un saut suicidaire et une mort douloureuse sous les roues du carrosse, elle l'aurait fait –, mais à cet instant précis, elle sentit quelque chose glisser de ses doigts coincés et l'entendit tomber avec un bruit sourd sur le repose-pied.

Ah, zut, c'était son réticule.

Il n'y avait aucun moyen de se pencher discrètement pour le ramasser. Même si sa main droite n'avait pas été coincée entre Miles et elle, il aurait été peu élégant de se pencher ainsi dans un carrosse ouvert au beau milieu d'une rue très fréquentée. Toutefois, elle ne voulait pas simplement le laisser là. Et si le carrosse faisait subitement une embardée et qu'il tombait ? Sa mère le lui rappellerait jusqu'à la fin ses jours. Si elle arrivait à passer son pied dans la ganse, peut-être pourrait-elle ensuite lever très subtilement le pied jusqu'à une hauteur où elle pourrait le ramasser tranquillement sans que personne s'en aperçoive.

De sa botte, Henrietta commença à tâter le repose-pied. Ce serait beaucoup plus facile si elle pouvait regarder par terre, mais entre ses jupes et celles de la marquise, elle n'y voyait rien de toute façon.

La marquise commentait les attraits du printemps, et Henrietta, qui explorait de son orteil une bosse de forme plausible, offrit une réponse tout aussi banale. Malgré sa grande beauté, la marquise était une femme vraiment très *ennuyeuse*. Peut-être, se dit distraitement Henrietta en explorant les contours de la bosse, était-ce justement parce qu'elle était belle ; elle n'avait jamais eu besoin d'essayer d'être intéressante. Si seulement elle pouvait trouver un moyen de faire remarquer à Miles le caractère ennuyeux de la marquise sans que cela sonne comme de la méchanceté désespérée… Cela lui ferait une énigme à résoudre plus tard ; pour l'instant, elle était pratiquement certaine d'avoir trouvé son réticule et n'avait plus qu'à essayer de le retourner pour passer son pied dans la ganse. Sauf qu'il ne bougeait pas.

Peut-être était-il coincé contre quelque chose.

Bon sang, la ganse devait bien être quelque part. Henrietta se mit à tâter pour trouver le dessus du petit sac.

Miles bondit presque hors de son siège.

Oups. Peut-être n'était-ce pas le réticule.

— Par Hadès, à quoi crois-tu jouer ? hurla Miles.

À proximité, un cheval se cabra. Dans les carrosses qu'ils croisaient, les têtes se tournèrent. Des rideaux furent écartés.

La marquise avait l'air de quelqu'un qui aurait préféré être dans n'importe quel autre carrosse.

— J'ai laissé tomber mon réticule, répondit Henrietta, un peu essoufflée.

Miles avait atterri sur elle.

— J'essayais de le ramasser, termina-t-elle.

— Avec ton *pied* ?

Miles se retira des genoux d'Henrietta et se poussa le plus loin possible vers le côté opposé du carrosse.

— Ma main était coincée, expliqua rationnellement Henrietta en remuant le membre fautif.

— Hum, répondit Miles.

Henrietta n'était pas certaine de savoir comment interpréter ce grognement.

— Je crois, dit sombrement la marquise, que j'aimerais rentrer maintenant.

– Ne vous en faites pas. Vous êtes la prochaine, répliqua laconiquement Miles.

Son ton sec aurait certainement remonté le moral d'Henrietta s'il n'avait pas utilisé exactement le même avec elle.

Miles arrêta brusquement les chevaux devant Uppington House et descendit d'un bond du phaéton avec autant d'empressement qu'un martyr qui esquivait un lion au temps des premiers chrétiens. Il attrapa Henrietta par la taille et la fit descendre d'un geste pour la poser devant chez elle avec un bruit sourd discordant. Se penchant à nouveau au-dessus du carrosse, il ramassa le réticule incriminé.

– Merci de m'avoir ramenée, dit très doucement Henrietta en prenant le réticule qu'il lui tendait.

Miles se redressa suffisamment pour la gratifier d'un demi-sourire penaud. Henrietta sentit son cœur se serrer et s'alourdir sous l'effet de l'affection frustrée.

– C'est bon, répondit-il. On se voit ce soir. N'es-tu pas en retard ?

Oh, zut, elle avait encore oublié sa leçon de chant. Criant au revoir à la hâte par-dessus son épaule, Henrietta se précipita en haut de l'escalier devant Uppington House. Au moment où Winthrop lui ouvrit la porte, elle entendit le son des chevaux de Miles qui reprenaient leur route. En espérant qu'il irait directement déposer la marquise chez elle.

Henrietta ne se permit pas de s'attarder sur cette pensée. Elle posa son réticule sur une table dans le hall et fonça vers la salle de musique. La harpe était debout, découverte et inutilisée, et le piano à queue, avec son couvercle finement peint et ses pattes dorées, était muet. Il n'y avait aucun signe du *signor* Marconi.

Henrietta jeta un œil à l'horloge dorée sur la cheminée. Les deux aiguilles pointaient délicatement vers le six. Elle avait une demi-heure de retard. Il en avait probablement eu assez et était parti. Zut! Récemment arrivé du continent, Marconi était très demandé, et elle s'estimait heureuse d'avoir pu décrocher des leçons avec lui. Maintenant, avec ses folies romantiques, elle avait probablement d'un seul coup convaincu Miles qu'elle était cinglée et perdu son professeur de chant. Argh!

Émettant pour elle-même des bruits d'agacement, Henrietta se précipita à nouveau dans le hall.

– *Signor* Marconi? appela-t-elle, au cas où on lui aurait demandé d'attendre dans l'un des salons.

Un bruissement lui parvint du petit salon. Expirant dans un long soupir de soulagement, Henrietta courut le long du couloir pour se précipiter par la porte ouverte.

– *Signor* Marconi? bredouilla-t-elle. Je suis terriblement navrée d'arriver si tard! J'ai été retenue au…

Elle s'interrompit brusquement. La vague de soulagement d'Henrietta fut remplacée par de la perplexité lorsqu'elle découvrit la source des froissements.

La silhouette vêtue de noir du *signor* Marconi était penchée au-dessus de son secrétaire ouvert, des papiers dans chaque main.

Chapitre 16

Flatté : *considéré comme suspect par le ministère de la Police ; cible d'un examen approfondi et possiblement d'une attaque.* Voir aussi *insigne honneur.*

– tiré du livre de codes personnel de l'Œillet rose

Henrietta trébucha en s'arrêtant, tant physiquement que verbalement.

Marconi s'empressa de replacer les papiers dans la cavité du secrétaire. Se redressant, il ouvrit grand les bras.

– Je régarde pour lé – comment dites-vous ? – lé papier. Je régarde pour lé papier pour vous écrire una nota pour vous dire qué je n'attends plous. Mais maintenant – Marconi haussa les épaules comme si cela réglait tout –, vous êtes là. Alors je n'avoir pas besoin dé papier.

– Je suis vraiment navrée d'être en retard, répéta Henrietta en reprenant ses esprits.

Passant à côté de lui, elle ferma le couvercle de son secrétaire et tourna la clé. Ce n'était pas comme s'il y avait quoi que ce soit de très secret à l'intérieur – elle gardait toutes ses lettres de Jane ainsi que le petit livre de codes à l'étage dans sa chambre, cachés avec son journal dans un pot de chambre vide sous son lit –, mais c'était son espace personnel, et elle préférait que son espace personnel le reste. D'où le verrou.

Mais le *signor* Marconi ne savait pas cela.

– La prochaine fois que vous aurez besoin de matériel pour écrire, dit-elle donc simplement, vous n'avez qu'à le demander à Winthrop, et il vous en apportera.

– Au sujet dé la léçon, poursuivit Marconi en tirant sur sa petite moustache noire, j'ai dé loutres engagements.

– Dé loutres… ?

Henrietta secoua la tête pour chasser les images d'animaux aquatiques. Rien n'avait de sens aujourd'hui. La faune, la flore… Tout s'embrouillait de façon inquiétante. Elle avait besoin d'une tasse de thé.

– Dé loutres engagements, répéta patiemment le *signor* Marconi.

– Oh, d'autres engagements ! Bien sûr.

Henrietta ne se sentait pas très alerte en ce moment. À en juger par l'expression du *signor* Marconi, il partageait cette impression.

– Vous reviendrez quand même la semaine prochaine, n'est-ce pas ? ajouta-t-elle nerveusement.

Le *signor* Marconi pinça les lèvres et hocha solennellement la tête.

– Pour votre voix, milady, je réviendrai.

C'était bon de savoir qu'elle avait au moins une qualité.

Un claquement de talons déterminé sur le parquet la fit se tourner. C'était sa mère, qui traversait la pièce à la hâte avec l'attitude d'une femme en mission. Avançant d'un pas déterminé en ligne droite vers Henrietta, elle se détourna juste assez longtemps pour accorder un regard au professeur de chant.

– *Signor* Marconi ! Vous nous quittez déjà ?

— Il a dé loutres engagements, dit Henrietta à sa mère, qui ne cligna même pas des yeux.

De toute évidence, quelque chose n'allait pas.

Lady Uppington salua vaguement Marconi de la main.

— Au revoir, *signor*. Nous vous attendrons mercredi prochain. Henrietta, ma chérie, j'ai reçu d'affreuses nouvelles.

Marconi s'inclina. Ni l'une ni l'autre des dames ne s'en aperçut. Il s'inclina à nouveau. La troisième fois, il abandonna, fit tournoyer sa cape autour de lui et partit.

— Les petits, Caroline et Pérégrin, ont attrapé les oreillons, déclara distraitement Lady Uppington en agitant la lettre dans les airs pour donner du poids à son affirmation. Le bébé ne les a pas encore attrapés, mais, franchement, avec les oreillons, ce n'est qu'une question de temps, et la pauvre Marianne ne sait déjà plus où donner de la tête.

Henrietta émit des cris de détresse. Ses petites nièces et son petit neveu étaient les créatures les plus adorables de l'univers — Caroline avait trois ans, Pérégrin en avait deux, et le bébé avait tout juste six mois — et ils n'étaient pas censés être malades. Ce n'était tout simplement pas dans l'ordre normal des choses.

— Les pauvres petits !

— Je pars pour le Kent ce soir, annonça Lady Uppington en coinçant une mèche de cheveux striée de gris dans sa coiffure anormalement échevelée.

Un martèlement leur parvint du couloir.

— Ah, ce doit être Ned avec les malles.

— Puis-je faire quelque chose ? Je peux vous accompagner, si vous pensez que je peux être utile, offrit Henrietta en suivant sa mère dans le couloir.

— La dernière chose dont j'ai besoin, c'est que tu attrapes aussi les oreillons. Non, non. Tu restes ici. Veille sur ton père. Assure-toi qu'il mange et qu'il ne reste pas debout toute la nuit dans la bibliothèque. La cuisinière te proposera des menus pendant mon absence, et s'il y a quelque problème avec le personnel…

— Je m'en charge, dit patiemment Henrietta. Ne vous inquiétez pas.

— Ne sois pas ridicule, répondit Lady Uppington. Évidemment que je m'inquiéterai. Quand tu auras des enfants, tu sauras ce que c'est que de s'inquiéter.

— Ne devriez-vous pas partir, mère ? l'interrompit Henrietta avant que sa mère se laisse emporter par son sermon. Avant que la nuit tombe ?

Ce ne fut pas une réussite totale. Lady Uppington cessa de donner des ordres pour que les malles soient chargées et que sa cape lui soit apportée — non, pas celle en velours, la simple cape de voyage — pour lancer un regard sévère à sa benjamine.

— Au sujet du bal masqué de ce soir, commença Lady Uppington d'un ton menaçant.

Henrietta attendit. Elle savait que sa mère aurait aimé lui interdire d'aller à n'importe lequel des événements organisés par Lord Vaughn, mais cela irait à l'encontre des principes maternels auxquels Lady Uppington tenait le plus. Henrietta les avait tous entendus assez souvent pour en connaître les principaux par cœur. En tête de liste trônait « Vous n'interdirez point » puisque, comme Lady Uppington aimait le souligner, si seulement Lady Capulet avait été raisonnable et n'avait pas interdit à Juliette de voir ce Roméo, Juliette aurait probablement épousé le comte Paris et donné naissance à de nombreux adorables petits-enfants au lieu de mourir atrocement dans la crypte familiale.

Henrietta avait souvent utilisé cette théorie à son avantage.

Elle savait que sa mère venait de se rejouer le scénario d'avertissement de Lady Capulet dans sa tête, car Lady Uppington dit sévèrement, du ton de celle qui aurait voulu en dire plus :

— Assure-toi de rester auprès de la duchesse douairière.

— Oui, mère.

— Ne t'éloigne pas de la salle de bal, ne t'aventure pas dans les jardins et ne te laisse pas entraîner dans de sombres alcôves.

— Je sais, mère. Nous avons déjà parlé de tout ça, tu te souviens ? Avant mon premier bal.

— Certaines choses ne sont jamais trop répétées, ma chérie. Miles sera là pour te tenir à l'œil…

Henrietta pensa au couple qui venait de partir en carrosse.

— Qui tiendra Miles à l'œil ?

— La duchesse, répondit promptement Lady Uppington.

— La duchesse ? répéta Henrietta.

Hum, elle voyait le scénario d'ici. L'ombre d'un léger sourire étira les lèvres d'Henrietta tandis qu'elle s'imaginait lâcher la duchesse sur la marquise. Elle n'avait aucun doute quant à l'issue du combat.

— Oui. Je lui ai envoyé une note pour lui demander de t'emmener avec Charlotte et elle ce soir, j'ai envoyé une note à Miles pour l'avertir d'être à l'heure, puis j'ai envoyé un autre message à la duchesse pour qu'elle l'envoie à Miles pour s'assurer qu'il n'oubliera pas.

La profusion de notes fit tourner la tête d'Henrietta.

– Bonne nuit, ma chérie, dit Lady Uppington en l'embrassant rapidement sur les deux joues. Sois sage et ne laisse pas ton père se fatiguer à écrire des discours toute la nuit.

Henrietta suivit sa mère jusqu'à la porte.

– Transmettez mon affection aux petits… Dites à Caro que j'ai un cadeau pour elle si elle guérit vite, et dites à Pérégrin qu'il est le hors-la-loi le plus brave de toute la forêt, et embrassez le bébé pour moi. Êtes-vous certaine que vous ne voulez pas que je vous accompagne ?

La porte n'était pas sitôt fermée derrière Lady Uppington que Winthrop s'approcha, un plateau en argent dans les mains.

– Oui, Winthrop ?

– Votre courrier, milady, dit Winthrop en s'inclinant pour lui présenter le plateau.

Malgré ses pieds douloureux, son mal de tête et son cœur lourd, Henrietta sentit une petite étincelle d'excitation lorsqu'elle prit les trois lettres sur le plateau. Après avoir fait demander qu'on lui apporte du thé et des biscuits, elle emporta son butin dans le petit salon, où elle se laissa tomber sur son canapé favori pour se préparer à l'examiner.

La première lettre était un court message de sa belle-sœur Marianne. Les enfants avaient les oreillons, mais le médecin avait dit que ce n'était pas un cas sévère, le bébé semblait bien aller, et Henrietta ne devait sous aucun prétexte laisser Lady Uppington partir en trombe pour le Kent.

Oups. Trop tard.

Henrietta mit le message de côté, décidée à écrire à Marianne une courte lettre d'excuses avant de se préparer pour le bal masqué du soir.

La deuxième lettre venait d'Amy. Et elle était épaisse. Un accès d'impatience s'empara d'Henrietta lorsqu'elle brisa le sceau. Ç'avait été rapide ; Amy devait s'être assise avec sa plume et une pile de papiers aussitôt qu'elle avait reçu le message d'Henrietta. S'installant confortablement sur le canapé, Henrietta parcourut rapidement la lettre. Amy était ravie, aurait aimé pouvoir l'aider en personne, était plus qu'heureuse de lui offrir son expertise, bla-bla-bla. Ah, la partie importante ! Henrietta se redressa. Amy avait rempli quatre pages de conseils d'une écriture serrée. Henrietta prit mentalement note de certains d'entre eux, comme les trucs pour se bander la poitrine sans souffrir d'atroces douleurs et comment écouter par le trou d'une serrure sans se faire aplatir si la porte s'ouvrait sans qu'on s'y attende. Henrietta en rejeta d'autres d'emblée, comme la suggestion de dévaliser le ministère de la Guerre en pleine nuit, au cas où il posséderait des renseignements supplémentaires. Espionner de son propre côté lui paraissait tout simplement trop… antipatriotique. Et personne ne pouvait accuser Henrietta d'un manque de zèle patriotique : elle connaissait par cœur les sept couplets de *Rule Britannia,* y compris les plus obscurs au sujet des Muses qu'on trouvait toujours en liberté et des cœurs d'hommes qui veillaient sur la fête.

Henrietta mit la volumineuse lettre d'Amy de côté afin de la lire plus attentivement plus tard. Certaines parties demandaient un examen plus poussé. Les diagrammes sur le crochetage de serrure, par exemple, n'étaient pas le genre de chose qu'on pouvait mémoriser instantanément.

Encore mieux, dans un post-scriptum ramassé, coincé tout en bas de la toute dernière page, Amy avait ajouté une invitation. Dans une semaine, Richard et elle allaient recevoir plusieurs personnes pour une séance de formation intensive. Le génie dans tout cela, avait écrit Amy avec insouciance, c'était que ç'aurait parfaitement l'air de n'être rien de plus qu'une simple fin de semaine à la campagne. Si quelqu'un posait la question, il y aurait tous les divertissements habituels : chasse et pêche pour les hommes, visite de ruines normandes à proximité pour les femmes, ainsi qu'une sortie dans les boutiques du village. En réalité, ils apprendraient les subtilités du déguisement, l'art d'écouter aux portes et de multiples autres choses palpitantes. Quoique Henrietta puisse toujours aller faire les boutiques si elle en avait envie.

Henrietta sourit intérieurement en tendant la main vers la lettre suivante. C'était tellement typique d'Amy. Et absolument, absolument parfait. Sa mère n'aurait aucune objection à ce qu'elle passe une fin de semaine chez Richard, « chaperonnée » par Amy. Elle se demanda si Miles serait présent. En tant que meilleur ami de Richard, on pourrait croire que ce serait le cas… Henrietta s'arracha impitoyablement aux dangereux royaumes de la rêverie et s'empressa de briser le sceau de la dernière lettre.

Elle venait de Jane.

Henrietta jeta un œil à la signature familière, la tint à bout de bras, fronça un peu les sourcils, puis fixa à nouveau la signature. C'était toujours celle de Jane.

Henrietta regarda le bout de papier usé avec une certaine perplexité. Il était absolument impossible, même avec toute une horde de chevaux et des vents favorables, que Jane ait pu recevoir la lettre qu'elle lui avait envoyée et y avoir déjà répondu. Et même si ç'avait été possible, la missive d'Henrietta n'avait rien pour justifier une réponse si hâtive ; elle confirmait que l'oncle Archibald avait été informé de l'arrivée du nouveau roman abominable et qu'il s'assurerait de sauter dessus aussitôt qu'il trouverait une librairie convenable. Pour le reste, la lettre était pleine de trivialités telles que sa conversation avec Lord Vaughn, l'attention sans précédent que Miles portait à la marquise et l'histoire de la duchesse douairière qui avait tourmenté Percy Ponsonby jusqu'à ce qu'il se jette par une fenêtre du deuxième étage.

La missive de Jane tenait plutôt de la note que de la lettre. Sa petite écriture soignée remplissait moins de la moitié de la feuille pliée. Ce n'était, selon ce que Jane avait écrit, qu'un court message à sa très chère cousine afin de lui faire savoir qu'elle avait assisté à un autre petit déjeuner vénitien ce matin-là et qu'un gentilhomme qu'elle ne connaissait pas lui avait demandé des nouvelles d'Henrietta et de monsieur Dorrington. Elle croyait que ce gentilhomme avait dû les connaître tous les deux par le cher frère d'Henrietta, mais elle n'avait pas eu l'occasion de le lui demander. Henrietta devrait certainement être touchée par cet insigne honneur et se sentir flattée en conséquence.

Henrietta resta assise, tout à fait immobile, à cerner toutes les implications de la brève note de Jane. Elle devrait, supposa-t-elle, monter chercher le livre de codes dans sa chambre pour être certaine de son contenu. Toutefois, elle avait l'affreux pressentiment qu'elle en connaissait déjà la signification. Jane avait fait une autre descente nocturne au ministère de la Police. Là, elle avait découvert que quelqu'un avait ordonné qu'on surveille les mouvements tant de Miles que d'Henrietta, très probablement en raison de leur proximité avec Richard. Zut. Comment pouvait-on interpréter cela autrement ?

Henrietta se rendit lentement jusqu'à son secrétaire et en déverrouilla le couvercle, ce qui produisit un bruit sourd. Les documents que le *signor* Marconi avait laissés tomber étaient toujours éparpillés en désordre, mais Henrietta ne se donna pas la peine de les reclasser. Elle attrapa une feuille vierge, son encrier et une plume pour écrire… Quoi ?

Trop de questions lui trottaient dans la tête. Si Miles et elle étaient sous surveillance, qu'en était-il de Geoff ? Le ministère de la Police avait très probablement déjà un dossier sur lui en raison de son séjour prolongé en France avec Richard. Elle devait aussi penser à ses parents. Ils avaient rendu visite à Richard tous ensemble à Paris en avril, juste avant sa capture et son évasion rapide. En fait, sa mère avait joué un rôle clé au moment de sortir Richard des cachots du ministère.

Puis il y avait des questions encore plus importantes, comme celle concernant l'intérêt du Ministère qu'ils suscitaient tout à coup. Henrietta tapa sa plume sèche sur le sous-main. Elle supposa qu'il était sensé, en quelque sorte, qu'ils retracent les contacts de l'ex-Gentiane pourpre. Bien que la Gentiane elle-même se soit désormais retirée définitivement de l'industrie de l'espionnage, grâce à la révélation dramatique de son identité (sans parler du mariage et de l'éventualité de jeunes enfants), il était raisonnable de croire que les membres dispersés de sa ligue continuent leur bataille contre la France. La façon la plus logique de les démasquer, c'était d'enquêter sur les gens les plus proches de Richard. Miles et elle étaient tous deux plus proches de Richard que pratiquement n'importe qui d'autre — bon, dans son cas, on était bien obligé quand on avait vécu dans la même maison pendant toutes ces années — et ils étaient tous deux allés en France au cours du mois précédent. Pour un agent français paranoïaque, une description qui résumait parfaitement Gaston Delaroche, ces faits pouvaient s'additionner pour donner un résultat effectivement plutôt sinistre.

Quelque chose craqua. Baissant les yeux, Henrietta se rendit compte qu'elle avait appuyé si fort sur sa plume que la pointe s'était cassée.

Henrietta posa la plume. Il ne servait à rien d'écrire à Jane pour lui demander des réponses alors qu'elle n'était même pas certaine de savoir quoi lui demander. Logiquement, la personne à qui parler dans l'immédiat, c'était Miles. Il devait être averti.

Le danger qui planait sur elle-même ne comptait pas. Henrietta n'était pas certaine de savoir pourquoi son nom était ressorti dans les dossiers en cours du ministère de la Police, mais elle était pratiquement certaine qu'ils ne l'examineraient pas de trop près. Bonaparte était connu pour sous-estimer les femmes — c'était l'une des raisons pour lesquelles les plans de Jane avaient réussi de façon si spectaculaire —, et mis à part le poste qu'elle occupait actuellement, Henrietta n'avait jamais joué un autre rôle dans les hostilités contre la France que celui, passif, d'être la sœur cadette casse-pieds de la Gentiane pourpre. S'ils enquêtaient sur ses activités, ils ne trouveraient qu'une liste de livres empruntés à la bibliothèque, cinq offres de mariage refusées, deux professeurs de chant lunatiques et une quantité exorbitante d'achats de rubans.

Henrietta trempa distraitement sa plume cassée dans l'encre en tirant vers elle la feuille de papier.

En revanche, Miles constituait une cible parfaite. Son emploi au ministère de la Guerre, bien qu'il ne soit certainement pas crié sur tous les toits, n'était un secret pour personne – comment pourrait-ce l'être, puisque Miles s'y rendait sporadiquement sans se cacher depuis plusieurs années ? Son lien avec Richard était aussi de notoriété publique. Si le ministère de la Police cherchait à éliminer ceux qui pouvaient représenter un danger pour les ambitions de Bonaparte... Henrietta baissa les yeux sur une tache d'encre brunâtre qui prenait de l'expansion sur le bout de papier préalablement immaculé. À la lumière tamisée, cela ressemblait à du sang.

Pour l'amour du ciel ! Henrietta froissa le bout de papier taché. Le sang ne coulerait pas. Miles devait être averti, mais pas par une note. Ce n'était pas le genre de chose que l'on voulait voir tomber entre les mauvaises mains. De plus, Miles et elle n'avaient pas de code. Mille mots d'esprit et souvenirs partagés, mais pas de code secret.

Elle pourrait aller chez lui. Henrietta inclina la tête et grimaça. Zut, c'était ça, le problème, quand on se connaissait trop bien. Elle savait que la principale raison pour laquelle elle voulait aller chez Miles, ce n'était pas pour l'avertir d'un danger potentiel, mais bien pour s'assurer qu'il était chez lui. Seul.

Henrietta prit une grande respiration et recula sa chaise. Bien. Elle ne s'abaisserait pas à faire cela. Oui, elle savait qu'elle avait dit la même chose au sujet du plan de se cacher derrière la haie, mais cette fois, elle était sérieuse. Elle prit une nouvelle résolution : terminé, l'espionnage. Sauf pour le bien de l'Angleterre, évidemment. Mais pour ce qui était de Miles, ils étaient amis depuis trop longtemps pour jouer à ce genre de jeux. Si elle voulait connaître la nature de sa relation avec la marquise, elle le lui demanderait directement ; elle ne se présenterait pas chez lui à de drôles d'heures à l'instar d'un mari jaloux dans une comédie française.

D'ailleurs, d'un point de vue stratégique, c'était une très mauvaise idée. Mis à part toutes les conséquences négatives que cela aurait sur sa réputation s'ils se faisaient prendre, si Miles et elle étaient surveillés par des espions français, le fait qu'elle se glisse, encapuchonnée, dans ses appartements ne ferait que convaincre la police secrète qu'ils avaient quelque chose à cacher, ce qui augmenterait les risques que Miles se fasse tirer dessus, poignarder ou mutiler de façon permanente.

Miles devrait être averti, mais elle le ferait en personne ce soir. Il était déjà bien plus de dix-neuf heures et il avait reçu l'ordre, de la part de deux des matriarches les plus redoutables d'Angleterre, de se présenter au bal masqué de Lord Vaughn pas plus tard que vingt-deux heures. La mascarade fournirait un cadre parfait pour une réunion clandestine ; parmi les invités masqués un peu ivres, elle pourrait attirer Miles vers une alcôve isolée pour un entretien confidentiel.

Après tout, raisonna joyeusement Henrietta, les restrictions de sa mère concernant le fait de disparaître dans des alcôves ne pouvaient certainement pas s'appliquer à Miles, puisque Miles était celui qui était censé la tenir à l'œil.

Oui, décida Henrietta en fermant le couvercle de son secrétaire avec un déclic définitif. Sa conversation avec Miles allait devoir attendre jusqu'à ce soir.

Que pouvait-il bien arriver d'ici à vingt-deux heures ?

Chapitre 17

Faire ribote : *être engagé dans une lutte à la vie à la mort avec les sbires de Bonaparte.*
– tiré du livre de codes personnel de l'Œillet rose

Miles ne se souvenait pas d'avoir laissé son salon dans un tel désordre.

Il ne se souvenait pas d'avoir lancé ses livres à travers la pièce, d'avoir décroché ses rideaux et il ne se souvenait surtout pas d'avoir éventré le siège de son canapé.

– Que *diable* ? s'exclama-t-il.

Miles dut s'agripper à l'encadrement de la porte pour ne pas trébucher sur une table basse à l'envers, juste devant l'entrée. Devant lui, c'était le chaos. Les tables étaient renversées, les tableaux pendaient de travers sur leurs crochets, et une carafe de bordeaux cassée s'était répandue dans les fibres du tapis d'Axminster. Bon sang ! Il aimait bien cette carafe. Il était plutôt attaché à son contenu aussi, avant qu'il n'ait imbibé le tapis. Des morceaux de porcelaine provenant d'un vase brisé jonchaient le sol, où les livres tombés et les bouts de papier froissés se disputaient déjà l'espace. Sur l'ossature dorée en bois de son canapé et des deux fauteuils assortis, le revêtement de tissu pendait en lambeaux.

Miles fit prudemment un pas par-dessus la table à l'envers et entendit des éclats craquer sous les talons de ses bottes. Il se pencha et ramassa un livre, dont il lissa machinalement les pages. Le reste du contenu de ses étagères jonchait aussi le sol, reposant dans d'étranges positions à travers la pièce ; certains livres étaient couchés sur le dos, d'autres, grands ouverts, comme si quelqu'un les y avait jetés un par un depuis les rayons de la bibliothèque. Se frayant un chemin dans la pièce à force de craquements, Miles replaça les *Commentaires* de Tite-Live sur l'étagère vide où, évidemment, il tomba rapidement, faute de compagnie.

Tout ceci était absurde ! Épouvantable ! Un homme quittait ses appartements pour, quoi, cinq heures tout au plus – non, davantage. Il était parti à onze heures pour harceler Geoff, avait déjeuné à son club, s'était rendu tranquillement à l'opéra pour questionner madame Fiorila, avait regardé les bottes à Hoby's, avait tiré sur des cibles à Manton's et s'était finalement rendu en voiture à la maison de ville de la marquise sur Upper Brook Street afin de l'emmener en promenade. Là, il avait poireauté dans le salon jusqu'à ce qu'elle daigne finalement apparaître parfumée, poudrée et faisant la tête. Cependant, même une absence de huit heures ne justifiait pas la destruction totale et complète de la demeure de quelqu'un.

Se prenant la tête, Miles fit le tour de la pièce du regard. Qui avait bien pu faire une chose pareille ? Ce n'était manifestement pas le travail d'une bande de voleurs, puisque, selon ce qu'il voyait dans le salon, rien n'avait disparu. Une tabatière en argent de grande valeur traînait bien en vue à côté de l'une des tables renversées, de façon beaucoup trop alléchante pour avoir été omise par quelqu'un qui visait un gain rapide. D'ailleurs, quels voleurs censés dépenseraient tant d'énergie à tout détruire lorsque leurs meilleures chances de réussites résidaient dans le fait de prendre et de s'enfuir ?

Des vandales fous ? Des évadés de l'asile ? Des ex-maîtresses en colère ?

Miles se figea d'un air coupable. Non. Même Catalina ne ferait pas… Bon, il n'en était pas si certain. Catalina était vraiment du genre à lancer des trucs partout par pur plaisir de les voir se fracasser, mais elle ne le ferait pas en cachette. Catalina aimait avoir un public. Elle brisait de la vaisselle uniquement lorsqu'il y avait quelqu'un sur qui la briser. Puis il y avait aussi le fait que Catalina, en courtisane expérimentée qu'elle était, n'avait montré aucun signe de profond déchirement ni de passion dévorante lors de leur séparation. Elle s'était un peu accrochée à sa jambe, avait lancé les bras en l'air et protesté en italien, mais les larmes dans ses yeux avaient vite cédé la place à une lueur de cupidité lorsque Miles lui avait offert une *parure** d'adieu en diamants et en rubis. Miles en conclut qu'il pouvait à coup sûr exclure son ex-maîtresse. Il ne restait donc qu'une seule possibilité, bien plus troublante : les Français.

Fichtre.

L'état de la pièce n'était nullement justifié s'il s'agissait de voleurs, mais prenait tout son sens si quelqu'un cherchait quelque chose — et s'était mis en colère lorsque les recherches s'étaient avérées infructueuses. Ils avaient vraiment tout passé au peigne fin, n'est-ce pas ? Ses livres avaient été fouillés, son mobilier éventré ; même les étagères avaient été éloignées des murs, et les tableaux écartés, au cas où il y aurait eu des cachettes secrètes derrière. Miles ne voulait même pas savoir à quoi ressemblait sa chambre.

Fichtre, fichtre, fichtre.

D'une façon ou d'une autre, cette nouvelle bande d'espions avait dû se rendre compte qu'il était sur leurs traces. Miles ne voyait aucune autre raison pour laquelle les sbires de Bonaparte auraient semé la pagaille dans ses appartements. Que cherchaient-ils ? Une dépêche inachevée, peut-être ? S'ils – Miles commençait à détester sérieusement ce pronom – étaient assez désespérés pour mettre sa demeure en pièces, il devait avoir mis le doigt sur quelque chose d'important ; quelque chose qu'ils ne voulaient pas qu'il trouve.

Vaughn. Une triste satisfaction envahit la silhouette épuisée de Miles. Ha ! Il fallait que ce soit Vaughn. Il devait avoir été reconnu lorsqu'il avait quitté la demeure de Vaughn, la veille. Se pouvait-il que l'un des hommes de main de Vaughn l'ait vu sortir nonchalamment de Belliston Square, alors qu'il essayait d'avoir l'air d'un homme qui venait de prendre un verre de trop, et qu'il ait additionné deux et deux ? Il était tout aussi possible, malgré son costume ridicule, qu'il ait été reconnu par son assaillant dans la chambre de Vaughn. Ou… Une part de la satisfaction de Miles commença à s'évaporer tandis qu'il réfléchissait au nombre de fois où il aurait pu avoir révélé son identité à ses adversaires. Ou il aurait pu avoir été repéré au Duke's Knees l'autre soir. Certes, Vaughn n'avait montré aucun signe qu'il l'avait reconnu, mais c'était ce que ferait n'importe quel espion expérimenté, n'est-ce pas ?

Puis il y avait eu cette visite à l'opéra ce matin. Miles se frappa la tête du dos de sa main. Si Vaughn était de mèche avec madame Fiorila… Eh bien, laisser sa carte à madame Fiorila n'avait pas été l'idée la plus géniale. Dommage. Ç'avait semblé si logique sur le moment.

Pourquoi ce genre de choses n'arrivait-il jamais à Richard ? Évidemment, Richard avait été capturé par la police secrète française, ce qui tendait à égaliser légèrement la marque. À cette pensée, Miles se sentit mieux. Un peu.

Sans se soucier de la bourre qui s'en échappait, Miles se laissa tomber en gémissant sur son canapé mutilé. Il ne voulait pas songer aux espions français fous, il ne voulait pas songer à ses propres erreurs et il ne voulait surtout pas songer à tout le temps que cela prendrait pour remettre ses appartements en état. Ç'avait été une longue journée fatigante et – l'esprit sans remords de Miles lui offrit une reprise sensorielle du pied d'Henrietta qui remontait le long de sa jambe – *frustrante*, et tout ce dont il avait envie, c'était s'étendre sur son canapé et avaler un verre de bordeaux en déchargeant sa bile sur Downey. Miles baissa les yeux sur la tache couleur bordeaux sur son tapis, dans laquelle brillaient les éclats de cristal qui avaient été des verres. Sacrément peu probable.

D'ailleurs, où diable *était* Downey ? Ou madame Migworth, sa gouvernante, cuisinière et bonne à tout faire ? Certes, madame Migworth était légèrement sourde et avait tendance, une fois sa tournée matinale de nettoyage et de rangement terminée, à ne pas quitter sa cuisine, mais on aurait pu s'attendre à ce que quelqu'un remarquât qu'une étrange tornade traversait l'appartement.

Miles se leva péniblement du canapé, faisant tomber de petites touffes de crins de cheval en se remettant sur ses pieds. Broyant du verre dans le tapis en marchant – il faudrait jeter le tapis, de toute façon, alors aussi bien avoir la satisfaction de produire de forts craquements –, Miles sortit d'un pas lourd pour se mettre à la recherche de son personnel.

– Downey, cria-t-il. Mais où diantre te caches-tu ?

Il n'obtint pas de réponse.

Miles se dirigea d'un pas raide vers la salle à manger, remarquant d'un air grave l'argenterie qui avait été renversée sur le buffet et les tableaux qui avaient été arrachés des murs.

— Downey ! hurla Miles. Où es-tu, mon vieux ?

C'était bien le moment que son valet prenne un après-midi de congé non autorisé ! Miles s'arrêta subitement au milieu de la pièce, jetant un regard noir au tas de fragments qui constituait jadis son service de table.

C'est à cet instant qu'il l'entendit. Un faible gémissement, à peine plus qu'une expiration. Miles pivota sur lui-même, cherchant la source du bruit.

— Allô ? dit-il sèchement.

Ç'aurait pu n'être rien de plus qu'un courant d'air qui provenait d'une fenêtre ouverte ou une souris dans la plinthe — quoique Miles ne crût pas que les souris soupirent. Non, ce son devait avoir une origine humaine. Les yeux de Miles fouillèrent la pièce, son regard glissa sur la table, sur plusieurs chaises... Et sous le buffet d'où dépassait, en plus de ses quatre pattes, un pied chaussé de noir, là où aucun pied n'aurait dû se trouver.

Miles se jeta à quatre pattes sur le parquet. Downey était allongé là, étendu face contre terre sous le buffet, une tache foncée au dos de sa veste.

— Oh fichtre, oh fichtre, oh fichtre, murmura Miles. Downey ? Downey, tu m'entends ?

Au sol, la silhouette du valet émit un autre faible gémissement.

— Tout ira bien, dit Miles d'un ton plus convaincu qu'il l'était.

Arrachant le foulard autour de son cou — après tout, Downey n'était pas en état de protester —, il fabriqua un pansement de fortune pour boucher le trou dans le dos de son valet. À en juger par le sang séché sur sa veste, la plaie semblait avoir relativement cessé de saigner, mais le déplacer la rouvrirait sans doute. Il devait être là depuis un bon moment.

Aussi doucement que possible, Miles tira Downey de sous le buffet, ce qui provoqua un autre gémissement inarticulé.

– Désolé, mon vieux, chuchota Miles. Ça ne prendra qu'un instant, c'est promis.

– Des voleurs, murmura Downey d'une voix rauque à peine audible.

– Chut, répondit Miles, qui avait l'impression d'être l'une des créatures rampantes terrestres de la pire espèce. N'essaie pas de parler.

– Pas pu… empêcher…

– Personne n'aurait fait mieux, le rassura Miles, la voix chargée de remords. Reste étendu là pendant que je…

– Pas pu… voir…

– N'en dis pas plus. Je vais chercher un chirurgien. Reste là.

Sans laisser le temps de protester à son valet au sol, Miles traversa son salon en désordre au pas de course, bondit par-dessus la table qui en bloquait l'entrée et descendit trois par trois les marches de l'escalier. Arrivant en trombe dans la rue, il attrapa un jeune garçon qu'il reconnut comme un page de l'établissement voisin.

– Va chez le chirurgien le plus proche et dis-lui de venir immédiatement… Immédiatement, tu m'entends ?

Le garçon recula devant Miles, les yeux écarquillés d'horreur à la vue de ses mains tachées de sang.

Miles fouilla dans son gilet et en sortit une couronne d'argent.

— Tiens, dit-il en la mettant brusquement dans la paume du garçon. Tu en auras une autre si tu reviens dans les dix minutes.

— Oui, monsieur ! Bien entendu, monsieur !

Le garçon partit en courant.

En moins d'une demi-heure, Downey avait été transporté sur le canapé — une liberté contre laquelle il se serait élevé s'il n'avait pas été inconscient à ce moment-là —, examiné et déclaré très chanceux d'être toujours parmi les vivants.

— Deux ou trois centimètres plus bas, affirma le chirurgien d'un air grave, et votre homme aurait été transpercé droit dans le cœur.

Plusieurs heures et deux verres de brandy plus tard (le brandy avait surtout été consommé par Miles), Downey était calé dans des oreillers, prenait un bouillon chaud et se faisait dorloter par madame Migworth.

— Si j'avais su, jamais je ne serais allée au marché aujourd'hui, dit madame Migworth pour la dixième fois en secouant sa tête grisonnante. Je suis tellement désolée, monsieur Downey.

— Ainsi, nous sommes deux, marmonna Miles en faisant les cent pas sur le tapis ruiné. Downey, je ne peux te dire à quel point je suis navré pour ce qui est arrivé.

Downey eut l'air aussi satisfait que pouvait réussir à l'être un homme enveloppé de pansements avec une cuillère dans la bouche.

— Ce n'est… rien…, monsieur.

Downey se redressa subitement, alarmé, ce qui provoqua un tout nouvel accès de dorlotement et de tapage d'oreillers de la part de madame Migworth.

– Monsieur ! Madame la marquise… Lady Uppington… a laissé un message.

– Calme-toi, Downey, répondit Miles en se perchant sur un fauteuil qui n'était que légèrement éventré. Ça ne peut pas être si important.

– Mais madame la marquise a dit… Le bal masqué…

– Oh non. Je reste ici avec toi. Même si c'était le prince de Galles en personne qui l'organisait, ça me serait égal. Je… Oh *non* !

Miles prononça un mot auquel madame Migworth se hérissa d'un air désapprobateur.

Il ne s'en rendit pas compte. Cela lui était égal. Miles fixait le vide avec une expression figée d'horreur semblable à celle d'Hamlet confronté au fantôme de son père. Seulement, ceci était bien, bien pire que n'importe quel esprit revenu d'entre les morts. Le bal masqué était organisé par Lord Vaughn et avait lieu à la maison de ville de Lord Vaughn, entièrement sous la supervision de Lord Vaughn.

Hen était là-bas. Avec Vaughn. Chez Vaughn.

Tout le monde serait déguisé de costumes plus fantastiques les uns que les autres. La noblesse, en toute sécurité derrière des masques à plumes et des perruques élaborées, profiterait de l'occasion pour s'autoriser un peu de réjouissance licencieuse. Le champagne coulerait à flots, aiguisant les voix et engourdissant les esprits. Henrietta flânerait au milieu de tous ces gens, aussi innocente qu'un mouton parmi les loups. Ce ne serait pas bien difficile de l'attirer à l'écart, loin de la foule d'invités. Vaughn pourrait subtilement verser de la drogue dans son verre, il pourrait l'acculer dans un recoin sombre, il pourrait même l'attraper pour la charger sur son épaule, et les gens qui le verraient supposeraient simplement que cela faisait partie des divertissements, qu'il s'agissait d'un peu de comédie pour animer la soirée.

Et une fois que Vaughn aurait isolé Henrietta de ses invités… Le sang de Miles se glaça dans ses veines. L'homme venait de poignarder son valet sans éprouver plus de remords que Miles lorsqu'il écrasait une fourmi.

– À quelle heure devais-je y être ? demanda Miles d'une voix rauque.

– À vingt-deux heures, répondit vivement madame Migworth en se frottant les mains sur son tablier. Quelque chose ne va pas, monsieur ?

– À vingt-deux heures, répéta Miles.

La grande horloge dans le coin de la pièce n'avait plus de vitre, mais derrière la cassure en dents de scie, les aiguilles égrenaient toujours fidèlement les minutes. Il était presque vingt-trois heures trente.

Miles se précipita vers la porte.

Un faible murmure s'éleva du canapé.

– Si monsieur voulait bien se débarrasser des taches de sang avant de partir…, réussit à articuler Downey avant de laisser retomber sa tête sur l'oreiller.

C'était trop tard. Miles avait déjà descendu la moitié de l'escalier en faisant tout son possible pour ne pas penser à ce qu'Henrietta pouvait subir à cet instant précis, mais y échouant misérablement.

Miles était en retard.

Henrietta scruta la foule d'invités masqués, qui envahissait les spacieuses salles de réception du manoir londonien de Lord Vaughn à la recherche d'une tête blonde familière. Vu la profusion de perruques poudrées, de chapeaux à plumes et de heaumes médiévaux en vue, la tâche se révélait plus compliquée qu'à l'habitude. Devant elle, un Marc Antoine content de soi, resplendissant avec son plastron, sa tunique et son casque romain, se promenait bras dessus, bras dessous avec une Diane, déesse de la chasse très légèrement vêtue, dont les flèches restèrent à l'abandon dans leur carquois tandis qu'elle minaudait avec le général romain. Certainement pas Miles.

Henrietta poussa un soupir. L'inspiration précédant le soupir fut une erreur, puisque cette inhalation soudaine d'air pressa ses côtes contre son plastron lacé serré avec tant de force qu'elle se serait pliée en deux si elle en avait été capable. Henrietta jeta un regard noir en direction de son abdomen, mais sa seule récompense fut que ses yeux se révulsèrent de douleur. Méchant, stupide costume. Il était pourtant si seyant, ce qui constituait le véritable objectif de toute l'entreprise.

Puisqu'Henrietta n'avait eu que deux jours pour se préparer au bal masqué de Lord Vaughn, son choix de costumes avait été plutôt limité. Elle avait souhaité quelque chose qui la ferait paraître séduisante, mystérieuse, irrésistible ; quelque chose qui ferait tomber Miles à genoux.

— Je ne pense pas qu'il y ait de costume pour ça, avait commenté Charlotte.

Si c'était vraiment ce qu'elle voulait, avait suggéré Pénélope, pourquoi ne pas le faire savoir clairement en se présentant tout simplement déguisée en Nell Gwynn, le corsage ouvert jusqu'à la taille et les bras chargés d'un panier plein d'oranges gravées de messages suggestifs ? Aucun des commentaires n'avait été bien accueilli.

Finalement, Henrietta avait fouillé un peu et s'était approprié l'une des robes qui avaient jadis appartenu à sa mère, lorsqu'elle était elle-même débutante ; un vêtement chatoyant en brocart bleu-vert, dont le décolleté carré plongeant était bordé de dentelle dorée. La robe elle-même se resserrait à l'aide d'un lacet par-dessus un plastron en soie blanche brodé de petits bouquets de fleurs, avant de s'ouvrir à nouveau sur un jupon brodé du même motif. Évidemment, elle avait dû être rallongée puisque Lady Uppington mesurait quelque dix centimètres de moins que sa fille, mais sinon, le style à l'ancienne convenait parfaitement à Henrietta, avantageant sa taille fine et dissimulant une paire de hanches aux courbes un peu trop généreuses au goût de la mode actuelle. Elle espérait seulement que cela plairait à Miles.

Mais où était donc ce fichu garçon ?

Henrietta baissa son masque doré (elle commençait à avoir mal au bras à force de le tenir) et se tourna vers Charlotte, qui se tenait à côté d'elle.

— Veux-tu faire le tour de la salle avec moi ?

Resserrant son étreinte sur son bâton, Charlotte secoua la tête d'un air misérable, faisant voleter les petites boucles sur son chapeau. Charlotte avait voulu se déguiser en Dame du Lac, vêtue d'une robe vaporeuse en samit blanc, mais sa grand-mère avait, d'un grognement de dérision, rejeté l'idée comme étant une absurdité à l'eau de rose. À la place, elle avait forcé Charlotte à enfiler un petit costume de bergère lacé serré, y compris les bas rayés, le bâton décoré de rubans et même le mouton en peluche.

— Je préférerais me cacher ici, si ça ne te dérange pas, soupira Charlotte en tripotant son mouton d'un air sombre. Peut-être que Pénélope voudra y aller avec toi ?

Les deux filles se tournèrent vers Pénélope.

Elle était venue déguisée en Boadicée, enroulée dans une longueur de tartan bleu qui avait le double avantage de bien aller avec son teint et d'embêter suffisamment sa mère pour qu'elle soit partie tôt. La dernière fois que Lady Deveraux avait été aperçue, elle se dirigeait vers le balcon en se plaignant à un roi Lear compatissant du triste sort réservé aux mères qui étaient aux prises avec une fille difficile. La duchesse douairière n'avait que faire de la mère de Pénélope et trouvait le costume de cette dernière génial ; sa seule critique concernait le fait que Pénélope avait omis d'inclure le char de guerre. La douairière s'était rapidement approprié la lance de Pénélope et s'amusait, avec celle-ci, à piquer contre leur gré les dandys à des endroits sensibles de leur anatomie.

Charlotte et Henrietta échangèrent un regard résigné.

– Je ne crois pas que Pénélope voudra se joindre à moi. Si ta grand-mère le demande, voudrais-tu lui dire que je suis allée dans la salle réservée aux femmes pour, euh...

– Arranger tes volants ? proposa Charlotte avec un semblant de sourire qui était son premier de la soirée. Dis bonjour à monsieur Dorrington de ma part quand tu le trouveras.

Henrietta se pencha spontanément vers Charlotte pour la serrer dans ses bras, cognant sa large jupe contre les paniers de Charlotte.

– Si jamais je rencontre un berger amoureux, je te l'enverrai.

Charlotte agita son mouton en peluche dans sa direction en guise d'adieu.

Henrietta contourna un Henri VIII, qui semblait avoir eu besoin de très peu de bourre supplémentaire dans son pourpoint, ainsi qu'une Catherine d'Aragon morose cramponnée à un chapelet. Henri fit un geste négligent en direction de la taille d'Henrietta lorsque celle-ci se faufila à côté de lui, et Catherine le frappa de son rosaire. Henrietta poursuivit son chemin.

Là, à sa gauche, se tenait Navet Fitzhugh déguisé en… juste ciel, incarnait-il un œillet géant ? C'était sidérant. Il discutait avec une femme mystérieusement enveloppée de noir qu'Henrietta crut, à première vue, être la marquise. Elle avança pour y regarder de plus près, mais deux Pierrots qui s'appuyaient l'un sur l'autre pour ne pas perdre l'équilibre et exhalaient le brandy à chaque respiration se matérialisèrent devant elle. Henrietta ôta vite ses amples jupes du chemin des hommes chancelants, scrutant la foule à la recherche des pétales roses de Navet ou de la dentelle noire de la femme à côté de lui, mais ils avaient disparu à travers la horde de gens qui se mêlaient aux autres dans les salles de réception de Lord Vaughn comme autant de gouttes de pluie dans un étang.

Henrietta avait ses propres raisons de vouloir repérer la marquise.

Il lui était venu à l'esprit, tandis qu'elle tuait le temps en attendant les divertissements de la soirée, que si un espion les suivait, Miles et elle, il était raisonnable de croire que cet individu soit quelqu'un qui avait récemment commencé à montrer un vif intérêt envers eux.

Henrietta nourrit l'idée fugace qu'un espion vraiment doué veillerait minutieusement à ne pas porter une attention marquée à sa cible, mais elle la rejeta rapidement comme étant inutile. Même si c'était vrai, à quoi cela servirait-il ? Essayer de passer au crible les gens qui ne lui avaient pas porté attention dernièrement était le genre de tâche inutile qu'on imposait aux héroïnes de contes de fées. Elles, au moins, avaient de bonnes fées marraines pour les aider à trier les tas de haricots ou à changer de la paille en or.

La marquise n'avait certainement pas caché son intérêt pour Miles; aussitôt qu'elle en avait l'occasion, elle ne le lâchait pas d'une semelle – ou d'autre chose.

Évidemment, le fait que la marquise ait tout à perdre et rien à gagner avec la révolution posait un léger problème. Elle en avait fait la liste dans le phaéton. La maison, les tableaux, les vêtements... et son mari. La marquise portait toujours les tons sombres du deuil de son époux, mais Henrietta nourrissait l'affreux pressentiment que ses choix de tenues résultaient moins des sentiments qu'elle éprouvait pour lui que du fait qu'elle savait que ces couleurs lui allaient mieux que les pastels. L'amour ne suffirait pas à s'assurer la loyauté de la marquise, mais un *château** dans la vallée de la Loire, un mur plein de Van Dyck et un trésor de bijoux familiaux, assurément.

Zut. Henrietta aurait tant aimé que la marquise fût engagée dans quelque fourberie.

À moins que... Le visage d'Henrietta s'égaya. À moins que la marquise ait conclu avec le gouvernement français une entente selon laquelle elle pourrait garder ses bijoux et son *château** en échange d'un tout petit peu de trahison dans son pays natal. La théorie n'avait pas beaucoup à offrir, mais Henrietta n'avait rien trouvé de mieux. Elle allait devoir tenir la marquise à l'œil. Pour le bien de l'Angleterre, bien entendu.

Juste avant de quitter la maison ce soir-là, Henrietta avait rédigé une courte note pour Jane afin de lui demander de fouiller le passé de la marquise. Elle se sentait un peu idiote d'accaparer les ressources de l'Œillet rose pour quelque chose qui n'était très probablement qu'une rancune personnelle, mais… au cas où.

Cependant, mis à part la fois où elle l'avait peut-être aperçue avec Navet, elle n'avait entrevu la marquise qu'une seule fois ce soir-là, et sa conduite n'était nullement suspecte. La marquise était déguisée en Isabelle de Castille, enveloppée dans une mantille espagnole élaborée, mais à travers les tourbillons de dentelle, Henrietta avait aperçu un éclat de cheveux noirs bleutés qui trahissait sa propriétaire aussi clairement que la grâce délibérée de ses mouvements. Elle était en grande conversation avec Lord Peter Innes, un fils cadet vaurien qui s'était taillé une place parmi les proches du prince de Galles au moyen d'abus de boisson, de jeux et (bien qu'Henrietta ne fût pas censée savoir ce genre de choses) de femmes. Henrietta avait eu beau essayer, elle ne trouva rien qui soit le moins du monde sinistre dans leur entretien. Malavisé, si l'objectif de la marquise était de renflouer ses coffres par un mariage avantageux – les proches du prince n'étaient pas du genre à se marier, et l'état de leurs coffres ne valait pas la peine d'être mentionné –, mais pas perfide.

Néanmoins, Henrietta resta tout de même à l'affût d'une mantille en dentelle noire, au cas où.

Henrietta n'avait pas non plus rencontré leur hôte. Elle ajouta Lord Vaughn à sa courte liste de suspects. Son intérêt envers elle avait été aussi soudain qu'assidu. Il était allé lui chercher du champagne au bal chez les Middlethorpe, la veille – et Hènrietta avait l'impression que Vaughn était le genre d'homme qui allait rarement chercher quelque chose pour quelqu'un sans avoir une bonne raison de le faire. Elle ne savait tout simplement pas si ses raisons étaient d'ordre amoureux ou autre. Elle ne s'imaginait pas être le genre de femme qui rendait les hommes fous d'une brûlante passion, mais Lord Vaughn avait atteint l'âge auquel il pourrait être à la recherche d'une seconde femme et d'un héritier dans le but d'éviter de voir ses terres et sa fortune léguées à un infâme arrière-arrière-petit-cousin éloigné au deuxième degré (les cousins éloignés qui étaient en position d'hériter étaient invariablement infâmes). Henrietta faisait une excellente porteuse d'héritier ; elle était la fille d'un marquis, possédait un esprit vif, avait de jolis traits, et il n'y avait pas d'antécédents d'aliénation mentale dans sa famille.

Toutefois, il avait posé son monocle sur elle uniquement après que les frasques de Richard eurent été abordées.

— Lady Henrietta ! Votre présence m'honore.

Il devait y avoir un fond de vérité dans le vieil adage selon lequel penser au démon le faisait apparaître. Henrietta faillit trébucher sur l'ourlet de sa robe lorsque l'objet de ses réflexions se matérialisa devant elle.

Elle s'inclina pour faire la révérence dans le but de dissimuler son trouble ; ses amples jupes s'affaissèrent autour d'elle, et elle arriva tout juste à gérer la combinaison inhabituelle de cerceaux et de talons vacillants.

— Bonsoir, Lord Vaughn.

— C'est une honte, Lady Henrietta, la réprimanda-t-il doucement. Lors d'un bal masqué, personne n'est jamais soi-même.

— Aurais-je donc dû vous appeler *signor* Macchiavelli ?

Dans un pourpoint en satin noir, Vaughn était déguisé en grand personnage de la Renaissance. Ses manches étaient striées de tissu argenté, et le banc de serpents de mer ondulants qui s'enroulait autour de l'ourlet et du col avait tout l'air de chercher un navire à couler. Une lourde chaîne de fonction, semblable à celles portées par les officiels sur les portraits élisabéthains, pendait à son cou. Le pendentif n'était pas un sceau, mais un faucon avec des rubis à la place des yeux.

Lord Vaughn rit, et les mouvements de son torse firent briller les yeux rubis du faucon.

– Faites-vous l'éloge de ma perspicacité ou insultez-vous ma morale ?

Cela s'approchait un peu trop de la réalité pour plaire à Henrietta.

– Ni l'un ni l'autre. Je n'ai fait que supposer en fonction de l'époque.

– Et le nom de Machiavel est le premier qui vous est venu à l'esprit ? demanda Vaughn en haussant un sourcil. Lady Henrietta, vous avez l'esprit mal tourné.

Tentait-il de la séduire ou de l'appâter ?

– Mais l'œil beaucoup moins vif que le vôtre, dit rapidement Henrietta pour détourner la conversation. Je suis plutôt étonnée que vous m'ayez reconnue malgré ce masque, alors que nous nous connaissons si peu.

Lord Vaughn fit une révérence courtoise.

– La beauté peut-elle se masquer ?

– Un masque, répliqua Henrietta d'un air détaché en baissant le sien, est souvent le meilleur moyen d'offrir une illusion de beauté là où il n'y en a pas.

– Uniquement chez celles qui ont besoin de ce subterfuge, répondit Lord Vaughn en lui tendant un bras courbé, ce qui ne laissa à Henrietta, prise dans un filet de convenances, aucun autre choix que de le prendre. Je crois vous avoir promis des créatures mythiques.

– Des dragons, en fait, acquiesça Henrietta en réévaluant rapidement sa situation.

Sa proximité avec Lord Vaughn, bien que non sollicitée, pourrait se révéler utile. Si elle arrivait à lui poser des questions convenablement tendancieuses – de subtiles questions convenablement tendancieuses –, peut-être pourrait-elle lui tirer les vers du nez suffisamment pour déterminer s'il était devenu un traître pendant ses années à l'étranger. Un commentaire désinvolte sur le fait d'être souvent allé en France, peut-être, ou une familiarité excessive avec les rouages de la cour de Bonaparte.

Henrietta à son bras, Vaughn traversa son bal masqué d'un pas mesuré, s'inclinant devant les connaissances qu'ils croisaient. Pour la première fois, Henrietta bénit les amples jupes dans lesquelles elle s'était pris les pieds, qui étaient restées coincées dans les encadrements de portes et qu'elle avait mentalement condamnées à la perdition toute la soirée. Les jupes étaient peut-être fichtrement pénibles, mais elles gardaient Lord Vaughn à une distance sûre tandis qu'ils marchaient les bras dans les airs au-dessus du vide à la mode courtoise, les doigts d'Henrietta posés avec légèreté sur sa main tendue.

– Votre demeure est ravissante, milord, hasarda Henrietta dans le but d'entamer une conversation. Comment avez-vous pu supporter d'en rester éloigné si longtemps ?

Sous ses doigts, la main de Vaughn se raidit, mais sa voix ne laissa paraître rien de plus qu'une indifférence raffinée lorsqu'il répondit :

– Le continent offre ses propres plaisirs, Lady Henrietta.

– Oui, je sais, répondit-elle avec enthousiasme. Je suis allée à Paris avec ma famille juste avant la fin de la paix – après tout, cela était de notoriété publique ; il ferait donc aucun mal de lui dire ce qu'il savait déjà — et j'ai été émerveillée par la beauté de l'architecture, l'excellence de la nourriture et la qualité du théâtre. Malgré les récents événements, c'est une ville absolument charmante. Ne trouvez-vous pas, milord ?

— Cela fait longtemps que Paris me laisse totalement insensible, répondit Vaughn avec dédain en se tournant pour s'incliner devant une connaissance.

Le pouls d'Henrietta accéléra sous le plastron méprisé.

— Vous voulez dire, demanda-t-elle d'un ton exagérément innocent, que vous trouvez Paris terne ces temps-ci ?

— Il y a quelque temps que je ne suis pas allé à Paris. La guerre a tendance à empiéter sur la liberté de mouvement des gens.

Le visage de Vaughn ne montrait aucune émotion, pas plus que sa voix.

Henrietta n'en croyait pas un mot.

— Comme c'est incommode, murmura-t-elle simplement pour avoir quelque chose à dire.

— On doit parfois supporter quelques inconvénients personnels pour le bien du monde, Lady Henrietta, répliqua sèchement Vaughn. Les exploits de votre frère ne vous ont-ils donc pas encore appris cette leçon ?

Encore une référence à Richard, nota suspicieusement Henrietta. C'était des eaux dangereuses qui regorgeaient de serpents de mer — assez semblables à ceux dessinés sur le pourpoint de Vaughn. Hum, c'était elle qui était censée questionner Lord Vaughn, et non le contraire. Cet intérêt incongru pour les exploits de son frère pouvait être un indice de l'implication de Vaughn dans le réseau d'espions de Bonaparte. Ou cela pouvait n'être rien de plus que de la simple curiosité. Au cours des quelques semaines écoulées depuis que son frère avait été démasqué, beaucoup de gens qu'on ne pouvait tout bonnement pas soupçonner d'être des espions français – Navet Fitzhugh, le premier – avaient harcelé Henrietta pour avoir des renseignements sur son frère et ses exploits.

– Richard était si rarement à la maison, répondit évasivement Henrietta. Avons-nous encore longtemps à marcher pour rencontrer vos dragons ? ajouta-t-elle pour changer de sujet.

Lorsqu'ils arrivèrent à la fin de la suite de salles de réception, Lord Vaughn l'entraîna hors de la foule le long d'un corridor peu peuplé, faiblement éclairé en comparaison des milliers de bougies qui illuminaient les salles de réception. Henrietta tint son masque doré plus près de son visage. Mis à part un Arlequin et une jouvencelle médiévale enlacés dans une étreinte amoureuse, le couloir était désert. Henrietta eut l'impression que c'était de ce genre de choses dont sa mère parlait lorsqu'elle l'avait mise en garde contre les alcôves isolées. À l'instant où Lord Vaughn posa la main sur le loquet d'une porte fermée, Henrietta lutta contre une lâche envie de faire demi-tour et de s'enfuir vers la sécurité qu'offraient la lumière et la compagnie.

Non. Derrière le dos de Lord Vaughn, Henrietta grimaça pour elle-même. Elle ne se rendrait pas très loin dans la mise en œuvre de son plan pour attraper l'espion de Jane si elle courait se mettre à l'abri dès le premier signe de danger ! Henrietta était certaine que Richard serait allé de l'avant. En revanche, Richard n'était pas une femme de taille moyenne qui risquait d'être compromise. Cela ajoutait bel et bien un tout nouveau degré de difficulté à cette histoire d'espionnage, réfléchit Henrietta, mais si Jane y arrivait, elle le pouvait aussi.

Il était trop tard pour faire demi-tour, même si elle l'avait voulu. La poignée tourna, la porte s'ouvrit vers l'intérieur, et Lord Vaughn lui fit franchir le seuil devant lui.

— Bienvenue dans mon cabinet des trésors.

Henrietta fit lentement un tour sur elle-même. Des bougies placées sur des corniches laquées illuminaient une petite pièce octogonale. Chacun des côtés de l'octogone était lambrissé de bois de rose et bordé de motifs complexes ciselés d'or. Sur sept des huit murs étaient disposés à intervalles irréguliers des médaillons qui contenaient des tableaux peints sur de la porcelaine orientale et qui représentaient des hommes dans de petits bateaux, des femmes qui se prélassaient à l'avant de pagodes et même les dragons promis. Sur le huitième mur, de délicats vases et de curieuses figurines en porcelaine étaient disposés sur une cheminée en marbre rouge veiné. De petits bancs laqués, garnis de coussins en soie cramoisie striée d'or et dont les pieds présentaient d'étranges lions orientaux, étaient parsemés le long des murs à intervalles réguliers.

Le motif du parquet attirait l'œil vers l'intérieur, vers une petite table au centre de la pièce. Dessus, quelqu'un avait disposé autour d'une carafe argentée un repas à faire jubiler un glouton : des grappes de raisins mûrs empilées sur des assiettes, de la crème anglaise fouettée jusqu'à atteindre une onctuosité fondante, de délicates madeleines, ainsi que des quantités de dattes dont le sucre scintillait. Il y avait des pêches et des pommes coupées selon des formes fantaisistes, des montagnes de bonbons en chocolat et, tels des grenats tombés d'un collier sur leur propre petite assiette d'argent, une pile scintillante de grains de grenade.

Henrietta était assez certaine de ne pas aimer l'idée de jouer Perséphone pour un Hadès incarné par Lord Vaughn.

D'un autre côté, elle n'avait peut-être pas le choix. La porte se ferma avec un déclic derrière Lord Vaughn ; seulement, il n'y avait plus de porte, uniquement un panneau en bois de rose bordé d'or identique à tous les autres panneaux en bois de rose. Il n'y avait aucune trace de poignée, ni de verrou, ni de gonds. La petite pièce n'avait ni porte, ni fenêtre, ni sortie.

Il n'y avait aucune issue.

Chapitre 18

Dragon, l'antre du : *la plus profonde des salles d'interrogatoire du ministère de la Police (aussi communément appelée « salle d'interrogatoire extraspéciale ») ; cellule sans fenêtres avec matériel de torture.*

— tiré du livre de codes personnel de l'Œillet rose

— Qu'en pensez-vous ? demanda Vaughn.

Il avait nonchalamment appuyé un bras sur le manteau de la cheminée, mais ses yeux ne quittaient pas le visage d'Henrietta.

« Je pense que je suis dans le pétrin », se dit Henrietta en réfrénant la très forte envie de frapper sur le mur à la recherche d'une issue.

— C'est très charmant, milord, dit-elle à la place en forçant son visage à arborer une expression de vif intérêt. Mais ne trouvez-vous pas l'absence de fenêtres quelque peu oppressante ?

— Pas du tout. On a parfois besoin d'échapper au monde, ne croyez-vous pas, Lady Henrietta ?

Cette phrase avait une sonorité éminemment menaçante, surtout à la lumière de la pile de grains de grenade. Henrietta espérait ardemment que lorsqu'il parlait d'échapper au monde, il ne voulait pas dire de façon permanente.

— Entendez-vous que « le monde est trop avec nous[3] » ? cita Henrietta d'un ton léger, tant pour Vaughn que pour elle-même.

— Vous lisez Wordsworth, Lady Henrietta ?

— À l'occasion. Une amie m'a récemment récité ce poème en particulier et la phrase m'a marquée.

Henrietta évoqua l'image familière de Charlotte et s'aperçut que cela l'aidait à garder son calme.

— Personnellement, je préfère Milton, répondit Vaughn. « Où que je fuie, c'est l'enfer, moi-même je suis l'enfer[4] », récita-t-il d'une voix résonnante, en prenant de grands airs.

Il s'agissait d'un jeu de lumière — sans plus. Un jeu de lumière, de ton et de costume. Lord Vaughn se tenait à côté de la masse de marbre du foyer, les mains dans le dos et la tête rejetée en arrière. La faible lueur des bougies qui vacillait sur ses vêtements archaïques transformait la chaîne en or autour de son cou en un collier de flammes vives. Tout cela faisait de lui un Satan beaucoup trop crédible, enchaîné, agonisant, à son propre rocher adamantin.

— J'ai toujours trouvé cette phrase un peu mélodramatique, déclara fermement Henrietta. Ce n'est qu'un pur plaisir que Satan se fait à lui-même. Il n'a aucune raison de continuer à s'apitoyer ainsi sur son sort. Tout ce qu'il avait à faire, c'était de reconnaître ses erreurs, de demander pardon à Dieu, et il aurait pu retourner au paradis et à sa gloire d'antan. Il a choisi de continuer à se rebeller contre Dieu ; ce n'est pas comme si quelqu'un l'y avait obligé.

Les yeux presque fermés de Vaughn se fixèrent avec intensité sur son visage.

---

3. N.d.T.: Vers du poème *Vraiment, le monde est trop avec nous* du poète anglais William Wordsworth.

4. N.d.T.: Vers du poème *Le paradis perdu* du poète anglais John Milton.

— L'arracheriez-vous aux profondeurs, Lady Henrietta ? demanda-t-il d'un air moqueur. Feriez-vous de lui un ange à nouveau ?

Henrietta était assez certaine qu'ils ne parlaient plus de Milton, ni de théologie, ni de quoi que ce soit d'autre qui eût un lien avec le prince des ténèbres. Quant à savoir de quoi ils parlaient, elle n'en avait aucune idée. Était-ce possible qu'il se repente de sa trahison et qu'il souhaite se confesser ? Peut-être était-ce là le signal qu'elle devait faire preuve d'audace et aller de l'avant en lui promettant l'expiation si seulement il acceptait de rompre ses liens avec la France et de regagner ses pénates. Toutefois, elle n'avait pas le pouvoir de promettre de telles choses ni de preuves qu'il était effectivement un espion français. De plus, son ton décourageait les propositions autant qu'il les encourageait. Henrietta avait l'impression de se frayer un chemin de pierre en pierre au milieu d'un dangereux marécage par une nuit sans lune. Les yeux bandés.

— Je crois, dit Henrietta en faisant prudemment un pas dans le marécage, que chaque homme doit choisir de s'en arracher soi-même. Je ne me permettrais certainement pas de prétendre avoir moi-même des pouvoirs de rédemption !

— Dommage, dit paresseusement Vaughn en quittant sa pose près de la cheminée. Mais pardonnez-moi ! Vous devez penser que je suis un très mauvais hôte, je ne vous ai même pas offert à boire, poursuivit-il en avançant posément vers la petite table au milieu de la pièce. Champagne ?

Un refus monta aux lèvres d'Henrietta.

Au centre de la pièce, Vaughn attendait, une main sur le col de la bouteille. À la lueur des bougies, ses yeux brillaient d'un reflet aussi argenté que les ornements de son pourpoint.

— Oui, répondit-elle modestement. S'il vous plaît.

S'il voulait essayer de la droguer, il valait mieux ne pas éveiller ses soupçons en refusant la boisson. Avec un peu de ruse et beaucoup de chance, peut-être pourrait-elle faire semblant de boire. Ce ne serait pas facile, admit-elle. Vaughn n'avait pas quitté son visage des yeux. Quelle quantité de drogue devait-on ingérer avant de commencer à en ressentir les effets ?

Vaughn versa le liquide dans deux grandes coupes fabriquées en verre vénitien ambré. Il avait versé les deux portions de la même bouteille et ne s'empoisonnerait certainement pas lui-même, se raisonna Henrietta. Toutefois, la présence du gros seau argenté au milieu de la table lui cacha effectivement la vue sur les mains de Vaughn lorsque ce dernier prit les deux verres. Son costume de la Renaissance incluait plusieurs grosses bagues. Henrietta se remémora d'inquiétants souvenirs de Lucrèce Borgia et de Catherine de Médicis, ainsi que des rumeurs de poison administré au moyen d'une bague astucieusement conçue. Il ne faudrait qu'un instant pour ouvrir d'un geste le chaton de la bague et verser ainsi une poudre dans un verre.

Henrietta sourit radieusement en acceptant le verre que lui offrit Lord Vaughn par-dessus la table.

Vaughn leva sa propre coupe ; Henrietta observa d'un œil critique les bulles qui montaient et éclataient. Était-ce uniquement le fruit de son imagination, ou le liquide était-il légèrement plus foncé dans son verre que dans celui de Vaughn ?

– À quoi devrions-nous porter un toast ? lui demanda-t-il.

– À votre mascarade, milord.

Juste ciel, cette habitude était contagieuse. Elle-même s'exprimait maintenant à l'aide de sous-entendus. Elle n'était pas certaine d'aimer cela. Elle avait l'impression d'être un personnage de légende ancienne qui jouait aux dés avec le diable ; effrayée à l'idée de continuer, mais encore plus effrayée à l'idée d'arrêter.

Vaughn la regarda en haussant un sourcil.

– Ne devrions-nous pas, plutôt, trinquer au démasquage ?

Qui avait-il l'intention de démasquer au juste ? Le masque d'Henrietta reposait, abandonné, sur l'un des petits bancs autour de la pièce. Néanmoins, elle ne s'imaginait pas que Vaughn fasse référence à quelque chose d'aussi littéral.

– Absolument ! répondit Henrietta, qui sentit soudain monter une vague d'agacement quant à cette joute verbale ridicule à laquelle ils s'adonnaient, à cette danse d'allusions à moitié comprises. Buvons à la vérité. On dit qu'elle triomphera, vous savez.

Vaughn inclina son verre vers celui d'Henrietta, et le tintement cristallin résonna dans la petite pièce tel un carillon des sphères célestes.

– C'est *votre* toast, Lady Henrietta, et il serait mal venu de ma part de vous le refuser. Mais vous apprendrez, avec le temps, que la vérité est une maîtresse malléable.

Henrietta posa fermement son verre sur la table, se servant du geste comme excuse pour pencher son verre de sorte à renverser un peu de liquide dans le plateau de raisins.

– Je ne peux qu'être en désaccord, répondit-elle franchement. Une chose est soit vraie, soit fausse. Les hommes peuvent manipuler les apparences, mais la vérité reste la même. Par exemple, poursuivit-elle avec audace, la trahison restera toujours la trahison.

Brusquement, Vaughn s'éloigna de la table d'un pas, et Henrietta se demanda si elle était allée trop loin. Bon, elle n'y pouvait plus rien désormais. Henrietta raffermit son emprise sur sa coupe. En tant qu'arme, cela ne valait pas grand-chose, mais brisée, cela pourrait faire assez de dommages pour… Pour quoi ? Garder Lord Vaughn à distance ?

Elle dut fournir un grand effort pour se retenir de reculer lorsque Lord Vaughn s'approcha avec une expression calme et vigilante, le regard rivé sur elle comme celui d'une buse plongeant sur sa proie. Les yeux de rubis du faucon sur son torse brillaient avidement à la lueur des bougies.

– Et vous, Lady Henrietta ? demanda-t-il d'une voix caressante tandis que ses doigts agrippaient son menton pour lui lever impitoyablement la tête vers la sienne. Resteriez-vous *loyale* ?

Les paroles résonnèrent dans la petite pièce, retentissant sur les murs, les médaillons en porcelaine, la carafe en argent, ainsi que sur tous les autres objets figés dans le silence attentif.

– L… loyale ? s'enquit Henrietta pour gagner du temps alors que son esprit s'égarait nerveusement dans quinze directions différentes.

Une partie d'elle-même insistait pour s'attarder de manière déplaisante sur la fermeté de la prise de Vaughn sur son menton, ainsi que sur la facilité avec laquelle ses doigts pourraient descendre de son menton à sa gorge. Une autre partie se demandait stoïquement si Vaughn tentait de la forcer à devenir une traîtresse et si oui, si ses chances de survie étaient meilleures en répondant oui ou non, ou si la question était uniquement rhétorique et qu'elle n'était pas censée y répondre du tout.

Vaughn resserra les doigts sur son menton avec un regard interrogateur.

Dans le terrible silence se glissa un bruit aussi faible que le grattement d'un rat dans la cloison. Brusquement, Vaughn lâcha le visage d'Henrietta et se dirigea d'un pas raide vers la source du bruit.

Henrietta prit une profonde inspiration saccadée.

Un pan de mur s'ouvrit timidement vers l'intérieur, se détachant doucement du reste. C'est donc ainsi que cela fonctionnait, pensa Henrietta en prenant bonne note de l'endroit où se trouvait la porte. Le contour de l'entrée était dissimulé par la bordure dorée, tandis qu'une plaque de jade et de corail bien placée masquait la ligne qui marquait le haut de la porte.

– Entrez ! ordonna Vaughn d'un ton tranchant.

Seul le visage du domestique, flottant à mi-hauteur telle une tête désincarnée dans un roman abominable, apparut dans l'embrasure de la porte cachée. Alors que les têtes désincarnées dans les romans abominables avaient généralement tendance à préférer les regards noirs et menaçants, celle-ci paraissait très inquiète et contrite. Henrietta ravala une soudaine et folle envie de rire et se rendit compte que, sur ses talons vacillants, ses jambes n'étaient pas tout à fait aussi solides qu'elle le croyait.

– Je vous demande pardon, monsieur, dit nerveusement la tête désincarnée, je sais que vous aviez demandé à ne pas être dérangé, mais…

– De quoi s'agit-il, Hutchins ? l'interrompit Vaughn avec impatience.

— D'un message, monsieur. Des plus urgents, ont-ils dit.

— Lady Henrietta, dit Vaughn en se tournant vers elle avec un doux sourire parfaitement digne de l'hôte rongé de remords, comme si le dernier intermède n'avait jamais eu lieu.

Henrietta porta subrepticement la main à son menton, comme s'il y avait toujours des risques qu'elle y trouve la marque de ses doigts.

— Je suis désolé, je dois vous abandonner un bref instant, mais je suis convaincu que vous trouverez amplement de quoi vous amuser jusqu'à mon retour.

N'arrivant pas à croire la chance qu'elle avait, Henrietta lui sourit tranquillement et remua les doigts dans sa direction.

— Ne vous inquiétez pas. Les dragons et moi aurons certainement des tas de choses à nous raconter.

Comme l'endroit où ils avaient caché la poignée de porte.

Vaughn s'inclina courtoisement d'une manière tout à fait incohérente avec sa conduite antérieure, puis sortit en fermant délibérément la porte derrière lui. Attrapant ses jupes à deux mains et marchant en équilibre sur la pointe des pieds, Henrietta avança silencieusement vers le panneau par lequel Vaughn venait de sortir. Elle s'arrêta un instant, l'oreille collée contre le mur, pour écouter les bruits de pas qui s'éloignaient dans le corridor ; la démarche de Vaughn, rapide et assurée, et celle de l'autre, un pas boitant et un pas traînant, qui se hâtait pour le suivre.

Bon. Vaughn était bel et bien parti. Pour combien de temps, c'était une tout autre question.

Ses yeux noisette plissés par la concentration, Henrietta examina le panneau avec ses pagodes de porcelaine et ses dragons dorés. Cela lui était égal qu'ils crachent du feu ; elle était décidée à trouver le loquet secret qui ouvrait la porte avant que Vaughn revienne.

Levant les bras, elle laissa courir ses doigts le long du cadre doré d'une scène peinte sur de la porcelaine et retira vite sa main, surprise. La porcelaine était enchâssée dans le mur lui-même, et son cadre n'était qu'un trompe-l'œil conçu pour donner une impression de matière. Les courbes et les protubérances qui donnaient si envie de les toucher n'étaient rien de plus que les coups de pinceau d'une peinture dorée sur le bois du mur, ce qui lui était aussi inutile que son masque qui traînait, abandonné, à ses côtés.

Henrietta maîtrisa sa respiration, se concentrant pour envoyer de l'air au-delà de la ligne de son corsage. Calme. Elle devait rester calme. Prenant de profondes inspirations exagérées, elle leva les deux mains, paumes vers le haut, et les fit courir sur toute la largeur du mur. Si tout le reste échouait, maintenant qu'elle savait au moins où se trouvait le bon mur, elle pourrait se tenir à l'affût en attendant le retour de Vaughn. Pour qu'il entre, ce qu'il devrait bien faire, le panneau devrait s'ouvrir ; elle pourrait alors l'assommer d'un coup à la tête avec la lourde carafe d'argent dont il s'était servi pour refroidir le champagne.

Les lèvres d'Henrietta s'étirèrent en un sourire légèrement hystérique. Miles approuverait. Il était un grand partisan des coups sur la tête.

Mais elle n'en était pas encore là, se rappela-t-elle en redressant les épaules. Du moins, pas tout à fait. Les panneaux de porcelaine n'offraient aucune fente ni protubérance susceptibles de dissimuler le mécanisme de verrouillage de la porte. L'une des scènes représentait un dragon ; le dragon, très à-propos, emportait la malchanceuse vierge du village vers des contrées inconnues. La vierge ne semblait pas si malheureuse d'être emportée. Les dragons chinois étaient peut-être plus gentils avec leurs proies que leurs homologues européens, songea inutilement Henrietta en appuyant fermement sur le corps du dragon. Rien ne bougea. Le dragon et la vierge continuèrent leur éternel voyage, à plat contre leur base fragile, à jamais en plein vol.

À jamais. C'était étrange comme cette expression ne lui avait jamais paru aussi sinistre auparavant. Parcourue d'un frisson qui n'avait rien à voir avec la température de la petite pièce, Henrietta se laissa tomber à genoux pour tâter de ses mains de plus en plus tremblantes la base du mur. Elle pouvait apercevoir la fente, plus étroite qu'un coup de pinceau, qui marquait le joint de la porte et dont la seule présence semblait la narguer.

— Pourquoi ne t'ouvres-tu pas ? souffla-t-elle.

La porte, suffisante et silencieuse, s'abstint de répondre.

Malheureusement, tout n'était pas aussi silencieux. Oh, ciel, était-ce des pas qu'elle entendait dans le corridor ? Sous l'effet de la panique, Henrietta glissa désespérément un ongle dans la fente. L'ongle cassa. La porte se borna à rester fermée. Si elle n'arrivait même pas à introduire un ongle dans l'interstice, comment pouvait-elle espérer l'ouvrir en se servant de quelque chose de plus substantiel comme levier ? Elle se remit à genoux, les yeux fixés sur le vide devant elle. Il faudrait que ce soit la carafe, n'est-ce pas ? Elle ne pouvait pas faire autrement, il n'y avait rien d'autre à essayer. Elle avait poussé et pressé chaque centimètre de la porte, avait tâté chaque panneau, tiré sur chaque protubérance. Elle était, admit-elle avec désespoir, bel et bien prise au piège.

Les deux dragons qui soutenaient leur banc de velours se moquaient d'elle avec une suffisance dorée, tels des Cerbères jumeaux devant Perséphone.

Les dragons ! Évidemment ! Henrietta se balança sur ses talons, parcourue par une nouvelle vague d'optimisme. Ils étaient si bas comparés à la hauteur du regard qu'elle n'y avait jamais pensé, mais si quelqu'un concevait un levier caché, ne voudrait-il pas qu'il soit aussi improbable que possible ? Il s'agissait, du moins, d'une possibilité, et c'était bien mieux que d'essayer d'assommer Vaughn à coups de carafe.

Elle donna de petits coups dans leurs yeux ronds au regard fixe. Elle tira sur leurs petites oreilles pointues. Elle pressa leurs pattes. Elle tira sur leurs langues pendantes. Puis, à l'instant où elle s'apprêtait à condamner les dragons à la perdition et elle-même à une bagarre indigne avec son hôte, la langue du dragon de droite bougea lorsqu'elle tira dessus. Un mouvement ! Ç'avait bougé, n'est-ce pas ? Ayant presque peur d'espérer, Henrietta tira plus fort. La longue langue se retroussa encore et encore jusqu'à ce que quelque chose produise un déclic dans les profondeurs de la porte.

Émettant le bruit d'un ressort qu'on relâche, la porte s'ouvrit en douceur.

Miles fit irruption dans le hall d'entrée du manoir de Vaughn et faillit foncer dans une Faucheuse au regard noir. La Faucheuse fit tournoyer ses haillons hors du chemin de Miles, tandis que celui-ci se précipitait à la recherche d'Hen. Sacrebleu, où était-elle ? Miles lutta pour se frayer un chemin à travers l'étourdissante foule d'invités masqués, qui tourbillonnaient autour de lui comme dans le cauchemar d'un peintre médiéval hébété ; des hommes à têtes d'oiseau et des femmes avec d'immenses masques de plumes, qui riaient et dansaient tous dans une joyeuse frénésie. Miles zigzaguait, regardait, cherchait, excluait les voix aiguës et les silhouettes floues, entièrement concentré sur la tâche de trouver Henrietta.

Miles fut submergé par une vague de soulagement lorsqu'il repéra la familière tête rousse de Pénélope au fond de la deuxième salle. Là où était Pénélope, se tenait habituellement… Non. Henrietta n'était pas là. Miles s'arrêta, essoufflé, devant Pénélope.

— As-tu vu Henrietta ? demanda-t-il.

— Tu es en retard ! gloussa la duchesse douairière en le piquant avec une lance à pointe en bronze.

— Henrietta ? répéta Miles d'un ton sec menaçant en écartant la lance d'un geste. Vous étiez censée la chaperonner, bon sang !

On tira sur sa manche.

— Elle est partie à ta recherche, dit Charlotte en se mordant les lèvres.

Elle, au moins, avait la décence de sembler préoccupée.

— Elle ne t'a pas trouvé ?

Miles se pencha en avant d'un air grave et ne broncha même pas lorsque la douairière lui enfonça l'instrument de torture entre les côtes.

— De quel côté est-elle partie ?

Charlotte pointa à travers la pièce, vers les portes vitrées qui menaient à la salle de musique, aussi bondée d'invités masqués que la salle de bal.

— Elle est partie par là. Mais ça fait un moment déjà.

— Tu es un chic type, Lady Charlotte, lui dit Miles en lui donnant une tape dans le dos avant de bondir dans la direction qu'elle avait indiquée.

— Monsieur Dorrington ! Attendez !

Miles s'arrêta brusquement.

— Elle portait une *robe à l'anglaise** bleue, ajouta rapidement Charlotte. Avec un masque doré.

Miles la remercia d'un signe de tête avant de replonger dans la foule. Il ne prit pas le temps de demander à Charlotte ce qu'était une *robe à l'anglaise**. Un type de robe, sans doute. Tout renseignement supplémentaire serait superflu, absolument incompréhensible et lui ferait perdre du temps.

Il vit des robes rouge et blanc ainsi que des robes jaunes portées avec une quantité de masques dorés suffisante pour recouvrir le dôme de Saint-Pierre. Il vit des robes bleues assorties à des masques argentés, des masques noirs et des masques qui perdaient leurs plumes, mais pas de robe bleue avec un masque doré ni d'Henrietta. Le temps de se frayer un chemin jusqu'à la dernière salle de réception, Miles avait dépassé le stade de l'affolement et approchait du désespoir. Elle n'était nulle part au rez-de-chaussée. Personne ne se rappelait l'avoir vue. D'ailleurs, personne ne se souvenait d'avoir vu leur hôte non plus depuis un bon moment.

L'esprit de Miles était envahi de possibilités désagréables. Vaughn pouvait-il l'avoir enlevée et transportée dans la cave, ligotée et bâillonnée ? Avait-elle été sortie en douce par une fenêtre et emmenée jusqu'à un camp de chasse désert à la campagne ? Ou Vaughn avait-il simplement entraîné Henrietta à l'étage ? Miles pâlit en se rappelant le grand lit à baldaquin avec ses nymphes folâtres. Avec le bruit généré par cinq cents invités aux voix perçantes, personne n'entendrait Henrietta crier.

Miles faisait demi-tour pour se précipiter vers le hall d'entrée et les escaliers qui menaient au niveau supérieur lorsqu'une main familière se posa sur son bras.

— Dorrington ! s'exclama Navet Fitzhugh. Formidable, cette fête, non ?

Miles se débarrassa de la main de Navet.

– Tu n'aurais pas vu Henrietta Selwick dans les environs ?

– Lady Henrietta ? Non, je ne peux pas dire que je l'ai vue, mais j'ai vu Charlotte Lansdowne, et elle était absolument formidable, déguisée en bergère, tu sais, avec un petit mouton. Ma foi, ton costume n'est pas ce qu'il y a de plus génial. Qu'es-tu censé être, mon vieux ?

– Un duelliste incompétent, répondit sèchement Miles. Écoute, as-tu vu... ?

– Un duelliste incompétent..., répéta Navet en y réfléchissant. Ha ! Très brillant. Un duelliste incompétent ! Attends que je le dise à...

– Fitzhugh ! hurla Miles pour couvrir le fou rire de Navet.

– Oui ?

– As. Tu. Vu. Lord. Vaughn ?

– Oh, notre hôte ? Tu n'as pas à t'inquiéter de lui présenter tes respects ; il y a une telle cohue, il ne s'en rendra jamais compte. Je...

– L'as-tu vu ? répéta Miles entre ses dents en se rappelant que cela ne se faisait pas d'étrangler un vieux camarade de classe uniquement parce qu'il ne cessait de bavarder pendant qu'Henrietta se faisait peut-être agresser ou torturer ou...

Peut-être la strangulation n'était-elle pas exagérée. Pourquoi donc perdait-il son temps ?

– Oublie ça, dit-il sèchement. On se voit plus tard.

– Vaughn est parti par là, dit gentiment Navet.

– Pardon ? Miles tourna les talons

– Tu cherchais Vaughn, n'est-ce pas ? Je ne sais pas pourquoi, mais...

Miles attrapa Navet par les épaules.

– Y avait-il une femme avec lui ? Une femme avec une robe bleue et un masque doré ?

– Doucement, mon vieux ! Oui, en fait. Un beau morceau, d'ailleurs. Dorrington ?

Miles se frayait déjà un chemin dans la foule à coups de coude dans la direction que Navet avait indiquée avec une seule idée en tête : trouver Hen. Tout de suite.

Une porte à l'autre bout de la pièce le mena dans un couloir faiblement éclairé, étrangement sombre et silencieux comparé au brouhaha derrière lui. Damnation. Miles accéléra. Il avait le pressentiment qu'il savait ce qu'il trouverait au bout du corridor : un escalier secret qui menait à l'étage. Et une fois là…

Miles n'eut pas vraiment le temps de décider avec précision de la façon dont il remodèlerait l'anatomie de Vaughn (et au diable l'idée de le garder en un morceau aux fins d'interrogatoire), parce qu'à cet instant précis, il fonça dans quelque chose de petit et d'humain qui émit un *oufff !* très féminin au moment de l'impact.

Agissant instinctivement, Miles attrapa la femme par les épaules pour l'empêcher de tomber à la renverse. Ils vacillèrent ensemble pendant un instant. Le masque de la femme tomba sur le sol.

– Miles ? lâcha-t-elle au moment où elle leva la tête pour révéler un pâle visage ovale très familier.

– Hen ? s'exclama Miles, incrédule, en resserrant son emprise sur ses épaules comme s'il avait peur qu'elle disparaisse s'il la lâchait.

Ses yeux bruns errèrent fébrilement sur son visage, sur ces yeux noisette en amande merveilleusement familiers, sur ce petit nez bien droit, sur les lèvres qui s'étaient légèrement entrouvertes sous l'effet de la surprise et de l'enchantement.

— Bon sang, Hen, sais-tu à quel point je me suis inquiété ? lui demanda-t-il d'une voix sourde.

Puis, avant d'avoir le temps d'y réfléchir, avant d'avoir le temps de se rappeler qu'elle était la sœur de son meilleur ami et qu'ils étaient au beau milieu d'un couloir dans la maison d'un potentiel espion français meurtrier, avant d'avoir le temps de se rappeler quoi que ce soit d'autre que le fait qu'il s'agissait d'Henrietta, qu'elle était saine et sauve et qu'il était tellement diablement soulagé qu'il aurait fichtrement pu exploser de joie, Miles la serra de toutes ses forces dans ses bras avant de presser ses lèvres sur les siennes.

Chapitre 19

Affectation : *rencontre avec un confrère espion sous le prétexte d'un rendez-vous galant.*
– tiré du livre de codes personnel de l'Œillet rose

Il fallut un moment à Henrietta pour se rendre compte que Miles était bel et bien en train de l'embrasser. Ses lèvres remuaient contre les siennes avec une ferveur née de l'anxiété ; elles en épousaient le contour tandis qu'il la serrait si fort que le redoutable corsage s'enfonça dans le dos d'Henrietta de sorte que tout ce qui pût rester d'air dans ses poumons se ravisa. Elle s'en moquait. Elle se pendit au cou de Miles, s'accrochant à lui avec autant de force que lui à elle, savourant la chaleur de sa peau à travers la fine étoffe de sa chemise, l'odeur de bois de santal et de cigare, ainsi que la douce caresse de ses cheveux sur le bout de ses doigts.

– Bon Dieu, Hen, murmura-t-il en posant de petits baisers au coin de sa bouche comme s'il ne pouvait supporter de s'en éloigner assez longtemps pour parler, j'étais si inquiet. Quand je pensais – bisou – à ce que cet homme – bisou, bisou – pouvait être en train de te faire…

Peu importe ce qu'il allait dire, Henrietta l'interrompit en se hissant simplement sur la pointe des pieds pour le faire taire d'un baiser. Sa bouche avait un léger goût de brandy, salé, enivrant – non pas qu'Henrietta eût besoin de quelque enivrement; elle se sentait aussi étourdie que lors de cette nuit où Miles lui avait passé en douce son premier verre de champagne.

Miles perdit rapidement tout intérêt pour ce qu'il était sur le point de dire; ses lèvres s'ajustèrent à celles d'Henrietta, et il emmêla ses doigts dans ses cheveux pour incliner sa tête vers la sienne. Les doigts baladeurs de Miles délogèrent un des gros peignes ornés de perles qui décoraient sa coiffure à l'ancienne. Il tomba sur le parquet, et le bruit se répercuta dans le cerveau ahuri de Miles tel l'appel d'un millier de sonnettes d'alarme.

Miles lâcha Henrietta et recula en titubant, les yeux vitreux et le cœur battant.

Pendant ce temps, son cerveau, revenu de ses courtes vacances, criait à tue-tête « Oh diable, oh diable, oh diable ». D'autres parties de son anatomie réclamaient aussi son attention, mais Miles les ignora. Elles l'avaient déjà mis suffisamment dans le pétrin. Oh, diable. Il ne venait pas vraiment d'embrasser Henrietta, n'est-ce pas ? Ç'aurait pu être un rêve éveillé, une hallucination. Miles aperçut le regard brillant et les lèvres enflées d'Henrietta. Il aurait fallu qu'il s'agisse d'une hallucination fichtrement convaincante.

– C'est, euh, bien que tu sois saine et sauve, dit-il maladroitement en enfonçant ses mains dans ses poches.

– Mmm-mmm, acquiesça Henrietta en le gratifiant d'un sourire radieux, la tête inclinée vers lui d'une manière qui invitait pratiquement...

Miles recula d'un pas de plus ; il aurait même fait le signe pour repousser le mauvais œil s'il avait cru que cela puisse l'aider. Que Dieu lui vienne en aide, tout ce dont il avait envie, c'était l'embrasser à nouveau. Miles se surprit à s'adresser à son Créateur avec une familiarité qu'il n'avait pas employée depuis des années.

Puisque Dieu ne semblait pas avoir envie de se rendre utile en lançant des éclairs ou autre chose du genre afin de créer une diversion – d'un air sombre, Miles se dit qu'il méritait probablement de recevoir au moins un de ces éclairs directement sur sa tête de mule –, Miles se réfugia dans l'indignation.

– Que faisais-tu à te balader toute seule ainsi ? demanda-t-il à Henrietta tandis qu'elle se penchait pour ramasser ses accessoires par terre.

– Je te cherchais, répondit-elle gaiement en lui souriant.

– Ne pouvais-tu pas attendre avec la duchesse ?

– As-tu vu la duchesse ce soir ? répliqua Henrietta en s'asseyant sur ses talons pour enfoncer le peigne en perles n'importe comment dans ses cheveux. J'ai préféré tenter ma chance par ici, merci beaucoup. Euh, pourrais-tu m'aider à me relever ? Ces cerceaux sont un vrai cauchemar.

Miles baissa les yeux. C'était une erreur. De sa position privilégiée, tout ce qu'il voyait, c'étaient des seins. Beaucoup, beaucoup de seins. Des seins magnifiques, pleins, attirants, qui débordaient au-dessus du corsage à encolure carrée d'Henrietta. Qu'essayait-elle de faire ? Le tuer ?

– Tu as beaucoup de chance d'être tombée sur moi, dit sévèrement Miles en la remettant debout sans cérémonie. Quelqu'un d'autre aurait pu…

– M'embrasser ? intervint-elle malicieusement en secouant ses jupes.

— Euh, oui. Enfin, non. Enfin…

Le sourire d'Henrietta s'agrandit. Miles se renfrogna. Quand, précisément, avait-il perdu la maîtrise de cette conversation ?

— Bon sang, Hen, et si ç'avait été Martin Frobisher ? Ou Lord Vaughn ?

— Mais ça n'a pas été le cas, répondit-elle joyeusement.

Elle n'arrivait pas à se convaincre de gâcher le moment en évoquant maintenant l'inquiétant interlude avec Lord Vaughn. Après tout, ce n'était pas tous les jours qu'on était délicieusement et longuement embrassé par l'objet de ses fantasmes. Elle n'avait même pas eu besoin de l'enchanter avec des roses.

Henrietta rit intérieurement à cette pensée, absolument ravie par l'univers et tout ce qu'il contenait.

Miles se renfrogna davantage.

— Je ne crois pas que tu prennes la situation suffisamment au sérieux, Hen.

— Ne puis-je pas être sérieuse demain, à la place ?

Miles dut faire les cent pas à toute vitesse dans le couloir pour se retenir de l'enlacer. Simplement pour faire bonne mesure, il joignit les mains derrière son dos puisqu'il ne pouvait plus s'y fier pour bien se tenir. Il n'y avait qu'à penser à ce que ses lèvres avaient fait quelques instants plus tôt, sans avoir reçu aucune consigne de son cerveau — bon, pas de ce cerveau-là, de toute façon. Miles pinça les lèvres.

— Bon sang, Hen, ce n'est pas marrant. Tu aurais pu te faire tuer.

Il était vraiment adorable lorsqu'il tentait d'agir en homme autoritaire. Henrietta était si occupée à se délecter de la manière familière dont ses cheveux lui tombaient devant les yeux et dont ses muscles bougeaient sous la fine étoffe de sa chemise quand il marchait, tandis que son esprit lui criait « Mien ! Entièrement mien ! », qu'il lui fallut un moment pour noter la légère incongruité du verbe.

— Tuer ? répéta-t-elle en fronçant les sourcils. Ne crois-tu pas que c'est un peu exagéré ?

Certes, elle avait craint pour sa vie à certains moments pendant qu'elle était dans la pièce chinoise de Vaughn, mais plus le temps passait, plus ses inquiétudes lui avaient paru ridicules. Même s'il était un agent secret français, un pair du royaume n'étranglerait certainement pas la fille d'un marquis au milieu d'une fête qu'il donnait lui-même ; ce serait de mauvais goût, tant d'un point de vue social que stratégique.

En outre, Miles ne savait rien de tout cela. Elle le lui dirait, bien entendu. Un jour. Le lui dire maintenant conférerait beaucoup trop de crédibilité à ses arguments. Et Henrietta n'avait vraiment pas envie d'avoir une discussion sérieuse en ce moment. Elle avait envie de se délecter des effets de son premier baiser (le premier qui comptait, du moins), de glousser sans raison et peut-être d'exécuter quelques pirouettes pour faire bonne mesure.

De plus, elle n'aurait rien eu contre l'idée d'embrasser Miles à nouveau, mais l'air globalement renfrogné de ce dernier semblait signifier qu'il n'était actuellement pas disposé à poursuivre le badinage.

— Oui, tuer, répéta-t-il avec fermeté.

Il s'arrêta un instant pour réfléchir rapidement. Hen était une fille intelligente — et entêtée. Il la connaissait suffisamment pour savoir qu'elle ne se laisserait pas impressionner par de vagues avertissements de danger. Le ministère de la Guerre n'aimerait pas cela, mais... La sécurité d'Henrietta était plus importante. Évidemment, cela soulevait toujours la question de savoir qui la protégerait de *lui*.

Miles se passa les doigts dans les cheveux.

— Je ne devrais probablement pas te dire cela, mais il faut ce qu'il faut... Écoute, Hen, dit Miles en baissant la voix, il y a un dangereux espion français en liberté.

— Tu es au courant ? s'exclama Henrietta.

— *Pardon ?*

Miles releva brusquement la tête.

— L'espion.

Henrietta s'assura de maintenir sa voix suffisamment basse. Elle s'approcha de Miles, et ses amples jupes frôlèrent son pantalon. Miles s'écarta tel un poulain effarouché.

— J'allais te mettre en garde ce soir, lorsque je te trouverais, mais les circonstances en ont décidé autrement.

Henrietta aurait bien aimé que ces circonstances particulières — celles qui étaient liées au fait que Miles l'ait embrassée — se concrétisent à nouveau, mais puisqu'elles ne montraient aucun signe de vouloir le faire, elle poursuivit :

— Selon mes sources, il y a un nouvel espion extrêmement dangereux à Londres.

Miles s'assit lourdement sur l'un des petits bancs dorés qui longeaient le mur. Depuis quand Henrietta avait-elle des sources ?

— Je ne poserai même pas de questions, grommela-t-il.

Henrietta fit la grimace, puis le rejoignit sur le banc, où ses jupes débordèrent sur les jambes de Miles.

— C'est probablement mieux ainsi.

— Sais-tu autre chose au sujet de ce... nouveau développement ?

— Tout ce que je sais, c'est que toi et moi sommes tous deux sous surveillance, très probablement en raison de nos liens avec Richard.

— Et tu te balades tout de même seule ?

— Il fallait que je te mette en garde, répondit Henrietta du ton le plus raisonnable qu'elle put. Et j'ai aussi profité de l'occasion pour faire un brin de reconnaissance en cours de route, s'empressa-t-elle d'ajouter avant que Miles se remette à la sermonner.

— Ta mère est-elle au courant de ce brin de reconnaissance ? s'enquit sombrement Miles.

— Ça, répondit Henrietta, ce n'était pas gentil. Mère est dans le Kent avec les enfants, et ce qu'elle ne sait pas ne lui fera pas de mal.

— Non, jusqu'à ce qu'on te retrouve morte quelque part dans un fossé.

— Pourquoi dans un fossé ?

Miles émit un bruit inarticulé d'extrême frustration.

— Ce n'est pas important.

— Dans ce cas, pourquoi l'as-tu mentionné ?

En guise de réponse, Miles se frappa la tête sur les genoux. Fort.

Henrietta décida qu'il était temps de changer de sujet.

— Comment as-tu su, pour l'espion ?

— Il se trouve que certains d'entre nous, affirma Miles d'une voix sourde, travaillent pour le ministère de la Guerre. Certains d'entre nous ne sont pas de naïves jeunes filles qui galantisent avec la mort et les catastrophes en jouant avec des choses auxquelles elles ne devraient *pas être mêlées.*

— Ne veux-tu même pas savoir ce que j'ai découvert ? demanda Henrietta d'un ton enjôleur.

Toujours plié en deux, Miles lui jeta un regard méfiant.

— Je vais le regretter, n'est-ce pas ?

— Lord Vaughn, commença Henrietta, s'est conduit de façon très étrange.

— Il a fait plus que se conduire de façon étrange, répondit Miles d'un air grave. Il a poignardé Downey.

Toute trace d'amusement disparut du visage d'Henrietta.

— Est-ce que Downey va bien ?

Miles laissa échapper un profond soupir avant de s'affaler contre le mur derrière lui.

— Le chirurgien dit qu'il s'en remettra, mais il s'en est fallu de peu, dit-il en fermant les yeux, revivant le souvenir de son valet par terre couvert de sang. Quelqu'un qui cherchait quelque chose a mis mon appartement en pièces aujourd'hui. Downey s'est interposé. Si j'avais été là...

— Il aurait peut-être été poignardé de toute manière. Tu ne peux pas le savoir.

— S'il n'avait pas travaillé pour moi...

— Il aurait pu être attaqué par un malandrin ou recevoir un coup de couteau d'un voleur. Ce sont des choses qui arrivent.

— Elles ont beaucoup plus de risques de se produire lorsque des espions français sont impliqués, marmonna Miles. C'est ma faute. Tu ne vois pas que j'ai fait preuve de négligence, Hen. Si je n'avais pas attiré l'attention de l'espion...

— Mais ne comprends-tu pas ? demanda Henrietta en se tournant pour le regarder et haletant lorsque les baleines s'enfoncèrent dans ses côtes. Ce n'est pas le cas. Du moins, pas à cause de quelque chose que tu as fait. Tu étais déjà surveillé simplement parce que tu es ami avec Richard depuis toutes ces années. Si c'est la faute de quelqu'un, poursuivit-elle, encouragée, c'est celle de Richard et de son succès. Bon. Tu comprends ?

Comme elle s'y attendait, Miles fit la grimace.

— Ça n'a pas de sens, Hen.

— Ta version non plus, alors nous sommes quittes.

— Merci, répliqua-t-il d'un ton bourru.

— De rien, répondit doucement Henrietta.

À le regarder assis là, affalé sur le banc, sans veste ni foulard digne de ce nom, le gilet ouvert, la chemise fripée, échevelé, piteux et abattu, Henrietta dut lutter pour ne pas se laisser emporter par une vague d'affection. Elle avait envie de lisser cette mèche de cheveux, continuellement en bataille sur son front, et de faire disparaître d'un baiser la ride d'inquiétude juste au-dessus de son nez.

Connaissant bien Miles, Henrietta ne fit rien de tout cela.

— Comment sais-tu que c'est Lord Vaughn qui a poignardé Downey ? lui demanda-t-elle plutôt d'un ton neutre.

— Il n'a pas laissé de carte de visite, si c'est ce que tu voulais savoir, répondit Miles du ton brusque de l'homme qu'on vient d'embobiner pour qu'il montre ses émotions.

Henrietta le gratifia d'un regard qui voulait dire « Ne sois pas idiot ».

— C'est simplement que ça ne me semble pas le genre de Lord Vaughn.

— Tu ne le crois pas capable de tuer ?

— Je ne dirais pas ça. Mais n'as-tu pas plus de facilité à l'imaginer en train d'administrer subtilement une dose de poison à quelqu'un ?

Henrietta se retint de mentionner son expérience personnelle à cet égard. Après tout, elle n'avait aucune preuve que le vin fût empoisonné.

— Poignarder quelqu'un est simplement trop… grossier, poursuivit-elle. Lord Vaughn aime la subtilité, l'ésotérisme. S'il devait tuer quelqu'un, il s'y prendrait de façon plus créative.

Miles fronça les sourcils, l'air songeur.

— Je te l'accorde. Je ne sais pas s'il l'a fait lui-même ou s'il a envoyé un laquais, mais il semble l'instigateur le plus probable, si tu préfères le voir ainsi.

— Pourquoi voudrait-il saccager ton appartement ?

Miles jeta rapidement un regard de chaque côté d'eux dans le couloir, puis baissa la voix jusqu'à ce qu'il n'en reste plus qu'un filet.

— Nous avons des raisons de croire qu'il puisse être l'agent secret que nous recherchons. Un de nos agents a récemment été tué — poignardé lui aussi — dans des circonstances qui suggèrent un lien avec Vaughn.

— Ça expliquerait beaucoup de choses, répondit lentement Henrietta en repensant à l'intérêt inattendu qu'il lui avait manifesté depuis que le nom de la Gentiane pourpre avait été évoqué ainsi qu'à son étrange conduite dans la pièce sans fenêtres.

Toutefois, quelque chose la tracassait. Quelque chose ne collait pas tout à fait, mais elle n'arrivait pas à trouver pourquoi. Elle se gratifia elle-même d'un regard désabusé ; Miles n'accorderait pas beaucoup de crédit à l'intuition féminine. Pas plus qu'elle ne le ferait si les rôles étaient inversés.

— Mais qu'aurait-il à y gagner ? hasarda-t-elle néanmoins.

Miles haussa les épaules.

— De l'argent ? Du pouvoir ? Une vengeance personnelle ? Plusieurs raisons peuvent amener un homme à devenir un traître.

Henrietta frissonna.

Miles jeta un regard hésitant dans sa direction, s'efforçant de garder les yeux plus hauts que son cou, ce qu'il réussit presque.

– As-tu froid ?

Henrietta secoua la tête en grimaçant.

– Non, simplement effrayée par la nature humaine.

– J'espère bien, répondit sombrement Miles. Ils ont poignardé Downey aussi froidement que s'il était un…

– Un chien enragé ?

– Je pensais plutôt à un insecte, mais quelque chose du genre, oui.

Miles regarda Henrietta d'un air sérieux et se maudit d'avoir agi comme un parfait idiot. Il aurait dû l'attraper par le bras et la ramener directement à la douairière dès l'instant où il lui avait foncé dessus. Il n'avait aucune excuse pour sa conduite – pour ni l'une ni l'autre de ses conduites ; ce dernier interlude était tout aussi complaisant et dangereux que ce damné baiser. Il s'était laissé emporter par le soulagement d'avoir quelqu'un à qui parler, à qui confier sa culpabilité par rapport à Downey, avec qui échanger des idées sur les progrès de sa mission, en qui il avait confiance. Mais ce n'était pas une excuse. Il connaissait assez bien Henrietta pour savoir exactement comment elle réagirait. Il s'agissait, après tout, de la fille dont la phrase favorite, quand elle était toute petite, avait été « moi aussi ».

Il était déjà bien assez grave que Downey ait été blessé par sa négligence ; s'il fallait en plus qu'il arrive quelque chose à Henrietta… C'était impensable. Miles envisagea de ressortir quelques exploits antérieurs de la Tulipe noire, y compris sa charmante habitude de graver sa carte de visite dans la chair de ses victimes, mais prolonger la discussion ne ferait qu'empirer les choses. Plus il en dirait, plus il piquerait la curiosité d'Henrietta, et plus il piquait la curiosité d'Henrietta…

— Reste en dehors de ça, dit-il d'un ton plus sec qu'il l'aurait voulu. Ce n'est pas un jeu.

— Mais, Miles, j'y suis déjà mêlée. Qui que ce soit, il me cherche aussi.

— Raison de plus pour être encore plus prudente. As-tu pensé à rejoindre ta mère dans le Kent pour quelques semaines ?

— Et attraper les oreillons ?

Miles se leva brusquement.

— Les oreillons sont le dernier de mes soucis.

Henrietta se leva elle aussi, l'air rétive.

— Le meilleur moyen d'assurer notre sécurité à tous, c'est d'attraper l'espion.

— Ne t'en fais pas, répondit Miles en se mettant en marche dans le corridor. Je l'aurai.

Henrietta courut derrière lui.

— Tu veux dire, *nous* l'aurons ?

— *Tu* vas retrouver la duchesse. Cette femme offre une meilleure protection qu'une citadelle.

Devant eux, Henrietta entendit le brouhaha de voix qui annonçait la proximité des salles les plus bondées de la fête. Elle tira Miles par le bras, désirant avoir son mot à dire avant qu'ils rejoignent la foule.

— Miles, je ne vais pas rester assise là à ne rien faire pendant que tu fais tout le travail.

Miles ne répondit rien. Il se contenta de la regarder d'un air entêté.

« Ha ! » se dit Henrietta, qui porta son masque doré à son visage tout en suivant son cavalier au regard noir en direction de la douairière.

Miles ne connaissait rien à l'entêtement. Elle le ferait changer d'avis demain, décida-t-elle avec assurance. Elle le gaverait de thé et de biscuits au gingembre (la cuisinière accepterait sûrement d'en préparer une fournée supplémentaire). Et si cela échouait – les lèvres d'Henrietta s'étirèrent en un sourire d'anticipation –, ma foi, il ne lui resterait plus qu'à le convaincre à coup de baisers. Une rude épreuve, mais le bien de la nation exigeait de tels sacrifices.

Henrietta sourit tout au long du chemin jusqu'à la douairière.

Miles lança des regards noirs tout au long du chemin jusqu'à la douairière. Miles traversa trois salles en lançant des regards noirs. Il déposa Henrietta auprès de la duchesse douairière en lançant des regards noirs, puis leur conseilla fortement de rentrer. Miles lança un regard noir particulièrement menaçant lorsque la duchesse douairière le piqua avec la lance de Pénélope.

– On se voit demain, lui cria Henrietta en agitant son masque dans sa direction comme s'il s'agissait de la palme de la victoire.

En guise de réponse, Miles grogna. Puis il se remit à lancer des regards noirs.

Après s'être emparé d'un verre de champagne, il se retira dans une alcôve inoccupée d'où il pouvait lancer des regards noirs à Henrietta d'une distance sûre. Du moins, se dit-il d'un air sombre en frottant son postérieur endolori, elle serait à l'abri du danger tant qu'elle serait avec la duchesse douairière ; cette femme avait un effet plus dissuasif sur les assassins et les ravisseurs potentiels qu'une phalange grecque en entier. Sacrebleu, il suffirait d'envoyer la duchesse en France pour que Napoléon se rende en moins d'une semaine.

La France. Miles fixa d'un air grave le liquide effervescent dans le verre en cristal. Il devait en découvrir assez pour prouver de façon probante la culpabilité de Vaughn. Le ministère de la Guerre n'agirait pas sans preuve. Il n'agirait pas non plus si cela risquait de nuire à ses chances d'appréhender d'abord l'ensemble des contacts de Vaughn.

Le ministère de la Guerre et Miles n'avaient pas tout à fait les mêmes priorités pour le moment.

À l'autre bout de la pièce, il entendit un rire fort, clair et parfaitement reconnaissable. Il tressaillit d'une manière qui n'avait rien à voir avec les agents secrets français.

Peut-être que s'il le demandait gentiment, le ministère de la Guerre l'affecterait en Sibérie.

Chapitre 20

Expédition : *mission de collecte de renseignements entreprise sous un déguisement quelconque.*
Expédition, merveilleuse : *mission de collecte de renseignements connaissant un grand succès.*
Voir aussi *balade, agréable.*
— tiré du livre de codes personnel de l'Œillet rose

— Que voulez-vous ? demanda une femme avec un châle d'un blanc éblouissant croisé sur son opulente poitrine depuis la porte ouverte du 13, rue Niçoise.

— Une chambre, répondit la fille qui se tenait sur le perron.

Ses cheveux noir terne étaient attachés sévèrement sous une casquette propre, mais le reste de son apparence montrait des signes de négligence ; son col et ses poignets tombaient mollement, et ses yeux gris semblaient fatigués.

— Pas pour moi, ajouta-t-elle à la hâte lorsque la porte commença à se fermer. Pour ma maîtresse. Elle a entendu dire que vous aviez des chambres à louer.

— Votre maîtresse, répéta avec mépris la femme dans la porte, tandis que ses yeux erraient sur les poignets effilochés et les bottes éraflées.

L'étoffe amidonnée de son tablier bruissa contre le bois de l'encadrement de la porte.

— Pourquoi votre maîtresse cherche-t-elle une chambre ici ?

— Elle est… veuve, expliqua la fille avec le plus grand sérieux. Une veuve respectable.

La femme plissa les yeux lors de la pause éloquente.

— Je connais les gens de son espèce, et nous n'avons que faire de ce genre de personnes ici.

La fille se tortilla les mains dans son tablier.

— Mais on m'a dit que…

— Dit ! s'exclama la femme en renâclant. Je sais ce qu'on t'a dit. Mais tu peux t'enlever ça de la tête sur-le-champ. Je gère une maison respectable, moi. Pas comme celle d'avant.

— Celle d'avant ? répéta d'une petite voix la domestique en jetant un bref regard nostalgique au-delà de la propriétaire corpulente pour apercevoir le hall impeccablement propre derrière elle.

— Madame Duprée, cracha la femme comme si le nom avait mauvais goût. Elle prenait n'importe qui, celle-là. Le va-et-vient dans cette maison ! Ç'aurait suffi à faire rougir une femme respectable. Des visiteurs masculins qui allaient et venaient, des marques de cigares sur les draps, des taches de vin sur les tapis.

— Même des Anglais, à ce qu'on dit, hasarda timidement la domestique.

— Des Anglais, des Prussiens, toute sorte de racailles, dit la femme en secouant la tête au souvenir de la dépravation passée, ce qui fit bruisser son bonnet blanc. Ça lui importait peu, tant qu'ils payaient leur loyer. J'ai eu du pain sur la planche pour nettoyer tout ça, moi.

— Où sont-ils tous partis ? s'enquit la domestique, les yeux écarquillés.

— Je ne veux pas le savoir, répondit la femme en pinçant résolument les lèvres. Tu peux donc dire à ta maîtresse qu'elle devra chercher un logement ailleurs.

— Mais…

La domestique recula en titubant lorsque la porte claqua. D'une fenêtre ouverte lui parvint le bruit d'une serpillière maniée avec vigueur.

Une fois hors de vue de la maison, la fille abandonna sa posture voûtée abattue et accéléra le pas jusqu'à atteindre une marche rapide. Sa tête et ses sourcils lui piquaient impitoyablement à cause de la teinture noire, mais Jane Wooliston résista à l'envie de se gratter tandis qu'elle se frayait rapidement un chemin de la rue Niçoise jusqu'à l'hôtel Balcourt, ayant tout l'air d'une domestique anxieuse qui faisait une course pour une maîtresse exigeante. Elle serait en mesure de se défaire de son costume bien assez vite ; elle avait découvert ce qu'elle voulait savoir.

Le numéro 13, rue Niçoise était une pension. Située dans un quartier peu à la mode, elle accueillait actuellement des pauvres respectables, des employés travailleurs et des tantes célibataires qui devaient finir leurs jours en faisant durer leurs faibles économies. L'entrée avait été aussi impeccablement blanchie que les vêtements de la propriétaire ; toute trace de saleté serait sans doute assaillie et éliminée aussitôt le seuil passé.

Ce n'était pas du tout le genre d'établissement où l'on s'attendrait à croiser Lord Vaughn.

À en juger par le ton de la femme, Jane déduisit que la pension, jusqu'à récemment, avait servi une tout autre clientèle ; des personnages douteux qui vivaient en marge du sous-prolétariat, un refuge pour les fugitifs et un lieu de rencontres. Cela, décida Jane, avait beaucoup plus de sens. Un semblant de rendez-vous pouvait fournir un excellent prétexte à un entretien qui avait beaucoup plus à voir avec la politique qu'avec l'amour. Personne ne trouverait étrange qu'un gentilhomme se rende dans les quartiers malfamés de la ville pour un brin de divertissement illicite.

Tandis qu'elle contournait une voiture à cheval qui bloquait la rue, Jane conclut qu'elle devrait découvrir depuis combien de temps la pension appartenait à sa gérante actuelle. La propriétaire précédente devrait être repérée et questionnée discrètement au sujet des locataires antérieurs. Il était dommage que Duprée soit un nom si commun, mais Jane ne doutait pas de sa capacité à la localiser. Sous son apparence sereine, un plan commençait à prendre forme. Elle enverrait un de ses hommes sous le couvert d'un frère angoissé à la recherche d'une sœur qui avait fui le giron familial. Évidemment, le frère inquiet voudrait non seulement savoir où se trouvait sa « sœur », mais aussi toute autre personne avec qui cette malheureuse imaginaire était entrée en contact, en particulier les hommes qui auraient pu tirer avantage de sa jeunesse et de son innocence. Cela ferait une histoire des plus touchantes.

La tête baissée et les épaules voûtées, Jane parcourut les quelques derniers mètres qui la séparaient de la demeure de son cousin. Si Lord Vaughn avait utilisé le 13, rue Niçoise comme base pour des activités malfaisantes, la pension pourrait être la clé qui permettrait d'accéder à tout un réseau d'espions.

L'esprit occupé à traiter rapidement cette nouvelle information, l'Œillet rose se glissa par l'entrée des domestiques de l'hôtel Balcourt. Elle devait laver la teinture de ses cheveux, transmettre des ordres, envoyer un rapport codé à monsieur Wickham, assister à un souper et infiltrer une réunion des Irlandais unis. Sans être vu, l'Œillet rose monta l'escalier de service jusqu'à sa chambre, se défit efficacement de sa tenue de domestique et se prépara à enfiler son troisième déguisement de l'après-midi : celui d'une élégante jeune femme.

Chapitre 21

Accident, un : *événement causant du tort ou un inconvénient orchestré par des agents secrets français malveillants et habituellement conçu de sorte à donner une fausse impression d'inadvertance.*
– tiré du livre de codes personnel de l'Œillet rose

– Henrietta ! Enfin, te voilà !

La petite belle-sœur d'Henrietta se précipita en bas de l'escalier devant Selwick Hall telle un boulet de canon vêtu de mousseline, tenant ses jupes pour courir vers le cabriolet de location. Deux immenses torches illuminaient l'entrée de Selwick Hall, jetant d'étranges reflets sur les courtes boucles brunes d'Amy ainsi que sur les harnais des chevaux.

Le voyage de six heures en avait pris huit à cause d'un essieu qui s'était brisé à une heure de Londres. Heureusement, l'accident s'était produit tandis qu'ils roulaient lentement derrière une malle-poste bondée sur la rue principale à Croydon ; ils avançaient à peine plus vite qu'à pied lorsque la roue et le cabriolet s'étaient mis à tanguer de façon inquiétante. Henrietta et sa domestique s'étaient échappées du véhicule avec plus de vitesse que de grâce pour se réfugier à la Greyhound, l'un des principaux bureaux de poste de la ville, où on avait loué un nouveau cabriolet, transféré les bagages et remplacé les chevaux fatigués.

Serrant Henrietta dans ses bras avec enthousiasme, Amy la tira littéralement en bas du marchepied pliant du cabriolet.

– Comment vas-tu ? s'exclama Amy en l'entraînant vers la porte. Le voyage n'a pas été trop horrible depuis Londres ? Nous nous sommes tellement inquiétés pour toi ! Veux-tu te rafraîchir ? Attends de connaître les plans pour la fin de semaine !

Henrietta serra Amy dans ses bras à son tour, laissa échapper le nombre requis de petits cris de ravissement et se laissa entraîner.

– Où est Richard ? demanda-t-elle tandis qu'un valet s'inclinait devant elles dans le hall d'entrée.

Le valet, comme tous les autres membres de la maisonnée, prenait loyalement part aux activités clandestines de son frère. Personne n'était embauché à Selwick Hall sans avoir d'abord prouvé être entièrement digne de confiance. Une erreur de jugement pouvait se révéler fatale. Après tout, une agente secrète française se faisant passer pour la femme de chambre d'une dame était responsable du décès de l'un des meilleurs amis de Richard.

– Il ne m'aime plus ?

– Oh, il nous rejoindra, répondit Amy en aidant Henrietta à se débarrasser de son bonnet et de son châle. Il supervisait les valets pour l'installation des cibles et des murs d'escalade pour samedi. Tu ne croiras jamais toutes les activités extraordinaires que nous avons prévues !

Des cibles ? Des murs d'escalade ? Ç'avait l'air dangereux. Henrietta n'avait rien contre le fait de viser des cibles – en fait, il y avait actuellement une certaine cible blonde et costaude sur laquelle elle n'hésiterait pas un instant à tirer –, mais escalader des murs ? Elle n'arrivait même pas à escalader un arbre. Et ceux-ci avaient des branches.

Mettant de côté ces inquiétantes pensées d'exercices physiques, Henrietta interrompit le flot de paroles d'Amy pour l'orienter vers ce qui l'intéressait vraiment.

– Qui d'autre sera là cette fin de semaine ?

Amy abandonna les explications inquiétantes au sujet de murs et de pioches.

– Madame Cathcart sera là, dit-elle, nommant une veuve joyeuse bien en chair et dans la fleur de l'âge qui avait fait ses débuts avec Lady Uppington lors de la jeunesse mythique de cette dernière, et mademoiselle Grey…

– Mademoiselle qui ?

– Grey, répondit Amy en conduisant Henrietta vers un petit salon à l'avant de la maison. Elle était gouvernante. Et puis les jumeaux Tholmondelay ; je sais qu'à deux, ils n'ont même pas l'équivalent d'un cerveau, mais Richard trouve plutôt intéressante l'idée d'avoir des agents identiques.

– C'est tout ? demanda Henrietta en essayant de ne pas paraître aussi déçue qu'elle l'était.

Les Tholmondelay, nom qui, grâce aux mystères de la nomenclature anglaise, était prononcé Frumley, n'étaient pas les hommes qu'elle avait en tête.

– Geoff était censé se joindre à nous, mais il a été inévitablement retenu, répondit Amy en levant les yeux au ciel. Peux-tu deviner par qui ? Oh, et puis Miles, bien entendu.

– Bien entendu, répéta Henrietta en se laissant tomber sur un canapé rayé bleu. Est-il déjà arrivé ?

– Miles ?

Amy dut s'arrêter pour réfléchir un instant.

— Pas encore. Il était censé être ici il y a des heures. Richard voulait qu'il l'aide avec le parcours de cordes.

Un parcours de cordes ? Henrietta ne voulait même pas y penser. Le fait d'être espion ne consistait-il pas en un exercice mental impliquant de profonds raisonnements ? Raisonner, elle pouvait le faire. Les cordes, c'était une tout autre histoire.

— Y a-t-il du thé ? demanda-t-elle avec espoir.

— Non, mais je peux en faire apporter, répondit Amy. Je vais demander à la cuisinière d'envoyer quelques biscuits aussi. As-tu mangé ?

— Nous avons pris un repas léger à la Greyhound pendant que nous attendions que le cabriolet soit réparé.

— Ah, très bien, répondit Amy. Les autres devraient arriver demain matin, juste à temps pour le séminaire sur la géographie française. Savais-tu que Richard connaît plus de quinze routes pour rejoindre Calais ? Après, j'enseignerai à tous quelques dialectes locaux. Mon favori est celui de la poissonnière marseillaise.

— La poissonnière marseillaise ? répéta Henrietta en jetant un regard envieux vers la porte dans l'espoir qu'un plateau de thé s'y matérialise.

— On doit beaucoup hurler pour celui-là, expliqua Amy avec enthousiasme avant de se taire brusquement. Quoique l'odeur *est* atroce. Oh, Stiles ! Du thé pour Lady Henrietta ?

Henrietta comprit pourquoi Amy avait terminé sa phrase par un point d'interrogation. De toute évidence, le majordome de Richard s'était déjà mis dans l'esprit de la fin de semaine. Il portait un tricot rayé avec un béret noir et s'était passé un collier d'oignons odoriférants autour du cou.

Il semblait bien plus enclin à frapper quelqu'un à la tête avec une bouteille de bordeaux dans une taverne malfamée au bord de la mer qu'à porter un plateau de thé.

— Si possible, *madame**, siffla-t-il avec un accent tellement impénétrable que même le plus français des Français ne le comprendrait pas, puis il replaça ses oignons autour de son cou avant de sortir d'un pas raide.

Le regard incrédule d'Henrietta croisa celui d'Amy, et elles éclatèrent de rire. Richard avait cru que ce serait une bonne idée d'intégrer un acteur au chômage dans la Ligue de la Gentiane pourpre, jusqu'à ce qu'il se rende compte qu'il n'y avait qu'un tout petit problème : Stiles avait beaucoup de mal à distinguer le jeu de la réalité. Cela avait, à quelques reprises, rendu service à Richard, mais il était très difficile de savoir à l'avance qui Stiles allait incarner. Il manifestait un penchant marqué pour le type héros de tragédies shakespeariennes vêtus de toges. Il avait eu une courte mais lamentable phase Macbeth, le haggis sur le plateau de thé et la cornemuse au beau milieu de la nuit compris.

— Même avec les oignons, c'est mieux que sa dernière incarnation, fit joyeusement remarquer Amy.

— Je ne sais pas, réfléchit Henrietta. J'aimais bien l'imitation de pirate. Le perroquet était mignon.

— Ah, mais tu as raté la dernière ; pendant deux semaines entières, il a incarné un voleur de grand chemin. Il avait mis des affiches « recherché » dans toute la maison et se faisait appeler l'Ombre argentée.

— Pourquoi argentée ?

— Ses cheveux n'avaient pas encore repris leur couleur naturelle depuis la teinture de sa phase octogénaire. Cela ne nous aurait pas tellement dérangés s'il n'avait pas sans cesse insisté pour que nous nous arrêtions et nous délestions.

— Vous délester de quoi ? demanda Henrietta, pragmatique.

— De notre argent ou de notre vie, bien entendu. D'un autre côté, poursuivit Amy, dont les grands yeux bleus s'illuminèrent à ce souvenir, ç'a eu l'avantage d'éloigner les invités de la maison pendant notre lune de miel.

Henrietta adorait sa belle-sœur et son frère, et elle avait fait tout son possible pour faciliter leurs noces (puisque Richard, évidemment, en avait fait un vrai fouillis), mais vu son humeur actuelle, les lunes de miel étaient la dernière chose à laquelle elle avait envie de penser. Après l'extraordinaire extase de vendredi soir, l'histoire d'amour d'Henrietta avait rapidement pris une mauvaise tournure.

Le samedi, Henrietta avait revêtu sa robe la plus seyante et s'était installée de manière séduisante sur le canapé du petit salon en attendant la visite de Miles. Elle avait, au cours d'une nuit blanche, dont elle avait passé la majeure partie à revivre avec euphorie le baiser, relu les conseils d'espionnage d'Amy et esquissé un plan détaillé pour coincer Vaughn et débusquer son groupe d'espions. Elle savait que Miles serait difficile à convaincre au début — il avait tendance à être un peu trop protecteur avec elle —, mais elle était persuadée de pouvoir le faire changer d'avis. Peut-être qu'après cela, ils marcheraient dans le parc ensemble, flâneraient entre les fleurs printanières parfumées, sa main nichée au creux du bras de Miles tandis qu'il déclamerait de la poésie avec émotion… D'accord, peut-être pas de la poésie. Henrietta n'était pas tout à fait entichée au point d'être complètement déconnectée de la réalité.

D'ailleurs, elle aimait Miles tel qu'il était, même si sa conversation avait tendance à tourner plutôt autour des chevaux que des distiques héroïques.

Il n'y avait eu qu'un petit problème : Miles n'était pas venu.

Miles n'était venu ni le samedi, ni le dimanche, ni le lundi, même si Henrietta avait passé astucieusement toute la journée à faire les boutiques en se disant qu'à l'instant où elle sortirait, il choisirait ce moment pour passer. Cela n'avait pas été le cas.

— Es-tu certain que personne n'est passé ? avait demandé Henrietta à Winthrop d'une voix juste un peu perçante.

Cela faisait, après tout, trois jours à ce moment-là.

— Peut-être que quelqu'un aurait pu venir jusqu'à la porte et repartir sans que tu le voies ? Es-tu *bien* certain ?

Winthrop était bien certain.

Rendu au mercredi, il ne pouvait y avoir qu'une seule explication. Miles devait être malade. En fait, il avait plutôt intérêt à être très, très malade. Henrietta avait envoyé sa femme de chambre, Annie, qui était la nièce de madame Migworth, la domestique de Miles, découvrir ce qui se passait *chez** Dorrington. Annie, les joues rouges d'avoir couru, était revenue rapporter que monsieur Dorrington allait très bien, qu'il avait la forme en fait. Monsieur Downey, avait ajouté Annie en rougissant, se remettait bien, et il semblait qu'il pourrait reprendre le travail d'ici une semaine.

Henrietta avait soupçonné Annie d'avoir un faible pour Downey. Elle avait envisagé de lui lancer un avertissement lapidaire au sujet de la perfidie des hommes, mais n'avait pas voulu la désillusionner. Annie apprendrait bien assez vite, quand Downey l'embrasserait comme s'il ne voulait jamais la laisser quitter ses bras, puis ne passerait pas la voir pendant cinq satanées journées, tandis qu'elle resterait assise là dans un état d'agonie mentale en attendant, en vain, qu'on frappe à la porte et que son cœur, dans sa poitrine, se change lentement en une masse de plomb sous l'effet du morne désespoir. Ou quelque chose du genre.

— Peut-être était-il simplement occupé, avait suggéré Charlotte.

— Il n'était pas assez bien pour toi, avait affirmé Pénélope.

— Grrr, avait répondu Henrietta.

De toute évidence, le baiser revêtait beaucoup moins d'importance pour lui que pour elle. Henrietta pouvait accepter cela (se disait-elle en grinçant des dents). Mais l'embrasser, puis disparaître pendant une semaine entière ? N'avait-elle pas plus d'importance à ses yeux après dix-huit ans ? On aurait pu croire qu'il lui devait une explication quelconque, même s'il ne s'agissait que de l'un de ces affreux discours qui commençaient par « tu es une personne charmante » et se terminait inévitablement par « un jour, tu trouveras quelqu'un qui t'aime vraiment ». Au moins, cela démontrerait qu'il la respectait suffisamment pour prendre le temps de lui broyer le cœur en personne. Mais non, il ne pouvait même pas se donner la peine de faire cela.

Même une *note* aurait été préférable.

— Oh, voilà Miles ! s'exclama Amy en pointant la fenêtre.

Un élégant cabriolet à quatre chevaux avança dans le petit cercle de lumière devant la porte. Pendant qu'Henrietta regardait, Miles donna les rênes à un palefrenier et bondit avec légèreté en bas du banc.

— Je vais aller prévenir Richard. Tu veux bien jouer les hôtesses pour un instant ?

Partant du principe que la réponse serait positive — et pourquoi, après tout, Amy aurait-elle dû supposer autre chose ? —, Amy partit comme une flèche avant qu'Henrietta ait pu répondre.

La longue attente à Croydon avait fourni à Henrietta amplement de temps pour décider comment se conduire lorsqu'elle verrait Miles. Froide et distante, se rappela-t-elle en se levant lentement du canapé. Élégance glaciale. Calme impénétrable.

Elle franchissait justement le seuil du salon d'un pas froid, glacial et digne, lorsque Miles bondit énergiquement par la porte d'entrée.

Il s'arrêta brusquement en la voyant.

— Oh, Hen, dit-il, l'air d'un renard pris au piège après s'être fait débusquer. Bonsoir.

Froide et distante n'était plus une option.

Henrietta s'approcha de Miles et le regarda dangereusement droit dans les yeux.

— Y a-t-il quelque chose que tu aimerais me dire ?

— C'est joli, tes cheveux, aujourd'hui ? hasarda Miles.

Henrietta pinça les lèvres.

— Ça, cracha-t-elle, c'était la *mauvaise* réponse.

Tournant les talons, elle partit d'un pas raide.

Miles lutta contre l'envie de la retenir. Faire cela irait complètement à l'encontre de l'objectif ciblé par toute une semaine à pratiquer l'absentéisme. Au départ, il avait eu l'intention d'aller voir Henrietta. Mais Downey était fiévreux samedi, ce qui lui avait fourni une excellente raison de ne pas agir. Dimanche, la fièvre de Downey était tombée, et rien n'empêchait Miles de se rendre directement à Uppington House – excepté le fait qu'il n'arrivait pas à trouver quoi dire. Le discours selon lequel « tu es une personne charmante et un jour tu trouveras quelqu'un qui t'aime vraiment » ne fonctionnerait tout simplement pas avec Henrietta. Il pensa envoyer une note, mais qu'écrirait-il ? « Retenu malgré moi ; navré pour ce baiser. Miles. » Pour une raison quelconque, il n'avait pas l'impression que cela serait très bien reçu non plus.

Plus il était resté à l'écart, plus cela lui avait semblé une bonne idée. Après tout, s'il ne voyait pas Henrietta, il ne risquait pas que sa libido trahisse à nouveau son cerveau pour s'adonner à une reprise de l'indiscrétion de vendredi. Un baiser était bien assez grave, alors deux ? Il ne pourrait vraiment pas trouver d'excuses pour un deuxième. Diantre, il n'arrivait même pas à trouver d'excuses pour le premier, ce qui le ramena au problème initial qu'il ne savait pas quoi dire à Henrietta.

Il savait qu'il aurait dû rester à Londres.

– Que diable as-tu dit à Henrietta ? demanda Richard, qui arrivait à grands pas dans le hall en se frottant distraitement le bras. Elle m'a presque renversé sur le sentier du jardin.

– Quelque chose à propos de ses cheveux, répondit Miles, évasif.

Richard haussa les épaules. Les petites sœurs étaient effectivement un mystère qu'aucun homme adulte ne pouvait espérer comprendre.

– Que dirais-tu d'un verre de bordeaux et de quelque chose à manger pendant que tu me donnes des nouvelles de Londres ?

— Excellente idée, répondit Miles, soulagé, en réglant son pas sur celui de son ami tandis qu'ils se dirigeaient vers la salle à manger.

Un verre de vin, de la nourriture et une conversation réconfortante au sujet d'espions français meurtriers. C'était exactement ce dont il avait besoin pour distraire son esprit du sujet beaucoup plus troublant d'une certaine femme en colère.

Crac !

Les deux hommes sursautèrent au bruit de pierres qui s'entrechoquaient. Cela provenait du jardin.

Richard regarda Miles en fronçant les sourcils.

— Mais que diantre lui as-tu dit à propos de ses cheveux ?

— Aïïïïïe…

Henrietta étreignit son épaule endolorie et jeta un regard noir aux morceaux du buste d'Achille. Des éclats de son casque jonchaient le sentier, son nez était coincé dans une haie, et un gros œil au regard fixe avait roulé sous un rosier. Ayant entraîné la moitié d'un rosier dans sa chute, le pilier sur lequel le buste reposait était couché sur le côté. Qui donc avait décidé que l'entrée de la roseraie était un bon endroit où placer un buste trop lourd du haut ? Oh, ciel, ça faisait *mal*. Elle supposa que ç'aurait pu être pire. Il aurait pu lui tomber sur le pied.

Henrietta s'écroula sur le banc le plus près avant de causer d'autres dommages.

— Je suis une catastrophe ambulante, marmonna-t-elle.

Elle ne s'en était vraiment pas très bien sorti, n'est-ce pas ? Lorsqu'elle avait vu Miles, elle avait eu l'intention de le remettre à sa place en le traitant froidement et avec dignité, pas de partir en trombe comme une enfant de deux ans démente et déchaînée. Comme une enfant de deux ans déchaînée et *destructrice*, se corrigea-t-elle en jetant un œil aux restes du buste. Demain, il faudrait qu'elle s'excuse auprès de Richard pour avoir saccagé son ornement de jardin.

En revanche, personne ne pouvait nier qu'il le méritait bien. Miles, pas Achille. Évidemment, s'il y avait eu un buste de Cupidon à portée de main, Henrietta aurait pu être tentée de le brutaliser. Cela paraissait vraiment injuste de la part de Cupidon – ou de la Destinée, de la Fatalité ou de quiconque était responsable de ces choses-là – de placer l'amour aussi merveilleusement, glorieusement, à sa portée avant de le lui arracher en chantant d'un air moqueur « Nan, nan, tu as cru que tu avais une chance, n'est-ce pas ? ».

Henrietta arracha une feuille d'un buisson voisin et se mit à la déchiqueter.

Blâmer Cupidon ne réglerait rien. Miles lui devait des explications. Non pas parce qu'il l'avait embrassée – ayant deux frères aînés, Henrietta avait grandi en sachant très bien qu'un baiser représentait rarement une promesse –, mais bien parce qu'ils étaient, ou du moins, avaient été, amis. Un ami n'embrassait pas une amie pour s'en débarrasser ensuite avec de banals compliments. C'est joli, tes cheveux, aujourd'hui ? Ha ! Croyait-il vraiment pouvoir l'apaiser ainsi ?

– Pour quel genre d'idiote me prend-il ? grommela Henrietta dans le silence de l'air nocturne.

Seuls les grillons répondirent de leurs chants compatissants. Henrietta n'eut pas le courage de leur dire qu'il s'agissait d'une question rhétorique.

Autour d'elle, le jardin était sombre et tranquille, silencieux comme seule la campagne pouvait l'être. L'odeur de la lavande et de l'hysope qui bordaient le sentier flottait lourdement dans l'air, rivalisant avec le parfum enivrant des roses qu'on avait fait grimper sur un treillis de manière à former une arche. Henrietta resta assise là très longtemps, à déchiqueter des feuilles et à broyer du noir, tandis que le banc en marbre devenait froid et humide sous sa jupe en sergé.

Elle était au cœur d'une longue conversation interne compliquée avec Miles et arrivait tout juste au moment où ce dernier avouait qu'il était resté à l'écart uniquement parce qu'il était paralysé par la peur à cause de l'intensité de ses propres sentiments pour elle (ce qui suivait la conversation tout aussi longue et compliquée dans laquelle Miles affirmait avec morgue que les baisers étaient banals, après quoi Henrietta lui rebattait les oreilles d'une tirade cinglante avec laquelle seuls les discours de Cicéron rivalisaient en longueur et en éloquence), lorsqu'elle entendit le craquement d'une brindille sous un pied juste à l'extérieur de sa petite tonnelle.

Bon. Henrietta se redressa sur son petit banc. S'il s'agissait de Miles qui la cherchait, elle lui dirait précisément ce qu'il pouvait faire de ses compliments insignifiants et de ses baisers tout aussi insignifiants.

Un second bruit de pas suivit le premier, puis une silhouette sombre s'arrêta en bordure du sentier.

Ce n'était pas Miles.

Une réplique acerbe inexprimée figée sur ses lèvres, Henrietta se recroquevilla instinctivement dans sa tonnelle lorsqu'un visage encapuchonné plana devant le treillis.

De profil, le surplomb du capuchon semblait ne recouvrir que du vide ; rien ne laissait deviner une forme humaine sous la longue robe qui tombait droit jusqu'au sol et dans les manches enfoncées l'une dans l'autre. La robe en laine brute de l'apparition balaya le sentier de pierres avec un faible bruissement tandis que la silhouette encapuchonnée se tournait en direction de la maison.

Les mains d'Henrietta s'agrippèrent au siège en marbre du banc, et ses bras se couvrirent de chair de poule. Dans l'obscurité, la brise qui lui avait semblé si agréable devint fraîche, de la fraîcheur moite de la tombe.

Froutch, fschuiii. Froutch, fschuiii.

Lentement, délibérément, la silhouette sombre dont chaque mouvement mesuré faisait osciller les pampilles de sa ceinture parcourut le sentier jusqu'à la maison. Elle se glissa en douceur en haut des trois petites marches de la terrasse, puis s'arrêta à nouveau devant les portes vitrées afin d'évaluer l'état des lieux avant de lever un bras couvert sur la poignée. Tranquillement, ni vu ni connu, la silhouette encapuchonnée se glissa dans le salon désert, fermant sans bruit la porte derrière elle.

Henrietta resta assise sur son banc, figée, les yeux rivés sur la terrasse déserte.

Le moine fantôme de l'abbaye de Donwell venait de s'introduire chez son frère.

Chapitre 22

❁

– Y a-t-il vraiment un moine fantôme à l'abbaye de Donwell ?

Le pasteur me regarda avec un grand sourire en versant une portion de gin pas cléricale du tout dans son verre.

– Quelqu'un t'a rebattu les oreilles avec cette vieille légende ?

Je fis un geste vers Colin Selwick, qui se tenait plusieurs petits groupes de personnes plus loin, dans le salon très victorien de l'abbaye de Donwell, le regard vide devant l'assaut conversationnel de Joan Plowden-Plugge. Il dut sentir qu'on parlait de lui parce qu'il tourna la tête dans notre direction et leva son verre en un salut infinitésimal.

Je détournai rapidement le regard.

Le pasteur, béni soit-il, parut ne pas s'en apercevoir. Il en était à son deuxième verre (« Une quantité dangereuse, ma chère », m'avait-il informée en allant chercher le deuxième), et au cours des vingt dernières minutes, nous étions devenus de grands potes. Joan s'était ruée sur moi à la seconde où j'étais entrée dans la pièce.

– Tu voudras discuter avec le pasteur, avait-elle affirmé en me tirant par le bras pour m'entraîner dans la direction de la table des rafraîchissements.

Une fois que j'avais été mise en lieu sûr, elle était retournée à l'entrée pour réclamer son butin de guerre, soit Colin.

Cela ne me dérangeait pas tellement. D'une part, j'éprouvais un certain plaisir à observer un Colin pris au piège jeter des regards distraits autour de lui à la recherche de moyens de s'échapper. D'autre part, le pasteur était le pasteur le plus délicieusement pastoralement incorrect que j'avais jamais rencontré.

Je devais admettre que je n'en avais pas rencontré des tonnes, mais tout individu élevé avec un régime soutenu en littérature anglaise a une bonne idée de ce à quoi devrait ressembler un pasteur de village. Je m'étais attendue à un type bedonnant aux cheveux blancs, avec des mains pâles et veineuses, ainsi qu'une apparence de saint. Le genre de pasteur qui farfouille dans les vieux registres du village, rédige de longs traités sur la faune et la flore locales et occupe son temps libre à faire de petits travaux dans son jardin en contemplant le dessein de Dieu tel que révélé par sa création.

À la place, je m'étais retrouvée à serrer la main d'un homme élancé, à la fin de la trentaine, avec un nez crochu et un sourire en coin. Il avait, m'expliqua-t-il, joué au rugby pour l'université de Durham, jusqu'à ce qu'un genou fragile l'ait obligé à abandonner le sport. Aucunement intimidé, il s'était présenté à une agence d'artistes dans l'espoir de faire carrière au cinéma. Deux publicités et plusieurs apparitions en tant que figurant dans des films en costume plus tard (« Les foulards de la Régence étaient vraiment infernaux, tu sais »), il avait laissé tomber le jeu, acquis un diplôme de deuxième cycle en histoire de l'architecture à Cambridge, s'était essayé au journalisme, avait écrit pour une rubrique à potins et s'était mis au parachutisme. C'était cela, m'avait-il informée, qui l'avait conduit à la théologie, puisqu'il « n'y a rien de tel que plonger vers le sol pour amener un homme à reconsidérer sa relation avec son Créateur ». Son prédécesseur, m'avait-il assurée, avait servi la paroisse depuis 1948 et était le modèle même d'un vieux pasteur de village. « Ils sont encore en train de s'habituer à moi », m'avait-il informée avec un sourire satisfait.

Il nous avait fallu une bonne partie de son premier gin-tonic — beaucoup de gin, peu de tonic — pour passer en revue l'histoire de sa vie. La préparation du deuxième avait fourni un moment de répit qui m'avait permis de poser la question qui m'intéressait vraiment : qu'était, au juste, cette histoire de moine fantôme de l'abbaye de Donwell ?

Bien entendu, je ne croyais pas réellement qu'Henrietta avait vu un fantôme entrer dans la demeure de son frère. En me basant, entre autres choses, sur mes vastes connaissances du surnaturel acquises au cours de nombreuses soirées informatives passées devant des émissions spéciales de la chaîne Historia sur le sujet (après tout, si c'était Historia, ça fait partie du temps d'étude), pourquoi un fantôme entrerait-il par la porte ? Ne devrait-il pas être en mesure de passer à travers les murs ?

Ça sentait l'agent humain.

Ça sentait l'agent humain avec un intérêt pour Selwick Hall, la Gentiane pourpre, Miles, Henrietta, ou tout à la fois. Un agent humain qui travaillait pour les Français. N'importe quel espion qui choisissait un nom comme celui de la Tulipe noire n'aurait aucun scrupule à se déguiser un peu. Quoi de mieux qu'un costume de moine fantôme ? L'habit fournissait une dissimulation complète, et si, à l'instar d'Henrietta, quelqu'un apercevait une silhouette sombre qui errait sur le domaine, il mettrait simplement cela sur le compte de l'esprit tourmenté du moine fantôme qui cherchait à jamais son amour perdu.

En route pour l'abbaye de Donwell, j'avais préparé mentalement une liste de questions, en haut de laquelle figurait celle consistant à savoir à quel point cette histoire de fantôme locale était largement répandue en 1803. S'agissait-il, par exemple, du genre d'information qu'aurait pu trouver un agent secret français basé à Londres ? On pouvait présumer que les amis de la famille Selwick avaient entendu l'histoire de fantôme, à l'instar de toute personne originaire de cette région du Sussex. Si l'histoire n'était rien de plus qu'une affaire locale, cela signifiait qu'il fallait exclure la marquise de Montval, qui venait à l'origine du Yorkshire, ainsi que madame Fiorila, la chanteuse d'opéra italienne.

Mince, je n'avais aucune idée d'où venait la famille de Vaughn. Je me demandai si la bibliothèque de Colin comptait un exemplaire suffisamment ancien de l'annuaire nobiliaire *Debrett's*.

— Ils ont essayé l'histoire du fantôme local avec moi quand j'ai repris la paroisse, me dit le pasteur sur le ton de la confidence tandis que nous nous éloignions de la table des rafraîchissements pour laisser la place à d'autres. Mais je dois dire que jusqu'à maintenant, il s'est bien peu manifesté.

— Je ne peux pas m'imaginer qu'un fantôme fasse long feu dans cette maison, commentai-je en regardant les boiseries foncées massives et les tas de petites tables pleines de photos dans des cadres argentés autour de moi. Il craindrait probablement de heurter quelque chose.

Le pasteur gloussa.

— Ou il s'enfuirait, plongé dans une détresse esthétique.

Je souris.

— Croyez-vous qu'il ait essayé d'orchestrer un échange avec un autre fantôme? Imaginez les petites annonces : moine fantôme, 550 ans, cherche château plein de courants d'air pour hanter, hurler et faire de longues marches dans la campagne.

— Pourquoi être si vieux jeu? s'enquit le pasteur en prenant une gorgée de son verre. Que dirais-tu de proposer une édition spéciale «monde des esprits» d'une émission de téléréalité sur la décoration et la rénovation?

— J'adore! toussotai-je dans mon verre de vin à peine entamé.

Nous fîmes plus qu'un peu les fous à planifier les deux premiers épisodes. Rien ne battrait le chien des Baskerville rénovant la maison Usher — après la chute, bien entendu.

Colin tourna la tête, cherchant la source de cette hilarité. Je lui fis un petit signe de la main.

— Penses-tu que nous devrions aller à la rescousse de ton mec? demanda le pasteur en faisant tournoyer les dernières gorgées de son gin-tonic.

— Ce n'est pas mon mec, répondis-je avec empressement avant de jeter à nouveau un œil vers Colin et Joan; Joan me faisait encore les gros yeux. Bien que tout le monde semble le croire dans les environs.

— Hum, fit le pasteur.

J'allai pour mettre les mains sur mes hanches, mais me souvins juste à temps que ce n'était pas la chose la plus intelligente à faire quand on tenait un verre de vin.

— Pas du tout, protestai-je. Je ne fais qu'utiliser ses archives.

— Ah, réfléchit le pasteur, c'est donc ainsi que vous appelez ça maintenant.

— Non, répliquai-je. Absolument pas. M'accompagnez-vous dans cette mission de secours ou dois-je tout faire toute seule ?

— Je t'accompagnerai, dit le pasteur en secouant ses cubes de glace avec un grand sourire béat. Dès que j'aurai rempli mon verre.

Je le regardai d'un air réprobateur.

— Qu'est-il arrivé à cet esprit militant ?

— Allez en paix, chère enfant, répondit-il d'un ton sépulcral, ce qui me fit rire à l'instant où je partais pour l'expédition Secourir Colin.

Joan ne parut pas du tout ravie de me voir revenir si vite ; je supposai qu'elle avait espéré que le pasteur me tienne à l'écart près de la table des rafraîchissements.

Elle tira avantage de la situation en jetant un coup d'œil condescendant à ma robe de cocktail empruntée. Il s'agissait d'une robe portefeuille du genre qui avait été à la mode quelques années plus tôt, avec des carrés noirs, verts et blancs, qui se chevauchaient selon des motifs vaguement symétriques. Je ne m'étais pas sentie trop mal d'emprunter quelque chose qui, de toute évidence, avait été abandonné parce que démodé ; sans parler du principal avantage des robes portefeuille : sans être tout à fait « taille unique », c'était certainement mieux que de me débattre pour enfiler une des vieilles robes fourreau de Séréna, lesquelles provenaient manifestement d'une phase maigre à faire peur autant que d'une époque où les ourlets étaient plus hauts. Elles auraient été trop serrées, trop courtes ou les deux. Pammy aurait certainement approuvé, ce qui était une raison plus que suffisante de ne pas les porter.

— Quelle jolie robe, commenta Joan avec un petit sourire dédaigneux. J'en avais une comme ça… Il y a deux ans.

— C'est un emprunt à la garde-robe de Séréna, expliquai-je d'un air innocent. Elle a vraiment beaucoup de goût, tu ne trouves pas ?

C'était presque trop amusant de regarder Joan qui ne savait plus où se mettre. Je pris pitié.

— C'est charmant chez toi.

Je regrettai presque immédiatement mon impulsion charitable lorsque Joan se lança dans un long monologue au sujet des loisirs campagnards manifestement conçu pour me faire sentir comme une étrangère ignorante. Elle réussit toutefois à me faire regretter ma résolution de m'abstenir d'alcool pour la soirée ; la fête de jeudi soir (et, plus précisément, la gueule de bois de vendredi matin) avait suffi à me faire jurer d'éviter à jamais les abus. Cependant, même Carrie Nation aurait tué pour une bouteille après une demi-heure avec Joan.

— Montes-tu à cheval ? demanda Joan du ton de celle qui s'attend à, ou plutôt, espère, une réponse négative.

À vrai dire, j'avais déjà fait de l'équitation il y avait très, très longtemps, alors que j'étais victime de l'inévitable phase « je veux un poney » qui atteint les fillettes de huit ans tout aussi inévitablement que la varicelle. Un épisode de poux, combiné à la prise de conscience qu'on ne me permettrait jamais de chevaucher tête nue à travers champs en sautant par-dessus des trucs comme dans le Grand National, m'avait guérie de la fièvre de l'équitation.

Je ne voyais aucune raison de parler de cela avec Joan. Entre autres choses, j'avais comme l'impression que tout aveu d'habiletés équestres de ma part l'encouragerait à s'organiser pour que nous allions faire un tour tous ensemble – je n'avais aucunement l'intention de tomber dans ce panneau pour tomber très littéralement dans un fossé quelque part. J'aimais ma clavicule là où elle était, merci bien.

– Je prends habituellement le bus, répondis-je gaiement.

Joan me regarda sans comprendre.

– Quel nom étrange.

C'était à mon tour de ne pas comprendre. Avais-je raté une expression cruciale de l'argot britannique ?

– C'est habituellement ainsi qu'on les appelle.

À côté de moi, Colin se mit à émettre de légers gloussements.

Joan profita de l'occasion pour lui taper le dos.

– Tout, hoqueta Colin, va bien. Ne faites pas – *hoquet, toussotement* – attention à moi.

Joan incarnait la sollicitude.

– Il te faut de l'eau, lâcha-t-elle avant de recourir à sa technique brevetée de remorquage.

Quelles que fussent les activités sportives qu'elle pratiquait, elles lui avaient permis de développer une impressionnante musculature brachiale ; avant même que Colin ait pu reprendre son souffle, elle l'avait entraîné à l'autre bout de la pièce.

Je me retrouvai toute seule au milieu d'une pièce pleine d'étrangers.

– C'était un plaisir pour moi aussi, grommelai-je dans ma barbe.

Une fille avec de longs cheveux ondulés, qui avait observé la scène à une trentaine de centimètres de nous, s'approcha, un sourire amical sur les lèvres.

– Salut.

Un être humain ! Qui m'adressait la parole ! J'eus envie de la serrer dans mes bras. Il n'y a rien de plus démoralisant que rester seule pendant une fête – excepté talonner quelqu'un qui ne veut manifestement pas vous y voir. Il était hors de question que je suive Joan et Colin jusqu'à la table des rafraîchissements. S'il voulait se tirer de là, il pouvait très bien le faire tout seul.

Il ne semblait pas y mettre beaucoup d'effort.

– Ne fais pas attention à Joan, dit ma nouvelle amie en suivant mon regard. Elle est mal lunée depuis que Colin l'a plaquée.

– C'est récent ? demandai-je en essayant de ne pas avoir l'air trop intéressée.

– Ça fait environ vingt ans ; Joan avait huit ans à l'époque et elle est insupportable depuis, répondit-elle en tendant la main. Je suis Sally, la sœur de Joan.

– Oh, fis-je, l'air coupable.

– Et toi, poursuivit Sally les yeux brillants de malice, tu dois être Éloïse.

– Comment as-tu deviné ?

Sally compta sur ses doigts.

– Voyons voir : Américaine, cheveux roux, avec Colin.

– Pas tout à fait *avec* Colin, fis-je remarquer avec une certaine rudesse.

J'avais toujours trouvé plutôt charmant le commérage villageois dans les romans de Jane Austen, où tout faisait le tour de la petite noblesse du voisinage en moins de cinq minutes, mais je commençais à changer d'avis. Pourquoi tout le monde dans la pièce – dans le comté du Sussex en entier, pour autant que je sache – supposait-il que je sortais avec Colin ? D'accord, je logeais chez lui, mais ce serait un bien, bien triste jour celui où on ne pourrait plus avoir un invité du sexe opposé sans être accusé de conduite indécente.

Il y avait vraiment trop longtemps que j'étais plongée dans la Régence. J'allais bientôt discourir sur la nécessité d'avoir un chaperon sous peine d'être compromise.

— Tu loges chez lui…

— Je suis réellement ici uniquement pour les archives, répondis-je à moitié sur un ton d'excuse.

Peut-être devrais-je me munir d'une pancarte. Quoiqu'ils s'imaginaient tous des choses lubriques si charmantes qu'il était presque dommage de les décevoir. Peut-être devrais-je faire allusion à des orgies sauvages. Dans la bibliothèque. Avec des manuscrits.

Je décidai qu'il était temps de changer de sujet.

— Il y a longtemps que vous vivez à l'abbaye de Donwell ?

— Depuis mes cinq ans.

Sally sourit en lisant l'étonnement sur mon visage.

— Joan ne doit pas savoir que je te l'ai dit. Elle aime faire croire que nous sommes nées dans ce manoir.

— Tu veux dire que vous êtes ici depuis la Conquête ?

Lorsque je me remémorai ma discussion de l'après-midi avec Colin, mes joues rosirent de façon inattendue — maudits soient ces teints clairs ! À la moindre provocation, je deviens aussi rouge que le nez de Rudolph. Heureusement pour moi, toutefois, Sally dut attribuer la fichue rougeur au vin, puisqu'elle continua sans y faire allusion. D'ailleurs, pourquoi aurait-elle fait autrement ? Pourquoi quelqu'un rougirait-il en pensant à la Conquête ? Pourquoi diable est-ce que *je* rougissais en pensant à la Conquête ?

Il y avait des moments où je ne me comprenais pas moi-même.

— Exactement. Mon père, ajouta-t-elle sur un ton de conspiratrice, est en fait un notaire assez prospère.

— Cela compte-t-il comme être dans le commerce ? m'enquis-je en me laissant séduire par la thématique d'Austen.

— Il ne faudrait pas que Joan t'entende dire ça ! Elle t'arracherait la tête. Elle fait tant d'efforts pour s'intéresser aux chevaux et aux chiens.

À en juger par le ton de Sally ainsi que par la nature branchée de ses vêtements (plutôt du style BCBG que décontracté), je compris que la sœur cadette de Joan ne partageait pas cette aspiration.

— Qui habitait ici avant ? demandai-je en balayant du regard le salon sombre rempli de photos jaunies par les ans et d'une quantité étouffante d'antiquités.

— Les Donwell de l'abbaye de Donwell, bien entendu. Qui d'autre ? Les portraits étaient déjà là, ajouta Sally.

J'obtenais là la réponse à l'une des questions. Les Donwell étaient-ils du genre à héberger un espion français ? En 1803, Selwick Hall devait être au moins à six ou sept heures de Londres en carrosse — beaucoup moins si l'on parcourait la distance en cabriolet, mais tout de même pas le genre de voyage qu'on voulait entreprendre deux fois en une seule journée. On pouvait donc supposer que la Tulipe noire avait logé quelque part dans les environs, dans une auberge ou chez des voisins. À moins que… Non, aucun des autres invités de Richard et Amy n'était arrivé, ce qui éliminait la possibilité que l'un des espions en formation fût, en réalité, la Tulipe noire. Par ailleurs, pourquoi un invité légitime se serait-il donné le mal de se faire passer pour le moine fantôme alors qu'il aurait tout simplement pu utiliser l'excuse séculaire favorite de tous et prétendre s'être égaré en allant aux toilettes ? Y avait-il des invités à l'abbaye de Donwell, la première fin de semaine de juin 1803 ?

Malheureusement, bien que beaucoup plus sympathique que sa sœur, Sally n'avait pas l'air d'être le genre de personne à le savoir. Joan en aurait très probablement connaissance – ou saurait, du moins, où chercher –, mais… la ferveur historique allait-elle jusque-là ?

Probablement. Si je n'avais pas le choix. Avec un peu de chance, quelques recherches supplémentaires dans les archives de Colin m'éviteraient d'avoir à recourir à Joan.

Je serais, m'avouai-je à moi-même, très déçue si Henrietta ne découvrait jamais l'identité de la Tulipe noire. Cela ferait un joli petit rebondissement dans ma thèse – je pourrais ajouter un chapitre sur « la double énigme : les homologues français des espions anglais » –, mais, surtout, je voulais le savoir parce que, sinon, cela me rongerait autant que d'ignorer ce qui était arrivé au pauvre petit dauphin ou qui avait tué les princes dans la tour.

Je décidai d'essayer avec Sally de toute façon.

– Y a-t-il de vieilles histoires rattachées à la maison ?

Sally secoua la tête.

– Il faudrait que tu le demandes à Joan, dit-elle d'un air désolé.

– Demander quoi à Joan ?

Je sursautai et renversai un peu de mon vin lorsque Colin se matérialisa à côté de mon coude.

Heureusement, c'était du vin blanc. Et personne ne s'en rendit compte. Du moins, je l'espérais. Mon cerveau embrouillé était trop occupé à analyser la réapparition soudaine de Colin. Un instant, je parlais à Sally ; l'instant suivant, il était là, flottant dans les airs au-dessus de ma tête tel le chat du Cheshire. Je dus tourner et incliner la tête pour le regarder ; il se tenait à côté de moi, mais un peu derrière, de sorte que si je me penchais un tant soit peu en arrière, mon dos reposerait très confortablement contre son flanc.

Je me tins suffisamment droite pour satisfaire la directrice d'école la plus sévère et fis un petit pas de côté, ce qui eut l'avantage supplémentaire de me placer directement sur la tache de vin renversé.

— J'étais en train de demander à Sally s'il existait de vieilles histoires à propos de l'abbaye de Donwell, dis-je gaiement.

— Envisages-tu d'aller fouiller dans les archives de quelqu'un d'autre ? me taquina Colin. Devrais-je être jaloux ?

Peut-être était-ce mieux qu'il soit légèrement derrière moi. La force de ce sourire, de face, était éblouissante. « Ça suffit ! » me dis-je sévèrement. Il était tout simplement soulagé d'avoir échappé à Joan. Il ne me draguait pas. Du moins, pas de façon significative.

En revanche, il portait une lotion après-rasage très agréable.

— Il n'y a même pas de fantôme, dis-je à Sally d'un ton dédaigneux.

— Devrions-nous faire un échange ? proposa Sally à Colin.

— Tu prends Éloïse, et moi, le fantôme ? Non, merci.

— Le fantôme mange moins, fis-je remarquer. Et il est plus silencieux.

— Mais peut-il faire la vaisselle ? demanda Colin.

— Il faudra que tu lui poses la question, répondit sérieusement Sally. As-tu emmené Éloïse dans les cloîtres ?

Colin lança un regard sardonique à Sally.

— Et quitter la fête ?

— C'est toi qui as dit oui, le gronda Sally.

— Ç'a quelques avantages, répliqua Colin.

— Des cloîtres ? intervins-je.

Colin gémit.

— C'est comme agiter un os devant le museau d'un chien.

— Je n'aime pas cette comparaison, dis-je calmement.

— Aimerais-tu mieux une carotte devant un âne ?

— C'est encore pire.

Je me tournai vers Sally.

— Ainsi, il y a encore des restes de l'ancienne abbaye ?

— Aimerais-tu les voir ? suggéra Sally en jetant un œil à Colin. Ça ne te dérange pas ?

Colin haussa un sourcil, prenant un air de James Bond sur le point de demander son martini secoué, pas remué. Personne ne pouvait prendre un air si débonnaire sans s'y être entraîné.

— Pourquoi pas ?

Riant bêtement comme des enfants d'âge scolaire (du moins, Sally et moi riions), nous nous faufilâmes hors du salon. Joan était au milieu d'un groupe de personnes qui semblaient toutes discuter et boire avec un enthousiasme évident, et elle ne nous vit pas partir. Elle affichait un sourire sincère qui réduisait ses dents de la taille de celles du grand méchant loup dans le Petit Chaperon rouge à quelque chose d'à peu près normal. Il me vint à l'esprit qu'elle n'était probablement pas si méchante lorsqu'elle ne défendait pas son territoire.

Sally, dont les talents de remorquage étaient aussi bien développés que ceux de sa sœur, tira ensuite sur ma main, et je sortis du salon pour me retrouver dans un labyrinthe tortueux de couloirs de service. Comparé à cela, Selwick Hall était un chef-d'œuvre de symétrie du XVIIIe siècle. La maison de Sally semblait avoir été conçue par le Chapelier fou en partenariat avec une taupe paranoïaque; tout était étroit, sombre et comptait plus de virages que nécessaire. J'avançais en suivant Colin et Sally, qui se chamaillaient gentiment au sujet de savoir si la chronique hebdomadaire que tenait une connaissance mutuelle était soit un tissu de bêtises (Colin), soit une critique perspicace des mœurs modernes (Sally).

Ils semblaient être en très bons termes – ce qui était sensé puisqu'ils étaient voisins. Je me demandai si Sally n'était pas le bouclier habituel de Colin contre les avances moins que subtiles de Joan. Et si la présence de la sœur aînée avait empêché qu'il se passe quoi que ce soit avec la cadette.

Sally était vraiment très jolie. Bien qu'elles possèdent toutes deux la même silhouette longiligne, Sally n'avait pas la perfection lisse de mannequin de sa sœur aînée. Les cheveux de Sally étaient d'un châtain indéterminé, alors que ceux de sa sœur étaient d'un blond déterminé (on pouvait spéculer à savoir à quel point cette différence sortait d'une bouteille), longs et bouclés, alors que ceux de Joan étaient lisses et raides, et elle avait le front plus large et les traits plus prononcés. Il y avait tout de même quelque chose de beaucoup plus séduisant dans le visage franc et transparent de Sally. Elle possédait cette qualité intemporelle de la fille d'à côté qui se fait aimer des femmes tout autant que des hommes.

Évidemment, me rappelai-je, elle était la fille d'à côté. Très littéralement. Je me concentrai sur le fait de savoir où nous étions et regrettai de ne pas avoir mis des miettes de pain dans mon sac à main. Le temps qu'il me vienne à l'esprit que des pastilles à la menthe pouvaient remplir la même fonction (tout en ayant moins de chances d'être mangées par les créatures des bois que la nourriture dans l'histoire), nous nous étions déjà arrêtés près d'une porte latérale.

Elle devait jadis, à l'époque de *Maîtres et Valets,* avoir fait partie des appartements des domestiques, à l'instar des étroits couloirs de service. Maintenant, l'entrée de service était encombrée de bottes boueuses, de vieux imperméables et de nombreux autres objets divers, y compris une raquette de tennis brisée ainsi que des gants de jardinage vraiment très sales.

Par la porte, Colin jeta un œil au sombre ciel nocturne. Il ne pouvait pas être beaucoup plus tard que vingt heures, mais le soleil se couchait tôt en novembre ; il faisait complètement nuit depuis dix-sept heures.

– Lampe torche ?

– Sur l'étagère, répondit Sally en pointant une grosse lampe torche grise rayée bordeaux du genre de celles qui avaient une ampoule de la taille d'un œuf frit et une large poignée plate.

Celle-ci semblait avoir été blanche autrefois, mais des années de poussière et de mains crasseuses avaient laissé leurs marques.

– Est-ce loin ? demandai-je tardivement en resserrant mon châle en pashmina emprunté autour de mes épaules.

L'air provenant de la porte ouverte passa au travers de la fine étoffe de la robe de Séréna et me fit regretter de ne pas avoir pensé à mettre des bas. Je commençais à me demander dans quelle galère je m'étais embarquée. Je n'avais vu aucun signe de ruines lorsque nous étions arrivés en voiture plus tôt dans la soirée, et bien qu'extrême, mon enthousiasme pour les structures croulantes faiblissait quelque peu devant un mélange de fines étoffes, de talons hauts incommodes et la perspective de trébucher sur des trucs dans l'obscurité. Et, croyez-moi, s'il y avait des trucs sur lesquels trébucher, je les trouverais.

Sally regarda Colin.

Colin haussa les épaules.

— Pas vraiment, dit-il de ce ton masculin peu informatif qui pouvait vouloir dire n'importe quoi entre « juste au coin de la rue » et « quelque part dans les Hébrides extérieures qu'on ne peut atteindre qu'en traversant des cols enneigés ».

Pour lui rendre justice, il était peut-être sur le point de préciser sa pensée, mais toute description supplémentaire fut brusquement interrompue par un claquement de talons et une voix qui criait :

— Sally ?

— Et si on l'ignorait ? proposai-je.

— Ah, l'innocence de la jeunesse, murmura Colin.

Je lui frappai le bras d'un coin de mon châle. Quand avais-je donc développé cette tendance à la violence désinvolte ? D'abord un bâton lumineux, ensuite un châle... Évidemment, il y avait une très bonne explication, mais elle ne me plaisait pas, alors je l'ignorai.

Il n'était pas si facile d'ignorer la voix de Joan. Et elle s'approchait.

— Sally !

— Ah, et puis zut ! dit Sally en redressant les épaules d'un air résigné. Je me demande de quoi il s'agit cette fois. Partez sans moi.

— Tu es certaine ?

Sally battit l'air de la main.

– Colin connaît le chemin. Je vous rejoindrai aussitôt que je pourrai m'échapper. J'arrive, Joan !

– Il n'y a plus que nous alors, dit Colin en allumant la lampe torche.

Un pâle cercle de lumière jaune apparut sur le sol environ un mètre devant nous, faisant ressortir les brins d'herbe morts avec une précision fantasmagorique.

– Et le fantôme, soulignai-je.

– En tant que chaperon, répondit Colin en fermant la porte derrière nous, il n'est pas très substantiel. On y va ?

Ressentait-il le besoin d'avoir un chaperon ? Je décidai de ne pas poser la question ; cela pourrait sonner un peu trop comme de la drague. S'il se plaignait déjà de l'absence d'un chaperon, la dernière chose que je souhaitais était de lui donner l'impression que je me jetais sur lui.

Pour être juste envers Colin, il agissait plus que décemment envers une invitée indésirable. Je lui avais forcé la main pour qu'il m'invite ; il aurait eu parfaitement le droit de me laisser seule dans la bibliothèque. Rien ne l'obligeait à me faire à dîner, ni à me rejoindre pour une promenade, ni à m'emmener à une fête. En résumé, il se comportait exceptionnellement bien, alors que moi, je… Eh bien, disons tout simplement que je n'étais pas si fière de ma propre performance jusqu'à maintenant.

Je laissai donc passer le commentaire à propos du chaperon.

– On y va, répondis-je simplement.

L'étroit rayon de lumière vacillait devant nous tel un fil fragile nous reliant à la chaleur, à la lumière et à la civilisation. Avec regret, je pensai brièvement à la table des rafraîchissements. Mais combien de fois a-t-on la chance de suivre un fantôme jusque dans son antre ? Serrant davantage mon châle emprunté autour de mes épaules, je suivis Colin en titubant en direction du cloître isolé du moine fantôme.

Chapitre 23

Fantôme (n.) : *agent secret d'une discrétion et d'un talent exceptionnel ; l'espèce la plus meurtrière.*
– tiré du livre de codes personnel de l'Œillet rose

Les fantômes n'avaient pas de pieds.

Il fallut un moment à Henrietta pour se rendre compte que ce qu'elle voyait n'était pas, en réalité, une horrible apparition provenant du monde des esprits, mais bien un être humain qui manigançait quelque chose. Malgré les protestations de Miles et de Richard sur le sujet, le moine fantôme n'existait pas. S'il existait, elle doutait franchement qu'il s'éloigne de l'abbaye de Donwell pour se balader chez les voisins, et il ne marcherait certainement pas sur une brindille.

Si Miles offrait une reprise de sa fameuse apparition en tant que moine fantôme de l'abbaye de Donwell…

Henrietta, dont la robe de voyage bleu foncé se fondait bien dans l'obscurité, se leva de son banc et se dirigea furtivement vers la maison.

Le temps qu'elle sorte de la couverture protectrice de la tonnelle de roses, le bon sens lui était revenu. Cela ne pouvait pas être Miles. On pouvait se faire passer pour plus grand, mais difficilement pour plus petit, et la silhouette qu'elle avait vue devant les portes du salon était nettement plus petite et plus mince que Miles.

Mais s'il ne s'agissait pas de Miles… Oh, mon Dieu.

À force de s'indigner contre Miles, Henrietta avait presque réussi à oublier qu'ils étaient surveillés par le ministère de la Police français. C'eût été beaucoup moins inquiétant que la silhouette encapuchonnée fût Miles.

D'affreuses images d'agents secrets français meurtriers surgirent pour la narguer, accompagnées d'une certaine indignation envers le fait que les Français aient le culot, le culot inouï, de les suivre jusqu'à Selwick Hall, où ils avaient toujours connu la paix et la sécurité. C'était une chose d'aller à la chasse aux espions; c'en était une autre lorsque ces espions envahissaient votre demeure. Henrietta leva le menton et prit une expression d'entêtement qui ne laissait présager rien de bon pour la police secrète de Napoléon. Le fait que l'espion ait été assez téméraire pour la suivre jusque-là avait tout de même un avantage : il serait plus facile à attraper.

Henrietta ralentit le pas et s'assura de rester dans l'ombre. Elle se faufila doucement en haut des marches peu profondes de l'escalier qui menait à la terrasse en se tenant en équilibre sur la pointe des pieds dans ses bottillons d'enfant. Son choix de chaussure était parfaitement adapté pour un long voyage, mais un peu moins pour la chasse aux moines fantômes. Les talons avaient une tendance déconcertante à claquer sur les pierres de la terrasse. Henrietta se serait bien arrêtée pour les enlever, mais le moine fantôme avait déjà pris beaucoup trop d'avance sur elle. Elle fit donc de son mieux pour avancer sur la pointe des pieds et tourna la poignée des portes vitrées avec une lenteur mesurée, contente que le tapis d'Axminster qui couvrait le plancher du salon long étouffe ses pas.

Henrietta s'arrêta un instant au milieu du salon long qui, comme l'indiquait son nom, occupait les trois quarts de la longueur de la maison à l'arrière. Malgré sa taille, il était sommairement meublé de groupes de chaises et de tables petites et légères, qui pouvaient facilement être poussées contre les murs en cas de danse impromptue. Les yeux d'Henrietta, habitués à l'obscurité, inspectèrent la pièce sans y déceler de formes qui n'auraient pas dû s'y trouver. Les rideaux pendaient bien à plat contre les murs, et les canapés bas sans dossier aux extrémités enroulées étaient trop frêles pour cacher quelqu'un de plus gros qu'un nain bien nourri. La silhouette encapuchonnée n'avait certainement pas la taille d'un nain.

Si elle était une espionne française, où se cacherait-elle ? Henrietta avait toujours entretenu des doutes quant à l'efficacité de ce type de raisonnement. Comment pouvait-elle savoir où se cacherait un espion français sans savoir ce qu'il cherchait ? S'il s'intéressait à la correspondance de Richard, il se dirigerait très probablement vers le bureau ou la chambre ; s'il s'intéressait plutôt à Miles ou à elle… Henrietta chassa cette pensée avant qu'elle puisse aller plus loin. Commencer à s'énerver ne rendrait service à personne, sauf peut-être à l'espion.

Des portes s'ouvraient à sa droite sur la salle de musique et à sa gauche sur un autre salon. Henrietta ne perdit pas de temps à fouiller l'une et l'autre. Elle se rendit directement aux frêles portes blanc et doré en face de l'entrée du jardin et en ouvrit doucement une juste assez pour se glisser dans le hall, clignant des yeux pour s'habituer à la lumière. Les bougies des appliques dorées sur les murs n'avaient pas encore été éteintes pour la nuit. Henrietta hésita un instant dans l'ombre, sous le surplomb que formait l'escalier.

Elle entendait les gros rires masculins qui provenaient de la salle à manger familiale du côté gauche du hall. Miles et Richard s'attardaient probablement autour de leur porto. Le soulagement de les savoir sains et saufs se transforma rapidement en indignation. Il était bon de savoir qu'ils se rendaient utiles pendant que des espions français rôdaient dans les corridors de Selwick Hall, se dit aigrement Henrietta. Et ils traitaient les femmes de sexe faible ? Pfff. L'armée de Napoléon pourrait pénétrer dans le hall en troupes que Miles et Richard ne se rendraient probablement compte de rien et continueraient à échanger des histoires salaces jusqu'à ce qu'ils manquent de porto.

À l'autre bout du hall, toutes les pièces étaient sombres – mais pas complètement silencieuses. Henrietta entendit un léger bruissement. Ce pouvait être les rideaux qui bruissaient dans la brise ou ce pouvait être quelque chose, ou quelqu'un, d'autre.

Le bruit lui était parvenu depuis le bureau de Richard.

Henrietta eut beaucoup de mal à se retenir de sautiller tellement elle était excitée, mais puisque cela aurait été à l'encontre de son objectif ultime (étant donné que sautiller n'est pas l'activité la plus furtive), elle se maîtrisa. Se déplaçant avec précaution sur le plancher de marbre, Henrietta commença à avancer vers le bureau de Richard. Collée contre le mur, elle dépassa le seuil obscur du petit salon où elle s'était assise avec Amy plus tôt, puis Ethelbert, l'armure qui vivait à côté de l'escalier, jusqu'à ce qu'elle aperçoive la porte du bureau de Richard, qui était très légèrement entrouverte.

La porte était si près d'être fermée qu'Henrietta ne l'aurait même pas remarqué n'eût été le mince filet de lumière qui filtrait doucement à travers l'étroite fente tout autour. Évidemment, Richard aurait pu y avoir tout simplement laissé une bougie brûler, par oubli ou en vue d'y revenir plus tard. Il aurait pu avoir laissé un feu brûler dans l'âtre pour lutter contre la fraîcheur de cette nuit de début juin. De temps à autre, Amy aimait s'approprier le bureau de Richard pour y travailler elle-même, recroquevillée dans le gros fauteuil de Richard en prenant des airs de propriétaire. Il y avait une demi-douzaine d'explications tout à fait innocentes à cette faible lueur vacillante.

Henrietta ne perdit de temps avec aucune d'entre elles.

Revenant un peu sur ses pas, elle attrapa un lourd candélabre en argent sur une des tables en marbre du hall et en moucha prestement les chandelles. C'était pour ses qualités d'objet contondant qu'elle le voulait ; pas pour sa luminosité. Un tisonnier aurait été encore mieux, mais elle ne pouvait pas se fier au fait qu'il y en aurait un à portée de main dans le bureau de Richard. Elle avait pensé emprunter l'épée d'Ethelbert, mais même si elle réussissait à s'en emparer sans renverser Ethelbert, elle ne saurait absolument pas s'en servir.

Henrietta retourna lentement et avec précaution jusqu'au bord de la porte du bureau. Non, c'était beaucoup mieux ainsi. Avec un peu de chance, elle surprendrait l'intrus par-derrière et…

— … tombé directement par la fenêtre !

— Non ! Pas au milieu de St. James's Street !

— Et là, Brummell a dit : « Mon cher jeune homme, si vous devez être un désastre vestimentaire, veuillez au moins vous abstenir de vous donner en spectacle. » J'ai cru que Ponsonby allait faire dans sa culotte !

La porte de la petite salle à manger à l'autre bout du hall s'ouvrit à la volée, déversant une vague de bruits de pas retentissants et de rires masculins. Sous la porte du bureau, la faible lueur disparut subitement.

Non !

Henrietta abandonna la subtilité et ouvrit brusquement la porte pour se ruer dans le bureau. Après la lumière dans le hall, tout ce que ses yeux purent percevoir fut un rideau d'obscurité totale. Dans sa hâte, elle fonça ventre premier dans quelque chose de pointu et dur et faillit laisser tomber son candélabre. Venait-elle d'être transpercée par l'épée d'un Français ?

Une mission de reconnaissance révéla qu'il ne s'agissait en fait que du coin du secrétaire de Richard et que cela n'impliquait aucune effusion de sang. Mais c'était *douloureux*.

Haletante, Henrietta s'efforça de se déplier, mais il était parfaitement évident qu'elle arrivait trop tard. Les restes de fumée d'une bougie récemment mouchée lui chatouillèrent le nez, mais elle ne voyait le moucheur de la chandelle nulle part.

Tandis que ses yeux s'habituaient à l'obscurité, les masses noires informes éparpillées dans la pièce devinrent des éléments reconnaissables du mobilier : des chaises, des tables, plusieurs bustes sur d'étroits piédestaux, ainsi que le secrétaire vindicatif. Agiter le pied dans tous les sens dans l'espace sous le secrétaire ne révéla la présence d'aucun espion accroupi et, mis à part deux autres bergères à oreilles, aucun autre meuble dans la pièce n'était assez gros pour qu'on puisse efficacement se cacher dessous ou derrière.

Pour autant qu'Henrietta le sût, les bibliothèques alignées aux murs ne recelaient pas le moindre passage secret — et si elle n'en connaissait pas, le moine fantôme non plus. Henrietta était sur le point de regarder derrière les chaises, histoire d'être rigoureuse, lorsqu'elle remarqua quelque chose qui lui confirma avec certitude que l'effort ne servirait absolument à rien.

À l'autre bout de la pièce, les rideaux ondulaient de sorte à suggérer que la fenêtre ouverte venait d'être utilisée à bon escient.

Zut.

Henrietta se précipita à la fenêtre, mais l'intrus s'était évaporé aussi parfaitement que s'il avait réellement été le moine fantôme qu'il personnifiait. Sous la lune impartiale, le parc était vide et silencieux. Le moine fantôme avait eu amplement de temps pour s'échapper tandis qu'elle se battait contre le secrétaire de Richard.

Henrietta se renfrogna. Elle n'offrait vraiment pas une très bonne performance en tant qu'espionne intrépide, n'est-ce pas ? Évidemment, elle croyait toujours que n'eût été ces deux hommes bruyants et *tapageurs,* elle aurait pu surprendre l'intrus.

Henrietta s'aperçut qu'elle tenait toujours le lourd chandelier en argent ; elle le posa sur le secrétaire de Richard avec un bruit sourd de mécontentement. Maudits hommes bruyants qui se mêlaient de ce qui ne les regardait pas. Créatures écervelées et hautement maladroites. Ils faisaient certes de bons partenaires de danse — enfin, lorsqu'ils se souvenaient de se montrer pour la danse qui leur était assignée et qu'ils ne lui marchaient pas lourdement sur les pieds comme le ferait un dinosaure désorienté. Mis à part cela, les Amazones avaient raison : ils causaient trop de problèmes pour en valoir la peine. S'il n'en tenait qu'à cela, elle pouvait tout aussi bien danser avec Pénélope.

Un bruit de pas lourds à la porte fit sursauter Henrietta ; elle se tourna brusquement vers celle-ci, le secrétaire derrière elle. Momentanément éblouie par la lumière, elle ne vit rien de plus qu'un halo lumineux dans l'obscurité.

Pour l'amour du ciel ! Un moine fantôme par nuit était amplement suffisant ; elle n'avait pas besoin d'autres apparitions surnaturelles. La lumière se résorba jusqu'à redevenir la flamme d'une bougie tandis qu'Henrietta clignait des yeux avec humeur.

— Qui est-ce ? demanda-t-elle.

— Hen ? répondit une voix masculine étonnée.

— Oh, fit-elle faiblement lorsque Miles entra dans la pièce.

Se remémorant les Amazones, elle leva une main pour se protéger les yeux de la lueur de sa bougie.

— C'est toi.

D'un regard perplexe, Miles fit le tour de la pièce plongée dans la pénombre.

— Que fais-tu ici dans l'obscurité ?

— Rien qui puisse t'intéresser, répondit Henrietta en se dirigeant d'un pas lourd vers la porte avant de céder à l'envie d'utiliser le chandelier sur lui.

C'était exactement ainsi qu'elle avait envie de terminer sa journée : en expliquant à Richard et à Amy comment elle en était venue à causer une commotion cérébrale à Miles.

— Bonne nuit.

Avant qu'elle ait le temps de le dépasser d'un pas raide, Miles l'attrapa par le bras et la força à s'arrêter. Il ferma la porte d'un coup de pied et se planta devant.

— Hen, ne fais pas ça.

— Ne fais pas quoi ? demanda Henrietta en libérant brusquement sa main de son emprise.

Miles se gratta la tête.

— Tu le sais.

— Non, répondit platement Henrietta. Je ne le sais pas. Peut-être que je le saurais si quelqu'un avait pris la peine de passer ou d'envoyer une note plutôt que de disparaître pendant une semaine entière…

Henrietta s'entendit élever la voix et s'empressa de pincer les lèvres avant de commencer à hurler comme la Reine de la nuit lors d'une mauvaise journée.

D'accord, elle avait une bonne raison, se rappela-t-elle. *Ç'avait été* une mauvaise journée, et longue en plus, entre les carrosses brisés, les affreuses apparitions et les hommes idiots qui se cachaient quand vous vouliez les voir, puis vous empêchaient de quitter la pièce quand ce n'était pas le cas. Henrietta lança à Miles un féroce regard noir.

Miles maintint fermement sa position malgré la force de ce regard.

— Il faut qu'on parle.

— Et tu as été retenu contre ton gré par des maniaques armés pendant toute la semaine ? Attaché à une chaise, peut-être ? Privé de matériel pour écrire ? Ligoté, bâillonné ?

Miles déglutit avec difficulté.

— J'ai agi en goujat ?

— Sans contredit, répondit vertement Henrietta en tendant la main vers la poignée de la porte.

Miles parut un peu frustré.

— Ce que j'essaie de dire, c'est que je suis désolé.

— Oh, voilà qui est parfait, marmonna Henrietta.

Un petit « Je suis désolé » pour six — non, sept si l'on comptait la majeure partie de la journée d'aujourd'hui — jours passés à s'arracher le cœur dans un état de pure agonie ? Ha.

Soit Miles ne l'entendit pas, soit il choisit de ne pas l'entendre.

— Tu me manques, dit-il sincèrement. La vie est tout simplement... plus fade quand tu n'es pas là. Te parler me manque. Nos promenades dans le parc me manquent.

— Hum, fit Henrietta d'un air évasif, mais sa main lâcha la poignée de la porte.

— Ce n'est pas la même chose sans toi, dit Miles en faisant les cent pas. Diable, même Almack's me manque. Peux-tu le croire ? Almack's !

Il semblait si troublé et indigné que, malgré elle, malgré toute l'attente, la déception et les entrées de journal colériques, Henrietta sentit sa mauvaise humeur fondre comme neige au soleil. Dans sa tête, il était redevenu son Miles, non pas un vague étranger, et, curieusement, quelque chose dans son ton mécontent lui redonna espoir, d'une manière qu'aucune déclaration poétique n'aurait jamais pu le faire.

— Lady Jersey sera flattée, dit prudemment Henrietta, mais l'ombre d'un sourire commençait à se dessiner sur ses lèvres.

— Lady Jersey peut aller se faire voir, répondit Miles avec une véhémence qui aurait profondément bouleversé Lady Jersey, eût-elle été présente.

— Ce n'est pas très sympathique de ta part.

— *Hen*, gémit Miles, l'air d'être sur le point de se frapper la tête contre la porte. Me laisseras-tu continuer ?

Henrietta se tut immédiatement, envahie d'une euphorie étouffante qui lui coupa le souffle et la fit frissonner jusqu'au bout des doigts. Elle ne remarqua même pas que les déambulations de Miles l'avaient suffisamment éloigné de la porte pour qu'elle ait la voie libre. Soudain, sortir en trombe ne lui paraissait plus aussi essentiel.

– D'accord, répondit-elle à bout de souffle.

– Ce conflit entre nous, dit Miles en gesticulant avec éloquence. Je n'aime pas ça.

– Moi non plus, répliqua Henrietta d'une voix qu'elle eut du mal à reconnaître comme la sienne.

– Je ne peux pas me passer de toi, poursuivit Miles, sincère.

Il ne pouvait pas se passer d'elle. Il s'agissait de Miles ; Miles qui disait qu'il ne pouvait pas se passer d'elle. Elle se serait pincée pour s'assurer qu'elle ne rêvait pas, qu'elle ne s'était pas endormie dans le jardin au milieu de la lavande, des roses et des grillons qui stridulaient une berceuse. Seulement, si elle avait rêvé d'un tel moment, elle aurait porté une élégante robe en satin bleu ciel, ses cheveux auraient été coiffés en jolies anglaises, et Miles aurait été à genou dans un jardin d'été, pas en train de faire les cent pas comme un maniaque dans le bureau sombre de Richard. Pourtant, elle était là, dans sa robe en sergé salie par le voyage, avec ses cheveux qui pendaient mollement autour de son visage et un bouton sur le menton, et Miles disait qu'il ne pouvait pas se passer d'elle. Il fallait que ce soit réel.

Le cœur d'Henrietta se mit à battre au rythme du refrain de l'*Alléluia* avec accompagnement instrumental complet.

Elle était en plein *do* aigu particulièrement élevé, à deux secondes de se jeter au cou de Miles pour terminer le refrain par un crescendo avec un baiser retentissant, lorsque Miles ajouta, comme si cela résumait tout :

– À mes yeux, tu es presque aussi importante que Richard.

L'orchestre s'interrompit avec un grincement discordant, le chœur se tut en bafouillant en plein alléluia, et le cœur d'Henrietta, près des portes du paradis, dégringola pour atterrir avec un bruit assourdissant au beau milieu des poubelles de la veille.

– Oh.

Même cette courte syllabe fut difficile à faire passer à travers sa gorge soudainement serrée.

« À mes yeux, tu es presque aussi importante que Richard. »

Il n'avait pas réellement dit cela, n'est-ce pas ? Mais si. Ce devait être le cas. Elle ne pouvait certainement pas avoir imaginé quelque chose d'aussi horrible. La semaine passée à se préparer pour le discours « Tu es une personne charmante et, un jour, tu trouveras quelqu'un qui t'aime vraiment » ne l'avait pas préparée à cela. C'était pire qu'entendre « Un jour, tu trouveras quelqu'un qui t'aime » ou « Ton amitié m'est précieuse ». C'était presque pire que pas de discours du tout.

– Hen, termina Miles d'une voix rauque en prenant ses deux mains dans les siennes, tout ce que je veux, c'est que les choses redeviennent comme avant.

Ses grandes mains engloutirent les petits doigts raides d'Henrietta, et une vague de chaleur se répandit de ses paumes jusqu'à ses bras. « Et cette étreinte est un pieux baiser[5] ». Pas étonnant que la société impose le port de gants ! Tandis qu'ils se tenaient, seuls, dans la pièce sombre,

5. N.d.T.: William Shakespeare, *Roméo et Juliette*, acte I, scène 5.

la pression de la main de Miles, paume contre paume, peau à peau, donnait une impression d'intimité illicite.

Henrietta s'attendait à ce que Miles lâche ses mains. Ce ne fut pas le cas. Autour d'eux, le bureau était parfaitement silencieux ; même les criquets, dans le jardin, retenaient leur souffle, et les feuilles refusaient de bruisser dans le vent. Le pouce de Miles se déplaça doucement vers la chair tendre de son poignet, de manière apaisante, rythmique. D'abord de façon presque imperceptible, sa main commença à exercer une traction constante sur la sienne, l'attirant lentement vers lui.

Consternée, Henrietta leva subitement les yeux vers son visage. Miles ne sembla pas s'en rendre compte. Son regard était braqué directement sur ses lèvres.

Si elle fermait les yeux... Si elle s'abandonnait à la pression de leurs mains jointes... Si elle se penchait un tout petit peu plus vers lui...

Il pourrait partir une fois de plus et ne pas lui parler pendant sept jours.

Cette pensée perça le brouillard des émotions d'Henrietta aussi efficacement qu'un seau d'eau froide. Oh non, se dit-elle en se penchant en arrière, reculant devant la pression qu'exerçaient les mains de Miles ainsi que ses propres désirs. Elle ne jouerait pas à ce jeu une seconde fois. Il voulait que les choses redeviennent comme avant ? Très bien. Il avait établi les règles, il n'avait qu'à les respecter.

— *Non.*

Avec un tout petit peu plus de force que nécessaire, Henrietta retira ses mains de l'emprise de celles de Miles.

Miles cligna des yeux à plusieurs reprises, tel un homme qui sort d'une transe, puis fixa ses mains vides comme s'il les voyait pour la première fois.

— Non ? répéta-t-il.

— Non. Ça ne me va pas.

Miles regardait toujours ses propres mains en fronçant les sourcils. Henrietta joignit les mains. Bon sang, n'arrivait-il même pas à la regarder ?

— On ne peut pas revenir en arrière, ajouta-t-elle un peu plus durement qu'elle en avait eu l'intention. Jamais.

Cela capta son attention. Miles leva brusquement les yeux vers elle. Il ne se donna même pas la peine de repousser l'habituelle mèche de cheveux qui lui tombait devant les yeux. Il ne fit que la fixer avec étonnement pendant un long moment.

— C'est vraiment ce que tu veux ?

— Il n'est pas question de ce que je veux, répondit Henrietta d'un ton féroce. C'*est* comme ça, c'est tout.

Miles se redressa, et son visage se couvrit d'un masque d'indifférence. Il enfouit les mains dans ses poches, s'appuya contre le secrétaire et haussa les sourcils.

— J'imagine qu'il n'y a rien à faire, dans ce cas.

Henrietta ne s'était pas rendu compte à quel point elle espérait une réponse négative, un « En fait, cette histoire d'amitié était une mauvaise idée, et en réalité, je suis très passionnément amoureux de toi », jusqu'à ce qu'elle ne l'entende pas. Comment avait-elle pu croire que Miles était sur le point de succomber à ses charmes douteux ? Elle pourrait probablement se déshabiller et danser un menuet autour de la pièce qu'il ne dirait rien d'autre que « hum ? ».

D'un geste protecteur, Henrietta croisa les bras sur sa poitrine et inspira profondément.

— En effet, répondit-elle fermement, sentant tous les muscles de son corps se tendre pour lutter contre l'envie de pleurer. Je suppose que c'est ainsi.

Sans attendre de réponse, elle se tourna et sortit avec une démarche décidée, exécutant chacun de ses pas avec une extrême précision. Elle ne regarda pas en arrière.

Chapitre 24

Charades : *astucieux jeu de tromperie mené par un agent secret expérimenté.*
– tiré du livre de codes personnel de l'Œillet rose

– Le démembrement est certainement un peu extrême, ne croyez-vous pas, ma chère ? demanda madame Cathcart, qui regardait Amy de l'autre côté de la table basse en clignant placidement des yeux.

– Si, mais un agent secret français peut-il vous tirer dessus avec un bras en moins ? répondit Amy. Je ne crois pas. Biscuits ?

Après le dîner, les dames s'étaient retirées dans le salon rose, tandis que les gentilshommes buvaient leur porto. Elles présentaient l'apparence trompeuse d'une charmante scène domestique, se dit Henrietta. Amy, dont les boucles brunes étaient retenues en arrière par un *bandeau** en soie doré, présidait à la table et versait un chaud liquide ambré dans de délicats verres peints de roses. Assise à côté d'elle, mademoiselle Grey, dont les cheveux bruns étaient attachés avec le même genre de simplicité sévère qui caractérisait sa robe grise sans coupe, plaçait avec une efficacité silencieuse des tasses sous le bec de la théière quelque peu imprévisible d'Amy. En face d'elles, la silhouette épanouie de madame Cathcart était déployée sur un petit canapé. Vêtue d'une robe démodée à larges panneaux latéraux fabriquée dans un épais tissu fleuri, les joues fripées tels des pétales de rose séchés, elle incarnait la matrone campagnarde prête à distribuer des remèdes à base de plantes, à panser le genou éraflé de petits-enfants maladroits et à porter de la soupe aux pauvres méritants de la paroisse.

– Non, merci, ma chère, répondit madame Cathcart en secouant sa tête blanche lorsqu'Amy lui présenta une assiette de biscuits.

À en juger par ses sourcils légèrement froncés, on aurait pu s'attendre à ce qu'elle soit en train de discuter d'un motif de tricot particulièrement compliqué ou de s'inquiéter du sort d'une domestique tombée enceinte.

– Vous avez bien raison au sujet de la difficulté de viser avec un bras en moins, poursuivit-elle, mais ne serait-il pas plus chrétien de le tuer, tout simplement ?

Amy posa la théière en porcelaine avec un tintement emphatique.

– Mais dans ce cas, comment pourrions-nous l'interroger ?

Madame Cathcart réfléchit.

– En effet, comment ? murmura-t-elle en prenant délicatement une gorgée de son thé. En effet, comment.

Amy se tortilla nerveusement sur son siège afin de regarder par la fenêtre, qui refléta son propre visage impatient.

– Je ne comprends pas pourquoi Richard ne nous laisse pas le poursuivre, protesta-t-elle, la voix chargée de frustration.

La loyauté familiale fit sortir Henrietta de son silence contemplatif.

– Nous ne pouvons pas risquer l'école, expliqua-t-elle pour ce qui lui sembla être la millième fois.

Après sa rencontre de la veille avec Miles, Henrietta avait rassemblé ses esprits morcelés, s'était rappelé la raison pour laquelle, au départ, elle s'était retrouvée à rôder dans la maison dans l'obscurité et s'était présentée devant son frère pour lui annoncer l'apparition du moine fantôme. Les guerres ne s'arrêtaient pas à des futilités telles que des cœurs brisés. Bien qu'elle pût avoir l'impression que la Terre avait volé en éclats dentelés lorsqu'elle avait arraché sa main à celle de Miles dans le bureau, dehors, le soleil se levait et se couchait avec insouciance, les planètes poursuivaient leur ronde prédéterminée, et quelque part dans le Sussex, un espion français se préparait à semer la pagaille.

Pendant un bref instant, Henrietta s'était abandonnée à l'extase de la noble abnégation. Elle s'était imaginé être une mystérieuse silhouette voilée, un fléau constant pour les Français ainsi qu'une source d'émerveillement et de spéculation pour les Anglais. « Un cœur brisé, vous savez », chuchoterait-on. « Un voyou sans cœur… Mais n'en est-il pas toujours ainsi ? Sa perte fit toutefois le bonheur de l'Angleterre. Ma foi, la manière dont elle a capturé cette Tulipe noire… » La bulle de rêverie éclata, et Henrietta se fit une grimace désabusée. Il n'était pratiquement pas possible d'imaginer Miles en séducteur diabolique, pas plus qu'il ne l'était de se donner le rôle d'héroïne tragique. Henrietta avait toujours su qu'elle était plutôt du genre Portia que Juliette. En outre, elle n'avait jamais compris comment les personnages voilés des tragédies arrivaient à accomplir quoi que ce soit avec la vue ainsi obscurcie en permanence. Ne devraient-ils pas constamment trébucher sur les tables basses ? Mais ça, réfléchit Henrietta, c'était précisément ce pour quoi elle ne serait jamais une héroïne tragique : elle avait été affligée d'un esprit logique.

Sa belle-sœur, n'étant pas affligée d'un esprit logique, avait été enchantée d'apprendre la présence de l'espion. Rien ne lui aurait fait plus plaisir que se précipiter dans les jardins, le voile bien en place et le pistolet à la main.

Richard n'avait pas été enchanté.

Tirant Amy loin de la porte, Richard avait fait remarquer que se lancer aux trousses de l'espion ne ferait que confirmer ses soupçons, quels qu'ils soient. *S'il* y avait bien un espion, avait-il ajouté froidement. Courir dehors la nuit en brandissant un pistolet convaincrait assurément n'importe quel observateur clandestin du fait qu'il y avait bel et bien quelque chose d'intéressant sur quoi enquêter à Selwick Hall.

— Mais ne comprends-tu pas ? avait argumenté Amy. Si nous l'abattons, personne ne pourra enquêter !

Richard avait pincé les lèvres pour taire un son qui aurait pu devenir un grognement s'il l'avait laissé grandir.

— Nous ne savons pas s'il agit seul. Il pourrait y en avoir d'autres. Es-tu prête à prendre ce risque ?

En quelques instants, malgré l'absence de cape noire et de masque, Richard s'était à nouveau transformé en Gentiane pourpre et avait ordonné que des gardes supplémentaires soient postés sur le terrain et dans la vieille tour normande. Préférant taire la nouvelle le plus longtemps possible au reste du groupe, Richard avait accepté à contrecœur de maintenir la plupart des activités prévues le lendemain. Après tout, tirer sur des cibles n'était pas un passe-temps assez inhabituel pour attirer une attention excessive, et un pique-nique pouvait servir de prétexte à plusieurs comportements étranges. Le parcours de cordes avait été abandonné, au grand soulagement d'Henrietta. Combattre un chagrin d'amour était déjà assez difficile sans être suspendue à plusieurs mètres du sol en plus.

Henrietta ramena son attention au présent lorsqu'Amy brandit la théière d'une façon qui ne laissait présager rien de bon ni pour le tapis d'Axminster ni pour ses nouveaux chaussons en soie. Elle cacha prestement ses pieds plus loin sous son fauteuil et tira ses jupes en mousseline hors du chemin du bec dégoulinant.

— Ç'aurait été beaucoup plus simple à ma façon, insista Amy.

— Au moins, nous n'avons pas eu à renoncer aux activités d'aujourd'hui, intervint calmement madame Cathcart. C'était très malin de la part de votre époux de poster des gardes dans la tour.

— Dictatorial, grommela Amy.

— Affreusement, acquiesça immédiatement Henrietta, mais le cœur n'y était pas.

Par la porte entrouverte, elle entendit le claquement étouffé de bottes contre le marbre, ainsi que le son de voix masculines qui s'élevaient en une conversation animée et qui s'approchaient, s'approchaient…

Miles.

Henrietta s'assit bien droite, ne sachant si elle devait se réjouir ou regretter d'avoir choisi une chaise dos à la porte. Sa femme de chambre l'avait coiffée à la grecque, enroulant ses cheveux en un chignon haut avec de longues boucles qui tombaient en cascade, et sa nuque nue lui paraissait soudain très vulnérable. Henrietta se tortilla sur sa chaise avec humeur, ce qui fit que la cascade de boucles effleura la zone sensible. Ce n'était pas comme si Miles n'avait jamais vu son cou auparavant. Ce n'était pas comme s'il y avait beaucoup de chances que Miles *regarde* son cou de toute façon. Après l'épisode de la nuit dernière dans le bureau, la conduite de Miles était caractérisée par une indifférence stupéfiante.

Pouvait-on réellement appeler cela de l'indifférence, se demanda Henrietta, lorsqu'il n'y avait aucune interaction pendant laquelle on pouvait s'arranger pour faire preuve d'indifférence ? Ils s'étaient déplacés l'un devant l'autre toute la journée telles des planètes qui tournent sans jamais se rencontrer sur le planétaire d'un astronome. Tandis qu'ils tiraient sur des cibles déguisées en Delaroche, Fouché et Bonaparte, elle avait aperçu sa tête blonde au loin, mais il s'était assuré de maintenir plusieurs personnes entre eux. Au dîner, ils avaient été séparés par la largeur de la table, sur laquelle un large candélabre empêchait même le moindre contact visuel. Henrietta soupçonnait Miles d'avoir déplacé le candélabre, mais elle n'en avait pas de preuve.

S'il l'évitait, et après ? Ne le lui avait-elle pas pratiquement ordonné ? Elle n'avait pas le droit de pleurer ce qu'elle avait perdu, se dit-elle durement en prenant une grande gorgée de thé tiède. Elle avait elle-même établi les règles ; elle devait maintenant les respecter.

Pourquoi Miles n'avait-il pas *discuté* avec elle lorsqu'elle lui avait dit qu'ils ne pouvaient pas revenir en arrière ? S'il avait vraiment éprouvé de l'affection pour elle, quelle qu'en soit la nature, n'aurait-il pas dû la suivre ? Protester ? Faire *quelque chose* ?

La porte s'ouvrit à la volée, et une botte de Hesse cirée franchit le seuil. Henrietta reporta rapidement son regard sur le plateau de thé, feignant un grand intérêt pour l'assiette de biscuits. Si Miles ne voulait rien avoir à faire avec elle, elle ne voulait rien avoir à faire avec lui non plus. Voilà. Leur bruit assourdi par le tapis, les bottes se dirigèrent vers elle – Henrietta enfourna une bouchée de biscuit malencontreusement trop grosse –, la dépassèrent et s'arrêtèrent près de la chaise d'Amy. Une main ornée d'une chevalière en or au petit doigt s'abattit sur le dossier de la chaise de sa belle-sœur. La bouche pleine de pâte gluante, Henrietta leva brusquement la tête. C'était son frère.

Pas Miles.

Henrietta avala résolument sa bouchée de biscuit.

Amy leva la tête vers Richard.

– Les gardes sont-ils tous en place ? lui siffla-t-elle en aparté.

Richard hocha la tête.

– S'ils ne le sont pas, quelqu'un devra en subir les conséquences, répondit-il d'un air grave à l'instant où la porte s'ouvrait une fois de plus.

Henrietta s'empressa d'orienter son corps vers madame Cathcart, étira la main vers les biscuits, puis se ravisa. Elle ne ferait pas cette erreur deux fois. Quant aux autres erreurs qu'elle avait faites…

Miles entra dans la pièce d'un pas nonchalant en discutant à très haute voix avec les jumeaux Tholmondelay de quelque chose d'absolument incompréhensible qui semblait impliquer une grande quantité de jargon sportif. Le trio se dirigea droit vers la cheminée sans même jeter un œil en direction d'Henrietta.

Posant sa tasse dans la soucoupe avec un claquement définitif, Henrietta se tourna sur son siège pour regarder son frère.

— Qu'allons-nous faire ce soir ? lui demanda-t-elle d'une voix forte.

— Jouer la cible facile pour un espion français, répondit-il d'un ton acerbe.

Richard n'était visiblement pas de la meilleure des humeurs. Henrietta savait que cela le tuait de devoir faire mine de jouer à l'hôte pour un groupe d'invités, alors que tout ce dont il avait envie, c'était d'enfiler un pantalon noir et de se précipiter à l'extérieur, la rapière à la main.

— Oui, qu'allons-nous *faire* ce soir ? demanda Ned Tholmondelay en s'approchant tranquillement du petit groupe de chaises. Dorrington me disait justement qu'on n'a pas prévu d'activités extérieures. Certainement une erreur.

— Diantre, quelle idée absurde ! acquiesça Fred Tholmondelay en rejoignant son jumeau d'un pas nonchalant.

— Dorrington a raison, confirma Richard.

— Tu n'avais pas besoin de le dire comme si c'était quelque chose de si inhabituel, commenta Miles en quittant sa position près du feu pour se joindre aux autres.

Il prit place à côté de Richard en faisant un signe de tête gêné en direction des dames. Henrietta se surprit à essayer de croiser son regard, mais s'arrêta à temps.

— Qu'est-ce qui ne va pas avec Miles ? chuchota Amy. Il s'est conduit de manière étrange toute la journée.

Henrietta haussa faiblement les épaules.

Heureusement, Amy n'eut pas l'occasion de poser plus de questions.

— Tu te moques de nous, n'est-ce pas, Selwick ? C'est une blague, hein ? le pressa Fred.

— Richard ne plaisante jamais avec les espions, intervint Amy.

– C'est diablement dommage ! s'exclama Ned, l'air déçu. Il y en a une excellente au sujet d'un agent secret français et d'un général prussien qui vont dans une taverne et…

– Peut-être plus tard, l'interrompit Henrietta, en essayant d'adoucir ses mots par un sourire encourageant, lorsque le teint de son frère passa de puce à pourpre. Je ne crois pas que ce soit tout à fait le bon moment.

Ned lui répondit par un grand sourire.

– J'aimerais que tout le monde comprenne bien que ceci est une guerre et non un jeu de société, signala Richard avec fermeté.

– Tu peux essayer, mais ce n'est pas dit que ça réussira, mon vieux ! marmonna Miles en dévisageant Ned d'un air désapprobateur.

Richard l'ignora et s'éclaircit la voix assez fort pour provoquer une petite tempête dans le Gloucestershire.

– Puisque nous sommes tous réunis, autant en profiter pour régler la question. Un espion…

– Nous ne le savons pas…, intervint Miles.

– Un intrus que nous croyons être un espion, reprit Richard en jetant à Miles un regard acerbe, a été aperçu sur le terrain hier soir. Costumé, ajouta-t-il avant que Miles l'interrompe à nouveau.

– Quelle chance ! s'exclama Ned Tholmondelay.

– Une chance ? répéta froidement mademoiselle Grey.

– Qui l'aurait cru ! poursuivit gaiement Ned. Notre propre espion ! Et nous n'avons même pas eu besoin d'aller le chercher en France. Ma foi, Selwick, c'est formidable !

Son jumeau hocha la tête, l'air songeur.

– Diantrement pratique, en effet. Comme un mouton qui se jette dans la gueule du loup !

Il se tut, charmé par la beauté de sa propre métaphore.

— Par Jupiter, Fred ! souffla Ned. C'est ça ! Nous allons organiser une chasse pour retrouver l'espion !

— En sonnant le cor, sans doute, répondit amèrement la Gentiane pourpre, qui était déjà à bout. Avec les chiens qui aboient à pleine gueule.

Ned sourit de toutes ses dents, ravi d'avoir été si bien compris.

— Exactement !

— Nous, répondit Richard d'un ton brusque, ne ferons rien de tout ça.

— L'objectif n'est *pas* de faire peur à l'espion, expliqua gentiment Henrietta.

— Merci, Hen, cracha-t-il. Je suis certain que cette affirmation nous a tous beaucoup éclairés.

— Il est vraiment grincheux ce soir, n'est-ce pas ? souffla sa sœur à la femme de ce dernier.

— Pauvre chéri, tout ce dont il a envie, c'est de partir à la chasse aux espions, chuchota Amy en réponse.

— Voudriez-vous vous taire toutes les deux pour un instant ? demanda-t-il sèchement.

Les deux femmes échangèrent un regard chargé de sympathie et de compréhension mutuelle.

Temporairement décontenancé, Ned se remit rapidement.

— Ah, fit-il. Je comprends. C'est un autre test, n'est-ce pas ? Nous partons chacun de notre côté pour voir qui attrapera l'espion en premier. Pour mettre en pratique cette... cette technique d'approche furtive que tu nous as enseignée tout à l'heure, termina-t-il avant de se tourner vers son jumeau. Je parie dix guinées que je trouve l'espion en premier !

– Ce n'est pas un test. Ce n'est pas un jeu. C'est une fichue *nuisance**, répliqua Richard en inspirant profondément, s'efforçant de ne pas perdre son calme.

– Écoutez, intervint Miles pour venir en aide à son meilleur ami pressé de toutes parts, si l'espion découvre l'existence de l'école, c'en sera terminé de nous tous. Le bon vieux Boney recevra nos noms dans la prochaine dépêche.

Fred réfléchit profondément.

– Mais si nous arrivons à attraper l'espion, dit-il du ton solennel de celui qui explicite un théorème compliqué, il ne pourra pas envoyer nos noms.

– Ah ! s'exclama Ned, admiratif.

– Grrr, fit Richard.

Prenant son époux par le bras, Amy vint à sa rescousse.

– Je sais qu'annuler les divertissements de ce soir est une grande déception, mais nous devons simplement le voir comme un affront supplémentaire pour lequel ce régime meurtrier devra subir notre vengeance, déclara-t-elle avec le plus grand sérieux.

Très ému par ses paroles, Ned Tholmondelay se lança dans un canon de *Rule Britannia* qui venait du fond du cœur.

Mademoiselle Grey l'interrompit juste après que la Bretagne eut conquis les vagues, mais avant que les Bretons ne dussent jamais, jamais, jamais être des esclaves.

– Loin de moi l'idée de m'avancer, dit-elle de sa voix surannée, mais il me semble qu'il serait possible de procéder à certaines investigations qui permettraient peut-être de réduire au minimum la menace que pose cet individu aux tendances hostiles.

– Hein ? fit Ned Tholmondelay.

— Je crois qu'elle veut savoir s'il a posé des questions à quelqu'un au sujet de cet espion, expliqua son frère, plus perspicace.

Ned hocha la tête, impressionné. Fred avait toujours été le cerveau de la famille.

Henrietta réprima un fou rire et regarda machinalement vers Miles, dont les lèvres étaient étirées par un sourire amusé refoulé. Leurs yeux se croisèrent le temps de partager une lueur d'humour, avant que Miles se raidisse subitement et détourne le regard.

Troublée, Henrietta reporta son attention sur mademoiselle Grey, qui énumérait inlassablement les endroits où Richard aurait pu enquêter : auberges locales où un étranger aurait pu se faire remarquer, maisons voisines où on aurait pu organiser une fête, auberge de relais où on pouvait obtenir une liste des voyageurs, et ainsi de suite. Écouter sa litanie était comme se battre contre une avalanche de mélasse ; tout le monde avait les yeux vitreux. Henrietta ne put s'empêcher d'imaginer à quoi devaient ressembler les leçons avec mademoiselle Grey et se sentit soulagée pour ses protégés récemment libérés.

— J'ai enquêté partout où cela était possible, répondit Richard d'un ton sec, interrompant ainsi l'assaut verbal incessant. Aucun étranger n'a été vu dans les auberges les plus proches, et aucun train d'équipage inconnu n'a été aperçu dans les environs.

— C'est ça le problème avec les fantômes, commenta Miles sans s'adresser à personne en particulier.

— Le moine fantôme n'existe pas, répliqua Richard d'un ton autoritaire.

— Ce n'est pas ce qu'il disait quand j'avais cinq ans, chuchota Henrietta à Amy.

– Avez-vous demandé… ? commença madame Cathcart.

– Oui ! hurla Richard.

– J'allais demander, dit calmement madame Cathcart, si vous aviez demandé qu'on nous apporte plus de thé. Si un espion français nous observe par les carreaux de la fenêtre, le plateau de thé conférera une apparence de normalité convaincante.

Richard, qui était prêt à argumenter, la regarda simplement bouche bée. Amy lui serra doucement la main.

– Madame Cathcart, vous êtes un ange.

– Plutôt terre-à-terre, gloussa madame Cathcart l'air bien aise. Qu'allons-nous faire pour passer le temps ?

– Je pourrais, intervint Miles plein d'espoir, aller dehors pour jeter un œil sur les gardes.

– Oh non, pas question, dit Richard d'un air sombre. Tu vas rester juste ici avec nous tous.

– Mais…

– Juste ici, répéta Richard d'un ton autoritaire.

– J'ai une idée, intervint Henrietta en essayant de ne pas trop penser au fait que Miles était pressé de partir. Que diriez-vous de charades ? Ainsi, nous pourrions offrir l'apparence d'un groupe normal – elle mit l'accent sur le mot « normal » dans l'intérêt de son frère agité – tout en pratiquant nos imitations.

– Une idée géniale ! s'exclama Fred Tholmondelay en regardant Henrietta avec un tout nouveau respect.

– Et un espion français n'y trouvera absolument rien de suspect ? riposta Miles en lançant un regard noir à Fred.

– À moins qu'il soit dans la pièce avec nous et nous entende appeler les personnages, non, protesta Henrietta. À travers la fenêtre, il ne verra certainement qu'une pièce pleine de gens qui jouent aux charades.

— Et si…

Ned inspira profondément en parcourant l'assemblée d'un regard stupéfait d'horreur.

— Et si l'espion *était* dans cette pièce ?

— Fais-moi confiance, intervint sèchement Richard. J'ai considéré cette éventualité.

Ces paroles jetèrent un froid sur l'assemblée. La confusion luttait contre l'indignation sur le visage plein de taches de rousseur de Ned.

— Et vous avez bien fait, dit calmement madame Cathcart. On n'est jamais trop prudent dans ce genre de situation, n'est-ce pas, mon cher ?

— Nous devons paraître normaux, souligna Richard. Normaux. Ce qui veut dire qu'on ne pratique pas de dialectes français, qu'on n'essaie pas de grimper sur les murs à l'improviste et qu'il n'est absolument pas question de chasse nocturne, termina-t-il en regardant très sévèrement Fred Tholmondelay sans se rendre compte qu'il gaspillait ses regards moralisateurs sur le mauvais frère.

— L'une d'entre vous, jeunes dames, doit bien avoir des talents musicaux, intervint madame Cathcart avec un sourire décontracté. Je suis certaine que nous serions tous heureux d'entendre une chanson pour calmer nos esprits agités.

— Parfait ! s'exclama Amy. Henrietta sait chanter. Que pourrait-il y avoir de plus normal ? demanda-t-elle en souriant à son époux, qui fixait anxieusement le parc sombre à travers la fenêtre.

— Je ne suis pas tellement en voix, se déroba Henrietta.

— Ne sois pas ridicule, la réprimanda Amy, qui n'avait aucun talent musical. Je trouve que tu as une très belle voix.

Avec son énergie habituelle, Amy pressa tout le monde hors du salon rose jusque dans la salle de musique, ramenant Miles dans le groupe lorsqu'il montra une tendance à dévier vers les jardins.

— Mais j'allais seulement...

— *Non*, dit Richard.

— Bon, d'accord, maugréa Miles plutôt de mauvaise grâce.

Henrietta chanta une gamme expérimentale, sa voix sautant aisément d'une note à l'autre.

Miles se tourna vers Richard, qui regardait par la fenêtre avec humeur.

— Es-tu certain que... ? commença-t-il.

— Assieds-toi ! cracha Richard.

— Ami, chien, deux concepts différents, marmonna Miles.

Mais il s'assit. Il choisit, remarqua Henrietta, la chaise la plus éloignée du piano à queue. Henrietta plissa les yeux en feuilletant une pile de partitions. Pour l'amour du ciel, ce n'était pas comme si elle avait attrapé la lèpre depuis la nuit dernière ! Avait-il peur qu'elle se jette sur lui, aux prises avec une crise de langueur excessive ?

Évidemment, se rappela-t-elle pour la énième fois en autant de minutes, c'était elle qui l'avait rejeté. Mais ce n'était pas *ça* qu'elle avait en tête. Bon sang, il pourrait au moins être poli. Était-ce trop demander ?

Mademoiselle Grey s'éclaircit la gorge d'un air menaçant.

Rougissant, Henrietta attrapa une partition à moitié au hasard et la tendit à mademoiselle Grey.

– C'est *Caro mio ben*, l'informa-t-elle.

– Le morceau m'est familier, répondit mademoiselle Grey, impassible, en posant les feuilles sur leur support et en ajustant un *pince-nez** sur le bout de son nez.

– Bien, dit Henrietta en s'installant à côté du piano. Allons-y alors, d'accord ?

Ce n'était pas le public le plus réceptif. Richard regardait par la fenêtre avec humeur comme s'il s'attendait à ce qu'un espion passe devant à tout moment, en remuant les oreilles et en lui faisant un pied de nez. Amy avait revêtu son expression « Je fais semblant d'écouter mais, en réalité, je pense à des façons de contrarier les Français ». Madame Cathcart, évidemment, affichait un air chaleureux et solidaire, parce qu'il s'agissait du genre de chose que madame Cathcart faisait ; Henrietta savait que son propre talent n'était pas en cause. Les jumeaux Tholmondelay la fixaient depuis leurs canapés jumeaux avec le regard plein d'espoir de chiots qui savent qu'ils se conduisent très, très bien pour l'instant, mais qui pourraient bondir et commencer à courir après leur queue à la moindre provocation. Et puis il y avait Miles. Henrietta tenta de ne pas regarder Miles.

Mademoiselle Grey lui demanda courtoisement si elle était prête. Hochant la tête, Henrietta ferma les yeux, maîtrisa sa respiration comme le *signor* Antonio le lui avait appris et se laissa emporter par les premières mesures. Malgré ses allégations sur le fait de ne pas être en voix, lorsqu'elle ouvrit la bouche, son *mi* bémol fut juste et franc, puis se transforma aisément en *ré*, en *do* et en *si* bémol. L'aria était l'une des premières qu'elle avait apprises ; les notes et les paroles familières se succédèrent dans sa gorge avec facilité.

Mais les paroles… Pourquoi n'avait-elle jamais porté attention aux paroles auparavant ?

— Toi, ma bien-aimée, chanta-t-elle, crois au moins ceci : sans toi, mon cœur se languit[6].

Elle avait chanté cette phrase une dizaine, une centaine de fois, entièrement concentrée sur les notes et la diction, le tempo et les nuances, allègrement inconsciente du récit plaintif de peine d'amour. Elle l'avait chantée, mais jamais comprise.

Se languit. C'était une manière de décrire la douleur de l'absence de Miles, la tristesse absolue qui l'assaillait chaque fois qu'ils se croisaient dans un silence gêné. Serait-ce plus facile s'il était éloigné autrement qu'en esprit ? Si elle faisait ses bagages et s'enfuyait à Londres dès le lendemain ? Pourtant, cela ne lui servirait à rien. Londres était hantée de milliers de souvenirs de Miles. Miles dans le parc, qui lui apprenait à conduire. Miles à Almack's, appuyé contre une colonne. Miles affalé sur le canapé du petit salon, à éparpiller des miettes de biscuit partout sur le tapis. Même sa chambre, où Lapinou était appuyé sur ses oreillers avec un air de reproche digne du fantôme de Banquo, ne lui offrait aucun refuge.

Reportant résolument son attention sur la musique, Henrietta augmenta progressivement le volume pendant « votre fidèle amour soupire toujours ». Elle n'avait pas tellement envie de soupirer. Elle préférerait de loin lancer des objets. Idéalement, sur Miles. Elle libéra sa colère dans la musique, chantant la première reprise de « cessez ce si cruel mépris » avec plus de force que le demandait la partition. La

6. N.d.T.: Traduction libre des paroles de la chanson italienne *Caro mio ben.*

musique s'attardait sur le mépris, prolongeant le mot, en faisant un trille, l'offrant encore et encore, le renvoyant à Henrietta.

Malgré elle, Henrietta leva les yeux au-delà des silhouettes étendues des frères Tholmondelay, au-delà du bonnet de dentelle de madame Cathcart, jusqu'à la chaise de Miles au fond de la pièce.

Il n'était plus indifférent.

Le cœur d'Henrietta fit un bond dans sa poitrine, donnant de la force à sa voix tandis que ses yeux se rivaient à ceux de Miles. Il n'était plus vautré à loisir, mais droit comme un piquet, et ses mains crispées étaient agrippées aux bras du fauteuil ; il serrait si fort le bois doré que c'était un miracle qu'il n'ait pas volé en éclats sous ses doigts. Sur son visage, elle lisait la surprise, la consternation… Et quelque chose d'autre aussi.

La troisième fois qu'Henrietta reprit « cruel mépris », la charge émotive était telle que madame Cathcart cligna rapidement des yeux, et même Richard, qui regardait par la fenêtre les sourcils froncés, cessa de chercher les Français pour se dire distraitement que le nouveau maître de chant de sa sœur savait visiblement ce qu'il faisait.

La musique faiblit, glissant comme une caresse pour revenir à « Toi, ma bien-aimée, crois au moins ceci ». Henrietta n'arrivait pas à détacher ses yeux de ceux de Miles. Personne d'autre n'avait d'importance. Il n'y avait personne d'autre. Elle ne chantait que pour lui ; les phrases fluides étaient une prière, une promesse, un cadeau.

Le tonnerre d'applaudissements qui suivit coupa le fil invisible qui les soudait ensemble. Clignant des yeux à quelques reprises, Henrietta fit le tour de la pièce du regard. Les deux Tholmondelay étaient debout, et même Richard avait détourné les yeux de la fenêtre pour la regarder avec le genre d'admiration étonnée qu'accordaient les frères aînés après avoir été frappés au visage par une démonstration d'extrême excellence.

— Grand Dieu, Hen, dit-il avec sincérité, je ne savais pas que tu pouvais chanter ainsi.

— Une performance géniale ! applaudit Fred Tholmondelay.

— Formidable ! renchérit Ned. Jamais je n'aurais cru qu'un truc italien puisse être aussi, euh...

— Formidable ! termina son frère à sa place.

Ned le remercia d'un grand sourire.

Henrietta se rendit à peine compte de son triomphe. Miles était parti. Son siège, au fond de la pièce, était vide. Il était légèrement en angle sur le parquet, comme s'il avait été poussé à la hâte. Derrière lui, l'étroite porte dorée était entrouverte et battait toujours des suites d'un récent passage.

— Nous chanteriez-vous un autre air, ma chère ? demanda madame Cathcart avec un sourire d'encouragement. Il est rare d'avoir droit à une performance d'une telle virtuosité.

— Je ne savais pas que tu pouvais chanter ainsi, répéta Richard, ébranlé.

Amy, qui, si elle n'était pas complètement dépourvue d'oreille, était loin d'avoir un penchant pour la musique, se contenta de sourire d'un air sincèrement ravi au succès de sa belle-sœur.

En fait, la seule personne qui n'affichait pas un grand sourire sincère (mis à part mademoiselle Grey, pour qui afficher un grand sourire aurait été une action tout à fait étrangère, qui aurait perturbé des muscles faciaux tombés en désuétude depuis trop longtemps) était Henrietta. D'ordinaire, Henrietta se serait délectée de leurs compliments pendant des jours, les serrant dans ses bras tel un bouquet de roses rouges.

Pour l'instant, Henrietta avait autre chose en tête.

Ce n'était pas de l'indifférence. Elle n'était peut-être pas aussi rompue aux usages du monde que Pénélope — ou du moins pas autant que Pénélope s'y croyait rompue —, mais elle en savait assez pour reconnaître la détresse lorsqu'elle la voyait. Après la semaine dernière, elle était bien placée pour le savoir.

Cela ne voulait pas nécessairement dire, se mit-elle en garde, que Miles nourrissait de tendres sentiments à son égard. Il pouvait simplement regretter leur différend au nom de leur amitié. Henrietta inspira profondément. Et si c'était ce qu'il voulait, eh bien, l'amitié était mieux que rien ; faute de mieux, la dernière journée avait au moins prouvé cela.

Mais il y avait eu ce *quelque chose* dans ses yeux...

— Une autre chanson ? l'encouragea Amy, ravie par la réussite de son plan pour distraire les impatients agents en formation.

Henrietta secoua la tête, prenant rapidement une décision. Qu'avait donc dit Hamlet ? Quelque chose à propos d'une action blêmissant sous les pâles reflets de la pensée, ce qui, pour Henrietta, signifiait que si elle voulait régler les choses avec Miles, il était préférable de le faire immédiatement, avant qu'elle réussisse à se convaincre du contraire.

— Non, répondit-elle à Amy. Non, j'ai besoin de... Je vais juste...

Amy, pensant qu'Henrietta faisait référence à un tout autre type de besoin, hocha la tête d'un air compréhensif et se tourna rapidement vers mademoiselle Grey pour l'implorer de jouer autre chose.

Les jumeaux Tholmondelay se tortillaient impatiemment en échangeant des regards de suppliciés. Écouter la charmante Lady Henrietta chanter était une chose ; être soumis au pianotage discordant de mademoiselle Grey en était une autre.

— Ma foi, Selwick, que diriez-vous d'une forme de divertissement plus animée ? lança Fred.

Par la fenêtre, Henrietta vit une paire d'épaules familières s'éloigner rapidement sur le sentier du jardin et disparaître dans les profondeurs de la nature soigneusement organisée. Elle connaissait cette démarche, elle connaissait cette façon de rejeter la tête en arrière, elle connaissait chaque geste aussi bien qu'elle connaissait son propre reflet dans le miroir. Henrietta s'arrêta un instant à la fenêtre pour regarder la veste noire de Miles se mêler aux haies jusqu'à ce qu'on n'en voie plus rien. Mais il était inutile de plisser les yeux pour scruter les sombres buissons ; elle savait exactement où il allait. Chaque fois que Miles était en disgrâce (assez souvent, étant donné ses habitudes aventureuses) ou qu'il avait besoin d'un endroit où réfléchir profondément (relativement moins souvent), il se rendait toujours directement au même endroit : les ruines romaines dissimulées à l'extrême ouest des jardins. Il aimait lancer des pierres au buste de Marc Aurèle — particulièrement à l'époque où il éprouvait des difficultés avec ses cours d'études classiques. À ce souvenir, Henrietta se mordit les lèvres pour réprimer un sourire.

Comment avait-elle pu envisager de rester en conflit avec Miles ? C'était tout simplement impossible.

Sans se faire remarquer, Henrietta se glissa doucement hors de la pièce. Elle avait seulement besoin de parler à Miles, et tout rentrerait dans l'ordre. Lorsqu'elle le trouverait…

– Charades, quelqu'un ? demanda Fred Tholmondelay.

Chapitre 25

Indiscrétion : *erreur de jugement fatale*
de la part d'un agent du ministère de la Guerre ; inévitable
prologue à la découverte, la disgrâce et la mort.
— tiré du livre de codes personnel de l'Œillet rose

Qui aurait cru qu'Henrietta pouvait chanter ainsi ?

Un caillou ricocha sur la tête de Marc Aurèle et atterrit avec un *plouf !* dans l'eau en dessous. Un poisson rouge offensé fouetta sa queue de manière réprobatrice en direction de Miles avant de s'enfuir à la nage sous un morceau de statue tombé. L'empereur romain fixait Miles d'un regard hautain par-dessus son long nez, le défiant de recommencer.

Il n'arrivait pas à viser ce soir.

Miles donna un coup de pied brutal dans le gravier, ce qui fit plus de dommage au vernis de ses bottes qu'au sol. Oublions l'idée de viser. C'était son jugement qui était fatalement défectueux. Diable, après la semaine qu'il venait de passer, Miles doutait même du fait qu'il possède cette faculté. Il y avait un dangereux espion français en liberté, et que faisait Miles ? Rien d'utile, c'était fichtrement certain. Tout le contraire, en fait. Au cours de la dernière semaine, les gaffes s'étaient succédé les unes après les autres. Si sa vie avait été un roman, le titre du dernier chapitre aurait sans doute été « Comment notre héros arriva à mettre la vie de son valet en danger et à s'aliéner son ami le plus proche ».

Il fallut un moment à Miles pour se rendre compte qu'il ne parlait pas de Richard.

Miles se laissa tomber sur le petit banc en marbre et enfouit sa tête dans ses mains. Quand était-ce arrivé ? Évidemment que Richard était son meilleur ami ; il l'avait toujours été. C'était aussi clairement établi que la procédure pour réunir le Parlement. Pourtant, d'une manière quelconque, sans même que Miles s'en soit rendu compte, Henrietta s'était frayé un chemin là-dedans. Miles s'efforça de ramener son esprit aux derniers jours afin de trouver la source de ce développement décidément troublant. Habituellement, Miles n'était pas un adepte de la rétrospection ; il préférait ne pas réveiller le chat qui dort, vivre le moment présent, profiter d'aujourd'hui et toutes ces autres bêtises optimistes qui impliquent de fermer les yeux sur quoi que ce soit qui pourrait demander de sérieuses réflexions ou, pire encore, impliquer des émotions. Toutefois, même un aveugle aurait vu que ses visites à Uppington House n'avaient pas diminué du tout malgré le fait que son supposé meilleur ami avait passé la majeure partie des dernières années en France, mis à part ses quelques rares vacances. Il pouvait blâmer les exceptionnels biscuits au gingembre de la cuisinière, la volonté de faire plaisir à Lady Uppington ou n'importe quelle autre excuse inoffensive. Mais ce n'était rien d'autre que des excuses.

Quand avait-il commencé à dépendre aussi horriblement d'Henrietta ? Des années plus tôt, il avait promis à Richard de la tenir à l'œil (Richard prenait son rôle de grand frère protecteur diantrement au sérieux). Cependant, d'une façon quelconque, la tenir à l'œil s'était transformé en des centaines de thés dans le petit salon, des milliers de promenades dans le parc et plus de limonades que Miles ne pouvait en compter, dont une bonne partie renversée sur ses bottes dans des salles de bal bondées. Downey se montrait extrêmement vitupérant quant aux effets de la limonade sur le cuir de qualité. Aujourd'hui... Miles n'arrivait pas à compter le nombre de fois où il s'était machinalement tourné vers Henrietta pour échanger une plaisanterie ou un commentaire avant de se souvenir qu'ils n'étaient pas censés se parler.

C'était la détresse à l'état pur.

Au cours de cette longue et triste journée, il avait presque réussi à se convaincre que tout allait rentrer dans l'ordre. Évidemment, Henrietta était en colère – elle avait entièrement raison de l'être après qu'il l'eut embrassée au bal chez Vaughn –, mais cela lui passerait tôt ou tard, et tout redeviendrait comme avant. Et il n'avait pas été sur le point de l'embrasser hier soir. Vraiment. C'était seulement, euh, une poignée de main amicale. Henrietta allait se calmer, et la vie reprendrait son cours normal.

Tout cela lui avait semblé une si bonne idée. Jusqu'à ce qu'elle se mette à chanter.

Son premier trille avait arraché la pellicule protectrice de l'habitude sur les yeux de Miles. Au deuxième, il était profondément à l'agonie. Il ne s'agissait plus uniquement de la petite sœur de Richard. Il ne s'agissait même plus uniquement de la compagne de Miles lors d'un millier de bals ennuyeux. À l'avant de la pièce se tenait une femme avec un talent formidable, une femme digne de considération. En tant que connaisseur de longue date de l'opéra et des créatures qui l'habitent, Miles savait qu'il y avait des voix et des Voix. Henrietta avait une Voix. D'une pureté envoûtante, sa sonorité claire résonnait dans la mémoire de Miles tels les relents de son parfum de lavande.

Une Voix n'était pas tout ce qu'elle avait. Miles ne se permit même pas de s'attarder sur la manière dont sa poitrine s'était gonflée au-dessus du corsage de sa robe lorsqu'elle avait inspiré profondément avant de se lancer dans le crescendo à la troisième reprise de *tanto rigor*. Miles gémit à ce souvenir et constata que son pantalon était tout aussi inconfortablement serré maintenant qu'il l'avait été à ce moment-là. Et ce n'était pas une question de coupe.

Regarder ailleurs ne l'avait pas aidé non plus. Lorsqu'il avait baissé les yeux, ses bras étaient là, gracieusement courbés jusqu'aux mains jointes à sa taille tels les bras d'une Vénus de Raphaël qui s'élève au-dessus de la mer. Ils étaient légèrement arrondis, remarquablement clairs et se terminaient par de pâles mains délicates aux longs doigts effilés et aux ongles lisses et rosés. Jamais auparavant Miles n'aurait cru qu'un ongle puisse être à l'origine d'une telle agonie.

S'obliger à regarder le visage d'Henrietta avait été une erreur plus grave encore. L'effort de chanter lui avait fait monter le rouge aux joues ; elles avaient cette rare teinte naturelle, semblable à un pétale de rose sous une fine couche de neige, qu'il n'avait vue nulle part ailleurs que sur les joues d'Henrietta. Sa peau était si diaphane qu'on voyait presque le sang circuler sous la surface. Ses lèvres étaient aussi rouges que ses joues, et son regard, ému par la musique. Ainsi, les lèvres entrouvertes pour chanter et la tête légèrement penchée en arrière, il pouvait imaginer qu'elle émergeait d'un tas de draps, les yeux rêveurs et les lèvres rougies par ses baisers.

Miles envisagea de plonger dans l'étang à poissons, mais il n'était pas assez profond pour que cela soit d'une quelconque utilité. D'ailleurs, il doutait que quelque plan d'eau au sud de la mer du Nord soit suffisamment froid pour calmer ses ardeurs, avec cette image d'Hen…

D'accord. Assez, c'était assez. Miles s'essuya les mains sur son pantalon d'un geste déterminé. Il allait faire ce qu'il aurait dû faire depuis le début : il allait demander qu'on avance son carrick à la première heure demain matin. Il rentrerait à Londres, rencontrerait Wickham au ministère de la Guerre, soutirerait à son supérieur taciturne toutes les informations qu'il pourrait jusqu'à la dernière bribe, puis il s'attaquerait sérieusement à la tâche de retrouver l'assaillant de Downey.

Miles jeta un regard nostalgique vers les fenêtres éclairées du hall, visibles au-dessus des massifs d'arbustes qui lui allaient jusqu'aux épaules. À l'intérieur, les invités retournaient tranquillement dans le salon rose pour boire du thé et du café ; seules ou par petits groupes, des silhouettes vêtues de couleurs vives défilaient derrière les carreaux des fenêtres. Miles était trop loin pour pouvoir reconnaître chaque personne, mais il ne pouvait penser à rien d'autre qu'à…

Tirer sur des Français, se dit-il subitement en se levant du banc. Tirer sur beaucoup, beaucoup de Français.

– Ne t'avise même pas de le dire, prévint-il Marc Aurèle.

– Ne pas dire quoi ?

Miles sursauta, fit un écart et faillit tomber à la renverse sur le banc.

L'empereur romain n'était pas revenu à la vie. Cela, Miles aurait pu le gérer. Des personnages historiques morts depuis longtemps, des espions, des moines fantômes… Miles aurait tous pu les affronter de sang-froid.

La silhouette qui s'approchait de lui le long de l'allée de hêtres aurait facilement pu être une statue descendue de son piédestal, à l'instar de Pygmalion et de sa mythique épouse qui prit vie. Henrietta, dont la robe en mousseline blanche brillait au clair de lune, franchit les quelques derniers mètres du sentier. La fine étoffe lui collait aux jambes tandis qu'elle marchait, ce qui accentuait la ressemblance avec les statues de l'Antiquité classique, mais aucune statue n'avait eu ce genre d'effet sur Miles auparavant.

— Ne devrais-tu pas être à l'intérieur ? demanda Miles, l'air sombre.

Henrietta hésita quelque peu en entendant son ton inhospitalier.

— Il fallait que je te parle. Au sujet d'hier soir…

— Tu avais raison, l'interrompit laconiquement Miles. Nous ne pouvons pas revenir en arrière.

Henrietta le regarda en plissant les yeux. Le clair de lune qui illuminait les queues scintillantes des poissons dans l'étang et faisait ressortir d'étranges motifs dans les massifs d'arbustes n'éclairait en rien le visage de Miles. Tout ce qu'elle pouvait discerner, c'était sa posture ; il était appuyé contre une haie, les mains dans les poches. Mais il y avait quelque chose dans la raideur de ses épaules qui contredisait la pose détendue.

— C'est exactement ce dont je voulais te parler, déclara-t-elle. J'ai changé d'idée.

La réaction de Miles ne fut pas exactement celle qu'Henrietta espérait. Au lieu d'exprimer sa joie, Miles croisa les bras sur son torse.

— Eh bien, moi aussi.

Henrietta le regarda en fronçant les sourcils au clair de lune.

— Tu ne peux pas.

— Pourquoi ça ?

— Parce que… Oh, pour l'amour du ciel, Miles, j'essaie de m'excuser !

Miles s'écarta.

— Non.

— Non ?

— Ne t'excuse pas et ne t'approche pas.

Comme pour donner du poids à ses paroles, Miles lui tourna le dos d'un air résolu et ramassa une poignée de cailloux qu'il se mit à lancer dans l'étang en se concentrant exagérément sur sa cible.

Les yeux d'Henrietta se plissèrent lorsqu'elle comprit soudain. Elle planta les mains sur ses hanches et jeta un regard noir à Miles.

— Si tu essaies de m'éloigner pour que je ne sois pas sur ton chemin pendant que tu traques l'espion, ce n'est pas gentil.

— Ça n'a rien à voir avec ce fichu espion, cracha Miles.

Plouf ! Une pierre plongea avec plus de force que nécessaire dans l'eau trouble.

Henrietta avança vers lui d'un pas vif en faisant grincer ses chaussons sur le sol de gravier et lui enfonça le doigt dans l'épaule. Fort.

— Tu espérais que l'espion soit obligé de passer par ici pour se rendre jusqu'à la maison, n'est-ce pas ?

— Ça — *splish !* — n'a — *plouf !* — rien à voir — *splash !* — avec l'espion.

Miles s'essuya les mains sur son pantalon. Henrietta l'attrapa par le bras avant qu'il ait le temps de ramasser une autre poignée de projectiles et l'obligea à lui faire face.

— Suis-je tellement répugnante à tes yeux que tu n'arrives pas à supporter de me regarder ?

— Répugnante, répéta Miles en la regardant d'un air incrédule, la bouche légèrement ouverte. Oh, ça, c'est fort. Répugnante !

Henrietta reçut sa moquerie de plein fouet, et son visage se tordit de douleur.

— Il n'était pas nécessaire d'insister, répliqua-t-elle sèchement.

— Sais-tu ce que tu m'as fait subir ? lui demanda Miles.

— Moi ? À toi ! Ha ! s'exclama distinctement Henrietta.

En ce qui concernait la répartie, ce n'était pas son heure de gloire, mais elle était trop furieuse pour tenter des mots de plus d'une syllabe.

— Oui, toi ! À hanter mes rêves, à chanter ainsi… Je n'arrive pas à réfléchir. Je n'arrive pas à dormir. Je n'arrive pas à regarder mon meilleur ami dans les yeux. C'est purement et simplement l'*enfer* !

— Est-ce ma faute ? s'exclama Henrietta. C'est toi qui m'as embrassée puis qui ne t'es pas donné la peine de… Un instant. Tes rêves ? Tu as rêvé de moi ?

Miles recula, l'air horrifié.

— Oublie ça. Fais comme si je n'avais rien dit.

Henrietta fit un pas menaçant vers l'avant.

— Oh non. Il n'y a pas de « oublie ça ». Tu ne t'en tireras pas si facilement cette fois.

— *Fichtre !* fit Miles avec émotion. Très bien, dit-il en avançant d'un pas. Tu veux connaître la vérité ? Je ne te trouve pas répugnante, poursuivit-il en avançant d'un pas de plus. Si tu veux savoir, je trouve que tu es exactement le contraire de répugnante.

Un autre pas.

– Je me fais violence pour parvenir à garder mes mains loin de toi, ces deux derniers jours.

Encore un pas, et Miles se retrouva si près d'elle que le souffle d'Henrietta faisait frémir les plis raides de son foulard. Elle fit lâchement un pas en arrière, mais la haie dans son dos la piquait à travers la fine mousseline de sa robe, empêchant toute retraite.

– En fait, continua Miles en l'attrapant par les épaules tandis que sa tête plongeait vers celle d'Henrietta, tu m'as rendu absolument et fichtrement *fou* !

D'un mouvement de côté désespéré, Henrietta s'arracha à son étreinte, laissant Miles tomber la tête la première dans la haie.

– Oh non, haleta-t-elle. Je ne jouerai pas à ce jeu encore une fois.

Miles avait les yeux vitreux et respirait bruyamment.

– Un jeu ? réussit-il à articuler.

– Oui, un jeu ! cracha Henrietta, dont les yeux noisette se remplissaient de larmes de rage et de frustration. Le jeu dans lequel tu m'embrasses avant de t'enfuir et de te cacher de moi pendant toute une satanée semaine ! C'est… Je ne peux pas… Si tu ne cherches qu'un peu de plaisir, tu vas devoir le trouver ailleurs.

Attrapant ses jupes à pleines mains, elle se tourna brusquement en direction de la maison, mais fut subitement arrêtée lorsque Miles l'attrapa par le coude.

– Ce n'est pas ce que je veux ! explosa Miles en la retournant face à lui.

– Dans ce cas, que *veux*-tu ? demanda Henrietta.

— Toi, bon sang !

Les mots restèrent suspendus dans l'air entre eux.

Chacun fixait l'autre, les yeux bruns de Miles rivés aux yeux noisette d'Henrietta, tous deux figés, aussi immobiles que l'épouse de Loth, qui regardait les terres interdites derrière elle.

Le cœur d'Henrietta fut emporté par un élan de joie frénétique avant de s'arrêter subitement avec un hoquet et de repartir brusquement et furieusement dans la direction opposée. En voilà une déclaration ambiguë ! Que voulait-il exactement ? Et s'il la voulait, elle, pourquoi diable s'était-il caché d'elle ? Quelle étrange sorte de désir que celui qui *éloigne* le poursuivant de son objet !

Henrietta battit l'air de la main en signe de frustration.

— Qu'est-ce censé vouloir dire exactement ?

— Euh…

Curieusement, cela lui avait paru très clair lorsqu'il l'avait dit, mais une fois contraint d'en résumer le sens, Miles n'arrivait pas à trouver les bons mots. Pour une raison quelconque, il ne croyait pas que « J'ai envie de te jeter par terre dans les rosiers et de faire la bête à deux dos avec toi » apaiserait nécessairement la colère d'Hen. Là était le problème avec les femmes ; elles insistaient toujours pour tout verbaliser.

— Euh…

Heureusement, Henrietta était toujours en pleine diatribe ; Miles n'eut donc pas besoin de répondre.

— Et pourquoi, demanda-t-elle, t'es-tu conduit comme un parfait idiot ?

Miles choisit de ne pas contester l'appellation, principalement parce qu'il était d'accord avec elle. En fait, il savait que c'était le summum de l'idiotie que de traîner dans le jardin alors qu'il aurait dû s'enfuir tout droit vers la sécurité de Londres sans même passer par la maison ni récupérer ses affaires. Rester... L'adjectif « idiot » ne s'approchait même pas d'une description appropriée.

– Tu es la *sœur* de mon meilleur ami, dit vivement Miles, tant pour elle que pour lui-même.

Henrietta inspira très profondément. Miles lutta noblement pour garder les yeux rivés plus haut que son corsage. Cette cause était vouée à l'échec dès le départ.

La poitrine d'Henrietta gonfla puis s'arrêta, ce qui fut suivi par le silence pesant de quelqu'un qui attend quelque chose.

– Quoi ? demanda Miles.

– Je ne vois pas le rapport, répondit Henrietta entre ses dents.

Parler entre ses dents demandait très peu d'air. Miles retrouva la raison – ou un tant soit peu de raison – en même temps que la faculté de parole.

Il se passa la main dans les cheveux jusqu'à ce qu'ils tiennent dans les airs telles les épines d'un porc-épic.

– As-tu une idée du nombre de trahisons que cela impliquerait ? Même sans compter Richard. Tes parents m'ont *élevé* ! Et comment je les en remercie ? En séduisant leur fille.

Henrietta déglutit péniblement.

– Est-ce tout ce que je suis pour toi ? La sœur de quelqu'un ? La fille de quelqu'un ?

De son propre gré, la main droite de Miles s'éleva pour se poser sur la joue d'Henrietta et lui relever doucement le menton de sorte qu'elle le regarde en face.

– Ce n'est pas vraiment ce que tu crois, n'est-ce pas, Hen ?

Elle secoua lentement la tête.

— Non.

Sa voix se brisa, à moitié dans un rire, à moitié dans un sanglot.

— Je ne sais plus que croire en ce moment.

— C'est étrange, chuchota douloureusement Miles, dont le souffle chaud lui effleurait les lèvres. Moi non plus.

Avec une infinie douceur, ses lèvres effleurèrent celles d'Henrietta. Ses mains glissèrent doucement dans ses cheveux, lui caressèrent les tempes, calmant des douleurs dont elle ignorait l'existence. Laissant ses yeux se fermer, Henrietta fut emportée par le baiser et s'abandonna à toute cette irréalité onirique. Ses mains remontèrent jusqu'aux épaules de Miles; tandis qu'elle sentait la chaleur de son corps à travers la laine fine de sa veste, une chaleur d'une tout autre nature l'envahit. Autour d'eux, une intense odeur de roses du début de juin planait dans le jardin, aussi exubérante et puissante que celle d'une fresque ancienne. On eût dit que le vent bruissait plus délicatement entre les arbres et que même le vieux gentilhomme grenouille grincheux qui habitait l'étang avait adouci sa complainte de croassements. La terre entière ralentit et sombra dans un menuet sans fin.

D'un mouvement aussi doux qu'un soupir, les lèvres de Miles se détachèrent des siennes. Ils restèrent suspendus dans le temps, les lèvres de Miles figées en un murmure au-dessus des siennes, les mains de l'une sur les épaules de l'autre, les doigts de l'autre toujours emmêlés dans les cheveux de l'une. De son pouce, Miles suivit doucement la pommette d'Henrietta pour tracer le contour de son visage bien-aimé.

— Tu m'as manqué, murmura Henrietta.

Miles la serra fort contre lui et enfouit son visage dans ses cheveux.

— Toi aussi.

— Dans ce cas, pourquoi t'es-tu caché de moi toute la semaine ? s'enquit Henrietta, le visage enfoui dans son épaule.

Même si sa vie en avait dépendu, Miles aurait eu beaucoup de mal à s'en souvenir ; la sensation du corps d'Henrietta pressé contre le sien avait un effet décidément engourdissant sur son cerveau, bien que cela soulage intensément d'autres parties de son anatomie. Il déterra la raison comme si elle datait d'une éternité.

— Parce que je craignais de faire ceci, répondit-il en repoussant ses cheveux avec son nez pour suivre de sa langue le contour de son oreille.

Lorsqu'il sentit Henrietta frémir dans ses bras, il s'arrêta pour lui donner l'occasion de protester, de s'en aller.

Henrietta inclina le menton de sorte à offrir son cou dénudé aux lèvres baladeuses de Miles.

— Je ne comprends pas, dit-elle doucement, en quoi ça constituait une raison de te cacher.

— En cet instant précis, avoua Miles, moi non plus.

Ses lèvres suivirent la délicate courbe de la mâchoire d'Henrietta, le menton arrondi qui paraissait si timide au repos, mais qui en réalité pouvait être si entêté, l'élégante ligne de sa gorge, puis s'arrêtèrent pour souffler doucement sur les fines mèches bouclées à la base de son cou, où ses cheveux avaient été remontés loin de son visage.

Telle une feuille qui flotte sur un cours d'eau par une journée d'été, complètement détachée de toute responsabilité, simplement heureuse de glisser dans la chaleur dorée du soleil, Henrietta ne gémit pas ; un gémissement aurait gâché l'aspect onirique du moment. Toutefois, ses doigts se crispèrent sur les épaules de Miles tandis qu'elle s'émerveillait des sensations extraordinaires que pouvait générer une surface aussi prosaïque qu'un cou. Elle était préparée au baiser de Miles – bon, aussi préparée qu'on pouvait l'être pour quelque chose qui faisait tourner la tête autant que l'abus de bordeaux – ; il y avait eu des romans, des peintures et des chuchotements dans le boudoir des dames. Mais personne ne lui avait jamais parlé de ceci. Le cou ne servait qu'à suspendre des bijoux, à être mis en valeur à l'aide d'une boucle de cheveux ou un volant ; il n'était pas censé provoquer des frissons de plaisir qui vous parcouraient tout le corps.

Encline aux expérimentations, Henrietta resserra ses bras autour du cou de Miles, se hissa sur la pointe des pieds et posa ses lèvres sous son menton – elle avait visé l'endroit où le col et le foulard se séparaient, mais une combinaison d'étourdissement et d'yeux à moitié fermés avait eu un impact négatif sur sa capacité à viser. La peau de Miles avait une odeur d'après-rasage exotique, et une intrigante pointe de barbe naissante, si pâle qu'elle était pratiquement invisible, lui érafla les lèvres.

Bien que différente de ce qu'espérait Henrietta, la réaction de Miles fut instantanée. Il fit un bond en arrière, cligna des yeux à maintes reprises, secoua la tête comme un chien mouillé et tint Henrietta à l'écart.

– Ai-je fait quelque chose qu'il ne fallait pas ? demanda-t-elle d'une voix rauque.

Les yeux de Miles avaient une lueur nettement sauvage, et ses cheveux étaient encore plus en bataille qu'à l'habitude. Henrietta céda à l'envie d'écarter une mèche de cheveux. Miles broncha comme un cheval effarouché.

— Diantre, non… Euh, c'est-à-dire, non ! C'est… Oh, bon sang, Hen…

Puisqu'il semblait n'avoir rien de particulièrement important à dire, Henrietta décida de mettre fin à la conversation par le simple expédient de l'embrasser à nouveau. Miles la serra si fort dans ses bras que tout l'air qui lui restait dans les poumons fut expulsé, mais dans les circonstances, respirer lui paraissait une considération plutôt accessoire. De toute façon, qui avait besoin de respirer ? Les lèvres étaient beaucoup plus intéressantes, en particulier lorsqu'il s'agissait des lèvres de Miles et qu'elles faisaient preuve d'une telle agilité dans le creux sensible de sa clavicule. Henrietta ne s'était encore jamais rendu compte que ce creux était sensible, mais elle était bien certaine de se le rappeler à l'avenir. Les lèvres de Miles glissèrent encore plus bas, suivant lentement un sentier le long de sa clavicule pour descendre dans le creux entre ses seins. Henrietta cessa carrément de penser en phrases complètes et même en mots identifiables.

Miles était vaguement conscient que son cerveau avait cessé de fonctionner de concert avec le reste de son corps il y avait un moment déjà, mais le pire, c'est qu'il avait cessé de s'en soucier. Quelque part au fond de lui-même, il savait qu'il y avait une excellente raison pour laquelle il ne devrait pas être en train de déshabiller Henrietta, mais peu importe l'objection peu substantielle que sa conscience pouvait soulever, celle-ci disparaissait devant la présence beaucoup plus réelle d'Henrietta elle-même, chaude et rayonnante dans ses bras, à l'instar d'un millier de rêves interdits faits de chair.

Et quelle chair attirante !

Miles fit un dernier effort pour maîtriser ses pulsions primaires, un dernier effort pour enfermer Henrietta dans la petite boîte de son cerveau sur laquelle était inscrit « meilleur ami, petite sœur du ». Mais ses cheveux lui caressèrent le bras sans raison, et ses lèvres étaient gonflées de baisers — ses baisers, se dit Miles dans un élan de possessivité. À lui, à lui, à lui. Tout à lui, des longs cils recourbés sur ses joues jusqu'au soupçon de fossette qui apparaissait uniquement lorsqu'elle souriait ou fronçait les sourcils vraiment beaucoup, en passant par l'étendue de poitrine absolument irrésistible que révélait de façon cruellement détaillée sa posture appuyée contre son bras.

Même ainsi, Miles aurait pu — il y avait peu de chances, mais il aurait pu — la remettre sur ses pieds, replacer ses cheveux et leur passer à tous les deux un bon savon si, à cet instant précis, Henrietta n'avait pas gémi. Ce n'était qu'un tout petit gémissement, à peine plus fort que le bruit de la soie qui frôle la peau, mais il renfermait tout un univers d'allusions amoureuses. Ainsi aurait pu gémir Héloïse dans les bras d'Abélard ou Juliette pour son Roméo, priant que la nuit vienne et qu'elle voile leurs plaisirs.

Miles était fichu.

Tout comme le corsage d'Henrietta. L'étoffe s'écarta doucement dès qu'il tira dessus, révélant les aréoles roses qui rougirent au-dessus de leur fin voile en soie. De sa langue, Miles fit le tour de l'une, puis de l'autre, tandis qu'Henrietta se cambrait dans ses bras et lui enfonçait les ongles dans le dos.

Il continua de défaire l'étoffe, se réjouissant de la manière dont Henrietta se tortillait dans ses bras tandis que la soie lui effleurait les seins. À l'instant où Miles baissa la tête pour que sa bouche prenne la place du tissu, une voix aussi tranchante que du verre brisé, une voix venue de très loin, pénétra sa conscience.

– Mais que diable se passe-t-il ici ?

Chapitre 26

S'il y avait des jardins à la française à l'abbaye de Donwell, nous n'y étions pas.

Serrant mon châle en pashmina emprunté autour de mes épaules, je titubais derrière Colin à travers un paysage constellé de nids-de-poule et jonché de brindilles meurtrières. La demeure massive s'élevait derrière nous, anguleuse et informe dans l'obscurité nocturne. À une distance équivalente à environ un pâté de maisons, les bruits, les voix et les lumières à l'avant de la maison étaient complètement oblitérés pour ne laisser qu'un paysage qui n'aurait pas détonné dans un roman de Brontë ni dans l'une des créations les plus folles de Mary Shelley.

Nous traversions quelque chose que Joan n'aurait pas manqué de décrire comme « le parc », évoquant des images de chênes majestueux et du petit Lord Fauntleroy. Pour l'instant, j'aurais été heureuse d'échanger toute la splendeur du parc contre les néons crasseux d'Oxford Street, ses vitrines d'où retentit de la musique forte, ses piétons bavards pressés et, plus importants encore, ses trottoirs fermes sous mes pieds. Mes chaussures, conçues pour être portées en ville, ne réagissaient pas très bien au sol ramolli par la pluie d'hier et le dégel d'aujourd'hui ; elles s'enfonçaient.

Tant pis pour la balade romantique au clair de lune dans le jardin.

Même le clair de lune n'était pas serviable. Oublions le trope de la Lune en tant que déesse chaste et pure. Charmeresse invétérée, elle était trop occupée à jouer à cache-cache avec les nuages pour s'occuper d'éclairer le paysage. Au lieu du parfum des fleurs, nous étions entourés par l'odeur caractéristique de la tristesse de novembre, une combinaison de feuilles en décomposition et de terre humide. Une odeur digne d'un cimetière. Je chassai cette pensée avant qu'elle puisse se développer en film d'horreur de série B, mains de zombies qui sortent de la terre effritée et vampires à la recherche d'une collation nocturne compris.

Tout ça, c'était la faute d'Henrietta et de Miles, ruminai-je sombrement en sortant mes talons de la boue pour courir derrière Colin. J'avais dû arrêter de lire juste au moment où Henrietta et Miles s'embrassaient dans le jardin baigné par les rayons de lune argentés et m'étais habillée pour la soirée de Joan, poursuivie par des images désespérément romantiques de treillis et de sentiers de jardin décorés, bercés par le chant du rossignol et les soupirs d'une douce brise d'été. Si les personnages dans ce jardin avaient tendance à prendre des traits différents de ceux d'Henrietta et de Miles... Qui le saurait, à part moi et le miroir dans la chambre d'amis de Colin ?

J'avais oublié de tenir compte du fait qu'ils étaient en juin et que nous étions en novembre.

Et il y avait aussi le fait que Miles avait été follement attiré par Henrietta, alors que Colin... Je jetai furtivement un regard vers la silhouette sombre à côté de moi. Je ne savais même pas pourquoi je me donnais la peine d'être furtive ; il ne pourrait pas plus distinguer mon expression que je ne pouvais discerner la sienne, et ce, même s'il était l'une de ces personnes agaçantes qui possèdent l'habileté de voir dans le noir aussi bien qu'un chat. Tant ses yeux que sa lampe torche étaient fermement braqués vers l'avant et non vers moi.

Il n'avait rien dit depuis ce commentaire au sujet du chaperonnage.

Moi non plus, bien entendu, mais ceci était sans importance.

Non que le silence fût inconfortable. Au contraire. C'était le genre de silence paisible qui accompagne les connaissances de longue date, le confort de savoir qu'il n'est pas nécessaire de dire quoi que ce soit. Et cette absence même de malaise me rendait profondément mal à l'aise.

Je cernai cette pensée et suivis son cours tortueux et glissant jusqu'à son origine. Il s'agissait de l'imposture de la vie de couple instantanée. Là était le problème. Cette sensation indéfinissable d'être avec quelqu'un lorsqu'on sait que ce n'est pas le cas. C'est quelque chose que toute personne qui a été célibataire pendant un moment reconnaîtra ; le simulacre d'intimité qui naît du fait d'être les deux seuls célibataires lors d'un souper de couples ou, dans le cas présent, de partager une maison pour une fin de semaine. Il s'agit d'une illusion hautement séduisante — mais uniquement d'une illusion.

Je me demandai si cela avait frappé Colin aussi ; s'il avait été aussi assiégé par les « Alors… cette Américaine et toi ? » que moi par les « Alors… Colin et toi ? ». Le fait d'arriver ensemble et de savoir que nous allions partir ensemble, les petits regards réguliers à travers la pièce ; tout cela conférait un semblant d'intimité.

Un semblant, me remémorai-je, maintenu pour le bien de Joan.

Essayait-il de me dissuader, de me rappeler que je n'étais qu'une invitée tolérée? Inquiète, je me reportai mentalement à la journée d'aujourd'hui, additionnant les points de chaque côté de la balance. La marche dans le jardin aurait pu servir uniquement à m'éloigner de la tour. En fait, Colin n'avait montré aucun intérêt à m'accompagner où que ce fût jusqu'à ce que je me sois mise à rôder autour de portions de sa propriété potentiellement passibles de poursuite. Je tressaillis au souvenir de cette note succincte sur la table de la cuisine. « Sorti. » Cela se prêtait si bien à d'autres phrases courtes telles que « défense d'entrer » et « interdit d'approcher ».

Pour ce qui était du fait d'avoir accepté de m'accompagner aux cloîtres... Je grimaçai lorsque je fus frappée par l'évidence de l'explication. Bien entendu. Joan. Ce n'était pas parce qu'il avait envie de se balader avec moi au clair de lune — ou ce qui aurait été le clair de lune si la lune avait collaboré un peu plus. Il avait simplement besoin d'un prétexte pour fuir l'emprise agressive de son hôte, et je lui avais fourni l'excuse idéale : il fallait emmener l'historienne en visite (dans ma tête, il me poussait un ensemble en tweed, des chaussures richelieu et des lunettes double foyer) voir les attraits locaux d'intérêt historique. Aucun autre type d'intérêt n'était impliqué.

Le vin blanc que j'avais bu en tenant compagnie au pasteur m'avait laissé un goût aigre dans la bouche.

Très bien. Je rassemblai autour de moi les lambeaux abîmés de mon ego, bien qu'ils offrissent encore moins de protection à ma fierté lacérée que le châle de Séréna à mes bras gelés. Après tout, je n'étais pas là pour le séduire non plus. Voilà.

Je commençais à regretter toute cette histoire d'aventure mal préparée. J'aurais dû me comporter en bonne petite chercheuse et rester à la maison, penchée sur une table pleine de documents à la faible lueur de la lampe de bureau, plutôt que de me laisser distraire par les échos de vieilles histoires d'amour et une forte dose de pensée magique.

Je ne me transformais pas en l'une de ces célibataires désespérées qui s'imaginaient que tous les hommes qu'elle rencontrait la draguaient, n'est-ce pas ? Cette simple pensée était terrifiante. Bientôt, j'allais commencer à accorder une grande signification à la manière dont le mec à la caisse de la supérette en face de mon appartement compterait ma monnaie ou à imaginer une étincelle de désir dans les yeux de mon propriétaire lorsqu'il descendrait dans la tonnelle de mon sous-sol pour relever le compteur d'électricité.

Ai-je mentionné que mon propriétaire est un quinquagénaire bedonnant ?

Je me tournai pour regarder la maison derrière moi en me demandant si je devais proposer d'y retourner. Je pourrais laisser Colin aux bons soins de Joan ; quant à moi… Il y avait toujours le bar. Et le pasteur. Non que je crusse que le pasteur s'intéressât à moi, bien entendu. Il ne s'agissait que de quelqu'un à qui parler. Au bar.

– Tu sais, dit Colin en m'attrapant par le bras au moment où je trébuchais, tu tomberais probablement moins souvent si tu marchais vers l'avant plutôt qu'à reculons.

À travers la fine rayonne de la robe de Séréna, je sentis la chaleur de la main de Colin, qui combattait la fraîcheur de novembre.

Je libérai mon coude de l'emprise de Colin.

— Vos cloîtres sont-ils encore loin ? demandai-je d'une voix aiguë, fatiguée et stridente à l'américaine. Je ne voudrais pas te retenir dehors trop longtemps.

— Ça ne me dérange pas.

— Ça pourrait déranger quelqu'un d'autre.

— Le pasteur ? Vous aviez l'air de bien vous entendre lui et toi.

Avant que je puisse répondre à cela, le faisceau de la lampe torche de Colin se déplaça brusquement vers la gauche pour se refléter sur un objet plusieurs mètres devant nous.

— Voilà les cloîtres.

— Où ça ? m'enquis-je bêtement.

Non, ce n'était pas parce que je regardais Colin plutôt que le minuscule cercle de lumière. Je regardais simplement au mauvais endroit. Je m'étais attendue à… Eh bien, au moins à un édifice. Des murs en pierre autour d'une cour, peut-être même une espèce de petite église. Je ne m'attendais pas à ce qu'ils soient intacts, mais il était normal de s'attendre à une structure quelconque. Tout cela n'était-il qu'un genre de farce élaborée qu'ils faisaient aux historiens en visite ? Peut-être Joan était-elle aussi dans le coup, ainsi que le pasteur. Je me souvenais vaguement d'un quelconque film de science-fiction qui ressemblait à cela, dans lequel tous les habitants du village appartenaient à la même espèce d'extraterrestres à l'exception de l'héroïne insouciante. Je devais toutefois avouer que feindre l'existence d'édifices médiévaux n'était pas tout à fait la même chose qu'être capable de changer de peau pour se transformer en créature reptilienne.

— Là, répéta patiemment Colin en baissant un peu le faisceau lumineux.

Cette fois, mes yeux aperçurent dans le paysage des bosses qui n'avaient rien à voir avec la nature.

— C'est tout ?

— C'est triste, n'est-ce pas ? acquiesça Colin en balayant du faisceau de la lampe torche une fenêtre que l'absence de mur rendait redondante. La moitié des édifices des environs ont été construits avec les pierres de Donwell.

— J'imagine qu'on peut considérer ça comme du recyclage, dis-je en examinant les ruines dégarnies, mais ça m'apparaît toujours comme du gaspillage.

Il ne restait pas grand-chose de l'ancien monastère. Je suis certaine que ce qu'il en restait devait être pittoresque en été avec de la végétation qui grimpait sur la maçonnerie écroulée, mais dans l'obscurité automnale, les chœurs nus et ruinés où chantaient naguère les doux oiseaux semblaient plus menaçants que pittoresques. Jadis, une série d'arches avait dû marquer la périphérie d'une cour. Maintenant, il ne restait que des pierres à moitié enterrées et de rares vestiges de piliers. Des murs qui arrivaient à la hauteur des genoux préservaient le souvenir plus que la réalité des pièces, et occasionnellement, parmi les mauvaises herbes flétries, on pouvait apercevoir le contour de quelque chose qui aurait pu avoir été une dalle de plancher dans une autre vie.

Alors que nous nous approchions et que la zone éclairée par la lampe torche s'agrandissait, je pus voir les murs devenir plus hauts, à mesure que nous avancions, pour s'élever à hauteur d'épaule à certains endroits et plus hauts que ma tête à d'autres, puis monter et descendre encore. Une seule pièce, à l'autre extrémité du cloître, possédait toujours la majorité de ses murs d'origine. Il restait même une partie de plafond faite en pierre massive qui descendait en pente vers l'extérieur telle la coque d'un navire à l'envers.

C'est dans cette pièce que je suivis Colin en me frayant un chemin sur le sol avec précaution. Le plancher était plus intact qu'ailleurs dans le cloître ; la majorité des dalles étaient toujours en place, mais elles étaient érodées et inégales, craquées là où on ne s'y attendait pas. Autrement dit, un enfer sur talons.

– Emmenez-moi au couvent, dis-je d'un ton léger simplement pour dire quelque chose, mais je me sentis comme une idiote aussitôt que les mots eurent franchi mes lèvres.

Emmenez-moi au couvent ? C'était pratiquement aussi nul que « J'ai apporté une pastèque » dans *Danse lascive*. Et il s'agissait d'un monastère, pas d'un couvent. Ce n'était pas la même chose. Mon professeur d'histoire du Moyen Âge à Harvard aurait eu des palpitations. Une fois, j'avais confondu l'ordre des Chartreux avec celui des Cisterciens et j'avais craint qu'on dût le transporter d'urgence à l'infirmerie de l'université.

– Ça n'a plus grand-chose d'un couvent de nos jours, répondit Colin, amusé, bien qu'il fût difficile de savoir s'il riait avec moi ou de moi.

Le faisceau de la lampe torche balaya le sol en cercle, faisant ressortir des signes récents d'occupation : une bouteille de coca vide, un emballage de croustilles à saveur de fromage et d'oignon abandonné.

– L'endroit est assez populaire auprès des jeunes du coin.

– Populaire ?

– Moi-même, je suis venu une ou deux fois ici, ajouta-t-il en souriant à ce souvenir.

– Beurk ! fis-je en plissant le nez en direction du sol de pierres froid. Ça ne doit pas être très confortable. Ni hygiénique.

Colin s'appuya contre l'un des murs restants et prit une posture d'extrême suffisance masculine. Sans doute pensait-il à d'anciennes conquêtes.

– Tu pourrais être surprise. Quelques couvertures, une bouteille de vin…

– Épargne-moi les récits de ta jeunesse dépravée, dis-je d'un ton impérieux en me détournant pour passer la main le long de l'ouverture de la fenêtre et laisser courir mon doigt sur les ébréchures et les fissures d'une fleur de lys élaborée.

– La tienne ne l'était pas ? demanda-t-il d'une voix chaude, moqueuse.

Je jetai un œil par-dessus mon épaule.

– Je ne révèle pas mes secrets d'alcôves.

– Ou simplement pas dans des cloîtres ?

– Je ne vois pas l'intérêt.

Je creusai dans ma collection de citations inexactes à la recherche de munitions.

– « Le tombeau est un doux et paisible endroit / Mais personne ne s'y embrasse, je crois[7]. »

– Ah, fit Colin en posant la lampe torche sur l'un des bancs encastrés de sorte que la lumière réverbère sur le mur. Mais c'est un cloître ici, pas un tombeau.

– C'est un genre de tombeau, n'est-ce pas ? argumentai-je en me léchant les lèvres et en reculant d'un petit pas.

---

7. N.d.T.: Traduction libre de deux vers du poème *To His Coy Mistress* d'Andrew Marvell.

Il y avait si longtemps que je n'avais pas dragué quelqu'un que j'avais pratiquement oublié comment faire. Nous nous draguions, n'est-ce pas ?

– C'est le tombeau des espoirs perdus et des ambitions déçues. C'est à se demander comment ils ont dû se sentir quand les monastères ont été dissous, quand ils ont vu soudain leur mode de vie partir pour… eh bien, le tombeau.

Je ne savais pas du tout ce que je disais. J'étais vaguement consciente du fait que ma bouche était en mouvement, que des mots en sortaient, mais je ne pouvais offrir aucune garantie quant au contenu.

– D'ailleurs, c'est un *monastère*, poursuivis-je avec entêtement. Peux-tu imaginer un endroit moins propice au badinage amoureux ?

Colin rit.

– N'as-tu pas lu Chaucer ?

– Il ne faut pas croire tout ce qu'on lit dans l'œuvre de Chaucer, protestai-je, mais cela ne sortit pas avec beaucoup de conviction, parce que Colin avait, de façon on ne peut plus désinvolte, appuyé une main sur le mur en pierre derrière ma tête.

Je fis un courageux effort pour me ressaisir et porter attention à ce qu'il disait plutôt que de simplement fixer la région de ses lèvres en me demandant… Bon, inutile de rentrer dans les détails de ce que je me demandais. L'histoire, me rappelai-je avec fermeté. C'était la raison pour laquelle j'étais là. Les espions. Les moines. Les espions déguisés en moines.

À cet instant précis, si quelqu'un avait dansé la valse autour de la pièce vêtu d'un costume de fleur géante avec une affiche sur laquelle était inscrit TULIPES NOIRES EN VENTE

ICI, ça n'aurait pas pu m'être plus égal. Tous les nerfs de mon corps étaient en état d'alerte à l'homme et criaient « aux abris ! ». Je sentais la chaleur irradier de son torse ainsi que l'odeur de lessive sur son col, et mes lèvres picotaient sous l'effet de ce sixième sens particulier qui s'active uniquement lorsqu'un homme s'approche trop près pour rendre possible toute rationalisation.

Mes yeux se fermèrent.

DRIIIING !

Quelque chose émit un bruit perçant et discordant semblable à cinq alarmes de feu qui auraient toutes été déclenchées en même temps. Je me figeai, les yeux toujours fermés et le visage incliné vers le haut. Je devais avoir l'air d'une taupe qui se serait fait prendre hors de son tunnel en plein jour. Au-dessus de moi, je pouvais sentir Colin, tout aussi freiné par cet épouvantable bruit discordant. Ce n'était même pas Joan qui était venue pour se venger. C'était mon téléphone. Qui sonnait.

Mince.

Je gardai les yeux fermés avec le futile espoir que si je restais vraiment, vraiment immobile et que je priais très, très fort, le son disparaîtrait, et Colin et moi pourrions reprendre là où nous en étions comme si de rien n'était.

DRIIIING ! DRIIIING !

Mon téléphone sonna à nouveau. Avec insistance.

L'agréable mélange de lessive et d'après-rasage se dispersa pour être remplacé par de l'air froid. Je forçai mes yeux à s'ouvrir, me décollai du mur, et mon châle en pashmina glissa mollement sur mes bras.

— Tu m'excuses un instant ? demandai-je, mortifiée jusqu'à l'agonie, en plongeant la main dans mon sac à la recherche du téléphone qui vibrait.

Grâce à son interruption inopportune, c'était la seule chose qui vibrait encore — mis à part mes nerfs en pièces.

— Enfin... C'est simplement... Au cas où il y aurait une urgence, terminai-je maladroitement.

— Certainement, répondit platement Colin.

Si platement que je dus me demander si je n'avais pas imaginé toute cette histoire. Tel le chat du Cheshire, il avait réussi à réapparaître plus loin contre le mur. Un coude appuyé sur le cadre de fenêtre en ruine, il paraissait aussi imperturbable que s'il s'était toujours tenu là.

Peut-être était-ce le cas. Peut-être avais-je tout imaginé.

Peu importe ce que j'avais pu imaginer d'autre, l'atroce bêlement qui provenait de mon sac était bien réel. Le téléphone continuait de se lamenter dans son enveloppe Coach. Éraflant mes jointures gelées sur la fermeture éclair, je réussis péniblement à sortir le téléphone du petit sac bien rempli et plissai les yeux en regardant le minuscule écran. Il brillait comme un néon diabolique dans l'obscurité du cloître.

PAMMY, proclamait l'écran.

J'allais la tuer. J'allais vraiment, littéralement, la tuer.

J'inspirai profondément pour réprimer la forte envie de jeter le téléphone par terre et de sauter dessus à la manière du nain Tracassin. Peut-être Pammy était-elle terriblement malade. Peut-être qu'elle s'était fait larguer par... Oh, comment s'appelait-il déjà ? Ça ne durait jamais assez longtemps pour que je puisse me souvenir de leurs noms. Un enlèvement par la mafia avec un délai de vingt-quatre heures pour amasser une rançon serait aussi une raison acceptable pour justifier l'interruption. Y avait-il seulement une mafia en Angleterre ? Cela valait mieux, pensai-je gravement.

J'appuyai sur le bouton LIRE, et le message de Pammy s'afficha sur l'écran.

A-T-IL DÉJÀ TENTÉ UNE APPROCHE ?

Un enlèvement par la mafia était trop doux pour certaines personnes.

Jetant furtivement un œil par-dessus mon épaule, je me penchai sur mon téléphone et répondis laconiquement : NON.

Instantanément, le nom de Pammy réapparut sur l'écran.

POURQUOI PAS ?

Mes doigts se déplacèrent rapidement sur les touches minuscules, animés par une volonté propre.

PEUT-ÊTRE PARCE QUE CERTAINES PERSONNES M'ENVOIENT SANS CESSE DES SMS !!!

Qu'elle en tire ses propres conclusions. J'enfonçai la touche ENVOYER, puis celle ÉTEINDRE, avant de remettre le téléphone dans mon sac. Le téléphone sombra dans l'obscurité avec un faible gémissement. Trop tard. Pourquoi diable n'avais-je pas pensé à éteindre mon téléphone plus tôt ?

Mince, mince, mince.

— Quelqu'un d'intéressant ? s'enquit Colin.

— Pammy, répondis-je en visant l'amusement contrit, mais produisant quelque chose qui ressemblait davantage à un grognement du style « toi, Tarzan ; moi, Cheetah ».

Colin se décolla du mur. Ce qui était d'ailleurs une bonne chose ; vu l'état du reste de la structure, je n'avais pas confiance en sa stabilité. En revanche, panser son front blessé me donnerait une occasion de m'attarder tendrement au-dessus de lui. Nous ne tiendrons pas compte du fait que j'ai échoué au cours de premiers soins à l'école secondaire. Trois fois.

Peut-être était-ce une bonne chose qu'il ne soit pas tombé à la renverse.

– Qu'a-t-elle encore fait ? demanda-t-il.

– Oh, comme d'habitude, répondis-je distraitement en me demandant s'il y avait un moyen suffisamment subtil de m'approcher de lui sans que mes talons résonnent comme une salve de canons sur les dalles de pierre criblées de trous.

Mais cela irait à l'encontre de tout l'exercice, n'est-ce pas ? L'objectif était de découvrir s'il montrait le moindre intérêt à s'approcher de moi, pas le contraire.

– Tu connais Pammy, terminai-je.

– Oui, en effet, répliqua-t-il avec tant de vigueur que je ne pus faire autrement que de me demander…

Colin et Pammy ?

Pammy connaissait la sœur de Colin depuis qu'elle avait déménagé à Londres lors de notre première année de lycée. Pammy n'était pas extrêmement proche de Séréna, mais cela ouvrait tout de même la porte à de nombreuses occasions d'aventure avec son frère aîné. Non. Je ne pouvais simplement pas l'imaginer. D'ailleurs, Pammy me l'aurait dit. N'est-ce pas ? Hum. Je classai cette pensée pour y revenir plus tard.

– Euh, Chaucer, dis-je en remontant mon châle emprunté sur mes épaules dans une tentative futile de nous ramener où nous en étions avant Pammy et le message de l'enfer. Tu disais quelque chose au sujet de Chaucer ?

Dans la faible lueur de la torche, je le vis secouer la tête.

– Ça ne devait pas être très important.

– Ça me semblait intrigant, répondis-je avec regret.

– Ah oui ?

Les mots furent prononcés avec douceur, mais ils suffirent à ce que la peau de mes bras se couvre de frissons qui n'avaient rien à voir avec la fraîcheur de novembre. Même les ombres se réunirent et retinrent leur souffle en attendant de voir quel genre d'action allait suivre la promesse de velours cachée derrière ces deux petits mots.

— Salut !

Une voix enjouée retentit à travers l'ancien cloître, bannissant les ombres et faisant fuir loin, très loin, toute tension amoureuse.

Et quoi encore ? Mon professeur de cinquième année ? Le défilé de la Saint-Patrick ? Un concert pour le retour des Fleetwood Mac ? Je doutais que l'abbaye de Donwell ait été aussi populaire, même à l'époque où elle possédait toute sa maçonnerie et ses moines.

Quelque part, Cupidon ricanait. J'espérai qu'il s'asseye sur l'une de ses propres flèches.

Sally s'arrêta en dérapant et s'appuya d'une main sur le mur pour reprendre son équilibre. Si quelque chose d'autre que ma propre imagination débordante colorait l'atmosphère, elle ne sembla pas s'en rendre compte.

— Désolée de vous avoir fait attendre ! Je viens tout juste de m'échapper. Joan ne trouvait pas la glace, dit-elle en secouant son épaisse tignasse d'un air de condamnation sororale. Sans espoir. Tout simplement sans espoir.

Cela résumait assez bien les choses.

— Colin t'a-t-il déjà fait visiter ? demanda Sally.

— Pas vraiment, répondit Colin en traversant la pièce d'un pas nonchalant. Veux-tu nous faire les honneurs, Sal ?

— Mieux que toi, rétorqua-t-elle. Je ne peux pas croire que vous êtes ici depuis tout ce temps et qu'il ne t'a rien montré !

Colin prit un air blessé.

— Si tu es là uniquement pour m'insulter, je vais me chercher un verre.

J'envisageai la possibilité de dire « j'en prendrais un aussi » et de le suivre jusqu'au bar, mais luttai contre l'impulsion. Je n'étais pas encore tout à fait descendue jusque-là. Le mot-clé ici étant « tout à fait ». Je me rappelai ma tentative de drague plutôt flagrante et remerciai l'obscurité de cacher ma grimace soudaine.

– Amuse-toi bien ! dis-je à la place en le saluant gaiement de la main. Tu ferais mieux d'y aller pour la double dose.

– Double dose d'alcool ?

– Pour la double dose d'insultes, expliquai-je gentiment.

– Joli ! exulta Sally. Bien joué !

– Toi, dit Colin en se tournant pour agiter un doigt en direction de Sally, je ne t'aime plus. Quant à toi…

J'essayai de ne pas laisser paraître le fait que je retenais ma respiration.

– Oui ?

– Ne t'inquiète pas ; je trouverai bien quelque chose.

Et sur cette note plutôt énigmatique, il fit sa sortie.

En tant que menace, sa déclaration manquait d'un certain quelque chose. De la spécificité, par exemple.

En tant que drague… Cela me monta à la tête comme une grande gorgée de Veuve Clicquot ; une substance pure, enivrante, le grand brut des remarques suggestives. Je ne devrais pas y accorder trop d'importance. Je le savais. Néanmoins…

Je me tournai pour trouver Sally, qui me regardait, les bras croisés sur la poitrine.

– Uniquement pour les archives, hein ? dit-elle.

Chapitre 27

❁

Compromission : *découverte et déshonneur ; dévoilement de l'identité d'un agent secret dont résulte une retraite forcée.* Voir aussi *ruine.*
– tiré du livre de codes personnel de l'Œillet rose

Miles se rappela soudain toutes les bonnes raisons pour lesquelles il avait eu l'intention de se tenir loin d'Henrietta jusqu'à ce que la vieillesse lui ôte ses pulsions primaires ou, du moins, les moyens de les assouvir. Mais il était trop tard. Devant lui avait surgi son meilleur ami – son ancien meilleur ami –, le bras tendu tel celui d'un dieu furieux sur une gravure sur bois médiévale. La posture même de Richard crépitait de rage.

– Oh, non ! souffla Henrietta, qui s'empressa de remettre son corsage en place.

Amy attrapa Richard par le bras et le poussa derrière elle. Étant donné que Richard mesurait une trentaine de centimètres de plus qu'elle, le geste se révéla complètement futile. Au-dessus de la tête brune d'Amy, les traits de Richard étaient tendus par la colère et l'incrédulité. Miles déglutit avec difficulté en se relevant lentement.

— Je crois que nous arrivons au mauvais moment, hasarda Amy en essayant d'entraîner son époux dans la direction opposée.

— Oh non, répondit Richard d'un air menaçant en mettant les deux mains sur les épaules de sa femme pour l'écarter. Je crois que nous arrivons pile au bon moment. Que *diable* pensais-tu être en train de faire, Dorrington ?

Penser ? Miles ne se souvenait pas d'avoir beaucoup pensé.

— À quoi penses-tu qu'il pensait ? intervint Amy. Franchement, Richard, ne pourrions-nous pas… ?

— Il ferait mieux d'avoir une *sacrée* bonne explication.

— Comment as-tu su que nous étions ici ? demanda Henrietta d'une voix rauque en espérant détourner l'attention de Richard avant que « sacrée » qualifie en fait une raclée pour Miles.

L'étincelle menaçante dans les yeux de Richard conférait au terme une connotation sanglante.

— L'un des gardes a rapporté des activités inhabituelles dans le jardin, répondit Richard en éclatant d'un rire jaune. Si seulement il avait su.

— Richard…, commença Miles en se plaçant devant Henrietta d'un air protecteur.

— Depuis combien de temps cela dure-t-il ? s'enquit Richard sur le ton de la conversation. Des semaines ? Des mois ? Des *années* ? Depuis combien de temps, Dorrington ?

— Nous n'avons pas…, l'interrompit Henrietta.

— Toi, reste en dehors de ça, l'avertit son frère.

— Comment puis-je rester en dehors de ça, alors que vous parlez de moi ?

Son frère l'ignora. Sans quitter Miles des yeux, il commença à enlever sa veste.

— Nous pouvons en discuter à l'aube ou nous pouvons régler ça immédiatement.

— Avant, dit Miles en enlevant sa veste et en mettant machinalement les poings devant lui en position défensive, j'ai quelque chose à dire.

Richard laissa tomber sa veste sur le gravier du sentier.

— C'est bien dommage parce que je ne veux pas l'entendre, répondit Richard en avançant brusquement d'un mouvement maîtrisé pour porter un coup directement sur la joue de Miles.

Avec la facilité conférée par des années d'entraînement, Miles évita le coup et attrapa le bras de Richard avant que celui-ci puisse s'élancer à nouveau. Ils avaient déjà combattu des centaines de fois à l'intérieur des limites bien établies du pugilat au Gentleman Jackson's, mais jamais sérieusement. Et Miles n'avait pas l'intention de commencer maintenant. Ils étaient tous deux pris dans un concours de force, tels les athlètes sur les vases grecs, leurs muscles tendus sous les manches de leurs vestes, tandis que Miles s'efforçait de retenir son ami.

— Bon sang, Richard, cria Miles, la voix étranglée par l'effort, vas-tu m'écouter ?

— Il n'y a rien à écouter, rétorqua Richard, le souffle court en tordant son bras droit pour se libérer.

— Je veux — Miles évita de justesse un vif coup au ventre — l'épouser !

— Pardon ? haleta Henrietta.

— *Pardon* ? hurla Richard en titubant à reculons.

— C'est une excellente idée ! applaudit Amy. Ainsi, personne n'est compromis, personne ne tire sur personne à l'aube, et tout le monde est content.

L'expression des trois autres contredisait totalement la dernière partie de son affirmation.

Ignorant les autres, Miles lança à Henrietta un regard interrogateur.

– Hen ?

– Tu n'as pas à faire ça, chuchota Henrietta.

– Je crois bien que si, commenta Amy. C'est plutôt compromettant, tu sais.

– Hen ? répéta Miles avec insistance.

Rendue muette par la détresse, Henrietta le regardait fixement tandis que son esprit sautait d'un impondérable à l'autre. Elle pouvait refuser et voir son frère soit mettre Miles en pièce maintenant, soit le transpercer d'une balle sur le champ d'honneur demain matin. Bien que Miles fût sans contredit l'athlète le plus accompli, Henrietta savait, aussi certainement qu'elle savait que Miles l'avait demandée en mariage parce que c'était la seule chose honorable à faire dans ces circonstances, que Miles ne lèverait jamais la main sur son frère. Le combat ne serait pas équilibré si l'un des participants était paralysé par la culpabilité. Elle ne croyait pas que Richard, une fois qu'il aurait eu le temps de réfléchir, veuille réellement blesser Miles non plus, mais dans son état d'esprit actuel… Henrietta ne pouvait pas se fier au fait que son frère raterait sa cible.

D'un côté, la mort et le déshonneur. De l'autre…

Elle pouvait épouser Miles et passer le reste de ses jours en sachant qu'elle lui avait imposé l'union à la pointe du pistolet de son frère.

Lorsque Miles se tourna lentement pour faire face à son ancien meilleur ami, Henrietta sut, à la position de ses épaules et à l'inhabituelle expression de gravité sur son visage, que si elle attendait un instant de plus, les paroles fatales seraient prononcées, et les deux hommes qui comptaient le plus à ses yeux s'engageraient irrévocablement dans un cul-de-sac dont ils ne pourraient s'échapper. Jamais.

– Oui, lâcha Henrietta. Oui, je veux t'épouser.

Richard prit une inquiétante teinte puce, se tourna vers sa sœur et aboya :

– Tu n'épouseras pas ce… ce…

– Cet homme ? proposa gentiment Amy.

Richard lança un regard noir à son épouse.

– Ce séducteur, termina-t-il avec colère.

– Préférerais-tu que j'épouse Reggie Fitzhugh ? demanda amèrement Henrietta en se tournant vers son frère.

N'importe quoi plutôt que regarder Miles.

– Ne sois pas ridicule ! cracha Richard.

– Pourquoi n'ai-je pas le droit d'être ridicule, si toi tu l'es ? s'enquit Henrietta de son meilleur ton de petite sœur casse-pieds.

Du coin de l'œil, elle vit Miles récupérer lentement sa veste. Aurait-il préféré purifier sa conscience à l'aube ?

– Ce n'est pas juste, termina-t-elle.

– Elle marque un point ici, tu sais, commenta Amy.

– ARGH ! hurla Richard, qui avait dépassé le stade de la parole. Je ne suis pas…

– Ridicule *et* bruyant.

– Vas-y, dit sèchement Richard. Épouse-le. En ce qui me concerne, tu peux bien l'épouser demain. Mais je ne veux plus jamais voir ça – il pointa Miles du doigt – sous mon toit.

Miles enfila sa veste d'un haussement d'épaules et avança d'un pas.

— Bien, dit-il doucement, mais avec une pointe d'acier dans la voix qui fit qu'Henrietta se raidit instinctivement. Nous nous marierons demain. Si vous voulez bien m'excuser, je dois me procurer un permis spécial.

Après avoir salué Amy d'un signe de tête et donné un baiser rapide quelque part près de la main d'Henrietta — elle en sentit les picotements lui remonter tout le long du bras —, Miles fit demi-tour et partit à grands pas vers l'écurie.

Richard ne se donna pas la peine de répondre. Il ne dit rien à sa sœur. Il ne suivit pas Miles. Il tourna les talons et partit d'un pas raide en direction de la maison. Le silence inconfortable qui suivit ne fut brisé que par le crissement du gravier sous les bottes, qui s'estompait dans deux directions opposées. Henrietta fixa le dos de Miles, qui s'éloignait tandis qu'elle mesurait les répercussions de ce qui venait d'arriver.

Demain. Henrietta se couvrit les yeux de ses mains. Un permis spécial. Miles ne venait pas de dire qu'ils se marieraient le lendemain, n'est-ce pas ? Il ne pouvait pas être sérieux.

Amy, qui fut la première à retrouver la faculté de parole, gratifia Henrietta d'un sourire rassurant.

— Richard va se calmer, dit-elle d'un ton confiant. Tu vas voir.

Depuis la maison leur parvint le bruit menaçant d'une porte claquée. Deux fois.

Amy déglutit avec difficulté.

— Un jour ?

À midi, le lendemain, l'honorable Miles Dorrington et sa nouvelle épouse étaient déjà en route pour Londres depuis un bon moment.

Henrietta baissa subrepticement les yeux sur la bague qui ornait son doigt ganté. Elle n'avait pas demandé à Miles où il l'avait prise ni à quel type d'activité douteuse il avait dû se livrer pour se procurer un permis spécial en si peu de temps. En fait, ils n'avaient pas eu l'occasion de se parler du tout. Lorsqu'Henrietta s'était réveillée ce matin, envahie d'une vague mais troublante impression que quelque chose de très important s'était produit et qu'il serait peut-être vraiment préférable de rester simplement sous les couvertures jusqu'à ce que l'univers se réaligne, la maisonnée s'affairait déjà à préparer le mariage, et elle fut propulsée dans la vie conjugale sans vraiment savoir comment elle s'était retrouvée là.

Henrietta avait toujours imaginé qu'elle serait assistée de Pénélope et de Charlotte ; Charlotte aurait le regard attendri par le romantisme, et Pénélope serait grincheuse. À la place, Amy l'avait aidée à s'habiller, s'affairant avec des volants et des boucles d'un air excité, alors que madame Cathcart réarrangeait calmement le tout aussitôt qu'Amy s'était précipitée sur la tâche suivante. Amy avait offert sa propre robe de mariée à Henrietta, mais celle-ci avait refusé poliment étant donné que sa belle-sœur mesurait une bonne dizaine de centimètres de moins qu'elle et possédait une morphologie assez différente, et avait enfilé la robe de soirée qu'elle avait portée la veille. Il était plutôt ironique, avait songé Henrietta, de se marier vêtue de la robe dans laquelle elle avait été compromise.

Miles s'était procuré non seulement une bague et un permis, mais aussi l'évêque de Londres, qui ne portait pas son plus bel habit de cérémonie et affichait l'expression irritable d'un homme qui s'était fait tirer du lit à une heure généralement réservée au sommeil. Un autel de fortune avait été monté dans le grand salon, et des chaises qu'Amy avait ornées de rubans et de fleurs avec plus d'enthousiasme que d'élégance avaient été alignées de chaque côté de la pièce. Par opposition à leur décoration joyeuse, les longues rangées de chaises paraissaient tristement vides. À la place des parents et amis qui auraient dû les occuper étaient assis les jumeaux Tholmondelay, l'air perplexes, mais partants, et madame Cathcart, qui faisait de son mieux pour donner à elle seule un soupçon de respectabilité à toute cette affaire précipitée.

Son père aurait dû se tenir à côté d'elle pour l'escorter le long de l'allée, et non un frère plus disposé au meurtre qu'au mariage. Sa mère aurait dû être assise à l'avant de la salle, coiffée d'un chapeau extravagant, souriant fièrement de toutes ses dents et donnant des ordres à tout le monde. Ses parents. Oh, ciel. Qu'allaient-ils penser lorsqu'elle leur dirait qu'elle s'était mariée, en leur absence et sans leur consentement ? Henrietta était pratiquement certaine qu'ils n'auraient aucune objection au fait qu'elle épouse Miles, mais la façon dont cela se passait avait tout pour mettre en colère même les parents les plus tolérants. Elle n'osait même pas y penser.

Henrietta n'avait pas eu le temps de s'attarder sur les visages absents. Tandis que mademoiselle Grey se débarrassait de la marche nuptiale avec plus de précision que de passion, Henrietta avait consacré la plupart de son temps, alors qu'elle s'avançait vers l'autel, à tenter de convaincre son frère de ne pas tuer son futur époux. Après plusieurs mètres de vaine dispute, elle avait finalement réussi à le faire taire en soulignant qu'il avait simplement eu de la chance que le frère d'Amy ne fût pas du genre à se battre en duel. Puisque les noces de Richard, célébrées sur un bateau postal sur la Manche par un majordome devenu pirate, avaient été encore plus irrégulières que celles d'Henrietta, elle le tenait, et il le savait.

— Je préférerais tout de même l'embrocher, avait grommelé Richard.

— Aie l'obligeance de faire un effort pour contenir ton engouement excessif pour mes noces jusqu'à la fin de la cérémonie, avait sifflé Henrietta en réponse, ce qui lui avait valu un regard noir de la part de l'évêque et un coup d'œil anxieux de la part de Miles.

Avait-il peur qu'elle interrompe le mariage — ou ne le fasse pas ? Henrietta avait chassé cette idée pour l'ajouter à la liste de plus en plus longue des choses auxquelles elle n'osait pas penser.

Après une altercation qui manquait de dignité lorsque l'évêque avait demandé « Qui donne cette femme en mariage à cet homme ? » (qu'Amy dut résoudre en marchant sur le pied de Richard), le reste de la cérémonie s'était déroulé dans une hâte inconvenante. Henrietta avait soupçonné l'évêque d'avoir délibérément tronqué le rituel, mais vu sa distraction, elle ne pouvait en être vraiment certaine. En fait, elle ne pouvait être certaine de rien. Toute la cérémonie avait passé dans un flou cauchemardesque ; les couleurs se brouillaient, les voix se confondaient, tout se mélangeait dans un horrible carnaval d'irréalité. Elle avait été prise au dépourvu par l'annonce que Miles et elle étaient maintenant mari et femme. Du bref baiser qu'elle avait reçu ensuite de son nouvel époux, qui n'avait absolument rien à voir avec l'étreinte passionnée de la veille, avait germé une certaine quantité de doutes quant à l'efficacité de ce qui venait de se passer pour tisser des liens.

N'eût été la bague à son doigt, Henrietta aurait été pratiquement convaincue que rien de cela n'était réellement arrivé.

Après la cérémonie, Miles et elle s'étaient précipités dans son cabriolet, laissant les Tholmondelay faire honneur au petit déjeuner de mariage préparé à la hâte.

– Fred, des pâtés au homard ! entendit-elle Ned s'exclamer avec enthousiasme tandis que Miles l'aidait à monter dans le carrosse.

Il y en avait au moins un qui se réjouissait, se dit Henrietta avec philosophie. On aurait dit que Richard aurait préféré avaler une assiette d'orties.

Quant à Miles… Il était très difficile de savoir à quoi il pensait. Henrietta jeta un regard discret à Miles, qui maniait les rênes comme si sa seule et unique préoccupation était que ses chevaux évitent une large ornière au milieu de la route. Depuis qu'ils avaient quitté Selwick Hall, Miles la traitait avec une courtoisie sans faille. Il avait étendu une couverture sur les jambes d'Henrietta, s'était excusé de devoir la conduire à Londres dans un véhicule ouvert, avait offert de s'arrêter pour des rafraîchissements et était même allé jusqu'à commenter la météo.

Miles était poli. Trop poli. Cela rendait Henrietta nerveuse.

Elle lança un autre regard éclair vers Miles, seulement pour le voir reporter rapidement les yeux sur la route. Henrietta détourna le regard, mais ne put empêcher ses yeux de dévier lentement dans sa direction une fois de plus sous la bordure de son bonnet. À l'instar de deux personnages d'une farce mozartienne qui tentaient de s'éviter en se faufilant derrière des murs, ceux de Miles repartirent de l'autre côté.

Si seulement ils avaient eu le temps de se parler avant le mariage ! Henrietta n'était pas tout à fait certaine de ce qu'elle lui aurait dit. Existait-il seulement une façon délicate de dire « Tu n'es pas obligé de m'épouser si tu n'en as pas envie » ? Évidemment, même si elle avait trouvé une façon de le dire, elle savait aussi bien que lui que c'était de pures bêtises. Il était obligé de l'épouser. Elle était compromise, ruinée, déchue, souillée, salie. Henrietta était à court d'adjectifs, mais n'importe lequel d'entre eux aurait pu faire.

Il y avait une autre solution. Henrietta explora délicatement cette option de la même manière que quelqu'un qui a mal aux dents sonde les alentours de la dent cariée. Elle ne serait ruinée que si l'histoire sortait des confins de Selwick Hall. Richard et Amy ne la répéteraient certainement à personne, et on pouvait compter sur la discrétion de madame Cathcart, sinon pour le bien d'Henrietta, pour celui de sa mère. Quant à mademoiselle Grey, elle ne parlait jamais lorsqu'elle pouvait garder le silence. Les frères Tholmondelay constituaient le seul danger qui restait, et bien qu'ensemble ils ne possèdent pas l'équivalent d'un cerveau, Henrietta était persuadée que Miles ou Richard auraient pu leur inculquer par la peur ce qu'ils n'avaient pas l'intelligence de comprendre.

L'annulation. Voilà, elle l'avait dit. Ils pourraient obtenir une annulation ; Miles serait libre, et personne, hormis les parties concernées, ne saurait jamais ce qui était arrivé. Miles pourrait se promener au parc avec des beautés sombres, minauder avec des marquises mystérieuses et collectionner les chanteuses d'opéra sans avoir à porter l'indésirable fardeau d'une épouse.

Henrietta se fit une grimace désabusée. Elle avait vécu en société assez longtemps pour savoir qu'il n'y avait aucun moyen de garder un scandale secret ; il se transportait mystérieusement dans l'air, à l'instar de la peste bubonique. En outre, bien qu'Henrietta ne sût pas exactement comment obtenir une annulation, elle était persuadée que le processus devait être long et impliquer beaucoup de paperasse, ce qui serait inévitablement remarqué par quelqu'un qui ne manquerait pas de le dire à quelqu'un d'autre, et avant même qu'elle s'en rende compte, dans la rue, les femmes respectables écarteraient leurs jupes sur son passage.

Il y avait toujours le couvent. Ils étaient censés être spécialisés en femmes déchues, n'est-ce pas ?

Lorsqu'ils s'arrêtèrent à Croydon pour changer de chevaux, Henrietta était dans un état de tension tellement lamentable qu'elle se réjouit de la diversion. La cour du Greyhound grouillait déjà d'une multitude de trains d'équipage, d'un carrosse armorié à une voiture omnibus vert et or, et le Swan était à peine moins occupé.

Évaluant la foule d'un œil avisé, Miles secoua la tête et conduisit les chevaux le long de High Street.

– Nous allons essayer le Potted Hare, annonça-t-il. C'est peut-être moins bondé.

Henrietta n'arrivait pas à déterminer s'il se parlait à lui-même ou s'il s'adressait à elle, mais elle conclut qu'une réponse serait probablement appropriée.

– Ce serait bien.

Sous le rebord de son bonnet, Henrietta grimaça devant ces paroles guindées. Comment, après dix-huit ans passés à plaisanter et à se chamailler aisément avec Miles, en était-elle venue à être réduite à cela ? Elle avait joui de conversations plus brillantes avec Navet Fitzhugh – et Navet, tout comme le légume du même nom, n'était pas particulièrement reconnu pour ses aptitudes conversationnelles.

Miles, qui remarqua la grimace, en tira une conclusion complètement différente et arrêta les chevaux avec plus de force que nécessaire en entrant dans la cour du Potted Hare. Lançant les rênes à un palefrenier, Miles bondit du carrosse pour aider Henrietta à en descendre.

Plutôt que de s'écarter pour la laisser passer, il resta là à la regarder, les sourcils froncés. Un cabriolet qui arrivait derrière eux faillit heurter Miles en passant avant de s'arrêter de justesse pour vomir un dandy vêtu d'un gilet à la dernière mode, qui fit une pause pour arranger sa cravate déjà impeccable. Une auberge de relais occupée, s'avoua Miles, n'était pas le meilleur endroit où entretenir une conversation privée. Mais quelque chose devait être dit, et bientôt, parce que tout ce silence inhabituel allait inévitablement le conduire à l'asile. Pygmalion avait réussi à changer une statue en une femme en chair et en os. Lui, se dit Miles d'un air sombre, avait trouvé le moyen de transformer une femme en chair et en os en statue.

— Hen…, commença-t-il avec sérieux en la prenant par les épaules.

— Ma foi, Dorrington !

Peu importe ce que Miles allait dire, ce fut oublié lorsqu'une voix familière les salua. Sans attendre que son cocher ait entièrement arrêté son carrosse, Navet Fitzhugh se jeta en bas de son cabriolet.

— Ma foi, quelle chance de te trouver ici ! J'allais au Greyhound, mais j'ai vu ton cabriolet dans la cour, alors je me suis dit, je vais dîner avec Dorrington. Je ne tolère pas de dîner seul, tu sais.

De toute évidence, les puissances de ce monde voyaient d'un très mauvais œil qu'un homme séduise la sœur de son meilleur ami et n'avaient pas perdu de temps pour lui infliger un châtiment. Miles tenta de croiser le regard d'Henrietta dans l'espoir de partager un instant de commisération, mais le peu qu'on pouvait voir de son visage sous son bonnet était aussi profondément enfoui dans l'ombre que si elle avait porté un voile.

— Fitzhugh, grogna Miles en laissant tomber ses mains et en se tournant pour saluer son ancien camarade de classe.

Navet sursauta lorsqu'il vit Henrietta pour la première fois, ce qui n'avait rien d'étonnant puisque la large silhouette de Miles l'avait cachée à sa vue.

— Lady Henrietta ? dit-il en les regardant l'un après l'autre, une expression de perplexité peinte sur son visage bon enfant. Je n'avais pas vu que vous étiez là ! Fichue belle journée pour une promenade, n'est-ce pas ?

Miles tendit le bras à Hen, maudissant silencieusement l'aimable Navet.

— Devrions-nous aller voir si nous pouvons mettre la main sur un petit salon ? demanda-t-il, résigné.

— Excellente idée ! s'enthousiasma Navet avant de se tourner poliment vers le bonnet d'Henrietta. Quel bon vent vous amène par ici, Lady Hen ?

— Nous venons de…, commença Miles.

— … du Sussex. Chez Richard, intervint Henrietta d'un ton qui décourageait toute explication supplémentaire.

Miles baissa brusquement les yeux sur Henrietta, mais tout ce qu'il en récolta fut une plume impudente dans l'œil. Il pourrait apprendre à détester ce bonnet.

— Que fais-*tu* ici ? demanda-t-il à Navet sans bonne grâce tandis que leur petit groupe passait les portes de l'auberge.

Derrière eux, un flot continu de véhicules qui faisaient halte sur le trajet de Brighton à Londres continuait de déferler dans la cour de l'auberge de relais en quête de nouveaux chevaux et d'un moment de répit après les rigueurs de la route.

Navet sourit et agita son mouchoir orné d'œillets.

— J'étais à Brighton. Avec Prinny, tu sais. Fichue cohue au pavillon cette fin de semaine.

— N'est-ce pas toujours ainsi ? s'enquit Miles, qui faisait de grands gestes en direction de l'aubergiste en espérant que plus vite Navet mangerait, plus vite il partirait.

Derrière eux commençait à se former une queue de voyageurs grincheux précédée par l'homme svelte qui avait failli écraser Miles dans la cour. À en juger par la largeur de ses revers et la hauteur du col de sa chemise, il s'agissait certainement d'un autre des parasites de Prinny qui revenait de Brighton. Cette réflexion ne fit qu'encourager Miles à élever davantage la voix lorsqu'il grommela :

— Je ne comprends pas pourquoi tu t'infliges ça.

— Tu rigoles, pas vrai, Dorrington ? Je ne peux pas dire que la mer m'intéresse beaucoup, mais le prince offre toujours la crème des divertissements. Nous avons même eu droit à la performance d'une chanteuse d'opéra cette fin de semaine ! Accompagnée d'un type italien, son nom ressemblait à celui d'une pâte. Damnée bonne, euh…

Navet jeta un coup d'œil à Henrietta avant de s'interrompre, mal à l'aise.

— Euh, chanteuse, termina-t-il, soulagé. Damnée bonne chanteuse.

Même Navet parut soulagé lorsque l'aubergiste fit irruption.

S'essuyant les mains sur un grand chiffon blanc noué à sa taille, l'honnête homme se montra exagérément confus lorsqu'il expliqua que son petit salon privé était déjà occupé ;

que, comme ils pouvaient le constater, sa petite auberge était pleine à craquer en raison des divertissements que le prince avait offerts à Brighton au cours de la fin de semaine et que si la dame et les gentilshommes n'avaient pas d'objections, il y avait toujours de la place dans la grande salle... ?

Personne ne souleva d'objections : Miles, parce qu'il se souciait peu d'où ils s'assiéraient, tant qu'ils partaient ; Navet, parce qu'il était toujours en train de parler ; et Henrietta, parce qu'elle ne dit rien du tout. Miles avait très envie de frapper sur le dessus de ce maudit bonnet pour demander s'il y avait quelqu'un là-dedans, mais conclut qu'il était très peu probable qu'Henrietta, dans son état d'esprit actuel, réponde par l'affirmative.

La grande salle grouillait déjà d'autres voyageurs, qui dévoraient des tourtes au porc, des couples de canard, ainsi que de grosses assiettes de mouton et de pommes de terre, mais Navet, à force d'allègres réarrangements, leur trouva une petite table dans le coin de la pièce et épousseta un siège pour Henrietta avec son mouchoir, tout en décrivant avec volubilité les charmes – féminins et architecturaux – de Brighton, de la sacrée bonne chanteuse qui les avait divertis le vendredi soir, ainsi que des merveilleux gilets du prince.

– ... avec de vraies plumes de paon ! Voulez-vous vous asseoir, Lady Henrietta ? demanda Navet en brandissant la chaise récemment époussetée en direction d'Henrietta.

– Pauvres paons, grommela Miles à son intention, mais elle ne gloussa même pas.

Henrietta secoua son bonnet en direction de la chaise qui lui était offerte.

– Si vous voulez bien m'excuser un instant, je dois réparer les ravages du voyage.

Au moins, se dit Miles, elle n'avait pas perdu l'usage de son vocabulaire en même temps que celui de sa voix. Il aurait seulement souhaité qu'elle l'utilise pour lui parler.

Sans réfléchir, Miles tendit la main et attrapa le poignet ganté d'Henrietta. Heureusement, Navet était occupé à faire de grands gestes pour essayer d'attirer l'attention d'une serveuse afin de leur procurer une chope de bière.

— Hen…, commença-t-il.

— Oui ? demanda Henrietta, soudain alerte, en levant prestement les yeux vers lui.

Miles resta assis là, la bouche entrouverte, incapable de trouver quoi que ce soit à dire. « Tu n'envisages pas de t'enfuir par une fenêtre, n'est-ce pas ? » n'était vraiment pas une option. « Je déteste ce bonnet » serait honnête, mais absolument inutile. Et « Pourquoi ne me parles-tu pas ? » n'était vraiment pas une question qu'on pouvait poser en présence de Navet ni à laquelle on pouvait fournir une réponse satisfaisante.

— Voudrais-tu que je te commande de la limonade ? termina-t-il maladroitement.

Le rebord du bonnet d'Henrietta retomba.

— Non, merci, répondit-elle poliment.

Fichtre.

Miles s'affaissa sur sa chaise en maudissant les caprices de la communication interpersonnelle, le chapelier d'Henrietta, ainsi que Navet et tous ses descendants jusqu'à la fin des temps.

Tandis que Navet badinait avec la serveuse, Miles regarda Henrietta contourner l'homme qui était arrivé après eux, un élégant de la noblesse, qui portait une culotte marron clair ainsi qu'un foulard colossal, et dont les pointes du col étaient plus hautes que la tour de Babel. Le dandy, dont les basques empesées de la veste frottaient contre le mur, fit une pause dans l'embrasure de la porte pour observer Henrietta. Miles jeta ouvertement un regard noir au type dans l'entrée. Qu'avait-il à fixer Henrietta ? Elle était prise ; très, très prise, et si ce précieux n'arrêtait pas de la lorgner bientôt (Miles avait une idée plutôt restreinte de ce qu'englobait la notion de « bientôt »), Miles allait devoir s'assurer qu'il le saurait. Pendant un instant, on aurait dit que le bellâtre pourrait effectivement être sur le point de suivre Henrietta – Miles porta instinctivement la main à l'endroit où son épée se serait trouvée s'il l'avait portée –, mais il changea d'idée et se dirigea plutôt tranquillement vers le feu, une décision que Miles applaudit silencieusement.

Relâchant sa surveillance, Miles se retourna vers Navet, qui était engagé dans un joyeux monologue sur les merveilles de la collection de *chinoiseries** du prince de Galles, dans laquelle les paons semblaient tenir un rôle prédominant. Miles se demanda si cela signifiait que Navet cesserait enfin de s'affubler de falbalas à l'effigie d'œillets roses, mais en conclut que l'image de Navet en paon géant était trop troublante pour être envisagée.

– J'ai noté le nom du nouveau tailleur de Prinny pour toi, dit Navet de manière expansive en sortant un petit bout de papier de son gilet ajusté. Tu ne peux pas t'imaginer ce que cet homme arrive à faire avec un gilet, poursuivit-il en souriant tendrement au petit bout de papier.

Malheureusement, Miles le pouvait. Il prit le bout de papier et le fourra distraitement dans la poche de son gilet avec d'autres morceaux froissés de ceci et de cela, de la petite monnaie, ainsi qu'un bout de ficelle qui était là au cas où cela puisse lui être utile.

– Il y en avait un aux motifs de paons vert émeraude avec de vrais saphirs incrustés dans les queues, s'extasia Navet, dont les yeux s'illuminèrent à ce souvenir. Et un autre…

– As-tu vu Geoff là-bas ? lui demanda Miles dans l'espoir d'éloigner Navet du sujet des paons et de sa garde-robe.

Au-dessus de l'épaule de Navet, le dandy vêtu du foulard élaboré s'approcha de leur table, espérant manifestement que s'il rôdait assez longtemps, ils céderaient leurs sièges. Miles le gratifia de son meilleur regard « fais de l'air » avant de reporter son attention sur Navet.

Navet secoua la tête.

– Pas tellement le genre de Pinchingdale, tu sais. Je n'ai pas vu Alsworthy là-bas non plus. J'ai pensé faire un arrêt à Selwick Hall, ajouta aimablement Navet en tendant la main vers son verre de bière, mais c'est un bon détour, tu sais.

– Pas vraiment, protesta Miles en remerciant la conjonction de planètes, quelle qu'elle soit, qui avait empêché Navet de concrétiser cette idée.

Un espion français déchaîné qui courait dans les environs déguisé en moine fantôme était bien assez mauvais ; ajouter Navet au mélange, c'était un désastre garanti. Navet aurait probablement invité l'espion à entrer, l'aurait complimenté sur la coupe de son habit, lui aurait demandé s'il pensait que ce serait joli en rose et lui aurait offert un verre de bordeaux.

– C'est seulement à une heure de…

Miles s'interrompit brusquement.

– Pas en carrosse, mon vieux.

Occupé à réfléchir à la question, Navet ne sembla pas se rendre compte que Miles avait les yeux exorbités et la mâchoire pendante à l'instar de ceux d'un malheureux voleur de grand chemin qui se balance au bout d'une corde.

– J'ai mis pratiquement deux heures la dernière fois depuis Brighton jusque chez Selwick.

Miles s'élança par-dessus la table pour attraper son ancien camarade de classe par la manche.

– Lord Vaughn était-il là ?

– Chez Selwick ? Je ne saurais dire. Bien sûr, il y a plus d'un an de cela et...

– À Brighton, rétorqua Miles plus fort qu'il en avait eu l'intention. Pas l'année dernière. Cette fin de semaine.

Sacrebleu, il n'était vraiment pas doué pour toute cette histoire d'interrogatoire subtil. Miles avait vu plus d'une fois Richard au travail avec un suspect ; il tirait des renseignements d'un suspect aussi délicatement qu'un ver à soie tissait son fil, l'embobinant une question à la fois, jusqu'à ce qu'il sache tout ce qu'il y avait à savoir.

Heureusement, Navet, qui n'était pas le légume le plus futé du jardin, ne sembla pas remarquer sa *gaffe**.

– Vaughn ? demanda Navet en inclinant la tête pour réfléchir. Chic type. Je ne dirais pas la même chose de ses goûts en matière de gilets ; l'argenté est fichtrement terne, ne crois-tu pas ? Mais il sait y faire avec ses foulards. Comment appelle-t-il ce style qui lui est propre, déjà ? Le serpent dans le jardin ? Un peu comme à la mode orientale, mais avec un je ne sais quoi au dernier pli...

Au diable la subtilité. Pour sa part, Miles avait toujours favorisé davantage l'école des coups à la tête.

– Brighton, répéta-t-il. Lord Vaughn. Y était-il ?

Navet réfléchit.

— T'sais, je crois effectivement l'avoir vu au pavillon. On dit qu'il est très proche du prince ; ils avaient l'habitude d'aller dans les bordels ensemble dans les années 1780.

N'ayant aucune envie d'en apprendre plus sur l'intimité de la chambre à coucher du prince, Miles interrompit Navet.

— Te souviens-tu quel soir c'était ? Quand tu as vu Vaughn, je veux dire ? s'empressa de préciser Miles.

Navet haussa les épaules.

— Peut-être vendredi… ou samedi. Le pavillon se ressemble tellement d'un soir à l'autre, tu sais ! Ma foi, pourquoi cet intérêt marqué pour Vaughn ? Ce n'est pas un de tes amis, n'est-ce pas ?

— Vaughn a des chevaux que je pense acheter, improvisa Miles, plutôt fier d'avoir inventé une histoire que Navet trouverait entièrement crédible. J'espérais le croiser à Londres, mais s'il n'y est pas…

— Ses gris ? demanda Navet avec enthousiasme. Ils sont pleinement satisfaisants. Des fonceurs de première ! Je ne savais pas que Vaughn voulait les vendre. J'ai bien envie d'entrer moi-même dans la course, mon vieux.

— Ne te gêne surtout pas, répondit distraitement Miles.

Maintenant qu'il savait que Vaughn était allé à Brighton… Malgré les protestations de Navet, pour un homme qui avait des chevaux rapides et une voiture légère, il y avait à peine une heure de route entre le bord de mer et Selwick Hall. En fait, Richard avait souvent déploré sa proximité avec le palais des plaisirs du régent, citant comme motifs de plaintes les embouteillages sur les routes et les visites à l'improviste de gens tels que Navet. Miles tressaillit en pensant à son meilleur ami — son *ancien* meilleur ami — et s'efforça de ramener son esprit à Vaughn. Si cela n'était pas une preuve de la culpabilité de Vaughn, Miles ne savait pas ce qui en serait une — mis à part un large panneau qui proclamerait LA TULIPE NOIRE A DORMI ICI. Il serait inutile de faire demi-tour pour filer comme l'éclair jusqu'à Brighton ; à l'heure qu'il était, Vaughn devait être en route pour Londres depuis longtemps.

Auquel cas, Miles l'attendrait. Il n'avait qu'à récupérer Hen, et ils pourraient partir. Mais où *était* Hen ?

Miles interrompit Navet au beau milieu d'un exposé incohérent au sujet de deux alezans qu'il avait vus à Tattersall le mois précédent.

— Je me demande ce qui peut bien retenir Hen ?

Navet fronça les sourcils dans son verre de porter, haussa les épaules sous le riche brocart de sa veste et se tortilla sur le dur bois de son siège.

— Ma foi, Dorrington, commença Navet, mal à l'aise. Je n'ai rien voulu dire plus tôt, devant Lady Hen, mais ce n'est pas convenable du tout que tu sois seul ici avec elle. Pour la réputation et tout ça. Je sais que tu es comme un frère pour elle, mais…

— Je ne suis *pas* son frère, répondit sèchement Miles en surveillant la porte de la grande salle.

Combien de temps une femme pouvait-elle bien mettre pour aller aux toilettes et en revenir ? Le jeune dandy à l'immense foulard se tenait toujours près du feu, alors il n'avait pas à s'inquiéter du fait qu'elle ait été enlevée, mais… Hen n'aurait pas sauté par une fenêtre. N'est-ce pas ?

— Exactement ce que je disais, acquiesça Navet, l'air soulagé que Miles ait si facilement saisi le cœur du problème. Tu sais, je ne voudrais pas jouer les madame Grundy, mais…

— Crois-moi, répondit Miles, qui regardait l'horloge de parquet dans le coin de la salle en fronçant les sourcils, c'est un rôle qui n'est singulièrement pas fait pour toi.

— Oh, parce que je ne suis pas une femme, tu veux dire ? s'enquit Navet, l'air songeur. Je dois avouer que j'aurais l'air diantrement ridicule en jupes, bien que certaines de ces tenues à ramages en mousseline ne soient pas mal du tout. Les petites fleurs, tu sais. Mais ce que je voulais dire, poursuivit Navet, abandonnant le sujet fascinant de la mercerie pour revenir avec acharnement aux affaires en cours, c'est que, c'est-à-dire…

Miles détourna l'attention de la porte et fixa Navet d'un regard dissuasif.

— Il n'y a rien qui sente le roussi entre Henrietta et moi.

Miles se tourna sur sa chaise pour regarder anxieusement vers la porte de la grande salle.

— Mais où *est*-elle ?

Chapitre 28

Roussi, sentir le : *être très suspect, clandestin, illicite ; comportement qui indique généralement des intentions malveillantes. À surveiller de près par l'agent secret consciencieux.*
– tiré du livre de codes personnel de l'Œillet rose

Serrant son châle plus fermement autour de ses épaules, Henrietta commença à monter l'étroit escalier qu'une serveuse occupée lui avait indiqué. Faiblement éclairé uniquement par une fenêtre sur le palier, l'escalier était sombre, et l'usure avait creusé le centre des marches. Henrietta se fraya avec précaution un chemin jusqu'en haut, mais son esprit était resté en bas dans la grande salle, occupé par une paire d'yeux marron inquiets.

Qu'est-ce que Miles avait réellement été sur le point de dire ? Personne, pas même Miles, ne pouvait réussir à être si sérieux au sujet d'une boisson. Henrietta médita sur les différentes choses qui auraient pu suivre ce « Hen… » plaintif. Elle n'en aimait aucune.

Elle soupira et secoua la tête pour elle-même. Ces spéculations futiles allaient lui faire perdre la raison. Jouer à « À quoi Miles peut-il bien penser ? » n'était pas uniquement inutile ; c'était absolument…

— … exaspérant ! s'exclama quelqu'un.

Henrietta s'arrêta, un pied sur le palier et l'autre sur l'avant-dernière marche. Pas seulement parce que le mot exprimait précisément ce qu'elle ressentait. Elle connaissait cette voix. La dernière fois qu'elle l'avait entendue, elle se prêtait à un soporifique murmure de séduction plutôt qu'à une expression d'agitation, mais les intonations étaient aussi faciles à reconnaître que déplacées.

— Tu dois être patient, lui conseilla une autre voix ; une voix féminine avec un léger accent étranger.

Même la barrière en bois que formait la porte n'arrivait pas à détourner l'attention du charme fluide de celle-ci. Bien qu'elle parlât d'une voix douce, chaque intonation était aussi soigneusement nuancée qu'une pièce de porcelaine peinte avec délicatesse.

— Tu ne te fais aucun bien ainsi, Sebastian.

Henrietta fut si étonnée par le fait que Lord Vaughn possédât un prénom qu'elle faillit ne pas entendre ce qui suivit.

— Dix ans, répondit Lord Vaughn, dont la voix élégante vibrait de frustration à travers les fissures de la porte. Ça fait dix ans, Aurélia. Quel genre de parangon crois-tu que je sois, pour patienter si longtemps ?

Henrietta s'engagea dans un rapide calcul mental. Une décennie… 1793. Le peu de commérages qu'elle avait pu glaner au sujet de Vaughn était d'une imprécision exaspérante, mais l'année pouvait coïncider avec son départ précipité d'Angleterre.

C'était aussi, se rappela Henrietta, l'année où le roi de France avait été mis à la guillotine. Lequel était-ce ? Ou y avait-il un lien entre les deux ?

— Après tout ce temps, qu'est-ce qu'un peu plus ? répondit l'autre.

Lord Vaughn — Henrietta ne pouvait vraiment pas penser à lui en tant que Sebastian, peu importe comment l'appelait la mystérieuse femme — dit d'une voix basse et traînante quelque chose qui fut perdu quelque part entre la porte et l'oreille d'Henrietta. Peu importe de quoi il s'agissait, cela provoqua un gloussement timide de la part de sa compagne.

— Je ne crois pas — le ton était de plus en plus aigu, tout comme le petit rire affectueux — qu'un parangon devrait parler ainsi.

— Es-tu certaine qu'il n'y avait rien d'autre là-bas ? reprit Vaughn d'une voix rapide et impatiente.

Rien d'autre où ? Henrietta fronça les sourcils devant la porte en bois peu instructive en souhaitant avoir un moyen de s'approcher, un moyen de voir.

Il y eut un bruissement de tissu, comme si quelqu'un venait de se laisser tomber sur une chaise.

— J'ai inspecté très soigneusement ses effets personnels. Et c'était plutôt désagréable, d'ailleurs, ajouta aigrement la voix féminine.

Les effets personnels de Richard, peut-être ? Henrietta tendit l'oreille du mieux qu'elle put, disposée à ce que les conspirateurs en disent davantage.

Elle entendit le bruit de bottes sur le bois lorsque Vaughn traversa tranquillement la pièce, puis celui de lèvres sur… Une main ? Des lèvres ? Henrietta n'aurait su dire.

— Pardonne-moi, Aurélia, dit Vaughn, la voix chargée de chagrin et de charme contraint. Je suis une brute ingrate.

Zut. Henrietta lança un regard noir en direction de la porte. C'était maintenant qu'il décidait de s'excuser ?

— Je sais, répondit l'autre de manière aussi complaisante que peu instructive. Mais tu as tes avantages.

— Dont la plupart se mesurent en guinées, répliqua sèchement Vaughn.

— Une autre femme aurait trouvé ça offensant, le gronda gentiment la voix avec un accent.

— Je ne l'aurais pas dit à une autre femme, riposta Vaughn.

Il y eut un silence lourd de sens, puis un froissement de tissu qui aurait pu être une étreinte, ou simplement la dame qui remuait sur sa chaise — Henrietta maudit le fait de ne rien voir.

— Je pars pour Paris jeudi, reprit Vaughn d'une voix sèche.

— Es-tu certain que c'est prudent, *caro* ?

— Je veux mettre un terme à ce jeu, Aurélia. La partie dure depuis trop longtemps.

La dureté définitive de la voix de Vaughn transperça l'épais châle d'Henrietta pour provoquer un frisson involontaire. Ainsi aurait pu sonner la voix de Beowulf hors du repaire de Grendel, alors qu'il se préparait à semer le chaos et la mort.

— L'heure est venue de couper la tête de l'Hydre.

— Tu ne sais pas si c'est elle, tenta ultimement la douce voix de soprano.

— Tout pointe dans sa direction.

Le ton de Vaughn n'admettait aucune réplique.

Tout pointait dans la direction de quoi ? De qui ? Henrietta transféra son poids sur la marche du haut afin de presser plus fermement l'oreille contre la porte. La vieille marche protesta en bougeant et en craquant.

Des pieds bottés se dirigèrent rapidement vers la porte en claquant de façon menaçante contre le plancher en bois.

— As-tu entendu ça ?

Henrietta se figea, une main sur le mur.

— Que devrais-je entendre, *caro* ?

— Quelqu'un. Près de la porte.

— Ce vieux bâtiment craque de partout. Tu as trop d'imagination, mon ami, le gronda affectueusement la voix au léger accent. Tu te querelles avec des ombres.

— Mes ombres portent des épées, répondit Vaughn en ponctuant ses paroles d'une série de pas saccadés.

Henrietta n'attendit pas d'en entendre davantage. Elle dévala l'escalier à une vitesse dangereuse et s'accrocha à la rampe lorsqu'elle déboula pratiquement les trois dernières marches. Elle tourna en hâte le coin du mur à l'instant précis où, en haut de l'escalier, une porte s'ouvrait en grinçant.

Collée contre le mur, à bout de souffle, Henrietta entendit Vaughn grommeler un juron.

— Ne t'avais-je pas dit qu'il en serait ainsi ? dit ensuite une voix féminine. Viens t'asseoir près de moi et laisse les ombres tranquilles pour une heure.

Il ne pouvait pas les trouver là.

Henrietta se creusa les méninges au même rythme que le battement rapide de son cœur. Si Vaughn avait fouillé le bureau de Richard… Si « elle » se référait, d'une quelconque manière incompréhensible, à Jane… Si… Henrietta évoqua le plus terrible et le plus inquiétant de tous les si : si Vaughn était la Tulipe noire, ils devaient s'en aller avant qu'il apprenne qu'ils étaient là.

Vaughn avait dit qu'il ne partirait pas avant jeudi. S'il était la Tulipe noire diaboliquement intelligente, il aurait pu semer volontairement de fausses informations, mais Henrietta ne croyait pas qu'il avait feint son inquiétude lorsqu'il avait entendu un pas de l'autre côté de la porte. Leur meilleure chance, c'était de rentrer à Londres pour informer le ministère de la Guerre de tout ce qui s'était passé et lui permettre de prendre les mesures appropriées.

Se précipitant dans la grande salle, Henrietta évita de justesse un homme svelte, qui portait un immense foulard et un grand chapeau noir profondément enfoncé par-dessus ses oreilles, avant d'attraper Miles et de le tirer par le bras.

— Je crois vraiment que nous devrions partir maintenant.

Miles la regarda, perplexe.

— La nourriture vient juste d'arriver.

Henrietta lui lança un insistant regard suppliant.

— S'il te plaît ? Je t'expliquerai dans le carrosse.

Miles haussa les épaules, troublé, mais partant.

— Très bien, dans ce cas.

Il se leva en s'étirant — Henrietta fit un petit bond d'impatience —, attrapa son chapeau et ses gants sur la chaise à côté de lui — « Allez, allez », marmonna Henriette pour qu'il se hâte — et jeta quelques pièces sur la table.

— Ça devrait suffire.

— Mais…, commença Navet en gesticulant indistinctement en direction des assiettes et des carafes disposées devant eux.

— Désolé, Fitzhugh, dit Miles en s'arrêtant sur le pas de la porte pour saluer son ami en agitant son chapeau, il faut y aller.

Miles disparut subitement de l'encadrement de la porte en titubant lorsqu'Henrietta le tira par le bras.

– Ça sent le roussi, marmonna Navet en secouant la tête après qu'ils furent partis.

Il piqua un morceau de mouton et le regarda avec intensité.

– Ça sent diantrement le roussi !

Henrietta entraîna Miles dans la cour en jetant des regards anxieux derrière eux tandis que ce dernier demandait qu'on avance le cariolet. Il n'y avait aucun signe de Vaughn dans l'entrée, et il ne se cachait pas non plus aux abords de l'immeuble (Henrietta n'avait pas écarté la possibilité qu'il y ait d'autres issues) pas plus qu'il n'apparaissait aux fenêtres au-dessus de leurs têtes. Seul le dandy au foulard absurde était sorti d'un pas nonchalant derrière eux, bâillant dans le soleil d'après-midi en attendant qu'on avance son carrosse et son attelage. L'homme avait quelque chose de vaguement familier, mais Henrietta n'avait pas de temps à perdre à pourchasser ce souvenir jusqu'à sa tanière. Sans doute l'un de ces nombreux rejetons de l'aristocratie avec lesquels elle s'était entretenue durant l'interminable suite d'événements qui avaient composé les deux saisons et demie qu'elle avait passées sur le marché du mariage.

– On dirait que tu as trouvé un admirateur, commenta brièvement Miles en l'aidant à monter dans le cabriolet.

Il s'arrêta pour lancer un regard noir à l'homme sur le pas de la porte, qui continuait d'examiner sa propre épingle de cravate d'un air parfaitement insouciant.

– Vite, le pressa Henrietta.

Comme pour donner du poids à ses paroles, les chevaux, un nouvel attelage, caracolèrent impatiemment dans leur harnachement lorsque le palefrenier remit les rênes à Miles.

D'un coup de fouet, il mit les chevaux en marche.

– Veux-tu bien m'expliquer ce qui se passe ?

Henrietta battit l'air de la main dans sa direction en se tournant pour regarder la cour de l'auberge qui rapetissait rapidement derrière eux par-dessus la capote pliante du cabriolet.

– Plus tard !

Puisqu'il fallut plusieurs minutes à Miles pour prendre le pouls du nouvel attelage et qu'Henrietta semblait plus encline à se tortiller sur son siège en jetant des regards anxieux derrière eux qu'à parler, il se passa un certain temps avant que Miles aborde à nouveau le sujet.

– Non que ça me gêne d'être privé de la compagnie de Navet, dit Miles en contournant d'une main experte deux poules qui avaient décidé de traverser la route, mais pourquoi cette envie soudaine de partir ? Oserais-je espérer que ce soit dû à un ardent désir de te retrouver seule avec moi ? demanda-t-il en fronçant les sourcils. Cet homme t'importunait-il ? Si c'était le cas, je…

– Non, rien de tel.

Henrietta lança un regard angoissé par-dessus son épaule. Un cabriolet de messagerie noir, manifestement un véhicule privé, bien qu'usé, avançait sur la route derrière eux, mais il était assez loin pour leur assurer un minimum d'intimité. Néanmoins, par mesure de précaution, Henrietta s'approcha de Miles et baissa la voix pour plus de discrétion.

– Il se passait quelque chose d'étrange là-bas.

Miles grimaça.

– Quelque chose à propos d'une orange ?

Peut-être n'avait-elle pas besoin de parler à voix *si* basse.

Henrietta recommença.

– En montant l'escalier, j'ai entendu Lord Vaughn dans le petit salon privé.

Miles se redressa brusquement sur son siège.

– Quoi !

Puisque Henrietta s'était exprimée très clairement cette fois, elle présuma, avec raison, que l'exclamation de Miles tenait plus de l'étonnement que de l'incompréhension.

– Il parlait avec une dame qui avait un accent étranger ; c'était un accent très léger, mais néanmoins perceptible.

Miles frappa le bord du carrick d'une main gantée.

– Fiorila !

– Des fleurs ? s'enquit Henrietta, perplexe.

– Empoisonnées.

Miles tira sur les rênes pour préparer le carrosse à faire demi-tour.

– Pourquoi ne me l'as-tu pas dit avant que nous partions ?

– Chut ! s'exclama Henrietta en jetant un regard anxieux derrière eux.

L'autre carrosse avait freiné aussi.

– Je ne crois pas qu'ils puissent nous entendre.

À contrecœur, Miles fit claquer les rênes pour donner aux chevaux le signal d'avancer.

– Il est probablement trop tard pour y retourner, poursuivit Miles, plus pour lui-même que pour elle. Vaughn et ses compagnons auront mis les voiles à l'heure qu'il est. Damnation ! Si j'avais su…

– C'est précisément pour cette raison que je ne te l'ai pas dit. Ça ne me semblait tout simplement pas une bonne idée.

Henrietta eut du mal à justifier son réflexe.

– Nous ne savons pas avec qui il était…

– Oh, j'en ai une bonne idée, grommela Miles.

– … ou s'il était armé, poursuivit sèchement Henrietta. S'il est la Tulipe noire, n'est-il pas plus sensé de l'appréhender à Londres, où tu disposes de toutes les forces du ministère de la Guerre, plutôt qu'au milieu de nulle part ? Pour autant que nous le sachions, l'auberge aurait pu grouiller de ses hommes ! Ou peut-être qu'il n'est même pas la Tulipe noire, ajouta-t-elle après coup. J'avais l'impression que quelque chose clochait.

Miles exprima ce qu'il pensait de cette réserve par un « hum », mais admit du bout des lèvres la pertinence de ce qui la précédait.

– J'irai voir Wickham demain matin.

– Pourquoi pas ce soir ? demanda Henrietta.

– Parce que ce soir, répondit Miles en haussant ses sourcils blond-roux, c'est ma nuit de noces.

Henrietta se découvrit un intérêt soudain pour le paysage.

La nuit de noces, se dit Henrietta en fixant sans le voir Streatham Common. C'était généralement ce qui suivait les noces. Habituellement, la nuit. D'où le terme « nuit de noces », qui combinait tant le concept de nuit que celui de noces.

Henrietta se mordit fort les lèvres, s'efforçant de maîtriser son esprit rétif avant qu'il se lance dans une longue analyse confuse des traditions nuptiales des Anglo-Saxons jusqu'à aujourd'hui ainsi que de l'étymologie précise du mot « nuit ».

L'origine du mot « évasion », se dit-elle en lançant un regard noir à une vache qui paissait dans le Common, serait plus à propos.

Il y avait tant de pensées, dont s'évader, qu'Henrietta ne savait même pas par où commencer. Le fait que Miles évoque la nuit de noces signifiait-il qu'il avait l'intention d'aller jusqu'au bout avec le mariage ? Ou abordait-il le sujet dans l'espoir qu'elle soulève le ridicule de rester mariés ? Miles affichait l'expression la plus indéchiffrable qu'il lui fût possible d'afficher. Il ne paraissait pas particulièrement contrarié à l'idée de consommer leur mariage – son ton n'exprimait ni amertume, ni résignation, ni colère, ni aucun autre des sentiments auxquels on pouvait s'attendre de la part d'un nouveau marié réticent –, mais il ne semblait pas particulièrement enthousiaste non plus.

Pfff.

Miles ralentit un peu pour laisser passer la charrette d'un fermier. Le carrosse derrière eux ralentit aussi. Henrietta fronça les sourcils.

– Miles ? demanda timidement Henrietta. Est-ce mon imagination ou ce carrosse nous suit-il depuis très longtemps ?

Miles haussa les épaules, imperturbable.

– C'est possible. Ce ne serait pas étonnant que ce soit le cas. Maintenant, au sujet de Vaughn…

Henrietta se tourna sur son siège pour regarder le carrosse derrière eux.

– Mais ne trouves-tu pas un peu étrange qu'ils ralentissent chaque fois que tu le fais ?

– Quoi ?

Miles se tourna brusquement sur son siège, tirant incidemment sur les rênes d'un coup vif. Ses chevaux s'arrêtèrent subitement.

Les chevaux du carrosse derrière eux firent de même.

– Diable ! s'exclama Miles en se laissant retomber sur son siège.

— Exactement, répondit Henrietta en inspirant vivement entre ses dents. Je n'aime pas ça.

— Moi non plus, répliqua Miles.

Il mit les brides dans les mains gantées d'Henrietta.

— Tiens, prends les rênes un instant. Je veux jeter un autre coup d'œil.

Prise de court, Henrietta se battit avec les quatre brides que Miles lui avait tendues tout en essayant de comprendre laquelle était laquelle, tandis que Miles se hissait par-dessus le dossier du siège. Sentant que les rênes étaient tenues par une main inexpérimentée, les chevaux firent une embardée inquiétante. Miles s'arrêta en équilibre au-dessus du banc, le regard tourné vers l'arrière.

— Tiens-les seulement tranquilles, Hen, lui ordonna-t-il en sautant avec agilité sur la plateforme habituellement réservée au palefrenier.

Le cabriolet se balança dangereusement.

— Tiens-les seulement tranquilles ? répéta Henrietta, incrédule, en luttant pour maîtriser le cheval de volée droit.

Il faisait preuve d'une inquiétante tendance à essayer de dévier vers le côté. Il y avait longtemps qu'Henrietta n'avait pas conduit autre chose que le phaéton de Miles, et ce, au pas modéré imposé par la circulation encombrée dans le parc. Elle tira en vain sur les rênes lorsque le carrosse tangua à droite.

— Miles ! S'il te plaît, essaie de ne pas nous retourner !

— *Fichtre.*

— Quoi ?

Tous les muscles du corps d'Henrietta se raidirent, mais elle n'osa pas détourner son attention de la route.

— Que se passe-t-il ?

D'un bond, Miles revint sur son siège et reprit les rênes à Henrietta d'une main de maître.

— Tu ne vas pas aimer ça, dit-il en faisant accélérer l'attelage, ramenant aisément le cheval récalcitrant dans le rang.

— Quoi ? s'enquit Henrietta.

Miles fit claquer son fouet avec une efficacité impitoyable à l'instant précis où un claquement d'une tout autre nature résonna derrière eux.

— Ils ont un fusil.

Chapitre 29

Fugue amoureuse : *tentative d'évasion désespérée, habituellement lorsque poursuivi par un ou plusieurs membres de la police secrète de Bonaparte.* Voir aussi *parent vengeur.*
– tiré du livre de codes personnel de l'Œillet rose

Une autre balle siffla à côté d'eux ; cette fois, elle creusa un long sillon sur l'extérieur vernis du véhicule.

– Mon cabriolet ! s'indigna Miles. Je venais tout juste de le faire vernir !

Pliée en deux, Henrietta se dit que c'était plutôt le dernier de leurs soucis, mais elle n'avait pas l'intention de discuter. Elle était trop essoufflée.

– D'accord, dit Miles, qui était penché bien bas sur les rênes, une expression exemplaire de détermination inflexible peinte sur le visage. Très bien. Je vais donner à ce malotru la cavalcade de sa vie.

– Veux-tu dire que ce n'était pas déjà le cas ? haleta Henrietta, une main agrippée à son bonnet et l'autre, au siège.

– Ce n'était qu'un petit trot ! répondit Miles en faisant claquer les rênes, le visage transformé par une expression de joie diabolique. Allez, mes chéris ! Vous pouvez le faire !

Comme gouvernés par un seul et même esprit, les quatre chevaux se lancèrent dans un grand galop. Henrietta abandonna son bonnet pour dévouer ses deux mains à s'agripper au siège. La coiffure rebelle fut instantanément arrachée de sa tête avec une force qui promettait un étranglement imminent.

– C'est ça !

Henrietta ne savait pas si Miles parlait à ses chevaux ou à elle, mais elle supposa que c'était la première option, surtout lorsqu'il leva brièvement la tête dans sa direction.

– Ça va, Hen ? cria-t-il.

Henrietta réussit à acquiescer d'un son légèrement étouffé à l'instant même où le carrosse heurta une ornière, ce qui le projeta joyeusement dans les airs, après quoi le choc de l'atterrissage se répercuta dans tout le corps d'Henrietta.

Elle fut distraite de son inconfort purement physique par un cliquetis menaçant. Sous elle, la roue droite du véhicule à deux roues tremblait d'une manière qui n'augurait rien de bon quant à la stabilité de l'ensemble. La main gantée d'Henrietta se raidit sur le bord du cabriolet lorsqu'elle jeta un œil, bouche bée, à la roue branlante.

Si elle était une méchante résolue à causer la mort et la destruction – et les tirs de pistolet semblaient effectivement pointer dans cette direction –, trafiquer le carrosse n'était-il pas une source d'ennuis trop évidente pour être négligée ? Ils étaient restés dans l'auberge avec Navet pendant si longtemps. Tant de carrosses et de gens s'affairaient dans la cour de l'auberge qu'aucun des garçons d'écurie ni des palefreniers n'aurait porté la moindre attention à quelqu'un qui portait une attention indue à l'un des véhicules. Et le cabriolet de Miles était si facile à remarquer parmi tous les carrosses noirs unis et les cabriolets de messagerie crasseux en location. Les connaissances d'Henrietta en matière de construction de carrosses étaient extrêmement restreintes, mais il ne devait pas être très difficile de desserrer une roue. Il ne faudrait qu'un instant pour s'agenouiller à côté du carrosse et dévisser l'écrou. Et à une telle vitesse…

Le carrosse heurta à nouveau une ornière, ce qui projeta Henrietta dans les airs et fit trembler la roue d'une manière qui annonçait un désastre imminent.

– Miles ! dit Henrietta en s'agrippant à son bras. Les roues !

– Hein ?

Miles lui jeta un bref regard.

– Le cliquetis, haleta Henrietta. Quelqu'un a dû desserrer les roues !

– Ah, ça ! répondit Miles en lui souriant de toutes ses dents d'une manière tout à fait inappropriée pour quelqu'un qui courait vers une mort violente. Ce n'est que le bruit normal à grande vitesse, expliqua-t-il gaiement.

Ils franchirent le péage à Kennington Turnpike si vite que l'employé stupéfait eut à peine le temps d'agiter le poing dans leur direction lorsqu'ils passèrent à toute allure devant lui.

– Dis donc, Hen ! cria Miles par-dessus le vacarme des sabots des chevaux. Pourrais-tu regarder s'il est toujours derrière nous ?

Se cramponnant à sa place par la simple force de sa volonté, Henrietta se tourna vers son époux pour lui lancer un regard incrédule. Son bonnet lui fouettait le visage, mais elle n'osait pas lever une main pour l'écarter.

– Si tu crois que je vais lâcher pour regarder derrière, tu es fou !

– Ne t'inquiète pas, hurla Miles. Je vais le semer aussitôt que nous traverserons le pont de Westminster.

– Si nous survivons jusque-là !

– Quoi ?

– Laisse tomber !

– *Quoi ?*

– *J'ai dit…* oh, laisser tomber, marmonna Henrietta.

Là était le problème avec les remarques sarcastiques : la répétition leur faisait invariablement perdre tout leur mordant. D'ailleurs, qu'importaient les mots d'esprit singuliers lorsqu'on était confronté à une mort imminente ?

Malgré sa réponse, Henrietta tendit le cou pour regarder derrière. Leur adversaire ne devait pas avoir perdu plus de temps qu'eux au péage ; il les suivait toujours et gagnait du terrain à mesure que les chevaux noirs avalaient la distance à longues foulées.

Le pont de Westminster, un long arc qui enjambait le fleuve, était en vue, bondé à cause de la circulation du soir. Dans la lumière du crépuscule, des piétons marchaient le long des balustrades, des fermiers rapportaient leurs chariots du marché, des gentilshommes à cheval se dirigeaient vers les plaisirs infâmes des banlieues de la ville, et des ânes transportaient le pain de la veille.

Miles et Henrietta foncèrent dans le tout à la manière d'un chat qui se jette sur des pigeons. Henrietta sentit la secousse sourde lorsque, sous eux, le carrosse passa de la pelouse souple à la pierre ferme. Des chevaux renâclèrent et s'emballèrent pour trouver un abri. Les marchands tirèrent rapidement leurs chariots sur le côté. Les piétons se précipitèrent vers les balustrades en pierre. Autour d'eux résonnaient les plaintes et les jurons tandis que derrière eux, le martèlement déterminé des chevaux qui avançaient dans leur direction retentissait sur la surface lisse du pont. Henrietta ferma les yeux et se mit à prier.

Jamais parfaitement stable sur ses fondations, le pont se balança de manière inquiétante. Henrietta ouvrit les yeux, mais souhaita ne pas l'avoir fait. Sous eux bouillonnaient les eaux sombres de la Tamise, sur lesquelles étaient éparpillés des bateaux qui se déplaçaient aussi rapidement qu'autant de punaises aquatiques qui filent dans tous les sens. Si Miles perdait la maîtrise des chevaux ne serait-ce qu'un instant, les balustrades ne pourraient rien pour freiner leur chute précipitée vers les courants écumants.

Les chevaux couraient toujours au grand galop en plein centre du pont ; Henrietta ne savait pas trop si Miles les dirigeait ou s'ils étaient emballés. La tête tournée sur le côté, Henrietta compta les arches à mesure qu'ils les dépassaient à toute allure. Ils avaient parcouru plus de la moitié du pont et avançaient toujours à plein régime au beau milieu.

Un cri lui fit subitement lever la tête vers la route. Quelqu'un criait. Henrietta n'était pas tout à fait certaine, mais elle crut que ce pouvait être elle.

En plein centre du pont, un chariot rempli de choux bloquait le passage. Son propriétaire, les yeux écarquillés de terreur, tirait l'âne par la tête en l'implorant vainement de bouger. Le cabriolet fonçait inexorablement vers lui. Trois mètres, deux… Le fermier aux yeux écarquillés lâcha les rênes et courut se mettre à l'abri. L'âne ne bougea pas.

– Oh mon Dieu, souffla Henrietta.

À côté d'elle, Miles inspira d'un air triomphant.

— Exactement ce qu'il nous fallait ! Accroche-toi, Hen…

Henrietta avait déjà entendu parler de conduite serrée, mais n'en avait jamais vu un exemple aussi littéral. À la dernière seconde, Miles braqua les chevaux sur le côté d'un geste concerté, dont la simple coordination aurait été magnifique si Henrietta n'avait pas été si occupée à essayer de ne pas tomber de la voiture. Se mouvant parfaitement en tandem, les chevaux contournèrent la charrette et passèrent si aisément dans l'espace étroit qu'Henrietta entendit bruire d'un côté du cabriolet le bois de la charrette et de l'autre, la pierre de la balustrade.

Miles marmonna dans sa barbe quelque chose qui ressemblait à « mon cirage », mais Henrietta était trop occupée à exprimer de fervents remerciements au Tout-Puissant pour en être bien certaine.

Puis soudain, la voie fut à nouveau libre devant eux, sans aucun obstacle jusqu'au bout du pont. Miles fit claquer son fouet au-dessus de sa tête et lâcha sans retenue un cri triomphant.

— Regarde ça, Hen ! lança-t-il tandis que le cabriolet descendait vivement du pont et virait brusquement à gauche, à l'instant précis où le carrosse derrière eux, qui roulait trop vite pour s'arrêter et dont le conducteur n'était pas suffisamment doué pour imiter la manœuvre de Miles, percuta de plein fouet la charrette déserte du fermier en produisant un craquement assourdissant.

Les choux furent projetés partout. Une pluie de boules vertes s'abattit sur les passants et tomba avec force éclaboussures dans la bouche gourmande de la Tamise.

Henrietta entraperçut à peine le carrosse de leur assaillant profondément enfoui sous les denrées avant que Miles donne un autre petit coup sur les rênes pour s'enfoncer dans une étroite rue obscure juste assez large pour permettre le passage du cabriolet. En l'état actuel des choses, les côtés rayés frôlaient les cordes à linge, et les surplombs des étages supérieurs formaient une voûte sombre au-dessus de la tête d'Henrietta. Miles les conduisit à travers un réseau complexe de ruelles tandis qu'Henrietta se concentrait sur la tâche d'acheminer de l'air jusqu'à ses poumons. Lorsque le paysage commença à paraître plus familier, avec des rues plus larges et des maisons plus grandes, Miles laissa les chevaux écumants ralentir jusqu'à un pas traînant épuisé.

Henrietta força ses mains gantées à lâcher, un doigt à la fois, le bord du siège.

— Crois-tu que… nous soyons en sécurité ? demanda-t-elle en clignant des yeux avec hésitation tandis qu'elle regardait autour d'eux.

Elle se frotta les yeux en se demandant si c'était le crépuscule ou sa vision qui rendait Grosvenor Square si glauque et irréel. Les manoirs aux façades grises oscillaient tels des fantômes constitués de brume qui pouvait s'évaporer à tout moment, tandis que les arbres au milieu de la place se fondaient les uns aux autres dans un brouillard vert et brun indistinct.

— Il ne nous aura pas suivis jusqu'ici, répondit Miles en arrêtant les chevaux devant un manoir à large façade, une commande à laquelle les chevaux fatigués furent très heureux d'obéir. Il lui faudra un moment pour se dégager de tous ces choux, ajouta-t-il, incapable d'empêcher un sourire satisfait de lui éclairer le visage.

— C'était assez impressionnant, dit Henrietta d'une voix tremblante. Surtout la partie avec la charrette.

Miles fit modestement tournoyer son fouet.

— Il y avait beaucoup d'espace.

— Et j'espère ne plus jamais être dans un carrosse avec toi quand tu conduis ainsi.

Le fouet de Miles s'arrêta brusquement.

— J'ai cru que j'allais être malade. Ou morte, ajouta-t-elle après coup.

— N'as-tu pas confiance en mes habiletés de conducteur ? demanda Miles, indigné.

— Oh, je te fais confiance. C'est l'homme avec le fusil qui m'inquiétait. Pour une raison quelconque, je n'avais pas l'impression qu'il se souciait beaucoup de mon bien-être, poursuivit Henrietta, qui se mit à trembler et porta les deux mains à ses lèvres. Quelqu'un vient de nous tirer dessus. Te rends-tu compte que quelqu'un vient de nous tirer dessus ?

Émettant un bruit d'inquiétude étouffé, Miles attira Henrietta dans ses bras. Henrietta le laissa faire sans résister et enfouit la tête dans son foulard tandis qu'une série d'images cauchemardesques défilaient dans sa tête plus vite que le paysage qu'ils avaient traversé à toute allure pendant leur fuite inconsidérée : ce carrosse noir non identifié qui martelait le sol derrière eux, le long canon d'un fusil qui brillait dans les derniers rayons de soleil, ainsi que le bruit de balles qui faisaient voler de petits nuages de poussière sur la route derrière eux et ébréchaient les côtés du cabriolet. L'imagination fertile d'Henrietta lui montra une image de Miles qui se raidissait, projeté en arrière après avoir été touché par une balle, puis qui tombait du cabriolet dans la poussière au bord de la route, ses yeux marron ouverts sur un regard aveugle. Henrietta se rendit compte qu'elle tremblait et qu'elle n'arrivait pas à s'arrêter. Si l'une ou l'autre de ces balles était passée juste un peu plus près…

Henrietta leva sur Miles un regard anxieux.

— Tu aurais pu mourir ! dit-elle avant de réfléchir pendant un instant, puis de froncer les sourcils. J'aurais pu mourir.

— Mais ce n'est pas arrivé, répondit Miles d'un ton apaisant. Tu vois ? Nous sommes tous les deux vivants. Pas de trous de balle.

Il leva un bras pour le prouver et vit qu'il y avait en fait un trou bien rond dans la capote pliée derrière lui. Miles s'empressa de s'adosser contre l'auvent incriminé en espérant qu'Henrietta ne l'ait pas remarqué. C'était passé plus près qu'il l'avait cru. Peu importe qui était dans le carrosse derrière eux — et Miles en avait une fichue bonne idée —, c'était un sacré bon tireur.

— Oh, ciel ! murmura Henrietta en regardant les longs sillons sur le côté du cabriolet, juste à côté du bras de Miles.

— Chut, fit Miles en serrant sa tête contre son torse. N'y pense plus. Pense à… des choux ! termina-t-il, pris d'une inspiration soudaine.

Cela lui valut un gloussement étonné.

— À ton avis, combien d'espions français ont été vaincus par des légumes ? poursuivit-il pour s'étendre sur le sujet. Nous pourrions y faire carrière ! La prochaine fois, ce sera des oignons, ensuite des carottes, peut-être quelques fèves de Lima…

— N'oublie pas les navets, intervint Henrietta avant de lever la tête vers lui et de prendre une inspiration tremblotante. Merci.

— Ce n'est rien, répondit Miles en repoussant une mèche de cheveux devant le visage d'Henrietta.

— Ça va maintenant, dit-elle d'un ton résolu en s'écartant et en s'asseyant bien droite. Vraiment, ça va. Je suis désolée de m'être conduite comme une véritable…

— Fille ? proposa Miles en souriant de toutes ses dents.

— Ça, répondit sévèrement Henrietta, ce n'était pas nécessaire.

Pendant un instant, ils se sourirent en parfaite harmonie, enveloppés dans l'agréable familiarité des vieilles habitudes. Impossible de dire combien de temps ils seraient restés ainsi si un palefrenier n'était apparu pour demander à Miles s'il souhaitait que l'on conduise ses chevaux à l'écurie.

Le sourire d'Henrietta s'estompa, et elle leva les yeux vers la maison, puis vers Miles, d'un air plutôt confus. La maison était pratiquement identique à plusieurs autres sur la place : une vaste construction classique sur des fondations rustiques avec de larges piliers qui soutenaient un fronton triangulaire. Des *flambeaux** brûlaient de part et d'autre de la porte, mais les fenêtres à l'étage étaient toutes obscures, révélatrices d'une maison fermée depuis longtemps. Tous les rideaux étaient tirés et la porte d'entrée paraissait inutilisée. Le seul signe d'habitation provenait du rez-de-chaussée, où une faible lueur brillait dans les fenêtres en contrebas.

Ce n'était pas Uppington House et ce n'était certainement pas les appartements de célibataire de Miles sur Jermyn Street.

Pourtant, le palefrenier connaissait Miles ; il l'avait salué par son nom.

L'esprit fatigué d'Henrietta refusa catégoriquement de gérer ce nouveau casse-tête. Elle permit qu'on l'aide à descendre du cabriolet et regarda Miles avec perplexité.

— Où sommes-nous ?

— Loring House, annonça Miles en lançant une pièce au palefrenier et en offrant son bras à Henrietta.

— Loring House ? répéta Henrietta.

— Tu sais, la demeure ancestrale ? En fait, pas si ancestrale. Il y en a déjà eu une sur la Strand, mais nous l'avons perdue pendant la guerre civile.

— Mais…, bredouilla Henrietta.

Parce qu'elle avait beaucoup de mal à donner un sens à la situation, elle craignit qu'avoir été bringuebalée dans le carrosse ait causé des dommages permanents à ses facultés mentales. Elle s'arrêta juste devant l'escalier du porche.

— N'allons-nous pas à tes appartements ?

— J'y ai pensé, répondit Miles en enfonçant les mains dans ses poches, mais je ne pouvais pas t'emmener là-bas.

Le cœur d'Henrietta se serra.

— Tu ne pouvais pas ? s'enquit-elle d'un ton neutre en se demandant s'il n'aurait pas été préférable de se faire tuer à Streatham Common ; ainsi, tout serait fini.

Dans ce cas, au moins, Miles aurait pu porter son corps brisé dans ses bras virils. Hum. Henrietta abandonna l'image. Comme elle se connaissait, elle aurait probablement trouvé le moyen d'être simplement blessée ; elle aurait alors été grincheuse et souffrante, ce qui n'avait absolument rien de romantique.

Miles redressa les épaules, ce qui, étant donné la largeur de ses épaules, était une vue impressionnante contre laquelle Henrietta, malgré son trouble, ne pouvait être entièrement immunisée.

— Ils ne sont pas si mal pour des appartements de célibataire et Downey les garde en excellent état, mais… tu ne t'y sentirais pas à ta place. Ce n'est pas ce dont tu as l'habitude.

— Mais…, commença Henrietta avant de se taire, ravalant l'envie de protester en disant qu'il suffisait qu'il soit là pour qu'elle se sente chez elle.

S'il cherchait des excuses, des raisons de se débarrasser d'elle, il serait beaucoup plus élégant d'accepter et de le laisser la ramener chez elle. Mais pourquoi ne l'avait-il pas emmenée à Uppington House ?

Quelques-uns des signes évidents de tension sur le visage de Miles disparurent lorsqu'il lui sourit sans le vouloir.

– Écoute-moi avant de protester, d'accord ?

Le cœur d'Henrietta se serra en réaction au ton affectueux, et elle hocha la tête en silence parce qu'elle n'était pas certaine de pouvoir parler.

– Je ne pouvais pas t'emmener à Jermyn Street parce que Navet avait raison. Ça sentirait le roussi. Ç'aurait l'air de…

Miles balaya l'air de la main d'un geste d'impuissance.

– … d'une fugue amoureuse ? proposa Henrietta, hébétée.

– Exactement. Se cacher dans des appartements de location… Ce ne serait tout simplement pas convenable. Tu mérites une vraie demeure, pas de minables appartements de location.

– Mais pourquoi ici ? demanda-t-elle.

Envisageait-il de l'héberger à Loring House pour la nuit avant de la ramener à sa famille pour l'inévitable conflagration ? Elle se dit qu'elle pourrait certainement aller en Europe pour quelque temps, jusqu'à ce que la poussière causée par le scandale qui en résulterait retombe… Le couvent retrouvait soudain tout son attrait.

– Eh bien, dit Miles en enfouissant les mains dans ses poches et en s'appuyant contre la rampe pour prendre sa posture favorite d'un air terriblement puéril, je ne pouvais pas vraiment te ramener à Uppington House, et ç'aurait pu prendre du temps avant de trouver une maison de ville convenable à louer. Et mes parents ne sont jamais ici pour utiliser cette vieille baraque alors... Bienvenue à la maison.

— À la maison ?

Miles eut soudain l'air un peu préoccupé.

— Les meubles sont probablement un peu démodés, mais la maison en tant que telle n'est pas si mal. Ç'aura besoin d'un peu de nettoyage, mais au moins, il y a beaucoup d'espace et...

— Tu veux dire que tu ne veux pas demander une annulation ? lâcha Henrietta.

— Quoi ? s'exclama Miles en la fixant d'un regard visiblement confus. De quoi parles-tu ?

— Oh, fit Henrietta, qui avait l'impression de mesurer cinq centimètres et aurait souhaité qu'un champignon vénéneux se trouve justement là pour qu'elle puisse se cacher dessous. Laisse tomber, dans ce cas.

— Hen.

Miles glissa une main sous son menton et leva sa tête vers la sienne en la regardant avec le plus grand sérieux. Henrietta ne voulait même pas penser à ce dont elle devait avoir l'air, son visage maculé de la poussière et de la crasse de la route et ses cheveux en bataille pleins de nœuds.

— J'ai une proposition à te faire.

— Oui ? répondit-elle d'une voix hésitante en espérant ne pas trop ressembler à Méduse après une crise particulièrement violente.

— Une sorte de faveur, poursuivit-il. Pas seulement pour moi, mais pour nous deux.

Henrietta attendit en silence, ses nerfs à vif sur le point de lâcher. Elle ne tenterait même pas de deviner. De mauvaises choses se produisaient quand elle faisait cela. Comme des annulations, des champignons vénéneux et des choux.

— Je sais que je ne t'ai pas courtisée de la manière la plus — Miles chercha ses mots — traditionnelle. Mais, si tu crois que tu peux y arriver, j'aimerais que nous oubliions les circonstances de notre mariage. Après tout, nous avons plus de chance que la plupart des couples : nous nous entendons plutôt bien et nous nous aimons bien. La plupart des mariages n'ont même pas cela au départ.

Miles laissa tomber ses mains sur ses épaules et la tint juste assez loin pour voir son visage.

— Qu'en dis-tu ?

Ce qu'Henrietta aurait voulu dire n'était pas facile à exprimer avec des mots. Une partie d'elle se délectait de pur soulagement. Puisqu'elle s'était préparée toute la journée pour le moment où Miles lui présenterait toutes sortes d'excellents arguments pour demander la dissolution de leur mariage, le voir la supplier du contraire la prit complètement au dépourvu.

Et pourtant… pourtant… la pilule ne passait pas. C'était gentil et sensé, mais gentil et sensé faisaient bien piètre figure. Henrietta n'espérait certainement pas une déclaration exubérante, mais, d'une manière inexplicable, les sentiments tièdes que Miles avait évoqués étaient presque aussi blessants que la répudiation pure et simple. Les vers d'un vieux poème lui vinrent en tête : « Donne-moi plus d'amour ou bien plus de dédain / La zone torride ou glacée[8]. » Elle ne les avait jamais compris auparavant, mais maintenant si ; l'amour ou la haine, au moins, tous deux soulevaient les passions. Mais, oh, être l'objet d'une tendresse modérée

8. N.d.T.: Vers du poème *Donne-moi plus d'amour* du poète anglais Thomas Carew.

pour la cible de son adoration! Cela gâchait toute illusion romantique plus efficacement que le rejet pur et simple.

Le regard fixé silencieusement dans les yeux marron sincères de Miles, Henrietta se sentit très petite et très vulnérable. Mais, après tout, ce n'était pas sa faute si elle ne faisait pas naître chez lui une passion dévorante, et il faisait tout son possible pour s'accommoder au mieux d'une situation embarrassante – ce qui était plus que ce qu'elle-même faisait. Henrietta rassembla ce qu'il lui restait de courage. La proposition de Miles était parfaitement raisonnable. Ce n'était pas idéal, mais c'était mieux que rien. Et peut-être... avec le temps... Henrietta pulvérisa cette pensée avant qu'elle ait le temps de mûrir. Elle aurait le cœur suffisamment brisé ainsi.

– Oui, dit-elle timidement. Oui, ça me plairait.

Miles laissa échapper un soupir de soulagement saccadé.

– Tu ne le regretteras pas, Hen.

D'un geste exubérant, il se pencha brusquement et souleva Henrietta dans ses bras.

Henrietta s'agrippa à son cou comme si sa vie en dépendait tandis qu'il montait deux à deux les marches de l'escalier du porche.

– Mais que crois-tu être en train de faire?

Miles la gratifia d'un grand sourire canaille.

– Je fais franchir le seuil à mon épouse, quoi d'autre?

Chapitre 30

Noces : *alliance entre deux parties intéressées afin de faire avancer une cause commune.*
– tiré du livre de codes personnel de l'Œillet rose

– Le seuil semble être fermé, fit remarquer Henrietta.

– Quel manque de confiance, se plaignit Miles. Observe et apprends.

– Si tu oses *penser* à m'utiliser comme bélier…, l'avertit Henrietta tandis que Miles levait un pied botté pour enfoncer violemment la porte.

Au troisième coup de pied, la porte s'ouvrit à la volée, propulsée par un individu indigné dont les cheveux poussaient en touffes de chaque côté du front telles les cornes d'un diable négligé.

– Dans les établissements *civilisés*…, commença-t-il sévèrement, le torse gonflé jusqu'à prendre des proportions alarmantes, avant de prendre conscience qu'il était le voyou insouciant qui venait de défoncer la sainte porte de Loring House.

Henrietta, qui était tenue à l'horizontale exactement à la bonne hauteur, observa avec fascination le torse de l'individu furieux se dégonfler subitement.

— Maître Miles ! Maître Miles ?

Les yeux du majordome passèrent rapidement de Miles à Henrietta, pour revenir à Miles dans un état d'affolement manifeste. Le *Guide du domestique loyal pour le parfait majordome,* bien qu'excellent en matière d'astuces pour polir l'argenterie et enlever les taches sur les capes de dignitaires étrangers, n'était pas clair du tout quant au protocole approprié pour recevoir les fils prodigues et les femmes légères.

— Salut, Stwyth, dit Miles avec exubérance, nullement intimidé.

Henrietta résista à l'envie de se cacher sous son foulard.

— Voici votre nouvelle maîtresse, Lady Henrietta.

Henrietta salua d'un petit geste embarrassé tandis que Miles lui faisait franchir le seuil d'un air triomphant sous le nez du majordome abasourdi.

— Stwyth ? chuchota-t-elle à l'intention de Miles.

— Il est gallois, chuchota Miles en retour. Ils n'ont pas encore découvert les voyelles.

— Madame, bégaya Stwyth. Monsieur. Nous n'avons pas été informés de votre arrivée. Vos appartements… La maison… Nous ne savions pas…

— Ça va, Stwyth. Moi non plus, lança Miles par-dessus son épaule d'un ton nonchalant en se dirigeant vers l'escalier. Mais nous habiterons désormais ici.

Le majordome rassembla rapidement ce qui lui restait de sang-froid et se redressa de toute sa hauteur, soit un peu moins que celle d'Henrietta, ou plutôt celle qu'Henrietta aurait eue si elle ne s'était pas balancée à bonne distance du sol. Henrietta tenta de remédier à cela en roulant sur le côté, mais Miles la tenait fermement.

— Puis-je, monsieur, déclara Stwyth en trottant derrière eux, vous dire de la part de tout le personnel, combien nous sommes ravis que vous ayez finalement décidé d'élire domicile à Loring House.

— Vous le pouvez, consentit Miles en commençant à monter l'escalier, Henrietta bien serrée contre son torse, mais je préférerais que ce soit à un autre moment. Vous pouvez disposer, Stwyth. Allez... — Que faisaient les majordomes quand ils n'ouvraient pas les portes ? — Allez majordomer.

Dans le creux du bras de Miles, Henrietta vit les traits rigides de Stwyth se transformer en ce qui, chez un simple mortel, aurait été un grand sourire.

— Bien, monsieur, ânonna-t-il en s'inclinant avant de quitter prestement le hall.

Henrietta devint rouge vif et se frappa la tête contre le foulard de Miles.

— Oh mon Dieu ! gémit-elle. Il sait.

— Hen ? fit Miles en la secouant légèrement pour qu'elle le regarde. Nous sommes mariés. C'est permis.

— Je n'ai toujours pas vraiment l'impression d'être mariée, avoua Henrietta.

— Nous pouvons y travailler, répondit Miles en ouvrant d'un coup de pied une porte en haut de l'escalier. En fait, nous allons sérieusement y travailler.

La porte s'ouvrit sur une petite chambre meublée d'un secrétaire et de plusieurs chaises délicates. Il était difficile de dire ce que la pièce contenait d'autre, parce que les rideaux étaient tirés et que la majorité des meubles étaient recouverts de draps de Hollande pour les protéger de la poussière et des ravages du temps.

Miles ressortit.

— Fichtre. Mauvaise pièce.

— Ne devrais-tu pas me poser par terre ? s'enquit Henrietta d'un ton plaintif lorsque ses pieds pendants échappèrent de justesse à une amputation contre l'encadrement de la porte.

— Uniquement, répondit Miles en baissant sur elle un regard dramatiquement concupiscent, lorsque j'aurai trouvé un lit.

Simplement au cas où elle aurait eu l'idée de s'échapper, Miles la tint encore un peu plus haut dans les airs. Henrietta laissa échapper un petit cri de protestation et s'agrippa encore plus fermement à son cou.

— Ne me laisse pas tomber ! lui intima-t-elle en riant.

— C'est mieux, répondit Miles, très satisfait, en la portant gaiement dans ses bras. J'aime bien quand tu ris, ajouta-t-il d'une voix plus douce.

Quelque chose dans son visage fit que la gorge d'Henrietta se serra.

— Avec toi ou de toi ? lança-t-elle malicieusement, mal à l'aise.

— Près de moi, répliqua Miles en resserrant son étreinte et en se frottant la joue contre ses cheveux. Indubitablement près de moi.

— Je crois que ça peut s'arranger, réussit à articuler Henrietta en faisant tout son possible pour se retenir de laisser échapper une déclaration d'amour embarrassante qui ne ferait qu'effrayer Miles et mettre un terme à leur entente précaire.

— Je crois que c'est déjà arrangé, rétorqua Miles en avançant à grands pas dans le couloir. N'as-tu pas entendu cette partie ce matin ?

— J'étais un peu distraite.

Miles reprit son sérieux.

— J'ai remarqué. Mais, dit-il d'un ton ferme en s'arrêtant devant une porte au bout du couloir, nous ne penserons à rien de tout ça ce soir. Ce soir, il n'y a que nous deux. Pas d'espions français, pas de parenté en colère. D'accord ?

Henrietta était presque certaine qu'il y avait une faille quelque part dans ce plan ; une faille plutôt importante qui avait quelque chose à voir avec le fait que quelqu'un les avait poursuivis en tirant des balles dans leur direction, mais il était très difficile de réfléchir rationnellement lorsque Miles la regardait ainsi, ses yeux marron plongés dans les siens. Il était si proche qu'elle pouvait voir les petits plis au coin de ses yeux, des plis causés par toute une vie de sourires, ainsi que la teinte plus foncée de ses cheveux à la racine, là où ils n'avaient pas été pâlis par le soleil.

— Ai-je voix au chapitre ? demanda Henrietta d'un ton faussement solennel en espérant que sa voix ne paraisse pas trop essoufflée.

— Tu m'as promis obéissance, répondit Miles en l'inclinant vers la poignée de la porte. Tu veux bien t'en occuper, s'il te plaît ? J'ai les mains pleines.

— Je ne suis pas certaine que j'appellerais vraiment ça une promesse, répliqua évasivement Henrietta en se penchant docilement pour tourner la poignée. C'était plutôt comme une… euh…

— Promesse, répéta Miles d'un air suffisant en ouvrant la porte d'un coup d'épaule avant d'entrer doucement de côté dans la pièce.

Il y avait une odeur de poussière et de désuétude, mais dans la lueur qui provenait du couloir, il put voir qu'elle contenait l'article crucial : un lit.

— Une suggestion formulée de façon explicite, termina triomphalement Henrietta en levant la tête vers la sienne, l'air de le mettre au défi de trouver mieux.

— Donc, ce que tu dis, répondit Miles avec dans les yeux une lueur espiègle qu'Henrietta connaissait bien, à laquelle était mêlé quelque chose de nouveau et de beaucoup plus troublant, c'est que je dois trouver d'autres moyens d'obtenir ta coopération.

— Ou-oui, répondit Henrietta, qui remarqua, légèrement mal à l'aise, qu'ils approchaient rapidement du lit.

Les lits et les nuits de noces avaient effectivement tendance à aller de pair. Elle tenta de faire comme si être portée jusqu'à un très grand lit constituait un événement banal.

Ce qui était probablement le cas pour la marquise, pensa-t-elle avec une légère pointe de jalousie. La question de savoir si Miles avait porté la marquise était beaucoup trop pénible pour qu'Henrietta s'y attarde.

— Qu'avais-tu en tête ? demanda-t-elle plutôt.

— Ceci, répondit Miles.

Avant qu'elle puisse ajouter quoi que ce soit, il l'embrassa et ferma la porte derrière eux d'un coup de pied.

En tant que technique pour induire la coopération, ç'avait plusieurs avantages. Le temps que Miles détache sa bouche de la sienne, Henrietta avait beaucoup de mal à se rappeler le sujet initial de leur querelle. Elle n'était même pas certaine de son propre nom.

— Mais..., commença-t-elle, médusée, puisqu'elle ne pouvait pas laisser Miles avoir le dernier mot... ni le dernier baiser.

Miles sourit d'un air malicieux.

— Tu n'es toujours pas convaincue ? lui demanda-t-il, pour la rhétorique, avant de l'embrasser à nouveau d'une façon qui fit passer le baiser précédent pour un bisou discret dans un salon.

Ses bras, chauds et serrés autour d'elle, la pressaient si fort contre lui qu'Henrietta ne savait plus du tout où se terminait son corps et où commençait celui de Miles. La chaleur qui montait entre eux réduisit à néant les couches de vêtements. Tous les sens d'Henrietta étaient envahis par Miles : l'odeur de ses cheveux et de sa peau, la sensation de sa langue qui lui emplissait la bouche et de ses lèvres soudées aux siennes, la pression des boutons de son gilet sur son flanc et le chatouillement de ses cheveux entre ses doigts. Tout cela fusionnait de sorte à former un cosmos complet, un monde où rien d'autre n'existait que l'ensemble formé de leurs lèvres, de leurs mains et de leurs corps joints. La pièce pencha et tangua, telle une planète qui tournait sur la maquette d'un astronome.

Henrietta émit un bruit étouffé lorsque son dos entra brusquement en contact avec quelque chose de doux et moelleux avant que quelque chose de gros et lourd atterrisse par-dessus elle. Elle se rendit soudain compte que la sensation de chute n'avait pas été uniquement le résultat des baisers de Miles.

— Hmfff! protesta Henrietta en enfonçant son doigt dans la grosse masse par-dessus elle.

Ne pas pouvoir respirer parce que Miles l'embrassait, c'était une chose, mais c'en était une autre de voir tout son oxygène expulsé de force de ses poumons.

La grosse masse roula sur le côté en l'entraînant avec elle.

— Désolé, lui chuchota-t-il à l'oreille, réveillant de son souffle tous les nerfs réduits au silence par sa descente précipitée sur le lit. J'ai trébuché.

– J'ai remarqué, répondit Henrietta, bien qu'elle eût plutôt de la difficulté à remarquer quoi que ce soit lorsque Miles pressa ses lèvres au creux de sa gorge.

– Ah oui ?

Il était évident que Miles n'avait pas tellement la tête à la conversation non plus tandis que ses lèvres suivaient sa clavicule jusqu'au corsage de sa robe, qui avait eu l'obligeance de tomber beaucoup plus bas qu'il n'aurait dû. Il mordilla le bord du corsage, qui glissa docilement de quelques cruciaux centimètres supplémentaires. Distraite temporairement, Henrietta se rendit compte que les frissons qui lui parcouraient le dos n'étaient pas uniquement dus à la simple sensation du souffle de Miles sur sa peau nue. À un moment quelconque, la longue lignée de boutons qui fermaient sa robe de voyage en sergé avait été habilement déboutonnée.

La mâchoire d'Henrietta se décrocha subitement et faillit heurter le crâne de Miles.

– Comment as-tu fait ça ? lui demanda-t-elle, incrédule. Je ne m'en suis même pas rendu compte.

Miles libéra ses bras de la robe en tirant d'un coup de maître. Henrietta voulut instinctivement rattraper le tissu lorsque le corsage tomba jusqu'à sa taille, mais Miles lui prit les mains et les porta l'une après l'autre à ses lèvres.

– J'ai plusieurs talents dont tu n'es pas au courant... Jusqu'à maintenant, ajouta-t-il sur un ton qui en disait long.

– De toute évidence, répondit Henrietta, médusée, tandis que le reste de sa robe suivait son corsage.

– Absolument.

L'amas de tissu atterrit à côté du lit avec un bruit assourdi par la poussière.

Henrietta se redressa sur un coude, résistant à l'envie de plonger sous les couvertures. Vêtue uniquement de sa *chemise**, elle avait l'impression d'avoir les bras vraiment nus.

— As-tu déjà envisagé une carrière de femme de chambre ?

— Je suis plus doué pour déshabiller que pour habiller, dit Miles en passant sa propre chemise par-dessus sa tête pour révéler un torse très impressionnant.

— Hum, fit Henrietta en observant les muscles qui roulaient sur le torse de Miles tandis qu'il tirait sur ses manches.

Elle ne penserait pas aux femmes qu'il avait déshabillées dans le passé. Elles appartenaient au passé. Fini. Terminé.

Et Henrietta fut soudain déterminée à s'assurer qu'il n'y en aurait jamais d'autres. Désormais, il lui appartenait en entier et, même s'il ne l'avait pas épousée par amour, eh bien, rien ne l'empêchait de faire de son mieux pour le séduire, n'est-ce pas ? Même si elle n'avait aucune idée de la façon d'y arriver. Même Cléopâtre avait bien dû commencer quelque part.

Henrietta posa avec hésitation une main sur le torse de Miles et fut fascinée par la manière dont les muscles se contractèrent en réponse. Elle laissa ses mains remonter jusqu'aux épaules de Miles et pencha la tête en arrière de façon à ce que ses cheveux glissent sur ses propres épaules. Contre son dos presque nu, la sensation lui parut curieusement sensuelle et elle leur imprima un mouvement de va-et-vient.

— Hen, murmura Miles en la regardant, subjugué, ce qui donna à Henrietta l'impression d'être agile, belle et sûre d'elle.

— Bonsoir, dit-elle doucement en suivant la ligne de pilosité sur le torse de Miles jusqu'à ce qu'elle atteigne la taille de son pantalon.

— Bonsoir à toi aussi, haleta Miles en attrapant ses mains avant qu'elle puisse aller plus loin.

Les levant au-dessus de sa tête, il s'approcha pour l'embrasser longuement dans l'espoir de maîtriser son désir ardent. Malheureusement, son corps avait d'autres priorités.

Il avait envie de sautiller en criant « À moi, à moi, à moi, à moi, à moi ! », mais puisqu'il eut le bon sens de se rendre compte que cela pourrait effrayer Henrietta – et briser le vieux châlit –, il exprima son message plus subtilement en passant un doigt sous l'attache de la *chemise** d'Henrietta jusqu'à ce que celle-ci lui glisse sur les épaules. Elle frissonna et leva sur lui de grands yeux vitreux.

Miles décida que la subtilité était extrêmement surfaite.

– Toi, prononça Miles, tu portes trop de vêtements.

Il attrapa la fine étoffe à deux mains et tira dessus. *Craaaaaaac.* La *chemise** se déchira en plein milieu.

– Miles ! haleta Henrietta.

– Je t'en achèterai une autre, dit Miles d'une voix sourde en prenant ses seins à pleines mains. Mais pas tout de suite, ajouta-t-il en baissant la tête jusqu'à sa poitrine. Peut-être la semaine prochaine.

Pour une fois, Henrietta n'était pas en état d'argumenter. La sensation de la langue de Miles qui taquinait son mamelon balaya toute pensée cohérente, et ce qui promettait d'être une réplique particulièrement pleine d'esprit se transforma en un soupir inarticulé, tandis qu'elle emmêlait ses doigts dans les cheveux de Miles pour attirer instinctivement sa tête vers elle. Les lèvres de Miles se raffermirent et tirèrent ; Henrietta fut parcourue de frissons jusqu'au bout des orteils.

Ensemble, ils se laissèrent retomber sur le vieux matelas, enlacés, leurs corps parfaitement adaptés l'un à l'autre. Se sentant merveilleusement licencieuse, Henrietta se pressa encore plus fort contre lui et le sentit plus qu'elle l'entendit gémir lorsqu'elle frôla la bosse dans son pantalon. Encouragée, elle se pressa contre lui en se réjouissant de la façon dont sa respiration accéléra dans son oreille, et ses mains resserrèrent leur prise dans son dos.

Tentant désespérément de se maîtriser pour ne pas précipiter les choses, Miles arracha sa bouche à celle d'Henrietta et couvrit de baisers son cou, puis son oreille, tandis que ses mains exploraient l'attrayante cambrure de sa taille et la généreuse courbe de ses hanches. Lorsqu'il laissa ses doigts remonter à l'intérieur des cuisses d'Henrietta, sa peau lui parut aussi douce que la soie. Quelque part entre ses genoux et les boucles emmêlées de son entrejambe, Miles retint son souffle. Il ne s'en rendit pas compte. Ce qu'il lui restait de cerveau était concentré sur des problèmes beaucoup plus importants.

Recrachant une bouchée de cheveux qu'il avait ingérée par mégarde, Miles défit péniblement l'attache de son pantalon, qu'il s'empressa de faire passer sous ses hanches. Henrietta essaya maladroitement de l'aider, riant jusqu'à en perdre haleine, tandis que Miles tentait de se défaire de son pantalon à coups de pied tout en maudissant le tissu qui s'accrochait à sa cheville.

– Tu trouves ça drôle, hein ? demanda-t-il en projetant le pantalon d'un air triomphant avant de se jeter sur son épouse. C'est ce qu'on va voir.

Le rire d'Henrietta se transforma en un cri de surprise lorsque Miles posa un baiser à l'intérieur de sa cuisse. Sa langue se déplaça vers le haut pour lécher son entrejambe à petits coups ; Henrietta fut parcourue de frissons. Elle avait l'impression que sa peau était trop étroite pour son corps ; la tension montait du plus profond de son être. Soudain, elle avait désespérément besoin de sentir les bras de Miles autour d'elle, et ses lèvres sur les siennes.

Elle le tira par les cheveux, et il remonta brusquement sur le matelas pour la rejoindre, remplaçant sa bouche par sa main. Henrietta savait qu'elle émettait de petits gémissements, mais elle n'avait pas la force de s'en soucier ; elle se pressa contre les doigts de Miles.

Même si la bouche de Miles était juste à côté de son oreille, elle entendit sa voix comme si elle lui parvenait de très loin :

— Je ne crois pas pouvoir attendre plus longtemps.

— Mmm, répondit Henrietta, ce que Miles interpréta correctement comme une permission de procéder.

Lentement, il commença à la pénétrer. Du moins, il avait l'intention de le faire lentement, avec les égards dus à sa virginité. Guidée par la tension fébrile qui montait en elle, Henrietta enroula toutefois les bras autour de son cou et se mit à remuer impatiemment contre lui en émettant de petits gémissements. Murmurant son nom, Miles plongea profondément en elle, déchirant la fine barrière qui lui barrait le chemin.

Henrietta lâcha un hoquet indigné. Miles se figea, suspendu au-dessus d'elle.

— Hen ? demanda-t-il d'une voix rauque. Ça va ?

Henrietta réfléchit. Lorsque son nez se plissa et que ses lèvres s'étirèrent en une expression familière pétrifiante, le cœur de Miles se serra de telle sorte qu'il faillit le distraire des demandes insistantes de certaines autres parties de son anatomie. Au bout d'une éternité — alors que les bras de Miles commençaient à trembler sous le poids de l'immobilité —, elle hocha légèrement la tête.

À titre expérimental, elle remua contre lui, cambrant un tout petit peu les hanches.

— Je crois que oui.

— En es-tu *certaine* ? haleta Miles, bien qu'il fût loin d'être certain de ce qu'il ferait si elle répondait non.

Il sauterait par la fenêtre, très probablement. Ce destin lui fut épargné lorsqu'Henrietta resserra les jambes autour de lui d'une manière qui ne laissait planer aucun doute quant à ses intentions. Elle se pressa contre lui en hochant la tête aussi énergiquement que possible parce que de petits frissons de plaisir rendaient la parole, dans le meilleur des cas, périlleuse. Elle sentit qu'il commençait à bouger, qu'il la remplissait ; ses épaules étaient chaudes et familières sous ses mains, et les fins poils de son torse chatouillaient ses mamelons déjà sensibles.

Henrietta s'agrippa à la raison, luttant contre les vagues de sensations qui menaçaient de l'emporter.

— Miles ? demanda-t-elle timidement.

— Je suis toujours là, lui murmura-t-il à l'oreille tandis que ses mains se déplaçaient tendrement sur sa taille et ses hanches pour la caresser, la cajoler.

Se servant de ses mains pour l'attirer encore plus près, il pénétra de plus en plus profondément en elle, s'enfonçant jusqu'au plus profond de son être.

— Pour toujours.

Henrietta poussa un cri de surprise lorsque le plaisir scintilla dans tout son corps tel un millier de bulles de champagne qui brillent à la lumière des bougies, qui oscillent et éclatent à la lueur dorée. Tandis qu'elle tressaillait sous lui, Miles gémit et s'abandonna à son propre plaisir. Ensemble, ils s'effondrèrent sur le couvre-lit poussiéreux dans un état de somnolence satisfaite.

Miles roula sur le côté, entraînant Henrietta avec lui. Elle poussa un soupir d'aise en se lovant contre son flanc, une jambe par-dessus la sienne, la tête enfoncée dans le creux de son cou. Miles se frotta la joue sur le dessus de sa tête, se délectant de l'odeur de ses cheveux, de la sensation de sa peau moite contre la sienne et de la pression de ses seins contre son flanc. Il glissa une main sur toute la longueur de ses cheveux emmêlés, se délectant de la texture soyeuse sous sa paume. Henrietta se tortilla, agacée, lorsque ses doigts heurtèrent un nœud, mais elle ne dit rien.

– Hen ? demanda Miles en lui donnant un petit coup. Tu es vivante ?

– Mmm, murmura-t-elle.

– C'est tout ce que tu as à dire ? protesta Miles.

– Mmm, répéta Henrietta avant de se blottir davantage dans le creux de l'épaule de Miles.

Il sourit.

– Au bout de dix-huit ans, j'ai finalement réussi à te laisser sans voix.

Henrietta remua légèrement.

– Mmm-grrr-grrr, marmonna-t-elle dans l'épaule de Miles.

– Qu'est-ce que c'était que ça ?

Henrietta releva la tête.

– Magnifique, soupira-t-elle. Splendide. Exceptionnel. Superbe.

– Tu ne peux pas t'en empêcher, hein ?

– Sublime, extatique, euphorique, brillant…

– Ça suffit ! s'exclama Miles en la faisant rouler sur le dos.

Henrietta avait une lueur décidément coquine dans les yeux.

– Merveilleux, poursuivit-elle délibérément, fantastique, formidable…

– D'accord, répondit Miles. Tu ne me laisses pas le choix.

Avant que les premiers rayons de soleil commencent à percer à travers les rideaux du lit, Henrietta fut bien forcée d'admettre qu'il existait des moments où même les adjectifs étaient totalement inadéquats.

Chapitre 31

Poésie : *série d'instructions du ministère de la Guerre rédigée en codes. Réservée aux communications les plus impératives.*
Voir aussi *vers*, *verbiage* et *verbosité*.
– tiré du livre de codes personnel de l'Œillet rose

Même la gaze qui drapait les flammes des bougies n'arrivait pas à ternir l'éclat des diamants piqués dans les boucles des dames ni celui des larges carrures chargées d'*épaulettes** dans le salon jaune des Tuileries. Les douairières bavardaient, les militaires s'esclaffaient, et les éventails s'entretenaient dans leur propre langage discret dans les recoins de la pièce. La masse habituelle de dandys, de beautés et de membres de la famille Bonaparte s'était rassemblée au salon du jeudi soir de Joséphine Bonaparte pour juger les vêtements des autres et échanger les derniers *on-dit**.

L'Œillet rose évoluait parmi la foule en se glissant d'un groupe à l'autre avec aisance, amassant et accumulant des renseignements avec autant d'application qu'une fourmi lors d'un pique-nique. Jane s'était départie de son pantalon noir, de sa casquette blanche et de sa teinture à cheveux qui piquait. Elle s'était aussi assurée de se départir du châle odoriférant qui faisait partie de son déguisement de femme de poissonnier.

Ce soir, elle portait un costume d'un tout autre genre : elle était elle-même.

Sa robe était à la fois modeste et à la mode. Au milieu des diamants voyants et d'un véritable musée de camées portés aux doigts, au cou, aux oreilles et même aux orteils, l'unique bijou de Jane était un simple médaillon en émail arborant l'image d'une petite fleur rose. Les fleurs, après tout, étaient un ornement éminemment approprié pour une jeune fille.

Qui donc aurait soupçonné mademoiselle Jane Wooliston, la cousine d'Édouard de Balcourt – tiens, c'est lui, là-bas, ma chère ; oui, l'homme au visage bouffi avec la cravate puce, un vrai lèche-bottes du Premier Consul, mais bon, vraiment, qui n'en est pas un de nos jours ? –, de représenter la moindre menace pour la République française ? Les douairières s'accordaient à dire qu'elle était une demoiselle extrêmement jolie et bien élevée. Elle savait quand parler et quand se taire, montrait une déférence des plus satisfaisantes envers ses aînées, et sa façon de traiter la gent masculine mélangeait l'intelligence tranquille à une absence totale de toute velléité de séduction. *Tellement* différente de ces jeunes libertines que l'on voyait de nos jours ! Ces dernières paroles étaient habituellement accompagnées d'un regard dédaigneux en direction des sœurs de Bonaparte, Pauline et Caroline, à propos desquelles « libertines » n'était pas le pire des commentaires que l'on chuchotait derrière les éventails.

Les vieilles dames voyaient Jane d'un bon œil et jasaient librement en sa présence. Aux jeunes dandys, elle plaisait pour une tout autre raison : parmi des gens si sensibles à la beauté physique, à une époque tellement influencée par les idéaux de l'antiquité classique, ses traits agréables et son allure distante rappelaient les gravures romaines. Jane était considérée comme une statue particulièrement délicate; belle à contempler et relativement sourde. Cela lui avait permis de recueillir une bonne quantité de renseignements utiles.

Pour l'instant, toutefois, Jane faisait un effort magistral pour échapper aux matrones volubiles, aux jeunes mâles épris et aux poètes en herbe qu'elle avait exploités avec tant de succès. Son unique objectif était de quitter le salon aussi rapidement — et discrètement — que possible. Ses lèvres restaient étirées en un sourire franc tandis que son cerveau assimilait rapidement l'information qu'elle venait d'obtenir; une information si inattendue, si inquiétante, qu'elle en était pratiquement invraisemblable.

Mais il n'y avait aucun doute possible. Toutes les pièces s'emboîtaient parfaitement, tels les fragments d'une mosaïque romaine qui reconstituaient un tableau saisissant. Dans ce cas, l'image était aussi déplaisante que choquante. Ils avaient tous regardé dans la mauvaise direction. Pendant ce temps, l'espion le plus meurtrier à Londres, la personne qui aurait dû par-dessus tout être surveillée et maîtrisée, se promenait en liberté.

Henrietta devait être avertie. Immédiatement.

Jane sourit gentiment au capitaine Desmoreau, qui refusait obstinément de s'éloigner d'elle, et lui dit qu'elle mourait littéralement de soif. Aurait-il l'amabilité de... ?

Oui. Desmoreau disparut dans la foule. Jane se leva et contourna un groupe de douairières qui ruinaient allègrement des réputations comme s'il s'agissait d'autant de frivolités tapageuses, puis dépassa le maussade Louis Bonaparte, qui se plaignait de sa myriade de maladies imaginaires, ainsi que le cercle admiratif qui prenait d'assaut l'épouse de Bonaparte, Joséphine. Son pas était assuré, son visage, serein, à l'instar d'une Galathée dont l'unique fonction eût été d'orner un piédestal à la cour de Bonaparte.

La porte était en vue. Quatre autres pas, et elle pourrait s'échapper dans les couloirs et, de là, jusque chez son cousin, afin de faire ses bagages pour un voyage précipité en Angleterre. Ce n'était pas une tâche que Jane avait envie de confier à quelqu'un d'autre. Les messagers avaient la fâcheuse habitude de disparaître en cours de route. Trois pas. L'esprit de Jane prenait déjà de l'avance. Elle chevaucherait vêtue comme un homme ; ce serait plus rapide que de prendre la voiture et ferait moins jaser. Mademoiselle Gwen répandrait la rumeur qu'elle était malade et gardait le lit. Quelque chose de dégoûtant, quelque chose de contagieux, qui découragerait les gens de lui apporter leurs vœux. Deux pas. Elle traverserait à Honfleur plutôt qu'à Calais ; le port était moins bien surveillé, et un des pêcheurs était à sa solde, à la condition que son bateau soit à sa disposition dès qu'elle en avait besoin. Plus qu'un pas…

– Ma déesse !

Une silhouette en chemise blanche, le gilet ouvert et les manches bouffantes, lui barra dramatiquement le chemin. Augustus Whittlesby, Anglais expatrié et auteur des plus exécrables effusions de vers à jamais avoir agressé les oreilles des gens, se jeta aux pieds de Jane avec adoration.

– Ma muse ! L'incomparable patronnesse de mon polysyllabisme !

– Bonsoir, monsieur, répondit Jane à l'intention des oreilles indiscrètes. Pas maintenant, monsieur Whittlesby ! ajouta-t-elle doucement.

Il porta une main languide à son front, et les ruches ondulèrent autour de son visage.

– Je me pâme, je péris, j'expire à vos pieds, si vous refusez à votre humble serviteur l'inestimable honneur de prêter l'oreille à ma dernière ode qui chante les louanges du mirifique prodige que vous êtes. Vous devez vraiment m'écouter, mademoiselle Wooliston, murmura-t-il ensuite uniquement à son intention, la bouche dissimulée sous la mousseline flottante de sa manche.

Le visage de Jane se tendit, mais elle savait qu'il valait mieux ne pas protester lorsque son confrère s'adressait à elle sur ce ton. Ayant perfectionné son rôle depuis des années, Whittlesby ne sortait pratiquement jamais de son personnage et ne le ferait certainement pas au palais de Bonaparte, le cœur du repaire de l'ennemi, s'il ne s'agissait pas d'une affaire des plus urgentes.

– Un instant seulement, monsieur Whittlesby. Mon cousin s'inquiète si je rentre trop tard, répondit-elle sévèrement en posant une main sur le bras de Whittlesby.

Whittlesby s'inclina en une grande révérence, qui se termina quelque part dans les environs des chaussons en soie de Jane.

– Je vous assure, mon ange ardent, que vous ne regretterez pas cette petite indulgence, dit-il à voix haute, à l'intention des gens derrière eux, en la prenant par la main pour la conduire dans une petite antichambre. Des ordres, chuchota-t-il sèchement ensuite. D'Angleterre.

– Monsieur Whittlesby, ces effusions sont un trop grand honneur. Quelles sont-elles ?

– L'honneur lui-même pâlit devant une telle divinité, déclama Whittlesby en s'inclinant au-dessus de la main de Jane.

Jane se pencha légèrement en avant.

— Des ennuis, murmura-t-il. En Irlande. Wickham veut que vous alliez là-bas.

— L'honneur pâlit peut-être, mais vous me faites rougir, monsieur, protesta Jane en retirant sa main d'un geste théâtral. Je ne peux pas. Je rentre en Angleterre, ce soir.

— Oh, la beauté de votre rougeur ! Rougeur bénie, joyeuse, généreuse ! Tels les pétales couverts de rosée de la plus belle rose qui exhibent leur bonté au soleil ébahi.

Whittlesby se jeta à genoux devant elle et leva la tête d'un air admiratif exagéré.

— Mes ordres étaient clairs et urgents. Ce soir. Un carrosse vous attendra. Emmenez votre chaperon.

L'ombre d'un froncement de sourcils passa sur le visage serein de Jane lorsqu'elle tendit une main gracieuse au poète qui se prosternait.

— Seul un cœur de pierre pourrait résister à une telle requête, monsieur Whittlesby, et le mien, hélas, est fait de matière bien plus malléable.

Whittlesby appuya le front sur sa main dans un geste d'humble obéissance, puis il sortit des plis de mousseline bouffante de sa chemise un rouleau de parchemin noué avec des rubans roses. Faisant de grands gestes dans les airs pour s'assurer que quiconque les regardait dans le salon pouvait bien le voir, il mit le rouleau dans la main de Jane.

— Un mot sur trois d'une ligne sur trois, murmura-t-il.

Si les vers de Whittlesby servaient toujours de véhicule, le code changeait chaque fois. Pour le ministère de la Police, Whittlesby n'était qu'un mauvais poète — le fait que Whittlesby était, en fait, un poète assez compétent et qu'il avait, avant la guerre, entretenu de véritables ambitions dans ce domaine reflétait bien sa dévotion à la cause —, mais les agents secrets de la Couronne anglaise ne prenaient aucun risque.

— Je vous assure, monsieur Whittlesby, que je le lirai avec la plus grande attention, répondit Jane en faisant mine de dérouler le papier de sorte que n'importe qui puisse voir les lignes de vers irréguliers qui remplissaient la page. Je dois envoyer un message.

Whittlesby chancela, puis se laissa tomber au sol, submergé par l'extase que lui procurait son assentiment.

— D'accord. À qui ?

— Allons, allons, monsieur ! Reprenez-vous ! Comment puis-je prendre plaisir à votre ode si votre malaise pèse sur ma conscience ?

Se penchant au-dessus de lui avec une inquiétude feinte, Jane lui exposa ses intentions d'un chuchotement rapide.

Les yeux de Whittlesby s'écarquillèrent.

— Mon Dieu ! Qui l'aurait…

— Non, non, monsieur Whittlesby, n'en dites pas plus. Je suis plutôt bouleversée par vos compliments.

Jane, dos au salon, tendit la main pour l'aider à se relever.

— Vous ne pouvez pas échouer, dit-elle doucement, le visage pâle et sérieux.

Whittlesby porta la main gantée de Jane jusqu'à ses lèvres.

— Décevoir ma muse ? répondit-il en regardant Jane avec une lueur amusée dans les yeux. Jamais.

— Certaines choses, monsieur Whittlesby, sont trop sérieuses pour la poésie, répliqua Jane, dont les yeux étaient dépourvus de toute lueur.

— Je ferai tout mon possible, promit Whittlesby.

— Je n'en espérais pas moins de votre part, dit austèrement Jane.

Ses élégantes jupes en linon bruissèrent lorsqu'elle tourna après avoir passé la porte, puis disparurent.

En moins de cinq minutes, la nouvelle avait fait le tour du salon de madame Bonaparte. Ce pénible poète anglais avait tellement ébranlé la pauvre mademoiselle Wooliston qu'elle était rentrée chez elle en prétextant un mal de tête – et qui n'aurait pas fait de même, ma chère ? Vraiment, cet homme était une peste. Et ses vers ! Moins on en parlait, mieux cela valait. Quant à Whittlesby, l'assemblée devrait au moins être épargnée de ses effusions pour le reste de la soirée. Il était parti peu après mademoiselle Wooliston, pour répondre à l'appel de l'inspiration, avait-il dit. Les douairières savaient ce que cela signifiait. L'inspiration, bien entendu ! Plutôt le fond d'une bouteille. Scandaleux, très scandaleux. Mais à quoi d'autre pouvait-on s'attendre d'un Anglais, et poète en plus ?

Tandis que les douairières continuaient à jaser, à l'hôtel Balcourt, deux femmes faisaient rapidement leurs bagages à la lueur des bougies. Dans une écurie non loin des Tuileries, un homme vêtu d'une chemise flottante frappa vivement la croupe d'un cheval.

– Sans tarder ! cria-t-il au messager capé et encapuchonné.

Le messager, l'une des trois personnes à connaître l'identité de la Tulipe noire, agita la main avec enthousiasme en signe d'assentiment. Si les routes étaient dégagées et le vent favorable, il pourrait même être à Londres dès le lendemain soir.

Et à Londres, le plus meurtrier de tous les espions manigançait un dernier coup. D'ici le lendemain soir, tout serait terminé…

Chapitre 32

Paradis artificiel : *illusion de calme*
faite pour inciter son adversaire à agir de façon imprudente ;
prélude systématique à une activité concertée de l'ennemi.
Voir aussi *voie de la facilité.*
– tiré du livre de codes personnel de l'Œillet rose

Miles passa d'un pas leste devant les gardes en faction au 10, Crown Street, un petit bouquet de primevères à la main et un sourire béat aux lèvres.

L'un des gardes donna un petit coup de coude à l'autre.

– Qui vient-il courtiser ? lui demanda-t-il avec sarcasme, ce qui provoqua un ricanement approbateur de la part de son collègue.

Miles ne s'en rendit pas compte. Miles était trop heureux pour s'en rendre compte. En fait, il doutait que même l'artillerie de Bonaparte en entier, alignée sur toute la largeur de Pall Mall, suffise à lui enlever sa bonne humeur actuelle. Miles secoua la tête d'un air incrédule en zigzaguant à travers la masse de gens pressés dans le corridor. Après tout, qu'est-ce qui avait changé ? Son meilleur ami le détestait toujours. Un dangereux espion français était toujours en liberté dans les rues de Londres. Il allait devoir expliquer à Lord et Lady Uppington qu'il avait… Enfin, s'il n'avait pas exactement fugué avec leur fille, il l'avait épousée de façon assez précipitée pour faire tourner les têtes jusqu'à ce qu'un plus gros scandale détourne l'attention de la noblesse. Cette pensée, à elle seule, aurait dû suffire à refroidir les ardeurs de Miles.

Cependant, même la perspective d'affronter les Uppington – les protestations de Lady Uppington et la mine sombre de Lord Uppington – était reléguée à l'obscurité de l'arrière-plan lorsqu'on la comparait à l'image d'Henrietta au moment où il l'avait quittée ; un bras pâle au-dessus de la tête, les cheveux en désordre sur l'oreiller et la bouche entrouverte comme pour dire quelque chose même si elle dormait. Miles sourit au souvenir du déluge d'adjectifs de la veille. Une chose était certaine : la vie avec Henrietta ne manquerait jamais de mots.

Miles s'annonça au subalterne stressé de Wickham, qui lui indiqua de s'asseoir avant de disparaître à nouveau à l'intérieur du sanctuaire.

Miles s'assit et, bien qu'il se dît qu'il devait vraiment penser à des choses utiles comme la capture d'espions, il se remit à sourire d'un air épris. La personne à côté de lui déplaça discrètement sa chaise pour l'orienter dans la direction opposée.

C'était incroyable de voir à quel point trois petits mots pouvaient causer un tel émoi.

Il y avait tant de triades verbales dangereuses, songea Miles. « En devoir une », « Passe la carafe » et, bien entendu, « Par la fenêtre ! », ce qui, selon l'expérience de Miles, avait provoqué plus de douleurs et ruiné plus de vêtements que n'importe quel autre trio de mots. Miles inspira profondément. Peu importe le nombre de trilogies qu'il déterrerait, il n'y avait aucun moyen de s'en sortir ; ces trois mots n'étaient pas ceux en cause.

Quelque part en cours de route, il était tombé amoureux d'Henrietta.

Comment diable cela était-il arrivé ? Cela lui paraissait plutôt injuste. Il n'avait fait que vaquer à ses activités habituelles ; il ne s'était pas morfondu comme Geoff et n'avait pas eu de rendez-vous galants sous le couvert d'une identité secrète comme Richard, deux choses dont on pouvait raisonnablement s'attendre à ce qu'elles se terminent en attachement romantique gênant, tandis que Cupidon, agrippé à son arc, s'écroulait d'un rire moqueur. Pourtant, il était là à sourire comme un forcené malgré le fait qu'il avait été menacé de castration par son meilleur ami et que des agents français lui avaient tiré dessus, à concocter des dîners romantiques plutôt que des plans ingénieux et, dans ses moments de faiblesse, à envisager sérieusement la poésie. Heureusement pour lui, pour Henrietta et pour l'ensemble de la poésie occidentale, la conclusion de sa réflexion fut brève et décisive : il ne pouvait pas en écrire.

Mais il *pouvait* rendre Henrietta heureuse, se rassura Miles. En marchant jusqu'au ministère de la Guerre, il avait profondément et sérieusement réfléchi à cette grave question. Il y avait toujours, évidemment, les bijoux. Selon l'expérience préalable de Miles, il n'y avait rien de tel qu'un rang d'émeraudes pour dire « Merci pour la magnifique nuit de passion ». Il n'y avait que deux petits inconvénients à ce plan. Premièrement, Henrietta avait déjà un rang d'émeraudes, bracelet et boucles d'oreilles assortis compris. Et même si ce n'était pas le cas… Bon, Miles n'arrivait pas vraiment à formuler sa pensée, mais les techniques qu'on utilisait pour calmer une maîtresse n'étaient peut-être pas les meilleures pour courtiser son épouse. Il avait besoin de quelque chose de plus personnel, de plus tendre, de plus… Fichtre. Il n'arrivait même pas à trouver d'adjectifs appropriés, alors encore moins une élégante attention qui reverserait Henrietta. Mis à part la prendre dans ses bras. Il aimait bien la prendre dans ses bras.

Mais sa réflexion, se rappela-t-il avec abnégation, était censée être au sujet d'Henrietta et de ce qui *lui* plairait, ce qui excluait malheureusement du même coup les combats de boxe, les visites à Tattersall, ainsi que – le favori de Miles – le déshabillage. À en juger par ce qu'il savait des femmes, elles étaient généralement plus enclines à acquérir des vêtements qu'à s'en départir. Miles secoua la tête en pensant à la perte de temps et de tissu. Les feuilles de vigne. Ça, c'était le genre de mode qu'il pourrait supporter. Évidemment, certaines de ces robes que possédait Henrietta n'étaient pas trop mal ; celles avec les jupes vaporeuses qui mettaient en évidence la longueur de ses jambes lorsqu'elle marchait, et les corsages décolletés qui… Argh. Miles jeta un regard coupable autour de la pièce et posa son chapeau sur sa cuisse d'un geste exagérément nonchalant en souhaitant que la mode actuelle n'imposât pas le port de pantalons si sacrément ajustés.

Miles orienta résolument ses pensées vers des sujets plus sûrs. Il se souvenait vaguement avoir déjà entendu quelqu'un, lors d'un bal, dire que les fleurs parlaient le langage de l'amour. Miles regarda d'un air dubitatif le petit bouquet écrasé de primevères, dont les bords commençaient déjà à brunir. Tout ce qu'elles lui disaient, c'était « Arrosez-moi ! ». Il supposa qu'il y avait peut-être là une métaphore – au sujet de l'amour qui devait être entretenu et ce genre de balivernes –, mais à en juger par ce qu'il connaissait au jardinage, entretenir des fleurs demandait une grande quantité de compost, ce qui, même Miles en était certain, était pratiquement le contraire de l'amour. « Oh, mon amour est tel un tas de fumier » risquait davantage de provoquer la projection d'un pot de chambre vers sa tête que des exclamations de ravissement.

Miles secoua la tête. Il envisagea brièvement l'idée de quitter en vitesse le ministère de la Guerre pour courir à Hatchards chercher l'un de ces romans d'amour qu'Henrietta semblait trouver si captivants, mais il changea rapidement d'avis. Après tout, même s'il réussissait à trouver un livre approprié, comment saurait-il où regarder ? Il doutait qu'il y ait un index approprié avec des inscriptions telles que « épouse, courtiser votre » ou des titres de chapitres pratiques comme « Comment faire une déclaration d'amour en dix leçons ». Miles grimaça en imaginant le rire moqueur qui accompagnerait inévitablement son acquisition d'une telle publication.

Un dîner en tête à tête, décida Miles. C'était l'idéal. Il y aurait du champagne, des huîtres, du chocolat – pas tout à la fois, conclut-il après réflexion. Miles révisa quelque peu son image mentale et ajouta des raisins, pour les peler. Il pourrait les donner à manger à Henrietta un à un, et si un, ou deux, ou dix devaient glisser dans son corsage et qu'il était obligé d'aller les récupérer... Quoi ? Ça glissait, des raisins pelés. Ces Romains savaient certainement ce qu'ils faisaient, se dit gaiement Miles. Des raisins pelés... Un canapé assez grand pour deux... Peut-être un peu de crème anglaise...

L'assistant de Wickham reparut et s'éclaircit bruyamment la voix. Miles se leva d'un bond et renversa tout un bol de raisins pelés imaginaires, mais, malheureusement, aucun d'eux n'était proche du corsage d'Henrietta.

— Il est prêt à vous recevoir, dit l'assistant d'un ton stressé en pressant Miles en direction du bureau. Mais faites vite.

Miles répondit d'un hochement de tête, puis entra d'un bond dans le bureau de Wickham. Depuis sa dernière visite, quelqu'un avait replacé la carte sur le mur en employant de toute évidence des attaches plus solides. La carte frissonna un peu lorsqu'il claqua la porte derrière lui, mais elle resta en place.

Miles tira sa chaise habituelle devant le secrétaire de Wickham.

— Bonjour, monsieur !

L'œil avisé de Wickham passa du visage rayonnant de Miles aux primevères quelque peu flétries.

— Je vois bien que vous croyez qu'il s'agit d'une bonne journée, répondit-il. Elles sont pour moi ?

Désarçonné, Miles baissa les yeux sur sa main, sursauta, rougit, ouvrit la bouche, la referma et parut aussi troublé que possible pour un homme costaud qui a un penchant pour le sport.

— Euh, non, dit-il en cachant à la hâte les primevères derrière son dos. Je viens de me marier !

— Félicitations, répondit sèchement Wickham. Je vous souhaite à tous les deux mes meilleurs vœux de bonheur. Je suppose que vous n'êtes pas venu me voir uniquement pour m'informer de vos récentes noces ?

— Non, répliqua Miles, dont le visage devint plus sérieux tandis qu'il approchait sa chaise du secrétaire de Wickham. J'ai des raisons de croire que la Tulipe noire est Lord Vaughn.

Le chef des services secrets le regarda froidement.

— Vraiment ?

Miles hocha la tête d'un air grave et décida de commencer par le commencement.

— Pendant la fin de semaine, quelqu'un s'est introduit à Selwick Hall déguisé en moine fantôme de l'abbaye de Donwell.

Wickham jeta à Miles un regard légèrement perplexe.

Miles balaya l'air de la main, se rendit compte qu'il tenait toujours le petit bouquet méprisé et s'empressa de le ranger sous sa chaise.

— Une légende locale. C'est sans importance, monsieur, ajouta-t-il en s'avançant sur sa chaise. Au départ, j'ai cru que notre fantôme en avait seulement contre les documents de Selwick…

— Une hypothèse raisonnable, murmura Wickham.

— Merci, monsieur. Les apparences semblaient le confirmer. Nous avons trouvé les papiers dans le secrétaire de Selwick en désordre, mais rien d'autre dans la maison n'avait été déplacé, et il n'y avait aucun signe d'activité nulle part dans le domaine.

Miles fit une courte pause, se remémorant avec précision le genre d'activités qui s'étaient déroulées dans le domaine.

Les yeux vifs de Wickham se plissèrent.

— Et dans le secrétaire de Selwick ?

— Uniquement des documents au sujet de la propriété, monsieur. Selwick a toujours fait très attention de ne pas laisser traîner des documents importants.

— J'imagine que votre histoire n'est pas terminée, dit Wickham en jetant un regard à l'horloge sur son secrétaire à l'effigie d'Atlas qui portait non pas le monde, mais le temps.

– Exact.

Miles comprit l'insinuation et raconta rapidement la suite.

– Nous nous sommes arrêtés dans une auberge, où la personne qui m'accompagnait a surpris une conversation entre Lord Vaughn et la chanteuse d'opéra, madame Fiorila ; du moins, je suis assez certain qu'il s'agissait de madame Fiorila, se corrigea Miles. En quittant l'auberge, nous avons remarqué que nous étions suivis. Puisque la route entre Brighton et Londres est très populaire, je n'en ai d'abord pas fait de cas, jusqu'à ce que leur cocher sorte un pistolet. Nous avons échappé à leur poursuite et sommes rentrés à Londres. Alors, vous voyez, dit Miles en frappant avec enthousiasme sur le secrétaire, ce qui fit sauter Atlas, il fallait que ce soit Vaughn ! Qui d'autre aurait pu nous suivre depuis l'auberge ?

– Un point demande à être clarifié, monsieur Dorrington. Qui est « nous » ? Étiez-vous avec Selwick à ce moment-là ?

Miles rougit.

– Euh, non. Du moins, pas ce Selwick-là. J'étais avec sa sœur, Lady Henrietta.

Wickham répondit à ce détail superflu en faisant preuve d'une attention qu'il avait omis d'exprimer pour quoi que ce soit d'autre que Miles avait dit jusque-là. Il s'assit droit comme un piquet sur sa chaise et fixa Miles de ce regard qui était reconnu pour avoir incité des agents secrets français à se jeter par la fenêtre du troisième étage et des espions anglais endurcis à se cacher sous leur cape.

– Lady Henrietta Selwick ? répéta-t-il sèchement.

— Ou-oui, confirma Miles, qui regardait son supérieur avec une certaine perplexité. La sœur cadette de Selwick, vous savez ?

Le moment semblait mal choisi pour annoncer la nouvelle qu'elle portait maintenant un autre nom ; l'expression de Wickham convenait mieux à des funérailles qu'à des fiançailles.

— Ça, monsieur Dorrington, dit sèchement Wickham, c'est une mauvaise nouvelle. Une très mauvaise nouvelle en fait.

— Une mauvaise nouvelle ? demanda Miles, qui était à moitié debout, agrippé au bord du secrétaire de Wickham.

Wickham s'était déjà extrait de son fauteuil et se dirigeait à grands pas vers la porte.

— Ça signifie, expliqua-t-il en tendant la main vers la poignée, que Lady Henrietta court un grave danger.

Quelque chose de coupant s'enfonçait dans le bras d'Henrietta.

Émettant des protestations endormies, Henrietta se retourna et enfouit son visage dans les profondeurs moelleuses de l'oreiller de plumes. Elle sortit un bras et se blottit plus profondément sous les couvertures. Mais l'oreiller avait une étrange odeur de moisi, différente de celle de son propre lit parfumé à la lavande, et la sensation des draps contre sa peau nue lui semblait inhabituelle.

Brusquement, Henrietta ouvrit bien grand les paupières et s'assit dans le lit, et elle rattrapa le couvre-lit lorsqu'il menaça de tomber jusqu'à sa taille. La nuit dernière. Son mariage. Miles… C'était réellement arrivé, n'est-ce pas ? Oui, bien sûr que oui, se rassura-t-elle. Sinon, pourquoi serait-elle nue dans un lit inconnu ? Quant à ce qui s'était produit dans ce lit inconnu… Henrietta devint encore plus rouge que le somptueux couvre-lit cramoisi.

La cause de ses rougeurs était absente, mais sa place était occupée par une note pliée à la hâte. Henrietta tendit la main et déplia le bout de papier avant de se laisser retomber sur les oreillers. Rédigée de la grande écriture irrégulière de Miles, la note disait : « Parti au ministère de la Guerre. De retour vers midi. » Elle était signée d'un gribouillis exubérant qui aurait pu être tant un M qu'un D, ou encore un portrait amateur de la reine Charlotte.

Pas exactement une ode à son charme et à sa beauté.

Henrietta secoua la tête et gloussa. C'était tellement typique de Miles ! Toutefois, il y avait un post-scriptum qui alluma plus d'étincelles dans ses yeux que n'importe quelle effusion, vers ou prose, de ses admirateurs précédents. Au bas de la page, Miles avait gribouillé un seul mot : « Magnifique. »

Henrietta serra la note sur sa poitrine, un grand sourire épris sur son visage. Ç'avait vraiment été plutôt magnifique, n'est-ce pas ? Soulevant la note, Henrietta lut le mot à nouveau. Magnifique. Elle disait bien « magnifique », non pas « maléfique » ni « malodorant » ni « magnificat », n'est-ce pas ? Henrietta jeta un autre coup d'œil, simplement pour s'en assurer. Oui, elle disait très nettement « magnifique ». Chiffonnant gaiement les bords du papier, Henrietta relut le post-scriptum quatre fois de plus, jusqu'à ce que les lettres commencent à se décomposer en petits gribouillis noirs et que le mot « magnifique » commence à se désintégrer sur sa langue, au point qu'elle dut se rappeler sa signification.

Après avoir replié la note d'un geste résolu (après un tout dernier coup d'œil pour s'assurer que le mot était toujours là et qu'il ne s'agissait pas simplement d'une autre itération de « Miles » qui se serait étendue en lettres supplémentaires), Henrietta s'installa confortablement contre les oreillers, le petit carré de papier en équilibre sur sa poitrine, de sorte qu'elle devait pencher la tête jusqu'à ce que son menton touche sa clavicule pour pouvoir le regarder. Ce n'était pas tout à fait une lettre d'amour, se dit-elle en résistant noblement à l'envie de l'ouvrir une fois de plus, mais c'était une preuve que Miles avait l'intention d'honorer sa part de l'entente et de faire de son mieux pour que cela fonctionne. L'entente. Henrietta se releva péniblement sur ses coudes, délogeant ainsi le bout de papier. Cela ternissait quelque peu le portrait. Elle n'appréciait pas tellement le fait d'être l'objet de charité amoureuse, de recevoir une aumône sous forme de mot supplémentaire.

Il était aussi gentil avec les enfants et les animaux. Ah, mais écrirait-il une lettre d'amour – bon, d'accord, un mot d'amour – à un chiot mécontent ? Non, conclut lentement Henrietta, mais les chiots ne pouvaient pas lire, donc, pour un chiot, un os supplémentaire pourrait réellement être équivalent. Et un mot était un si petit os…

Henrietta se tourna brusquement et se frappa la tête sur l'oreiller. Fort.

De telles pensées étaient absolument – *bang* –, absolument – *bang* –, contre-productives. Une Henrietta rouge mais résolue émergea des plumes. Après avoir écarté ses cheveux de son visage et enlevé une plume libre qui s'était prise dans sa tignasse, elle sortit du lit en enroulant le drap autour d'elle. Elle s'était suffisamment tourmentée avec de folles spéculations impossibles à vérifier. Elle avait une maison à organiser (Henrietta fronça le nez au souvenir de l'odeur de moisi de l'oreiller ; aérer les draps serait incontestablement à l'ordre du jour), des domestiques à passer en revue (Henrietta devint d'une tout autre couleur au souvenir de sa première rencontre avec le personnel la veille, alors qu'elle n'était pas sur ses propres pieds) et une lettre à écrire à ses parents.

À la pensée de ses parents, les mains d'Henrietta se figèrent au bord du drap. Les domestiques d'abord, conclut-elle. Elle pourrait se préparer graduellement à s'occuper de ses parents au cours de l'après-midi. Elle était prête à gager que Richard leur avait déjà écrit ; il leur avait probablement écrit avant même que le bruit des roues du carrosse de Miles se soit éloigné dans l'allée. Peu importe ce que Richard avait écrit, cela dépeindrait forcément les événements de la fin de semaine — ainsi que la morale des individus concernés — sous un jour moins que flatteur. Henrietta n'était pas certaine que ce qui s'était passé puisse être présenté sous un jour flatteur, mais si c'était possible, elle avait bien l'intention de trouver comment. Être séparée de ses parents... Elle ne voulait même pas y penser. Ce serait aussi terrible pour Miles que pour elle.

Henrietta tendit la main pour sonner sa femme de chambre afin qu'elle l'aide à s'habiller. Ce plan n'avait qu'un petit défaut : elle n'avait pas de femme de chambre. Pas plus qu'elle n'avait de vêtements, d'ailleurs.

Ramassant du bout des doigts sa robe de la veille salie par le voyage, elle l'examina d'un œil désapprobateur. La jupe était généreusement tachée de poussière, l'ourlet présentait des éclaboussures de dieu seul savait quoi (Henrietta ne voulait certainement pas le savoir), le corsage était déchiré et — dieu miséricordieux, était-ce une feuille de chou collée sur la manche ?

— Je ne veux tout simplement pas le savoir, grommela Henrietta en secouant la robe par l'autre manche jusqu'à ce que la végétation incriminée tombe sur le tapis aux motifs rouge et bleu.

Henrietta contempla l'idée de faire une descente dans les garde-robes de Loring House, mais elle ne pouvait s'empêcher de soupçonner que la mère de Miles avait des goûts radicalement différents des siens en matière de vêtements. Et bien que la mode classique fût toujours en vogue, se promener enveloppée d'un drap lui parut non seulement *risqué**, mais aussi sujet aux courants d'air. Elle devrait se contenter des vêtements de la veille jusqu'à ce qu'elle puisse aller en chercher d'autres à Uppington House.

Henrietta enfila les vêtements sales en grimaçant et réussit à atteindre tout juste assez de boutons pour empêcher que la robe ne tombe précipitamment. Sur la coiffeuse, il y avait une brosse en argent ternie qu'elle utilisa pour s'attaquer aux nœuds et aux plis qui s'étaient formés tout autour de sa tête. Henrietta rougit en se rappelant comment certains de ces nœuds s'étaient développés. Elle pouvait sentir les mains de Miles dans ses cheveux, ses lèvres sur les siennes, son… Euh. Henrietta regarda autour d'elle d'un air coupable.

— Absurde, marmonna-t-elle pour elle-même.

De toute manière, se dit-elle pour revenir en terrain plus sûr, bon nombre de ces nœuds dataient de leur fuite précipitée de l'auberge. Le souvenir de la voiture noire anonyme derrière eux suffit à faire entièrement disparaître le teint rosé rayonnant d'Henrietta.

Miles avait l'air si convaincu qu'il s'agissait de Vaughn.

Fronçant les sourcils, Henrietta passa lentement la brosse dans ses cheveux en défaisant les nœuds.

Tout pointait vers Vaughn. Cette attention indue dont il avait fait preuve après avoir entendu qu'elle était la sœur de la Gentiane pourpre, cet étrange épisode dans la chambre chinoise et son habitude de s'exprimer de façon énigmatique. Il lui avait dit qu'il n'était pas allé en France depuis plusieurs années. Pourtant, la veille, il avait parlé de retourner en France comme après une courte absence. Il était sur les traces d'une femme mystérieuse et, le plus accablant de tout, il aurait pu les avoir suivis, Miles et elle, à leur sortie de l'auberge.

Et pourtant... Quelque chose sonnait faux, comme une chanson chantée d'une voix légèrement trop basse. Henrietta fronça les sourcils dans le miroir en essayant de mettre le doigt sur la source de son malaise ; elle se reporta à l'étroit escalier et aux voix étouffées entendues par les fentes de la porte.

Étant donné sa vue obstruée, Henrietta avait été entièrement concentrée sur la voix de Vaughn, sur chaque timbre et chaque pointe d'émotion. Les voix étaient en quelque sorte un sujet d'étude pour Henrietta. Vaughn était frustré, il était en colère, mais il n'avait montré aucune trace de méchanceté. À la place, elle avait entendu l'ineffable lassitude qui inspirait le genre de sympathie qu'on a pour Lear lorsqu'il est abandonné dans la lande ; un homme fort et entêté poussé à bout. Henrietta plissa le nez en donnant à ses cheveux un coup de brosse plus vigoureux que nécessaire. De tels élans d'imagination n'avaient pas leur place dans une enquête bien organisée.

Un homme pouvait sourire et sourire encore tout en restant méchant ; sa voix pouvait être chargée de chagrin tandis qu'il complotait le meurtre de Jane et la chute de la couronne d'Angleterre. Mais Henrietta était plutôt convaincue que ce n'était pas le cas de Vaughn. Elle grimaça ; elle avait une bonne idée de ce que Miles ferait de cet argument.

Sinon Vaughn, qui d'autre ? Après tout, qui d'autre à l'auberge était au courant de leur présence ? Navet ? Cette idée était aussi ridicule que l'infâme collection de gilets aux motifs d'œillets de Navet.

Mais le souvenir de Navet lui rappela autre chose. Ou plutôt, quelqu'un d'autre.

Henrietta s'arrêta, la brosse suspendue dans les airs, et fixa le miroir sans le voir. La concentration fit apparaître des plis aux coins de ses yeux noisette tandis que l'insaisissable souvenir qui l'avait titillée se mettait soudain en place. Un homme habillé comme un dandy avec une moustache noire qui s'écartait pour la laisser passer. Lorsqu'elle s'était précipitée en bas de l'escalier, il était là à rôder autour de leur table, se tenant de manière tout à fait nonchalante près de la cheminée. À observer.

Malgré l'ombre projetée par le chapeau et les immenses plis du foulard, il avait quelque chose de familier. Évidemment, se mit-elle en garde, elle était plutôt ébranlée et distraite à ce moment-là, d'abord à cause des tensions avec Miles et, ensuite, de sa rencontre avec Vaughn. Aucun de ses sens n'avait été aiguisé à son maximum.

Et pourtant… Henrietta posa la brosse sur la coiffeuse avec un claquement définitif. Cela valait indéniablement la peine d'enquêter. Et si son intuition se révélait fausse, Miles n'aurait pas besoin de le savoir. Elle ne nourrissait pas le grand projet de faire une descente afin de porter des accusations en grande pompe, pas plus qu'elle rêvait d'escapades audacieuses. Cela correspondait davantage au style d'Amy qu'au sien. Comme elle l'avait appris la veille, Henrietta ne prenait vraiment aucun plaisir au danger.

Mais elle ne courrait aucun danger, décida Henrietta en ramenant ses cheveux en arrière. Elle ne ferait que fouiner un peu, puis elle rentrerait à la maison. Y avait-il moins dangereux ?

Et elle savait exactement comment s'y prendre...

Miles se leva de sa chaise d'un bond et attrapa Wickham par le coude avant qu'il puisse ouvrir la porte.

– Un grave danger ?

– Lady Henrietta, l'Œillet rose et l'ensemble de nos entreprises en France sont en danger, répondit Wickham avec gravité. Thomas ! cria-t-il en ouvrant la porte après s'être libéré de la main molle de Miles.

Miles, figé d'horreur, fixa son supérieur.

– Pourquoi ? demanda-t-il. Quel danger ?

Wickham le regarda en fronçant les sourcils.

– Chaque chose en son temps. Ah, Thomas, faites qu'un détachement de soldats soit envoyé à Uppington House...

– Loring House, le corrigea laconiquement Miles.

Cela attira temporairement l'attention de Wickham.

– Loring House ?

– Mariée, répondit brièvement Miles.

Wickham assimila cette information avec un léger battement de paupières.

– Bien entendu.

Il se retourna vers son assistant, dont les yeux passaient nerveusement de l'un à l'autre des deux hommes.

– Envoyez un détachement de soldats à Loring House...

– Un instant, l'interrompit Miles une fois de plus.

– Oui ? répondit Wickham d'un ton brusque.

– Lady Henrietta. Personne ne sait qu'elle est à Loring House. N'est-elle pas plus en sécurité sans une troupe de soldats pour annoncer sa présence ? Si je pouvais la garder là discrètement et m'assurer qu'elle ne quittera pas la maison…

– Thomas !

L'assistant se mit instantanément au garde-à-vous.

– Je veux que deux hommes surveillent Loring House. Qu'ils se déguisent en jardiniers. Loring House a bien un jardin, j'imagine ? demanda-t-il en se tournant vers Miles, qui hocha humblement la tête. Si Lady Henrietta essaie de quelque façon de quitter la maison, qu'elle y soit retournée. Si quelqu'un d'autre que monsieur Dorrington, Lady Henrietta ou un membre de leur personnel tente d'entrer dans la maison, qu'on l'en empêche. Tout comportement suspect devra m'être rapporté sur-le-champ. *Sur-le-champ.* La sécurité du royaume en dépend. Est-ce bien compris ?

C'était bien compris.

L'assistant de Wickham partit en hâte. Miles intercepta Wickham avant qu'il puisse retourner à son secrétaire et ainsi le congédier implicitement.

– Que s'est-il passé ? demanda-t-il.

Wickham libéra son bras de la main de Miles et se dirigea vers son secrétaire d'un pas mesuré qui ne fit rien pour calmer les nerfs de Miles.

– Le contact de Lady Henrietta…

– Hen a un *contact* ? bredouilla Miles.

– Le contact de Lady Henrietta, reprit Wickham en lançant un regard noir à Miles, indiquant qu'il ne tolérerait aucune autre interruption, a disparu de sa boutique sur Bond Street à la fin de la semaine dernière. Nous l'avons retrouvée hier. Dans la Tamise.

Miles déglutit avec difficulté.

– Qu'est-ce que cela a à voir avec... ? commença-t-il, sachant très bien quelle serait la réponse, mais espérant malgré tout qu'il y ait une autre explication.

Une explication anodine. Une explication qui ne mettrait pas Henrietta en danger.

– Si vous ne connaissez pas la réponse à cette question, monsieur Dorrington, je ne vois pas pourquoi nous devrions continuer à vous employer !

Apercevant le visage défait de Miles, Wickham inspira profondément.

– Nous l'avons retrouvée hier, expliqua-t-il en modulant sa voix. Il nous a fallu jusqu'à ce matin pour l'identifier.

Miles blêmit.

– Torturée ? demanda-t-il d'une voix mal assurée.

– Sans aucun doute.

– Croyez-vous que...

Wickham écarta les mains en signe de frustration.

– Nous ne pouvons pas le savoir avec certitude. Mais des méthodes...

Wickham fit une pause et le pli entre ses sourcils se creusa.

– ... extrêmes ont été employées.

Miles jura violemment.

– Votre histoire, poursuivit Wickham, l'air las, est inquiétante, mais pas étonnante. Elle confirme ce que nous craignions.

– Votre agent a craqué, dit Miles sans ménagement.

Wickham ne se donna pas la peine de répondre à l'insulte implicite envers ses laquais.

– Exactement. La Tulipe noire sait que votre épouse peut la conduire à l'Œillet rose.

Chapitre 33

❀

Magnifique : *intensément dangereux, même mortel.*
Voir aussi *splendide, superbe et sans pareil.*
– tiré du livre de codes personnel de l'Œillet rose

À Loring House, ç'avait semblé une si bonne idée.

Henrietta était penchée au-dessus de l'âtre dans le salon d'une modeste maison de ville et faisait semblant de ramasser des cendres, tandis que ses yeux scrutaient activement l'intérieur de la cheminée à la recherche d'une surface irrégulière qui pourrait indiquer une quelconque cachette secrète ou l'entrée d'un « trou de prêtre ». Henrietta ne croyait pas que la maison de ville, un petit bâtiment dans un quartier distingué, mais peu à la mode, soit assez vieille pour posséder un « trou de prêtre », mais qui pouvait savoir si on n'en avait pas ajouté un après coup pour cacher autre chose qu'un prêtre ? Il pouvait y avoir un trou de contrebandier, un trou d'amours coupables ou n'importe quel autre type de bonne cachette planquée dans les briques de la cheminée.

Ç'aurait été un bon plan d'action si l'intérieur de la cheminée n'avait pas été entièrement composé de surfaces irrégulières suspectes. Les briques couvertes de suie dépassaient dans tous les sens, de sorte que n'importe laquelle d'entre elles aurait pu être le levier qui déclencherait l'ouverture de la porte secrète — ou simplement une brique couverte de suie. Un subtil coup d'œil sous le tapis en faisant mine de balayer s'était révélé tout aussi inutile ; les lattes du plancher étaient parfaitement alignées, et il n'y avait là aucune trappe. Les murs étaient lamentablement unis, sans aucun lambris décoratif sculpté ni moulure dorée qui aurait pu servir de mécanisme secret. Bref, Henrietta se sentait très, très contrariée.

À Loring House, Henrietta avait finalement traqué le souvenir furtif qui la narguait depuis sa propre cachette profondément enfouie dans les tréfonds de sa mémoire. Elle aurait aimé pouvoir prétendre que c'était le « Pardon, madame » bredouillé qui avait éveillé ses soupçons, que son oreille exercée avait capté, même sous les couches assourdissantes du foulard, l'intonation familière dans cette douce voix de ténor. Mais ce n'était pas le cas. La voix était excellente ; pas assez rauque pour soulever des doutes ni assez aiguë pour faire penser aux castrats et aux rôles que jouaient les pantalons dans les comédies shakespeariennes. Ça n'avait même pas été le pantalon lui-même ; il avait été ingénieusement rembourré de bougran, et tant de jeunes mâles arrondissaient leur propre petit bijou de famille à l'aide d'un peu d'art et de bourre que, même si la bourre avait été visiblement mal faite, personne n'aurait trouvé cela suspect. Les vêtements à la mode fournissaient un excellent bouclier : les hautes pointes du col obscurcissaient les joues trop douces pour être masculines, et l'ombre donnait une spécieuse apparence d'authenticité aux poils de la fausse moustache. Le gigantesque foulard cachait un menton pointu trop délicat pour être celui d'un homme ainsi qu'une gorge qui tenait davantage d'Ève que d'Adam. Un gilet élaboré ainsi qu'une queue-de-pie empesée dissimulaient plus efficacement les formes féminines qu'un bandage à la poitrine.

En fin de compte, c'était ces mêmes vêtements qui avaient incité Henrietta à se poser des questions.

Pourquoi quelqu'un qui était si manifestement dans le coup se tresserait-il les cheveux à l'ancienne ? Un jeune paon de la noblesse, comme Navet, aurait les cheveux courts, élégamment en bataille, coiffés selon la coupe Brutus ou quelque autre personnage historique qui servait actuellement de modèle. Les tresses étaient l'apanage des vieux, des ignorants ou des gens résolument barbants ; elles n'allaient absolument pas avec des bottes Hoby et un foulard torturé pour prendre des plis compliqués à la mode du Français aux cascades d'eau. C'était une jolie touche, se dit Henrietta, qui versait lentement la cendre du bord de sa pelle dans son seau en regardant tomber la fine pluie de tisons pas tout à fait éteints.

Une fois qu'Henrietta eut reconnu l'incongruité de la tresse, le reste suivit. Elle ne connaissait que deux personnes qui avaient les cheveux d'un tel noir. Ce n'était ni le rare noir bleuté de l'Espagne ni ce vulgaire brun-noir qui passait si souvent pour du noir parmi les filles aux cheveux blond cendré ou châtain terne qui peuplaient les îles Britanniques, mais bien un vrai noir profond qui, à la lumière, prenait des reflets argentés.

L'une d'elles était Mary Alsworthy. Ses cheveux étaient du genre rideau noir brillant sur lequel les poètes usaient leurs plumes, mais Henrietta ne pouvait pas l'imaginer cabrioler dans des auberges impopulaires en pantalon, et ce, même si le pantalon était à la mode. Mary Alsworthy s'enfuirait peut-être en pleine nuit, mais elle le ferait entièrement équipée, une cape en velours sur le dos et un petit chien qui jappe sur les genoux dans l'unique but de faciliter la tâche à ses poursuivants pour qu'ils puissent préparer toute une mise en scène.

L'autre, c'était la marquise.

Quel orgueil, se demanda Henrietta, l'avait poussée à laisser ses cheveux à la vue ? Peut-être ne s'agissait-il pas d'orgueil, mais bien de pragmatisme, conclut généreusement Henrietta en pelletant la cendre. Se couper les cheveux aurait inévitablement attiré l'attention — bien que plusieurs le fassent de nos jours par sympathie pour celles dont la tête avait été rasée durant la Terreur —, et la masse luxuriante était trop grosse pour être cachée sous un chapeau sans que cela saute aux yeux.

La voix, les cheveux, la taille, la silhouette ; tout concordait — mais rien d'autre. Henrietta aurait mis sa main à couper que l'homme à l'auberge était bel et bien la marquise, mais dans quel but ? Les mobiles de la marquise pointaient tous dans la direction opposée. Terres, titres, richesses, prestige, époux ; la Révolution lui avait enlevé tout cela. Henrietta doutait plutôt du fait qu'elle regrette la perte de son époux, malgré toutes ses pieuses affirmations du contraire, mais le prestige et les richesses étaient une tout autre histoire. La douairière n'avait-elle pas dit que la petite Theresa Ballinger n'avait jamais perdu de vue ses intérêts ?

Ses intérêts l'avaient peut-être incitée à s'associer aux nouveaux détenteurs du pouvoir à Paris, mais, si c'était le cas, cela ne lui avait pas rapporté beaucoup. Sa maison de ville était située dans un quartier respectable sans être pompeux et meublée sommairement plutôt qu'avec la riche opulence à laquelle on se serait attendu de la part de la marquise. Les tapis étaient usés, les murs, nus, et le mobilier avait grandement besoin d'être rafraîchi.

Rien de cela n'avait de sens. Et elle savait, malheureusement avec certitude, que si elle soumettait la théorie à Miles, il mettrait infailliblement le doigt sur chacune de ces failles logiques une à une. Et ensuite… Henrietta tressaillit sans que cela ait quoi que ce soit à voir avec le petit tison qui rongeait un trou dans l'étoffe brute de sa jupe et qui trouvait la vie dure. Ensuite, le visage de Miles afficherait un très grand sourire suffisant, et il crierait « Tu es jalouse ! » d'un air moqueur. Peut-être aurait-il la décence de ne pas se moquer ; peut-être arriverait-il à prononcer les paroles d'un ton raisonnablement non moqueur, mais la moquerie serait là à la narguer. Les joues d'Henrietta s'empourprèrent à cette pensée. Quelle preuve avait-elle, mis à part cette seule tresse noire aperçue au passage dans une grande salle bondée ? Certainement rien qui suffirait à convaincre un tribunal. « Votre honneur, la fille est visiblement éprise. Cela leur fait perdre la raison, vous savez. »

Henrietta ne savait absolument pas pourquoi l'avocat de la défense imaginaire avait la voix de Navet Fitzhugh, mais bon, Navet apparaissait toujours là où on s'y attendait le moins.

Chassant la pensée de Navet, Henrietta posa sa pelle contre l'âtre et étira ses bras fatigués, où des muscles qu'elle ne connaissait pas étaient engagés dans de virulentes protestations. Un bain chaud ; c'était ce dont elle avait besoin. Avec beaucoup de sels de bain parfumés à la lavande et suffisamment de vapeur pour embrumer la pièce.

Les mains sur les hanches, Henrietta jeta un dernier coup d'œil autour de la pièce sommairement meublée. Elle pourrait tout autant prendre ce bain plus tôt que tard. Jusque-là, sa mission n'avait absolument pas porté ses fruits, à moins de compter la moitié de pomme séchée trouvée sous l'un des canapés. Rien ne laissait croire qu'elle fût empoisonnée ni qu'elle eût quoi que ce soit d'intéressant en dehors du fait d'être vieille, flétrie et tout à fait dégoûtante.

Pour reprendre l'une des suggestions d'Amy, Henrietta avait emprunté une robe brune en laine brute à l'une des domestiques de Loring House afin de se déguiser en femme de chambre. Henrietta avait bredouillé une histoire inventée à la hâte au sujet d'une fête costumée huppée (la domestique avait semblé nullement convaincue), puis elle était remontée furtivement à l'étage, l'air penaud, pour enfiler son butin qui, malgré sa simplicité, avait l'avantage d'être plus propre que les vêtements d'Henrietta de la veille, en plus d'être totalement exempt de chou. Henrietta résolut de donner à tous les domestiques de Loring House une augmentation de salaire respectable dans un avenir très proche. Ils la prendraient peut-être pour une folle, mais elle préférait qu'ils la prennent pour une folle généreuse.

Ainsi accoutrée, Henrietta s'était glissée hors de la maison. Amy avait parfaitement raison : avec sa robe simple et son humble casquette blanche sur ses cheveux nattés avec soin, personne ne faisait attention à elle. Son entrée dans la maison de ville de la marquise par la porte des cuisines n'avait suscité aucun commentaire ; elle n'avait pas été remarquée ni par la cuisinière penchée au-dessus du feu ni par la fille de cuisine qui était trop occupée à hacher tout en racontant à la cuisinière l'histoire de cette fille qui avait été trompée par l'arrière-petit-cousin du palefrenier.

Une fois à l'intérieur, Henrietta était d'abord allée à l'étage pour se diriger vers le *boudoir** de la marquise. Elle ne savait pas exactement ce qu'elle cherchait – une pile d'instructions signées de Paris aurait été des plus utiles –, mais n'importe quoi de suspect suffirait à attirer l'attention du ministère de la Guerre ainsi qu'à faire taire la moquerie dans la voix de Miles. Les vêtements portés par le mystérieux gentilhomme de l'auberge, des perruques, de fausses moustaches ou une cachette de correspondance codée ; n'importe quoi susceptible de prouver qu'Henrietta n'agissait pas uniquement – elle grimaça devant cette éventualité – par pure et simple jalousie sans fondement.

Malheureusement – Henrietta plongea à nouveau sa pelle dans l'âtre –, jusque-là, la jalousie semblait de plus en plus la seule explication possible. Elle n'avait eu que quelques instants dans le *boudoir** avant que le claquement de talons annonce l'arrivée de la femme de chambre de la marquise, mais il ne recelait rien qu'on n'eût trouvé dans le sien. Même les petits pots de maquillage ne semblaient rien contenir qu'on ne s'attendît à trouver sur la coiffeuse d'une femme mondaine sophistiquée. Henrietta jongla avec le concept de notes glissées dans les poignées des houppettes en pattes de lièvre utilisées pour appliquer les cosmétiques, mais cette idée lui parut trop folle pour être prise au sérieux par le ministère de la Guerre. En outre, elles n'avaient pas émis de froissements lorsqu'Henrietta les avait pincées.

Armée du seau et de la pelle qui lui servaient de couverture, Henrietta s'était dirigée vers les autres chambres, mais celles-ci étaient toutes visiblement inoccupées. Les pièces étaient terriblement vides, tapissées uniquement de poussière, et les toiles des matelas de plumes pendaient mollement sur leurs vieux cadres. Henrietta avait jeté un œil dans l'une des *armoires**, pour la forme, et l'avait trouvée complètement vide, à l'exception d'une araignée aventureuse qui avait confondu son épaule avec un repose-pied. Se rappelant son rôle d'émissaire du ministère de la Guerre, Henrietta n'avait pas hurlé. Elle l'avait plutôt écrasée avec beaucoup plus de hargne que nécessaire.

L'absence de meubles était en soi beaucoup plus intéressante que le reste, songea Henrietta. Même la chambre de la marquise, avec des rideaux sur les colonnes de lit et des robes dans la presse à vêtements, avait une allure éminemment temporaire, comme la chambre d'une auberge au bord de la route. Les effets personnels de la marquise formaient une fine couche sur les meubles ; ils avaient été déballés à la hâte et seraient tout aussi faciles à remballer.

Évidemment, se rappela Henrietta, cela pouvait tenir davantage de la pauvreté que de circonstances douteuses.

Le salon, qui présentait l'apparence usée inhérente aux appartements de location, constituait le dernier espoir d'Henrietta. Il avait, tout comme la chambre, l'air au moins quelque peu occupé. Dans la cheminée refroidissaient les restes d'un feu – qu'Henrietta s'empressa de démolir pour justifier sa présence dans la pièce –, et des livres étaient éparpillés sur une table aux pieds fins près du canapé. Henrietta les avait feuilletés, mais elle n'avait pas trouvé de cachette secrète qui contenait des pistolets ou des fioles de poison, ni de petites marques sur des lettres qui auraient pu indiquer un code, ni de minces feuilles de papier coincées entre deux pages sur lesquelles étaient rédigés des messages qui commençaient par « Rejoignez-moi à minuit sous le vieux chêne à Belliston Square... ». Les livres eux-mêmes appartenaient manifestement à un ancien locataire. *La nouvelle Héloïse** était peut-être le style de la marquise – les romans d'amour de Rousseau avaient été grandement à la mode en France quelques années plus tôt –, mais son

Discours sur l'origine de l'inégalité n'était décidément pas une lecture légère, pas plus que les *Revendications contre les tyrans*. Elles étaient en français plutôt qu'en version originale en latin, mais ce n'était tout de même pas le genre d'ouvrage qu'Henrietta imaginait la marquise en train de feuilleter pour le plaisir.

Bref, la mission d'Henrietta avait été une perte de temps totale. Tout ce qu'elle avait appris, c'était que l'ancien occupant de la maison avait des goûts très sérieux en matière de lecture et que le travail domestique était plus difficile qu'il en avait l'air. Miles, se dit-elle d'un air grave, se moquerait *bel et bien* s'il l'apprenait.

Eh bien, il n'y avait aucune raison que Miles l'apprenne. Henrietta laissa tomber la pelle méprisée dans le seau, ce qui produisit un petit nuage de cendres. Avec un peu de chance, il se serait arrêté au White's pour une partie de fléchettes avec Geoff avant de rentrer à Loring House, et elle pourrait se faufiler à l'intérieur et enfiler des vêtements normaux avant même qu'il se rende compte qu'elle était sortie. En fait, elle pourrait passer par Uppington House sur le chemin du retour pour mettre des vêtements propres et, si Miles lui posait des questions, elle n'aurait qu'à dire qu'elle avait passé toute la matinée à organiser le transport de ses vêtements et de ses livres – et de Lapinou, bien entendu – à Loring House. C'était, conclut-elle joyeusement en se relevant et en essuyant ses mains crasseuses sur son tablier déjà couvert de taches, un plan d'action parfaitement plausible.

Ou plutôt, ce l'aurait été si un bruit de pas n'avait pas forcé Henrietta à reprendre prestement sa place devant la cheminée. À l'instant où la porte du salon s'ouvrit, Henrietta s'aperçut qu'elle tenait la pelle par le mauvais bout et la retourna rapidement en espérant que la marquise ne s'en était pas rendu compte.

La tenue de la marquise ne correspondait pas du tout au dénuement désolant de sa maison de location. Elle portait une robe diaphane en mousseline lilas qui flottait autour d'elle comme un fin voile qui tenait davantage de la brume que de l'étoffe et ses cheveux noirs, ces cheveux noir argenté luxuriants, avaient été coiffés en un amas élaboré de boucles dans lequel étaient piqués des rubans lilas brillants et des épingles ornées de diamants. Il n'y avait rien d'austère dans sa tenue, mais celle-ci rappela irrésistiblement à Henrietta les déesses guerrières si chères aux Romains, Minerve sur son char ou Diane dans sa clairière, toutes deux entièrement dépourvues de faiblesses humaines.

– Tu peux disposer, dit la marquise d'une voix aussi plate et dure que le plastron de Minerve en agitant la main en direction d'Henrietta d'un geste impatient, tandis qu'elle traversait la pièce jusqu'à la fenêtre qui donnait sur la rue.

Tête baissée, Henrietta esquissa une révérence maladroite et commença à ramasser les accessoires de son déguisement. Elle allait justement soulever le seau de cendres en se répétant mentalement l'histoire qu'elle avait l'intention de raconter à Miles lorsque la marquise la regarda à nouveau, attentivement. La poignée de la pelle d'Henrietta frotta contre le bord du seau.

– Toi. Jeune fille.

Les épaules voûtées et la tête baissée, Henrietta s'immobilisa en espérant que le fait d'avoir arrêté de bouger constitue une réponse suffisante.

– Oui, toi, dit encore la marquise d'une voix tranchante d'impatience et d'autre chose. Viens ici.

Le seau à la main, Henrietta s'avança lentement.

– Où est-elle ?

La porte du petit salon de Vaughn fut projetée contre le mur tendu de soie, occasionnant une longue déchirure dans la tenture fragile. La porte elle-même tint sur ses gonds, mais tout juste.

Après la révélation de Wickham, Miles avait parcouru la distance entre le ministère de la Guerre et Grosvenor Square en un temps record, chamboulant tout sur son passage, donnant des coups d'épaules aux passants innocents et marchant sur de petits animaux, tout en se répétant qu'Henrietta était une lève-tard notoire, qu'elle n'aurait jamais quitté la maison et qu'il était impossible que la Tulipe noire les ait déjà retrouvés à Loring House. Il s'était accroché à l'image d'Henrietta paisiblement endormie, ses cheveux châtains en éventail sur le couvre-lit cramoisi, comme à un talisman.

Trouver ce lit vide avait été l'un des pires moments de sa vie. Le pire. Pire que la scène dans les jardins, pire que la perte de l'amitié de Richard. Fou d'incrédulité, Miles avait écarté les couvertures, rampé sous le lit et même ouvert à la volée les portes de l'*armoire** comme si, pour quelque raison obscure, Henrietta avait pu s'y introduire et en rester prisonnière. Ce ne fut qu'après s'être rué dans chacune des deux salles d'habillage, avoir retourné la vieille baignoire en bois et arraché les rideaux de lit qu'il avait vu la note qui traînait là, par terre parmi les draps. Il l'avait ramassée en espérant que… Bon, il ne savait pas vraiment ce qu'il espérait. Son esprit ne fonctionnait pas rationnellement.

Sous son message, l'écriture gracieuse aux belles boucles d'Henrietta disait seulement « Sortie aussi. De retour vers midi. H. » Et dessous, un post-scriptum qui reflétait le sien : « Splendide. »

Miles avait froissé la note dans sa main en promettant n'importe qui et n'importe quoi à tous les dieux mineurs auxquels il pouvait penser, tant qu'il pouvait retrouver Henrietta saine et sauve.

Elle n'était pas allée à Uppington House. Pénélope ne l'avait pas vue. Charlotte non plus. Miles n'avait pu trouver Geoff pour le questionner, alors il lui avait laissé un message marqué urgent. Un dernier arrêt à Loring House, où Henrietta n'était pas revenue – Stwyth ne savait pas où elle était allée – et où son absence même puait les reproches, avait laissé présager le pire. Elle devait avoir été enlevée. Et Miles savait fichtrement bien où aller pour la récupérer.

Alimenté par l'anxiété et la colère, la cravate de travers et la veste salie d'avoir passé la journée à courir dans les rues malodorantes de Londres, Miles n'avait pas perdu de temps et s'était dirigé droit dans l'antre du dragon : la résidence londonienne de Lord Vaughn. Et s'il n'avait pas Henrietta…

Mais il l'aurait. Il ne servait à rien d'envisager d'autres possibilités. Il allait fichtrement la relâcher, puis Miles allait tout aussi fichtrement s'assurer qu'il se balancerait au bout d'une corde pour cela. Lentement et douloureusement, jusqu'à ce que son visage devienne aussi noir que cette tulipe trois fois maudite qui lui servait d'emblème.

– Qu'en avez-vous fait ? demanda Miles, qui respirait bruyamment, tandis que la porte battante grinçait derrière lui.

Vêtu d'un peignoir aux motifs de dragons orientaux, Lord Vaughn était assis à son aise à une table ronde faite en bois de cerisier satiné et bordée d'une marqueterie en bois pâle aux motifs géométriques. Près de l'un de ses coudes se trouvait une cafetière cannelée, et il prenait de petites gorgées de ladite boisson dans une tasse tout en feuilletant paresseusement les pages du journal du matin. Il incarnait l'image même du gentilhomme détendu.

Faisant signe de reculer au valet qui s'était mis au garde-à-vous avec raideur comme pour repousser l'intrus, Vaughn accueillit l'entrée précipitée de Miles avec aussi peu d'attention que si de telles scènes faisaient partie de sa routine habituelle au petit déjeuner. Ou alors, se dit sombrement Miles, comme s'il l'avait attendu.

— De qui, mon cher ami ? demanda négligemment Vaughn en tournant une autre page du journal.

— De qui ? s'enquit Miles, incrédule, en luttant contre l'envie d'étrangler le malotru avec la ceinture de son propre peignoir.

Seule la pensée que Vaughn pouvait lui en apprendre davantage vivant qu'asphyxié le retint.

— *De qui ?*

Formuler des phrases complètes demandait un tout autre type d'effort.

Vaughn leva paresseusement les yeux de son exemplaire du *Morning Times.*

— Aussi édifiante que je trouve votre imitation, je crois qu'un nom serait plus à propos.

— Très bien, répondit Miles en fléchissant les mains pour essayer de se maîtriser. Si c'est ainsi que vous voulez la jouer.

— Il pourrait être utile que vous m'informiez des règles du jeu auquel je suis censé jouer, fit remarquer Vaughn d'une voix douce. Faire autrement serait déloyal de votre part.

— Pas plus déloyal que ça l'est pour vous d'être assis là à faire comme si vous n'aviez aucune idée de ce dont je parle, répliqua vivement Miles.

Vaughn haussa un sourcil.

Miles planta les deux mains sur la table, se pencha en avant et baissa la voix jusqu'à ce qu'elle ne soit plus qu'un murmure menaçant.

— Qu'avez-vous fait de Lady Henrietta ?

Vaughn afficha une excellente imitation d'étonnement. Ses yeux de jade quittèrent temporairement sa tasse de café et il arbora une expression légèrement intéressée.

— Lady Henrietta ? Elle a donc disparu, n'est-ce pas ?

— Elle n'a pas *disparu*. Elle a été enlevée, et vous le savez diablement bien. Où vos sbires l'ont-ils emmenée, Vaughn ?

— Mes sbires, répéta Vaughn, impassible, en posant négligemment sa tasse dans la soucoupe d'un geste qui se voulait l'incarnation même de l'amusement mondain. Malgré toute mon admiration et — oserais-je le dire ? — mon estime pour Lady Henrietta, je ne l'ai pas enlevée. C'est si vulgaire.

Vaughn fit signe à un valet de lui verser une autre tasse de café.

Miles fulminait. Il ne s'attendait pas à ce que Vaughn craque immédiatement — après tout, l'homme était un espion meurtrier, et ceux-ci étaient experts en ce genre de choses —, mais il avait espéré une réaction quelconque ; un coup d'œil vers une porte secrète ou un geste mystérieux adressé à un valet. Il pouvait menacer de fouiller les lieux, mais il doutait que cela lui soit d'une quelconque utilité. Vaughn était trop intelligent pour cacher Henrietta dans sa propre résidence. Il devait avoir une bonne planque quelque part; une petite maison à la campagne ou un appartement douteux dans l'un des quartiers les plus malfamés de la ville où il pouvait interroger ses victimes à loisir.

Ses victimes. Miles se rappela le malheureux contact d'Henrietta et le regretta.

La présence de Vaughn à la table du petit déjeuner le réconforta quelque peu. L'identité de l'Œillet rose était assez importante pour que Vaughn veuille interroger Henrietta lui-même. Fichtre ! N'eût été le fait que cela risquait de nuire à ses chances de secourir Henrietta, Miles se serait frappé la tête avec le lourd plateau en argent qui était sur le buffet. Pourquoi n'y avait-il pas pensé plus tôt ? La chose à faire aurait été de se tenir à l'affût jusqu'à ce que Vaughn quitte son domicile, puis de le suivre jusqu'à son repaire secret. Fichtre, fichtre, fichtre. Pourquoi n'y avait-il pas pensé avant de se précipiter jusqu'ici ?

— Pourquoi aurais-je enlevé Lady Henrietta ? s'enquit Vaughn avec une douceur fallacieuse. Voyons voir.

Vaughn pianota sur le bois verni de la table d'un geste étudié qui fit grincer Miles des dents.

— Dévoré par la passion, je l'ai emmenée en carrosse jusqu'à Gretna Green… Non, c'est impossible, n'est-ce pas, puisque je suis toujours ici ? Allons, monsieur Dorrington, c'est le genre de Covent Garden, pas des gens civilisés.

— Je vous affronterai en duel pour elle.

Miles savait qu'il serait plus valeureux de feindre l'embarras, de s'excuser et de sortir, mais il était poussé par l'inquiétude. Qui savait combien de temps cela prendrait avant que Vaughn aille voir Henrietta ? Ou ce que ses sbires lui faisaient subir en ce moment même ? Il voulait régler cela immédiatement.

Et il voulait violenter physiquement Vaughn.

Cela, se rassura Miles, était une considération purement secondaire, mais si transpercer Vaughn pouvait lui faire révéler l'endroit où se trouvait Henrietta, il ne manquerait pas cette occasion.

– Un duel ? s'enquit Vaughn d'une voix plus amusée qu'autre chose. Il y a des années que je n'ai pas été provoqué en duel.

Si les regards pouvaient blesser, Vaughn aurait déjà été étendu sur le sol de Hounslow Heath.

– Considérez cela comme une chance de rattraper le temps perdu.

– Bien que cette perspective m'enchante, répondit Vaughn en levant un sourcil, je ne peux vraiment pas le faire sous de faux prétextes. Voyez-vous, poursuivit-il d'un ton confus, je n'ai pas Lady Henrietta.

Miles fut plutôt étonné que Vaughn persiste dans ses mensonges. Il ne croyait pas que ce fût à cause de la peur du champ d'honneur – peu importe ce qu'il pouvait dire au sujet d'une récente pénurie de duels, Vaughn avait la réputation d'être un escrimeur féroce et expérimenté –, mais c'était bigrement agaçant.

– Vous voudriez que je vous croie ? demanda Miles.

Vaughn écarta les bras d'un geste expressif.

– Voulez-vous fouiller les lieux ?

– Oh non, répondit Miles en plissant les yeux. Vous ne m'aurez pas ainsi. Vous ne la garderiez pas ici ; ce serait trop évident. Un appartement quelque part… Ou une maison à la campagne…

Il observa Vaughn attentivement dans l'espoir d'apercevoir un signe de reconnaissance ou de peur, mais l'homme ne laissa paraître rien d'autre qu'une incrédulité courtoise.

— Peu importe, répondit poliment Vaughn, ma demeure est à votre disposition, tout comme mon personnel, au cas où vous voudriez l'interroger.

Son ton suggérait qu'il croyait que Miles serait fou de faire une chose pareille. Mais c'était exactement ce que Vaughn voudrait qu'il croie, raisonna Miles.

Il joua son dernier atout.

— Les mots « Tulipe noire » vous sont-ils familiers, Vaughn ?

— En tant que fleurs, dit Vaughn en secouant son journal d'un geste négligent, elles laissent à désirer. Si vous espérez reconquérir Henrietta avec des *bouquets**, vous feriez mieux de lui acheter des roses. Rouges.

Avant que Miles puisse exprimer en détail ce que Vaughn pouvait faire avec ses roses, avec la précision d'un horticulteur, le calme du petit salon fut troublé par le bruit de la chute d'un gros objet juste derrière la porte. De la porcelaine se brisa, des éperons éraflèrent le parquet, et une voix masculine s'éleva pour protester. Miles se tourna brusquement vers la porte, plein d'espoirs insensés. Henrietta pourrait avoir échappé aux sbires de Vaughn et s'être frayé un passage jusqu'au rez-de-chaussée. C'était bien sa Hen !

L'heureuse image vola en éclats lorsque la porte rebondit une fois de plus contre le mur. Un homme élancé vêtu de marron se rua à l'intérieur, suivi de la silhouette à bout de souffle d'un domestique agité.

— Monsieur ! s'exclama ce dernier en se jetant aux pieds de son employeur, la perruque de travers et le foulard détaché. J'ai essayé de l'arrêter. J'ai essayé…

— Monsieur Dorrington ? demanda l'autre homme en jouant du coude pour venir s'arrêter brusquement devant Miles.

Tout espoir que Miles eût pu nourrir quant au fait qu'il s'agisse d'Henrietta costumée fut entièrement pulvérisé. Il était difficile de discerner les traits de l'homme puisqu'ils étaient couverts d'un épais masque de poussière, mais il ne s'agissait pas d'Henrietta, et c'était tout ce qui importait à Miles.

– Oui, répondit Miles, l'air las.

Il jeta un œil à Vaughn, qui siégeait toujours de l'autre côté de la table, mais Vaughn semblait, pour une fois, tout aussi perplexe que lui-même.

– Je vous ai suivi jusqu'ici, expliqua l'homme en marron qui tentait toujours de reprendre son souffle.

Ses vêtements, à les regarder de plus près, devaient avoir été d'une autre couleur que marron, mais on aurait dit qu'ils avaient été lavés dans la boue, séchés, puis couverts de boue encore une fois.

– Je vous ai cherché toute la journée.

– Moi, répondit Miles, impassible.

– Lady Henrietta ou vous.

La mention de Lady Henrietta attira l'attention des occupants de la pièce, à l'exception du valet, qui s'était agenouillé pour examiner, d'un air affligé, les éraflures dans la marqueterie élaborée du plancher et qui émettait de petits gémissements occasionnels devant les entailles particulièrement profondes.

– Je dois vous remettre ceci.

Miles s'empara de la note, aussi sale que l'homme lui-même, que le messager lui tendit et reconnut immédiatement l'écriture. Jane n'avait pas perdu de temps à s'expliquer. Sur le petit bout de papier, il n'y avait que trois mots, que Miles lut à haute voix sans même s'en rendre compte.

– La marquise de Montval ?

Chiffonnant la note d'une de ses grandes mains, Miles la fourra dans l'une de ses poches. Il pointa Vaughn du doigt.

– Je reviendrai, l'avertit-il avant de sortir de la pièce en claquant la porte.

Vaughn, dont les fines lignes autour des yeux étaient plus prononcées qu'à l'habitude, le regarda partir, donna l'ordre à un valet de conduire le messager aux cuisines pour qu'on le nourrisse et but d'un air songeur ce qu'il lui restait de café.

Repliant son journal, Lord Vaughn fit un petit geste en direction du valet, qui se tenait silencieusement près du buffet.

– Dites à Hutchins de me rejoindre dans ma salle d'habillage. Et faites avancer mon carrosse. Sur-le-champ.

– Milord.

Le valet inclina sa tête poudrée et sortit.

– Moi, dit Vaughn en direction du vide au-dessus du buffet en serrant la ceinture de son peignoir, j'ai une assignation à honorer.

Ses lèvres s'étirèrent en un sourire sardonique.

– Avec Lady Henrietta.

Chapitre 34

Assignation : *embuscade, généralement tendue par les agents secrets ennemis.* Voir aussi *tête-à-tête** et *rendez-vous**.
— tiré du livre de codes personnel de l'Œillet rose

— Avez-vous réellement cru que je ne vous reconnaîtrais pas, Lady Henrietta ?

— Lédie Enri-éita ? s'empressa de bredouiller Henrietta avec un accent étranger qui aurait pu être italien, espagnol ou simplement un charabia ; elle n'avait pas eu le temps de réfléchir à sa soi-disant nationalité, uniquement au fait que, là d'où elle venait, ils insistaient beaucoup sur les voyelles.

— Quiii ést cétte Lédie Enri-éita ?

La marquise pinça les lèvres d'un air extrêmement exaspéré et leva brièvement les yeux au ciel.

— Votre déguisement est brillant, dit-elle d'une voix chargée de sarcasme et totalement dépourvue de la tonalité roucoulante qui caractérisait sa personnalité publique. Je vous l'accorde. Mais votre accent laisse beaucoup à désirer.

— Moi pas comprendré. Tél ést, comment dités-vous ? Ma façon dé parler.

— Ça suffit, Lady Henrietta. Ça suffit. Je n'ai pas le temps. Vous non plus, d'ailleurs, ajouta la marquise en plissant ses yeux noirs d'un air décidément hostile.

– J'ai tout mon temps, répondit Henrietta, qui laissa tomber le seau et son rôle en reculant quelque peu devant ce regard venimeux. Mais, de toute évidence, ce n'est pas votre cas. Je vais donc simplement m'en aller, d'accord ? Je ne voudrais pas vous retenir si vous êtes occupée.

La marquise n'en tint pas compte.

– Cherchiez-vous votre petit copain ? demanda-t-elle en examinant le visage d'Henrietta à la manière d'un tailleur qui évalue un rouleau de tissu.

– Mon petit copain ?

Henrietta n'eut pas besoin de feindre sa confusion. La dernière fois qu'elle avait possédé quelque chose qu'elle aurait pu appeler un petit copain, elle avait cinq ans. Le petit copain en question était un nain imaginaire appelé Tobias, qui vivait dans un arbre dans le jardin d'Uppington Hall.

Jetant un œil en direction de la fenêtre, la marquise prit une expression extrêmement satisfaite.

– Il n'est pas encore arrivé, mais il viendra. Oh, oui, il viendra.

Henrietta remarqua le décolleté plongeant, ainsi que la longue ligne de la jambe, révélée par une création qu'on pouvait à peine qualifier de robe. La marquise ne ressemblait en rien à un agent secret vindicatif de la République française. Elle avait l'air d'une femme qui attendait son amant. L'amant d'Henrietta, pour être précis.

Henrietta se rappela cette promenade dans le parc. Miles n'aurait pas… Non, se rassura-t-elle. Il n'aurait pas. Il était allé au ministère de la Guerre.

Mais si la marquise lui avait envoyé une invitation… Le scénario en entier se déroula dans la tête d'Henrietta : Miles, se sentant coupable à l'idée de susciter des attentes qu'il ne pouvait plus combler désormais (le mot « adultère » lui vint en tête – mais adultère envers qui ? Était-ce considéré comme adultère si l'une était l'épouse indésirable, et l'autre, la femme de son choix ?), avait mis la note dans sa poche et décidé de passer après son rendez-vous matinal, simplement pour s'expliquer. La marquise l'accueillerait, faisant étalage d'étoffes vaporeuses, de poitrine mise en valeur et d'onéreux parfum.

La maison de ville dégarnie n'était donc pas au centre d'un réseau d'espions, mais bien un cadre de séduction. La séduction de *son* époux.

Henrietta ne savait pas si elle devait enfouir la tête dans le seau de cendres ou viser les yeux de la marquise. La dernière option lui parut infiniment plus attrayante.

– Parlez-vous de Miles ? s'enquit Henrietta d'une voix tranchante.

– Miles ? demanda la marquise en se retournant en un tourbillon d'étoffe vaporeuse, telle une pluie torrentielle qui cherche la lande. Vous voulez dire Dorrington ?

Henrietta se renfrogna.

– Selon mon expérience, ces deux noms ont généralement tendance à aller de pair.

– Oh, ma pauvre enfant.

Henrietta aurait préféré le mépris d'une centaine de femmes à la pitié de la marquise, qui grugea son sang-froid aussi facilement que l'aurait fait de l'acide. La marquise rit avec ravissement.

– Je crois que vous êtes jalouse.

Henrietta ne répondit rien. Comment pouvait-on nier quelque chose qui était si tangiblement vrai ?

Avant qu'Henrietta ait pu tenter d'articuler une réponse digne, l'attention de la marquise fut attirée, Dieu merci, par le son des roues d'un carrosse qui grinçaient sur les pavés irréguliers de la rue tranquille. Le visage rayonnant de pur triomphe, la marquise prit une inspiration d'exultation silencieuse, qui lui gonfla la poitrine de sorte qu'elle atteignit des proportions encore plus alarmantes.

– Nous aurons tout le temps pour cela plus tard, dit-elle en attrapant Henrietta par le coude. Mais pour l'instant, vous, ma chère, êtes décidément *de trop**.

Les roues ralentirent, puis s'arrêtèrent. Quelque part de l'autre côté de la fenêtre, un cheval hennit, et une paire de pieds bottés touchèrent le sol. Henrietta ne capta que le plus infime aperçu d'un cabriolet aux couleurs vives avant que la marquise, dont les bras étaient étonnamment forts sous l'étoffe translucide, l'éloigne de la fenêtre. Henrietta croyait qu'elle serait sommairement mise à la porte, mais la marquise avait d'autres intentions. Ouvrant à la volée la porte d'un grand placard tout aussi vide que tous les autres placards de la maison, elle lui donna une forte poussée.

Surprise, Henrietta se prit les jambes au bord de la penderie poussiéreuse et tomba dedans la tête la première, se cognant douloureusement le coude par terre et s'éraflant le front sur le mur du fond. La marquise ramassa les jambes d'Henrietta et les poussa à l'intérieur avant de claquer les portes. Tandis qu'elle se débattait à quatre pattes pour se redresser dans l'espace exigu, Henrietta entendit un cliquetis qui ressemblait à un loquet qu'on fermait.

– Ce n'est pas idéal, commenta la marquise depuis l'extérieur du placard, mais ça ira pour l'instant.

Henrietta aurait choisi un terme plus fort que « pas idéal » ; son visage était coincé dans l'angle droit où le côté rejoignait le fond, et ses jambes étaient tordues derrière elle dans une position qui rappelait la queue d'une sirène. Henrietta était certaine d'une chose : les jambes n'étaient pas censées plier dans ce sens-là. Éternuant misérablement, Henrietta commença péniblement à se tortiller pour se redresser, déplaçant doucement ses jambes sur le côté.

D'un poing impérieux, la marquise frappa sur le placard.

– Silence, là-dedans !

Les yeux larmoyants, Henrietta tordit le cou pour lancer un regard noir en direction de la voix, mais elle était trop essoufflée pour rétorquer. Elle était trop occupée à éternuer.

Les mains écorchées, les ongles cassés et les cheveux ébouriffés, Henrietta réussit tant bien que mal à se redresser plus ou moins, ses jambes repliées sous elle, dans les étroits confins du placard, qui devait mesurer environ soixante centimètres de profondeur sur quatre-vingt-dix de largeur, ce qui ne laissait pas beaucoup de place pour bouger. En inclinant la tête de côté, Henrietta pouvait voir à travers un trou dans le bois de la porte (la qualité des meubles ne faisait manifestement pas partie des priorités du propriétaire d'origine). Par ce trou, Henrietta vit la marquise s'installer avec élégance sur le canapé, à la manière du fameux portrait de madame Récamier. Les fins replis de sa jupe étaient drapés avec légèreté le long de ses jambes, ce qui les mettait en évidence plus que cela les cachait. Sa tête était inclinée de manière à montrer les fines lignes de sa gorge d'une pâleur éclatante comparée à l'unique boucle de cheveux noirs qui se tortillait avec une habile lascivité jusqu'au décolleté de son corsage. Henrietta arracha son œil du trou et appuya son front douloureux contre le bois brut à l'intérieur de la porte.

À travers les murs de sa prison en pin, Henrietta entendit la porte du salon qui s'ouvrit, la voix d'un domestique qui murmura trop faiblement pour qu'elle puisse capter le nom, puis une paire de pieds bottés qui entra.

Avec un fatalisme résigné, Henrietta replaça son œil contre le trou. Malheureusement, celui-ci n'était qu'à un mètre vingt du sol environ, ce qui lui offrit une excellente vue sur la marquise lorsqu'elle s'extirpa du canapé en déployant lentement des mètres de jambes d'une manière destinée à les montrer sous leur meilleur jour. C'était, se dit Henrietta, le dos aussi raide que celui de la duchesse douairière de Dovedale, indéniablement indécent. Et puis, pourquoi ne pouvait-elle pas ressembler à cela ?

La marquise tendit une main couverte de bijoux au propriétaire de la lourde démarche d'un geste si naturellement gracieux qu'Henrietta faillit en applaudir la pure virtuosité.

Le gentilhomme qui lui rendait visite, sans doute tout aussi captivé, s'avança pour s'incliner au-dessus de la main, passant droit devant le trou d'Henrietta. Dos à Henrietta, il s'inclina au-dessus de la main de la marquise. Il s'agissait d'un dos assez large, enveloppé dans une veste aussi moulante que l'exigeait la mode. Mais ce n'était pas le dos de Miles.

Henrietta s'affaissa contre le côté du placard, submergée par un soulagement tellement éblouissant et écrasant que, pendant un instant, le fait qu'elle soit accroupie dans un meuble vide qui n'était pas le sien lui parut complètement insignifiant. Ce n'était pas Miles. Évidemment que ce n'était pas Miles. Comment avait-elle pu douter de lui ?

Mais s'il ne s'agissait pas de Miles, de qui s'agissait-il ? Et pourquoi la marquise avait-elle supposé que son mystérieux visiteur avait une quelconque importance particulière pour Henrietta ? Si Henrietta se souvenait bien, « petit copain » prenait un sens carrément plus suggestif en français qu'en anglais.

Le gentilhomme étant toujours debout, Henrietta, par son trou, ne voyait toujours qu'un torse habillé. Mais il avait eu assez de considération pour se tourner légèrement, exposant un gilet brodé décoré d'un véritable jardin de petits œillets roses. Un seul homme à Londres – ou, du moins, un seul homme à Londres qu'Henrietta connaissait – oserait porter un gilet aussi exécrablement laid et aggraver ce solécisme vestimentaire en le combinant à une veste rose œillet.

Mais qu'est-ce que Navet Fitzhugh pouvait bien avoir à faire avec la marquise ?

– Je ne puis vous dire à quel point je me réjouis de vous revoir, monsieur Fitzhugh.

La voix de la marquise avait retrouvé son roucoulement.

Le revoir ?

– Tout le plaisir est pour moi, lui assura Navet en brandissant un gros bouquet. Un immense, immense plaisir.

Une douzaine d'hypothèses loufoques se mirent à passer par la tête d'Henrietta.

Navet et la marquise étaient tous deux présents à l'auberge ; le galant inconnu (aussi connu sous le nom de la marquise) avait rôdé autour de leur table et jeté plusieurs longs regards dans leur direction. Se pourrait-il que Navet et la marquise soient amants ? Il était difficile d'imaginer la délicate marquise dans les bras de Navet, chez qui la plus grande amabilité du monde se combinait à un manque absolu tant de bon sens que de goût. Henrietta doutait que cela plaise de quelque façon que ce soit à la marquise.

D'un autre côté, Navet possédait aussi un véritable trésor de pirate en matière de guinées d'or ; la fortune des Fitzhugh était gérée par des banquiers de la Cité très responsables, et même la totalité des achats de gilets de Navet n'avait pas réussi à en entamer le capital. La marquise n'attachait peut-être pas beaucoup de valeur à l'honnêteté, mais elle chérirait, honorerait et obéirait sans doute pour cinquante mille livres par année, une maison de ville à Mayfair et trois domaines à la campagne, dont l'un d'eux possédait une collection plutôt intéressante des Madones moins connues de Raphaël.

Cela avait un certain sens. Même le commentaire au sujet du « petit copain » s'intégrait bien dans l'ensemble. En tant que camarade de classe de Richard, Navet remplissait fréquemment le devoir que lui imposait son statut de connaissance de longue date en invitant Henrietta à danser deux ou trois *quadrilles** ou en allant lui chercher de la limonade lorsque Miles était introuvable. Après les avoir vus ensemble à l'auberge, la marquise avait dû identifier Henrietta comme une rivale pour l'accès aux coffres des Fitzhugh. Cette explication correspondait très bien à la description que la douairière avait faite du caractère de la marquise et éliminait toute possibilité de lui coller une étiquette de dangereuse espionne française. Henrietta ne pouvait faire autrement que de se sentir légèrement déçue par cette dernière conclusion.

La marquise fit un signe à quelqu'un hors du champ de vision très limité d'Henrietta.

– Jean-Luc, auriez-vous l'amabilité d'aller chercher le café ?

La voix gutturale de la marquise réussissait même à charger de sens un terme aussi prosaïque que « café ».

— Je ne peux pas dire que je sois moi-même un grand amateur de café, avoua Navet en s'asseyant sur le canapé et en étirant avec aise ses longues jambes devant lui.

La marquise le rejoignit en un vaporeux tourbillon d'étoffes.

— Ma foi, monsieur Fitzhugh, j'ai l'intention de vous faire un café que vous ne pourrez pas refuser.

— Un café diablement bon, donc ? s'enquit Navet.

— Le plus fort qui soit, lui assura la marquise en posant avec légèreté une main manucurée sur sa cuisse.

Derrière la porte du placard, Henrietta leva les yeux au ciel. Tout cela devenait ridicule ! Elle était passée du sommet de l'espionnage aux tréfonds d'une *farce** française. Il était temps de rentrer à la maison et de tout confesser à Miles — ou peut-être pas tout. Les épaules d'Henrietta se seraient affaissées si elles avaient eu la place pour le faire. Il serait très difficile de justifier de violentes crises de jalousie sans révéler l'existence d'un sentiment qui pousserait sans aucun doute Miles à s'enfuir jusqu'à l'opéra le plus proche. Leur entente ne laissait aucune place à quoi que ce soit de plus fort que de l'affection et encore moins à ces trois dangereux petits mots. Soudain, rester indéfiniment dans le placard de la marquise lui apparut comme une façon très attrayante de passer le reste de l'après-midi.

Se tortillant inconfortablement sur ses jambes engourdies, Henrietta se dit qu'il n'y avait rien de tel qu'être accroupi dans des vêtements de domestiques dans un placard qui n'était pas le nôtre pour prendre conscience d'à quel point on était tombé bien bas. Elle avait l'habitude de mener une vie bien ordonnée, raisonnable. Ses amies venaient lui demander conseil. Tout le monde l'aimait bien.

Et où était-elle maintenant ? En train d'envisager de devenir un gnome de placard.

À titre expérimental, Henrietta secoua la porte du placard. Le loquet tint bon, mais, comme tout le reste dans la maison, il n'avait pas l'air terriblement solide. Elle essaya à nouveau.

— Ma foi, dit Navet en jetant un regard perplexe vers le meuble qui s'était soudain mis à trembler, je crois bien que votre *armoire** essaie de bouger.

L'espace d'un instant, la marquise laissa tomber son masque de séductrice pour le remplacer par une expression de pur agacement. Henrietta en déduisit que quand la marquise mettait quelqu'un quelque part, elle s'attendait à ce qu'il y reste. Cette pensée suffit à motiver Henrietta à secouer le loquet à nouveau.

— Ce n'est qu'un courant d'air, expliqua la marquise entre ses dents. Les vieilles maisons comme celle-ci sont pleines de courants d'air. Ils murmurent comme des rumeurs entre les murs. Et nous savons tous comment les rumeurs se répandent, n'est-ce pas, monsieur Fitzhugh ?

— Je suis moi-même l'incarnation de la discrétion, répondit Navet en s'efforçant de la rassurer. Plus muet qu'une tombe. Plus silencieux qu'un cadavre. Plus discret qu'un...

— Mais qui sait, intervint la marquise pour interrompre le flot de comparaisons de Navet, quelles peuvent être les conséquences d'un seul instant d'imprudence ?

Henrietta le savait, mais elle refusa de partager son expertise. La question de la marquise semblait plus rhétorique qu'autre chose.

— Il faut faire preuve de tant de prudence en ces jours bien, bien difficiles. Le moindre mot, la moindre erreur peuvent causer la perte de quelqu'un. Ah, merci, Jean-Luc.

Un lourd plateau en argent dont l'opulence baroque jurait avec la garniture délavée et déchirée du canapé fut posé devant la marquise. Henrietta se demanda si elle l'avait apporté clandestinement de France ; il ne s'agissait pas du genre d'objet qu'on pouvait coudre discrètement à l'intérieur de l'ourlet de sa cape.

– Café, monsieur Fitzhugh ? demanda la marquise en esquissant un geste gracieux vers le plateau. Ou alors, poursuivit-elle d'une voix ferme devenue plus dure que la lourde poignée en argent de la cafetière, devrais-je vous appeler par votre vrai nom ?

– Mère et père m'appellent Reginald, proposa Navet d'une voix hésitante avant de changer de ton. Ma foi, qu'est-ce que ça faisait dans la cafetière ?

– Je vous ai promis un café que vous ne pourriez refuser, répondit la marquise.

Sa voix n'était plus charmeuse, mais si impassiblement neutre qu'elle en était pratiquement dépourvue de toute intonation. Henrietta, qui massait une jambe engourdie pour la ramener à la vie, se replaça en face du trou.

Dans l'une de ses mains à l'ossature fine, la marquise tenait un délicat pistolet avec une crosse nacrée. Elle le braqua sur Navet.

– Et je tiens toujours mes promesses.

Henrietta referma sa bouche grande ouverte avant d'avoir une écharde sur la langue. Elle avait entendu parler de mariages célébrés sous la menace d'un pistolet, mais jamais du fait que celui-ci soit tenu par la future épouse. Des explications potentielles traversèrent l'esprit d'Henrietta. Une femme méprisée ? Peut-être la marquise, que son orgueil blessé avait rendue folle de rage lorsqu'elle avait vu Navet et Henrietta ensemble, avait-elle décidé d'imiter Médée et d'assouvir sa vengeance ? Navet était allé à l'étranger, lui aussi, et assez récemment. Il avait peut-être entretenu une liaison passionnée avec la marquise avant qu'elle rentre en Angleterre, puis l'avait larguée. Cependant, Navet n'était pas tellement du genre à larguer. Il était bien plus susceptible de se faire larguer.

Beaucoup moins troublé qu'Henrietta, Navet examina le pistolet d'un œil avisé.

– Damnée belle pièce, mais pas du tout le genre d'objet à brandir ainsi. Il pourrait faire feu, vous savez.

– C'est généralement l'objectif, répondit sèchement la marquise.

Navet eut l'air perplexe.

– La partie est terminée, monsieur Fitzhugh, poursuivit la marquise en le regardant droit dans les yeux. Je sais qui vous êtes.

– Ce serait diantrement étrange que vous ne le sachiez pas étant donné que vous m'avez invité, répliqua joyeusement Navet en jetant un œil dans la cafetière pour voir si elle ne contiendrait pas quelque liquide maintenant que le pistolet n'y était plus.

Il y avait une dernière possibilité. Une possibilité incroyablement séduisante. Mais pourquoi la Tulipe noire perdrait-elle son temps avec Navet Fitzhugh ?

Jean-Luc s'était déplacé pour se poster derrière Navet. Du moins, Henrietta supposa qu'il s'agissait de Jean-Luc. Tout ce qu'elle voyait, c'était une livrée pleine de boutons argentés et une paire de mains qu'on fléchissait vicieusement. La marquise arrêta Jean-Luc d'un mouvement infinitésimal du poignet. Henrietta glissa la main le long de la fente entre les portes en enfonçant les ongles dans le bois pour essayer de trouver un moyen de soulever le loquet. Elle ne savait pas exactement à quel point elle pourrait être utile contre un homme costaud et un pistolet amorcé, mais si elle arrivait à les distraire, même l'espace d'un instant…

S'appuyant contre le bras du canapé, la marquise haussa un sourcil d'un air admiratif.

– Vous êtes audacieux, monsieur Fitzhugh. Très audacieux.

– Jamais couard n'aura belle amie, *et cætera,* dit Navet avec un grand sourire en levant la tête et en faisant de son mieux pour paraître audacieux. Je suis fier de ce *je ne sais**… Euh…

– *Quoi** ? demanda Jean-Luc.

Navet regarda par-dessus son épaule avec admiration.

– Très bien ! C'est le bon mot ! Je ne sais pas comment il a pu m'échapper.

– Ce mot, monsieur Fitzhugh, dit la marquise entre ses dents, alors qu'elle perdait rapidement patience, n'est pas la seule chose qui vous échappera si vous ne cessez pas vos sottises.

– Je ne sais pas si j'appellerais ça des sottises, réfléchit Navet. Peut-être une folie.

– Jean-Luc, lâcha la marquise dont la patience avait atteint sa limite, apportez les chaînes, qu'on attache notre ami entêté.

– Mais je suis déjà enchaîné, chère dame ! Enchaîné par l'amour ! Pas par de véritables chaînes, bien entendu, précisa Navet sur le ton de la confidence, mais c'est ce qu'on appelle un…

– *Argh !*

Un hurlement masculin bien senti résonna à travers la pièce. Cela ne provenait pas de Navet, mais de la rue à l'extérieur.

À l'intérieur du placard, Henrietta se figea d'horreur.

— Non, pas ça, intervint Navet. Je crois que ça commence par « M ». Un matador ?

C'était la bonne lettre, mais le mauvais nom. Henrietta connaissait ce hurlement, un beuglement bien senti, composé d'agacement et d'indignation. Henrietta donna un grand coup d'épaule dans les portes. À travers les murs en bois de sa prison, elle entendait les bruits d'un combat. À bonne distance, quelque chose vola en éclats. Une suite de jurons et de fracas suivirent, la plupart des premiers en français, témoignant du fait que Miles vendait plus que chèrement sa peau. Plus près, la marquise s'était levée, le visage raidi par l'appréhension et le mécontentement. Navet se leva aussi, son large front plissé par la confusion.

— Ma foi, commença-t-il, on dirait…

Une explosion se fit entendre quelque part au loin, suivie d'un fort juron et d'un bruit sourd.

— Dorrington, termina Navet dans le silence soudain.

Henrietta se jeta désespérément contre les portes du placard. Le loquet assiégé finit par céder. Les portes s'ouvrirent à la volée, et Henrietta fut projetée la tête la première sur le tapis du salon.

— Miles ! cria-t-elle.

— Lady Henrietta ? s'exclama Navet.

— Gardes ! appela la marquise.

Étourdie par sa chute, Henrietta se tourna vivement vers la porte. Dans le couloir à l'extérieur, elle entendit une voix familière dire quelque chose d'extrêmement impoli ; au plus profond de sa poitrine, son cœur se remit au travail. Miles était vivant. Et — du verre fut fracassé contre du plâtre — il se battait toujours. Peu importe qui était tombé, ce n'était pas lui.

Mais que diable faisait-il ici ?

– Je ne savais pas que vous étiez là, Lady Hen, commenta affablement Navet. Prenez donc un peu de café.

– Oui, dit la marquise en braquant le pistolet sur Henrietta. Faites donc.

– Ma foi, fit Navet en tapant sur le bras de la marquise, je ne connais pas les coutumes en France, mais ce n'est pas convenable du tout de pointer une arme à feu sur ses invités.

La marquise l'ignora, pointant toujours le pistolet nacré sur Henrietta.

– Donnez-moi gentiment le pistolet à votre ceinture et le couteau attaché à votre mollet, lui ordonna la marquise.

Henrietta la regarda d'un air interrogateur.

– Qu'est-ce qui vous fait croire que je possède l'un ou l'autre de ces objets ?

– Tous les espions amateurs ont un pistolet à leur ceinture et un couteau attaché au mollet, répondit amèrement la marquise. C'est un ennuyeux cliché de la profession.

Tous deux étaient mentionnés dans l'utile dépliant d'Amy intitulé *Comment devenir un espion*, mais les pistolets de duel de Miles étaient à ses anciens appartements, et le personnel de Loring House la prenait déjà suffisamment pour une folle sans qu'elle entre dans la cuisine d'un pas désinvolte en demandant à voir la collection de couteaux. Il y avait bien une vieille paire de fleurets d'escrime poussiéreux accrochée au-dessus de la cheminée, dans ce qui avait peut-être autrefois servi de bureau au père de Miles, mais ce n'était pas non plus le genre d'objet qu'une fille pouvait glisser discrètement dans son corsage.

– Ah bon, fit Henrietta en espérant distraire la marquise jusqu'à ce que Miles arrive à maîtriser ses sbires dans le couloir. Mais je ne suis pas une espionne amatrice.

Elle n'en était vraiment pas une, se rassura-t-elle. Elle était plutôt agente de liaison.

– Vous commencez à m'ennuyer, Lady Henrietta.

Du genre de geste désinvolte qu'elle aurait pu utiliser pour se mettre du fard à joues ou pour feuilleter un programme à l'opéra, la marquise leva le chien pour armer son pistolet.

– Je ne crois pas que vous vouliez faire ça, dit Henrietta, qui se redressa lentement sur ses coudes en souhaitant avoir eu la prévoyance d'emporter elle-même un pistolet.

– Pourquoi pas ? demanda la marquise d'un ton on ne peut plus ennuyé.

– Parce que, hasarda Henrietta en se hissant prudemment sur ses genoux tout en essayant de se donner un air mystérieux, je vous suis plus utile vivante que morte.

– Qu'est-ce qui vous fait croire ça ? s'enquit la marquise d'une voix aussi assurée que sa prise sur son pistolet.

Dans le couloir, toutes sortes de bruits sourds et de grognements suggéraient que Miles tenait toujours les gardes de la marquise occupés. Combien de temps pourrait-il les retenir si la marquise se jetait dans la mêlée avec son pistolet ? Henrietta chassa Navet de la main d'un geste désespéré. Navet, qui interpréta mal le signal, essaya de remplir une des tasses avec la cafetière vide.

Voyant qu'elle n'obtiendrait pas d'aide de ce côté, elle fit une tentative désespérée pour retenir à la fois l'attention de la marquise et de la pointe de son pistolet.

– J'ai des informations pour lesquelles votre gouvernement paierait cher, dit très lentement Henrietta en regardant attentivement la marquise, mais le visage de celle-ci ne laissa paraître rien d'autre qu'un ennui à peine voilé.

– Ah oui ?

Le sourire de la marquise était froid, indifférent.

— Les mortes ne sont pas très bavardes, vous savez, poursuivit Henrietta, qui prenait de l'assurance.

— Mais vous, Lady Henrietta, répondit la marquise, avez déjà révélé tout ce que je voulais savoir.

— Ah oui ?

Henrietta se reporta nerveusement aux derniers jours. Elle ne pouvait pas avoir mené la marquise à Jane — n'est-ce pas ?

— En êtes-vous bien certaine ? demanda-t-elle, désespérée. Enfin, vous ne voudriez vraiment pas retourner voir vos supérieurs avec des informations possiblement incomplètes. Pensez comme ils seraient en colère si vous aviez pu en apprendre davantage. Et si vous vous trompiez ? Pensez-y. Êtes-vous certaine ? Êtes-vous bien, bien certaine ?

La marquise poussa un soupir qui indiquait l'extrême *ennui** de quelqu'un qui avait déjà entendu des prisonniers plaider pour leur vie et qui considérait cela comme un pénible corollaire de la profession qu'il avait choisie.

— Bien certaine, répondit la marquise, dont le doigt se resserra sur la gâchette.

Chapitre 35

Café, prendre le : *situation extrêmement périlleuse qui nécessite fréquemment une assistance immédiate.* Voir aussi *lait, ajout de.*
— tiré du livre de codes personnel de l'Œillet rose

– Hen !

La marquise tourna la tête vers la gauche lorsque Miles fit irruption dans la pièce, traînant quatre voyous déguisés en valets. Deux se cramponnaient à ses bras, un était accroché à ses jambes, et le quatrième tentait vainement de lui sauter sur le dos.

Miles se débarrassa de ce dernier d'un bon coup de tête, écarta de son chemin l'homme agrippé à son bras droit en tendant un bras raide dans les airs pour l'assommer par-derrière sur le mur, utilisa son bras nouvellement libéré pour donner un coup de poing dans le ventre de l'homme cramponné à son bras gauche et se défit de celui accroché à ses jambes d'un coup de pied bien placé à la tête.

Quatre Français gémissants massaient diverses parties de leur anatomie lorsque Miles se rua vers Henrietta, n'ayant d'yeux pour personne d'autre.

— Bon sang, Hen, ça va ?

La marquise reprit ses esprits avant ses laquais. D'un mouvement fluide, elle ramassa Henrietta par terre, la tira de dos contre elle et appuya la pointe de son pistolet sur sa tempe.

– Pas si vite, Monsieur Dorrington.

Miles s'arrêta en dérapant et faillit perdre l'équilibre dans sa hâte. Il s'aperçut qu'il avait omis un léger détail : l'arme que la marquise braquait actuellement sur Henrietta. Fichtre.

Tandis que la marquise reculait d'un pas, entraînant Henrietta avec elle, ses yeux noirs passèrent de Miles à Navet, puis revinrent à Miles.

– Gentilshommes, que personne ne bouge. Si vous le faites, la charmante Lady Henrietta ne sera plus tout à fait aussi charmante. Ai-je été suffisamment claire ?

– Absolument, répondit laconiquement Miles, qui se tenait parfaitement immobile.

Le visage d'Henrietta était sali de poussière, et il voyait quelque chose qui ressemblait à une mauvaise égratignure sur l'une de ses joues, mais elle ne semblait avoir ni trous de balle, ni plaies ouvertes, ni aucune autre blessure grave où que ce soit. Jusqu'à présent. Miles regarda la marquise en face.

– Que voulez-vous ?

Pour gagner du temps, la marquise inclina sa tête noire.

– Monsieur Dorrington, vous n'êtes pas en position de négocier.

– Laissez-la partir, et nous vous aiderons à quitter le pays saine et sauve, s'avança Miles, refusant de penser à ce que ses supérieurs du ministère de la Guerre diraient d'une telle offre.

Il s'efforça de maintenir une posture décontractée, mais ses yeux étaient attentifs tandis qu'il scrutait la marquise à la recherche du moindre signe d'hésitation. Si sa main tremblait, ne serait-ce qu'une seconde…

Henrietta le regarda en secouant la tête, ce qui incita la marquise à raffermir sa prise sur la gâchette.

Inquiet, Miles se figea.

– Ne bouge pas, Hen, supplia-t-il. Ne bouge surtout pas.

Il se retourna vers la marquise.

– Alors ?

– Qu'êtes-vous prêt à faire pour la récupérer indemne ?

– Miles, non ! s'écria Henrietta. Tu ne peux pas la laisser s'échapper. Moi, je suis…

Sa voix faiblit, mais elle poursuivit d'un ton résolu, relevant le menton avec entêtement.

– … superflue.

– Pas à mes yeux, répondit sèchement Miles.

– Comme c'est mignon, dit la marquise d'un ton qui indiquait qu'elle pensait tout le contraire. Avez-vous terminé ?

La marquise appuya le canon du pistolet plus fermement contre la joue d'Henrietta, qui couina. Miles se crispa.

– Continuez, poursuivit la marquise avec sarcasme. Ne me laissez pas interrompre votre petit intermède. Après tout, c'est peut-être le dernier.

– Ça sent le roussi, marmonna Navet. Ça sent bigrement le roussi.

Henrietta lui lança un regard exaspéré, ce qui lui valut de se cogner le nez sur le pistolet.

– *Maintenant*, tu trouves que ça sent le roussi ?

— Je resterais tranquille, si j'étais vous, Lady Henrietta, l'avertit la marquise. Et si vous croyez qu'un plaidoyer pour le grand amour — prononcés par la marquise, ces mots furent relégués à un degré inférieur au mythe — peut me convaincre de montrer de la compassion, vous faites une grave erreur.

— Non pas de la compassion, s'empressa d'interpoler Miles, mais du bon sens. Comme vous pouvez le constater, Henrietta et moi avons autre chose à faire, et Navet ne constitue un danger pour personne sauf ses chevaux. Nous fermerons les yeux et compterons jusqu'à dix ; ainsi, vous pourrez simplement partir.

— Pas sans ce que je suis venue chercher.

La marquise regarda Navet Fitzhugh avec insistance.

Tous les autres firent de même.

Navet tritura le coin de son foulard d'un air embarrassé.

— Je suis flatté, pour sûr.

— Vous pouvez cesser votre petit numéro maintenant, monsieur Fitzhugh, dit la marquise en enfonçant cruellement ses doigts dans la chair du bras gauche d'Henrietta. J'attends ce moment depuis si longtemps.

— Ça ne peut pas faire si longtemps, intervint Navet. Je ne vous connais que depuis une quinzaine de jours.

— Peut-être, commenta la marquise. Mais je vous connais depuis beaucoup plus longtemps, monsieur Fitzhugh. Ou devrais-je dire… l'Œillet rose ?

— Oh, vous ne devriez pas, marmonna Miles. Vous ne devriez vraiment pas.

Henrietta lui jeta un regard noir féroce, ou du moins, aussi féroce que le lui permettait le pistolet enfoncé dans sa joue. Miles hocha légèrement la tête pour montrer qu'il avait compris. Si la marquise croyait que Navet était l'Œillet rose, il était plus sûr de le lui laisser croire pour l'instant. Navet était assez obstinément obtus pour confondre même les espions les plus accomplis. Les yeux toujours rivés à ceux d'Henrietta, Miles inclina légèrement la tête sur le côté. Henrietta plissa les yeux pour indiquer l'incompréhension. Miles inspira profondément. En essayant de ne pas regarder le canon meurtrier qui creusait le visage d'Henrietta, il laissa ses yeux dévier sur le côté, sa tête s'incliner et ses épaules s'affaisser. Il releva la tête et regarda anxieusement Henrietta pour lui demander silencieusement si elle avait compris. Les yeux d'Henrietta s'arrondirent sous l'effet de la compréhension ; c'était la seule assurance dont il avait besoin. Il porta un doigt à son nez pour lui indiquer de garder le silence. Henrietta pressa les lèvres dans une expression qui disait, aussi clairement que des mots, « je sais, je sais ». Miles sentit ses propres lèvres s'étirer malgré lui en un sourire en coin.

Concentrée sur sa prise, la marquise rata tout l'échange. Les contractions musculaires qui remplaçaient la cogitation dans la famille Fitzhugh déformèrent le visage de Navet. Après un long moment de réflexion rigoureuse, son front plissé se lissa, et son visage s'illumina sous l'effet de la compréhension.

– Vous croyez que je suis… Oh, ma foi ! C'*est* diablement flatteur. J'aimerais que ce soit vrai, mais je n'ai pas le cerveau nécessaire, voyez-vous. Seulement les gilets.

Navet montra ses vêtements brodés de fleurs en levant les yeux vers la marquise à la manière d'un chien qui vient d'aller chercher un os particulièrement charmant pour faire plaisir à son maître.

Son enthousiasme retomba quelque peu devant l'absence de réponse amusée. Prêt à tout pour plaire, Navet essaya encore.

— Voyez ? fit-il en gesticulant devant son torse. Les gilets ?

La marquise ne voyait pas. Mais Miles vit sa chance. Distraite par Navet, la marquise avait relâché sa prise sur Henrietta ; ses doigts plissaient à peine l'étoffe de sa manche, et son pistolet était suspendu dans les airs à quelques centimètres de son visage. Un meilleur moment pourrait survenir, mais ils ne pouvaient pas compter là-dessus.

Miles inclina vivement la tête vers Henrietta. Elle se mordit les lèvres et hocha imperceptiblement la tête.

Fermant brièvement les yeux, Henrietta se jeta brusquement sur le côté à l'instant où Miles sauta sur la marquise. Le poids d'Henrietta fit perdre l'équilibre à la marquise, qui chancela violemment tandis qu'Henrietta plongeait vers le sol. Miles attrapa le bras avec lequel la marquise tenait son arme et le leva brusquement vers le haut. Le pistolet fit feu, et le coup fit tomber des éclats de plâtre du plafond. D'instinct, Henrietta esquiva un gros morceau de plâtre qui tombait en roulant hors de portée.

— Vous n'aurez plus besoin de ça, haleta Miles en tordant le poignet de la marquise tandis qu'il se battait avec elle pour s'emparer du pistolet.

Trop essoufflée pour parler, la marquise se contenta de grogner. Un hoquet de douleur lui glissa par mégarde entre les lèvres lorsque Miles augmenta la pression. Au fond de la pièce, les laquais de la marquise reprenaient vie, chancelant et trébuchant pour accourir d'un pas pesant à la rescousse de leur maîtresse. L'arme déchargée tomba de la main de la marquise dans celle de Miles.

Il se retourna pour lancer le pistolet à Navet.

– Tiens ça ! lui dit-il en se préparant à affronter les sbires de la marquise, dont les visages meurtris ne cadraient pas avec leurs perruques blanches formelles et dont les livrées étaient déchirées et tachées des suites de la bagarre précédente.

Attrapant l'arme, Navet la regarda avec perplexité pendant un instant, comme s'il ne savait pas très bien quoi en faire, puis se tourna et la lança à Jean-Luc au moment même où Miles repoussait le premier de ses assaillants d'un bon coup de poing à la mâchoire.

– L'idée, c'est de ne *pas* donner d'armes à l'autre équipe ! s'exclama Miles, exaspéré, en frappant un autre assaillant de son poing gauche.

– Oh, oui.

Navet secoua la tête d'un air d'autodénigrement avant de s'avancer vers Jean-Luc, qui réagit en grommelant quelque chose de très offensant en français tout en mettant une balle dans le pistolet.

– Ma foi, voulez-vous bien me rendre ça ? Je n'étais pas censé vous le donner.

Miles grommela quelque chose de tout aussi offensant en anglais, puis se jeta sur Jean-Luc. Derrière lui, la marquise leva la main et retira l'une de ses épingles à cheveux scintillantes, dévoilant une fine lame mortelle. Ses cheveux noirs brillants tombèrent derrière elle tandis qu'elle visait le dos de Miles avec le stylet.

– Oh non, pas question !

Henrietta se jeta sur le dos de la marquise pour saisir le bras qui tenait le stylet, mais fut forcée de reculer en chancelant lorsque la marquise lui donna adroitement un coup de coude à l'abdomen. Haletante, Henrietta recula en titubant, à demi accroupie, lorsque la marquise se tourna brusquement vers elle en un bruissement d'étoffe vaporeuse, brandissant le stylet à la manière d'une épée.

La marquise avança vers Henrietta, la lame à la main. Tenant ses jupes d'une main tremblante, Henrietta fit un pas équivalent en arrière, reculant à l'aveuglette.

La marquise plissa les yeux, concentrée sur Henrietta tel un serpent sur la souris qu'il a choisie.

– Vous avez, ma chère, fait votre temps. Exactement comme votre amie de la boutique de rubans.

– Mon amie de la boutique de rubans ? demanda Henrietta, qui refusait de se laisser distraire de la lame étincelante dans la main de la marquise tandis qu'elle se frayait soigneusement un chemin à reculons.

– Voulez-vous savoir ce que je lui ai fait ?

– Non, intervint Miles en donnant un rapide coup de pied de côté au pistolet tombé par terre pour l'envoyer ricocher à l'autre bout du plancher dépourvu de tapis.

Jean-Luc et Navet plongèrent tous deux vers lui tels deux chiens courant après le même os.

– Elle ne veut pas, termina Miles.

Il porta un vif coup à la mâchoire de l'un de ses assaillants avant d'esquiver le coup de poing d'un autre.

– Votre amie refusait de parler au début, elle aussi, roucoula la marquise, mais je l'ai convaincue. Comme ceci.

Attaquant avec le stylet, elle entailla douloureusement la main d'Henrietta, qui en eut le souffle coupé.

Miles se tourna instinctivement vers Henrietta, et le coup de poing suivant rata sa cible. Avec un grognement d'agacement, il disparut sous quatre Français qui s'agitaient dans tous les sens.

— Que lui avez-vous fait ? s'enquit Henrietta.

— Elle m'a raconté des choses très intéressantes à votre sujet, Lady Henrietta, dit la marquise en frappant à nouveau, mais cette fois Henrietta était prête, et elle s'écarta à temps pour éviter la fine pointe.

Le premier coup se voulait un avertissement ; le deuxième visait directement le cœur. N'eût été le fait que toutes ses énergies étaient rigoureusement concentrées ailleurs, Henrietta aurait tressailli.

— Ah oui ?

La marquise paraissait moins dangereuse lorsqu'elle parlait que lorsqu'elle était silencieuse, puisqu'une partie de ses énergies était ainsi détournée de sa proie. Si seulement elle pouvait s'approcher suffisamment pour faire trébucher la marquise sans s'exposer à la lame meurtrière ! Henrietta se faufila derrière une table basse, mais la marquise, que ses étoffes n'entravaient pas davantage que la vapeur à laquelle elles ressemblaient, la contourna avec grâce.

— Elle m'a raconté — la marquise forçait inexorablement Henrietta à reculer, mais celle-ci n'osait pas quitter des yeux la lame dans ses mains assez longtemps pour regarder vers où elle était poussée — que vous étiez en contact avec l'Œillet rose. Tout ce que j'ai eu à faire — la marquise fit un accroc dans le corsage emprunté d'Henrietta, mais l'épais tissu empêcha l'intrusion aussi efficacement qu'une cotte de mailles —, ç'a été de vous suivre.

— Pas assez loin, marmonna Henrietta à l'instant où son pied heurta quelque chose, ce qui la fit chanceler vers l'arrière juste à temps pour éviter un autre coup au cœur.

Elle perdit l'équilibre et s'écrasa de dos contre le mur, sonnée.

– Tellement maladroite, commenta la marquise en claquant la langue tout en s'approchant pour porter le coup fatal.

Le meilleur escrimeur craint le pire, se rappela Henrietta en se laissant glisser le long du mur tandis que la marquise plantait son arme dans le vieux papier peint à l'endroit où Henrietta était appuyée un instant plus tôt. La lame plia sous la force de l'impact.

Henrietta s'enfuit à quatre pattes et contourna les jambes de la marquise pendant que celle-ci se débarrassait de la lame tordue et levait le bras d'un rapide mouvement vicieux pour en tirer une autre de la masse noire de ses cheveux. Une autre mèche se défit et ondula dans le dos de la marquise tel un serpent qui se glisse hors de son panier.

Henrietta entendait les bruits sourds et les grognements caractéristiques des hommes au cœur d'une bataille comme s'ils lui parvenaient de très loin. L'aide ne viendrait pas de ce côté-là.

– Hen, cria Miles, dont la tête blonde apparut temporairement au-dessus de la mêlée de corps. Ça – *vlan !* – va ?

Lorsque la marquise porta un coup vers le bas, Henrietta roula et recracha les cheveux qu'elle avait dans la bouche en se laissant tomber sur le côté. À travers le rideau de cheveux châtains, elle vit la lame fondre sur elle une fois de plus et se propulsa désespérément dans la direction opposée, roulant sur elle-même une, deux, puis trois fois, jusqu'à ce que son mouvement soit arrêté par le bruit discordant de sa hanche qui heurta violemment quelque chose de dur et d'instable. L'objet vacilla légèrement avant de s'arrêter, tandis que les cendres bougeaient et se tassaient.

Elle s'était empêtrée dans son propre maudit déguisement. La prochaine fois, s'il y avait une prochaine fois, elle ferait fichtrement mieux de se déguiser en duelliste. Un pantalon, une épée et des pistolets. Ni seau ni pelle en métal fichtrement peu pratiques dans les jambes et qui ne-servaient-qu'à-aider-l'ennemi, se dit Henrietta, hystérique, tandis que la marquise et son nouveau stylet encore plus pointu, si cela était possible, fondaient sur elle en décrivant un arc meurtrier.

Une pelle. Ce n'était pas un pistolet, ni même une épée, mais c'était *là*, ce qui comptait beaucoup plus.

Henrietta sortit la pelle du seau et bascula en arrière sous la force du mouvement, et elle la balança violemment vers le haut, ce qui écarta la lame de la marquise ; le lourd outil en fer projeta la fine lame argentée dans les airs. Depuis le tas informe d'hommes à l'autre bout de la pièce lui parvint un hurlement de douleur stupéfait ainsi qu'un juron vraiment très grossier en français.

– Désolée, cria-t-elle par réflexe.

– Vous, Lady Henrietta, annonça la marquise à bout de souffle d'un air décidément contrarié, vous avérez problématique.

– J'essaie, répondit Henrietta d'une voix rauque en tentant de reculer et de se relever en même temps, un plan d'action dans lequel le désespoir compensait le manque de coordination.

Au-dessus d'elle, la marquise tendit la main vers ses cheveux d'un mouvement exercé pour en sortir encore un autre instrument de destruction surmonté d'un diamant.

Henrietta se demanda désespérément combien elle en avait. Sa mémoire évoqua une image de la *coiffure** élaborée de la marquise truffée d'épingles surmontées de diamants. Si chaque épingle cachait un stylet... Elle pourrait épingler Henrietta au mur comme un papillon sur la table de travail d'un entomologiste, et il lui en resterait suffisamment pour orner sa *coiffure**.

À moins qu'elle réussisse à s'approcher suffisamment de la marquise pour la frapper à la tête avec la pelle, l'assaut meurtrier continuerait sans relâche. Elle avait besoin de quelque chose d'autre ; quelque chose qui mettrait la marquise hors service assez longtemps pour qu'elle ait le temps de faire quelque chose de terriblement courageux, comme courir jusqu'à l'autre bout de la pièce pour se cacher derrière Miles.

— Parbleu ! cria joyeusement Navet depuis l'autre bout de la pièce. Je l'ai finalement eu !

La marquise tourna vivement la tête de côté. Son visage fut déformé par l'agacement lorsqu'elle vit l'amas d'hommes qui échangeaient des coups de poing avec Miles, tandis que Navet était assis d'un air triomphant sur Jean-Luc et agitait dans les airs le pistolet récupéré.

— Idiots ! hurla la marquise d'une voix qui aurait pu faire éclater le verre en levant les bras dans les airs d'un geste qui rappelait la fée Morgane lorsqu'elle invoquait les démons. Attrapez l'Œillet rose !

Deux des assaillants de Miles changèrent brusquement de cap pour se ruer sur Navet. Paraissant effrayé, ce dernier plongea au sol pour essayer de ramper sous le canapé, qui fut remué et secoué de façon inquiétante. Miles, laissé avec deux assaillants seulement, régla le problème en frappant leurs deux têtes l'une contre l'autre, ce qui produisit un craquement réellement déplaisant.

Cet instant d'hésitation était tout ce dont Henrietta avait besoin.

D'une force née du désespoir, Henrietta ramassa le seau de cendres et en projeta le contenu directement au visage de la marquise. Du moins, c'est ce qu'elle avait l'intention de faire. Parce qu'elle chancela sous le poids du lourd seau, Henrietta ne maîtrisa pas du tout son lancer. Propulsé par son propre poids, le seau lui fut arraché des mains. Au lieu que les cendres volent vers le haut dans les yeux de la marquise, le seau percuta son abdomen élégamment vêtu. Lâchant un *oufff!* satisfaisant, la marquise tomba à la renverse. Miles, qui s'était occupé de ses propres assaillants, traversa la pièce d'un bond, recula d'un pas chancelant et attrapa la marquise avant qu'elle heurte le sol.

— Je l'ai! s'exclama-t-il, triomphant, en tordant les bras de la marquise derrière son dos.

Secouant la tête pour écarter une mèche de cheveux blonds et souples qui lui tombait devant les yeux, Miles regarda Henrietta par-dessus la tête de la marquise (une sage décision, puisqu'il aurait vu, s'il avait décidé de le regarder, le visage de la marquise déformé en un masque de pure rage digne de Méduse).

Il avait le visage maculé de sang séché, dont la majeure partie était le sien, un de ses yeux était déjà dangereusement enflé, et une longue balafre lui traversait la joue. Henrietta le trouva magnifique.

Leurs regards se croisèrent au-dessus de la silhouette de la marquise, qui crachait et donnait des coups de pieds.

— Navré d'avoir mis si longtemps, dit Miles, dont l'expression démentait la banalité de ses paroles.

— Disons qu'avec quatre hommes, c'est compréhensible, répondit Henrietta pratiquement sur le même ton, mais elle avait les joues en feu et les yeux brillants.

La marquise se renfrogna et tenta de donner un coup de pied dans le tibia de Miles. Miles fit instinctivement un pas de côté et répondit en marchant rapidement sur le pied de la marquise sans jamais quitter Henrietta des yeux.

– Je voulais te sauver, dit-il doucement.

– Tu l'as fait, le rassura Henrietta.

Elle réfléchit, puis ses lèvres s'étirèrent en un sourire.

– Tu as simplement mis beaucoup de temps.

La marquise s'affaissa.

Redressant la marquise en la tirant par le bras, Miles se délecta de la vision d'Henrietta, laissant son regard errer sur chaque mèche de cheveux emmêlés, chaque éraflure et chaque contusion.

– Quand je suis rentré, j'ai mis la maison sens dessus dessous, mais tu n'étais pas là.

La marquise leva les yeux au ciel.

– Si j'avais voulu entendre des balivernes romantiques, je serais allée sur Drury Lane, cracha-t-elle.

Henrietta lui lança un regard désapprobateur.

– Personne ne vous a demandé votre avis, dit-elle avant de se retourner vers Miles et de lever des yeux avides sur son visage meurtri. Continue. Étais-tu inquiet ?

Henrietta savait qu'il était insignifiant et immature de quêter des miettes d'affection, mais elle avait dépassé le stade où elle s'en souciait.

– J'étais dans tous mes états, avoua Miles.

Henrietta sourit de toutes ses dents.

– Ne te fais pas d'idées, l'avertit Miles. Si je dois vivre un autre après-midi comme celui-ci, je t'enferme dans une tour jusqu'à la fin de tes jours.

– La partageras-tu avec moi ? demanda doucement Henrietta en essayant de ne pas laisser paraître que chaque fibre de son être était concentrée dans ces mots d'apparence banale.

Les lèvres tuméfiées de Miles s'étirèrent en un sourire prétentieux qui rouvrit la coupure de celle qui était fendue. Miles ne sembla pas s'en rendre compte. Il était justement sur le point d'ouvrir la bouche pour répondre lorsqu'une plainte résonna d'une voix forte depuis l'autre bout de la pièce.

— Ma foi ! cria Navet. Navré de vous interrompre, mais j'ai quelques ennuis par ici.

Avec une expression fortement agacée, Miles se tut et se tourna pour évaluer les dégâts.

Henrietta fit de même, envisageant un « naveticide ». Zut, zut, zut. Qu'allait dire Miles ? Peut-être allait-il passer complètement à côté de l'essentiel. Peut-être était-il sur le point de faire un commentaire sarcastique au sujet de princesses emprisonnées, de son incapacité à partager ou de n'importe quoi d'autre. Ou pas. Il était très difficile d'interpréter l'expression de quelqu'un qui avait un œil enflé et une lèvre d'où gouttait le sang à l'instar de celle d'un vampire avec un problème de consommation.

À l'autre bout de la pièce, Jean-Luc, à côté de qui reposait une cafetière en argent cabossée, était étendu de tout son long sur le tapis. Jean-Luc avait peut-être la tête dure, mais le vieil argent l'était davantage. Les deux valets dont Miles avait frappé les têtes l'une contre l'autre étaient aussi allongés au sol. L'un d'eux remua faiblement, ouvrit un œil, vit Miles et s'empressa de retomber dans les pommes, une réaction qu'Henrietta trouva tout à fait sensée vu les circonstances.

Parmi les deux qui restaient, l'un était appuyé contre le mur et tenait son bras à un drôle d'angle en émettant d'occasionnels grognements. Le dernier voyou tenait Navet coincé sous le canapé, où il faisait des tentatives d'incursion avec un tisonnier tel un chat qui joue avec une souris.

Les regards d'Henrietta et de Miles se croisèrent, et ils éclatèrent tous deux de rire.

— Dites donc, leur parvint la voix mécontente de Navet sous le canapé, ce n'est pas marrant !

Henrietta rit encore plus fort en se tenant les côtes, alors que toute la tension accumulée au cours de cette longue et affreuse journée déferlait en vagues successives de rire irrépressible.

— Doucement, ma vieille, dit Miles, mais d'une voix si chaleureuse que le rire d'Henrietta se coinça dans sa gorge. Passe-moi un bout de corde pour l'attacher, tu veux ?

Henrietta essuya ses yeux larmoyants, puis défit l'une des cordes à pompons qui retenaient les rideaux usés. Le rideau tomba, ce qui plongea la pièce dans la pénombre.

— Ça ira ? demanda-t-elle.

— Ce sera parfait, répondit Miles.

— Pfff, fit la marquise.

— Eh bien, eh bien, dit une voix complètement différente.

Une nouvelle ombre obscurcissait le seuil de la porte du salon. Miles pivota vers l'entrée, la marquise toujours immobilisée dans ses bras. Henrietta se figea avec la corde qui pendait toujours dans sa main.

Une paire de bottes noires étincelantes franchirent le seuil. Le nouveau venu portait une redingote en brocart noir strié d'argent. Un brillant monocle, dont la monture avait la forme d'un serpent qui avalait sa propre queue, pendait juste au-dessous des plis de son foulard immaculé. Il tenait d'une main son chapeau et ses gants, de l'air désinvolte du gentilhomme en visite matinale. Une épée se balançait allègrement sur son flanc.

Il porta une main élégante à l'épée sur sa hanche, de l'air de quelqu'un qui savait s'en servir. La lumière se réfléchit sur les bagues qui ornaient sa main lorsque ses doigts se refermèrent sur la garde argentée.

– S'agit-il d'une fête privée ou puis-je me joindre à vous ? demanda Lord Vaughn d'une voix traînante.

Chapitre 36

Deus ex machina : 1) *interférence d'un intrus dont les intentions sont indéterminées* ; 2) *procédé narratif douteux*. Note : Les deux sont à éviter.

– tiré du livre de codes personnel de l'Œillet rose

– Sebastian, dit la marquise d'un ton neutre, tellement neutre qu'Henrietta n'arrivait pas à déterminer si elle était heureuse, inquiète ou même le moindrement surprise.

Le fait que la marquise appelle Lord Vaughn par son prénom n'augurait rien de bon. La marquise n'avait jamais avoué clairement qu'elle était la Tulipe noire. Et si elle n'était qu'une lieutenante, une commandante en second qui agissait sous les ordres de quelqu'un de bien plus meurtrier et fourbe ?

La réaction de Miles fut nettement moins ambiguë.

– Vaughn, dit-il entre ses dents en resserrant son emprise sur la marquise, qui faisait preuve d'une tendance inquiétante à vouloir utiliser la distraction comme excuse pour s'échapper. Que diable faites-vous ici ?

– J'ai succombé à un élan chevaleresque. À ce que je vois, ce n'était pas la peine, répondit Vaughn en balayant paresseusement du regard les agents secrets français assommés, le canapé qui tremblait, ainsi que la marquise, dont les bras étaient immobilisés par Miles.

Miles n'était pas d'humeur pour les circonlocutions.

— De quel côté êtes-vous ? demanda-t-il franchement.

Vaughn sortit une tabatière en émail de sa poche et en ouvrit le couvercle. D'un geste élégant, il laissa tomber une pincée de tabac à priser sur sa manche et la renifla délicatement.

— Je dois avouer que je me le demande moi-même parfois.

— Du sien, répondit la marquise en essayant de libérer ses poignets de l'emprise de Miles. N'est-ce pas, Sebastian ?

— Pas cette fois-ci, répondit Lord Vaughn en examinant paresseusement la pièce. En vieillissant, je me vois inexplicablement enclin à l'altruisme.

— Cet altruisme se porte-t-il envers les Français ? s'enquit Henrietta, qui rôdait à côté de Miles d'un air protecteur.

Vaughn parut déconcerté.

— Mais où donc avez-vous pris cette idée absurde ?

— Des rencontres secrètes…, intervint Miles, qui tenait les deux poignets de la marquise d'une main et s'empressait, de l'autre, d'enrouler la corde autour.

Si Vaughn avait l'intention d'utiliser son épée dans un but pernicieux, Miles voulait que la marquise soit bien ligotée. L'idée qu'elle se dresse au-dessus d'Henrietta avec un stylet prêt à frapper provoquait une remontée de bile noire qui bouillonnait dans sa poitrine comme le contenu du chaudron d'une sorcière.

La marquise tressaillit lorsque Miles serra le nœud avec plus de force que nécessaire.

— … de mystérieux documents. Des conversations clandestines. Et — Miles tira une fois de plus sur la corde — et votre lien évident avec *elle*, termina-t-il en indiquant la marquise d'un petit signe de tête.

Se levant sans même quitter Vaughn des yeux, Miles se déplaça pour se poster d'un air protecteur devant Henrietta.

Elle le contourna immédiatement.

— Qui est cette « elle » que vous cherchiez ? demanda Henrietta en regardant l'épée de Vaughn avec méfiance. Et pourquoi avez-vous menti sur le fait d'être allé à Paris ?

— Ça, répondit Vaughn, ça ne regarde personne d'autre que moi, pas même vous.

Henrietta ne savait pas très bien que faire de ce « même ». Miles le savait. Il redressa les épaules d'une manière qui n'augurait rien de bon pour l'attachement de Vaughn à sa vie privée.

— Pas quand la sécurité du royaume est en cause.

— Je vous assure, monsieur Dorrington, répliqua Vaughn d'une voix traînante conçue pour exaspérer, qu'il n'est absolument pas question du royaume.

— Dans ce cas, de quoi est-il question ? s'enquit sèchement Miles.

— De mon épouse.

— De votre épouse ? répéta Henrietta.

Les lèvres de Vaughn s'étirèrent en un semblant de sourire.

— J'admets qu'après toutes ces années, les mots ne dansent pas avec légèreté sur ma langue. Oui, de mon épouse.

— De votre défunte épouse ? demanda Miles d'un ton lourd de sarcasme.

— De son épouse pas tout à fait défunte, intervint la marquise, un léger sourire sur les lèvres.

Vaughn se tourna brusquement pour baisser les yeux vers elle.

— Vous saviez ?

— Ç'a été porté à mon attention, répliqua calmement la marquise.

— Quelqu'un voudrait-il m'expliquer ? grommela Miles. Pas vous, ajouta-t-il lorsque la marquise ouvrit la bouche.

— C'est très simple, en fait, répondit platement Vaughn d'un ton qui laissait croire que c'était tout le contraire. Il y a dix ans, mon épouse a… décidé de partir. Les détails n'ont aucune importance. Disons simplement qu'elle est partie, et ce, de telle sorte que l'histoire de la maladie était le meilleur moyen d'éviter le scandale.

— Vous saviez donc qu'elle était vivante ? hasarda Henrietta.

— Non. Le carrosse dans lequel elle est partie a malencontreusement rencontré une falaise. J'ai supposé qu'elle était dedans. J'ai nourri cette joyeuse méprise jusqu'à l'arrivée, il y a trois mois, de la première d'une série de lettres qui m'avisaient du fait qu'elle était toujours vivante et me fournissaient, à titre de preuve, une partie de sa correspondance.

— Ah ! fit Miles.

Il avait toujours cette note quelque part, très probablement dans la poche de son gilet avec le nom du tailleur de Navet.

— Ah ? fit Henrietta en le regardant d'un air perplexe.

— Plus tard, marmonna Miles.

Vaughn, en revanche, avait tiré ses propres conclusions au sujet des lettres disparues et des pièces fouillées.

— Êtes-vous le voyou qui a attaqué mon pauvre *valet** ? Hutchins boite depuis deux semaines, dit Vaughn en montrant d'un geste indolent de son monocle l'un des plis parfaitement amidonnés de son foulard. Ç'a beaucoup affecté sa manière de traiter mes vêtements. Un tempérament nerveux, vous comprenez.

— Au moins, je ne l'ai pas fait poignarder, votre *valet**, lança Miles avec un regard noir.

— Poignarder ? demanda Vaughn en haussant les sourcils.

— Ne faites pas comme si vous ne le saviez pas.

— Il dit vrai, intervint la marquise, qui essayait de défaire les liens à ses poignets.

— Votre crédibilité n'est pas tout à fait à son meilleur en ce moment, l'informa Miles en se penchant pour faire un troisième nœud dans la corde, juste au cas où.

La marquise redressa le dos et le regarda de haut, ce qui n'est pas facile lorsqu'on est étendue au sol et ligotée avec l'embrasse d'un rideau.

— La République embaucherait-elle quelqu'un d'aussi tordu ?

— De ce que j'ai pu constater, dit Henrietta en retirant un stylet dissimulé dans les cheveux de la marquise et en le regardant, ainsi que sa propriétaire, avec dégoût, oui.

— Je ne saurais vous dire à quel point je suis flatté par l'universelle haute estime dont je jouis, commenta Vaughn. Rappelez-le-moi la prochaine fois que j'envisagerai de me comporter en chevalier errant.

Henrietta rougit d'un air coupable.

— Je suis désolée.

— Pas moi, rétorqua Miles. Madame Fiorila ?

— Une vieille amie, sans plus. Elle a été assez aimable pour m'offrir son aide dans les recherches de mon épouse dévoyée. Mon *valet** ?

Miles eut l'élégance d'avoir l'air penaud.

— Une erreur de ma part. Une dernière question : pourquoi tout cet intérêt pour Henrietta ?

Vaughn s'inclina légèrement en direction d'Henrietta, qui extrayait des instruments de destruction de la coiffure de la marquise. Une petite pile s'était accumulée à côté d'elle, à bonne distance de leur propriétaire.

— Vous mieux que quiconque, monsieur Dorrington, devriez être en mesure d'en saisir la raison.

— C'est vrai, bredouilla Miles.

Fichtre. Il préférait quand il croyait que Vaughn était un espion. Mais Henrietta n'aurait pas été intéressée par un dépravé affaibli. N'est-ce pas ? Les femmes avaient tendance à être attirées par le genre sombre et sardonique… Il n'y avait qu'à regarder tous ces romans d'amour qu'Henrietta échangeait constamment avec Charlotte. Cette pensée suffit à glacer le sang de Miles davantage que l'eau de la Tamise en janvier. Il jeta un œil à Henrietta, mais le rouge qui lui monta aux joues lorsqu'elle croisa sans ciller le regard de Vaughn ne fit rien pour dissiper ses craintes ni le mettre de meilleure humeur.

La marquise émit un rire rauque avec autant d'aspérité que du papier abrasif.

— Alors ça explique tout ! Je me demandais ce qui pouvait bien vous inciter à interférer aussi tardivement dans mes affaires, Sebastian. Jamais je n'aurais cru que ce soit quelque chose de si…

D'un regard moqueur, elle jeta un rapide coup d'œil au visage sale et aux cheveux en bataille d'Henrietta.

— … trivial.

Vaughn la considéra d'un air à la fois sombre et amusé.

— Vous avez toujours été aussi sensible qu'un rhinocéros, n'est-ce pas, Theresa ?

— Il fut un temps où vous pensiez autrement.

— Il fut un temps, rétorqua Vaughn en agitant son mouchoir avec dédain, où j'avais très peu de goût.

Le contour des lèvres de la marquise pâlit.

Henrietta avait l'impression d'être arrivée en retard au théâtre et d'être entrée au troisième acte.

— Pardonnez-moi si je vous interromps, dit-elle d'un ton sec qu'elle croyait éminemment pardonnable, mais de quoi parlez-vous ?

— Theresa — de la manière dont Vaughn prononça son nom d'une voix traînante, en étirant la voyelle du milieu, cela sonnait comme une insulte — vous a-t-elle parlé de ses activités à Paris ? Marat, Danton, Robespierre, tous des amis de notre chère Theresa. Évidemment, c'était il y a bien longtemps, alors qu'il était encore à la mode de frayer avec l'extrémisme. Mais vous ne vous êtes pas arrêtée là, si ?

— Vous les connaissiez, vous aussi.

— Pour moi, il s'agissait d'un exercice intellectuel, mais pas pour vous, n'est-ce pas ?

Vaughn tapota le couvercle en émail de sa tabatière d'un air songeur.

— Je dois avouer, poursuivit-il, que vous m'avez surpris. Jamais je n'aurais cru que vous préféreriez vos nouveaux maîtres à vos anciens.

— Vous n'avez jamais rien compris, répondit la marquise avec mépris.

— Beaucoup mieux que vous, je crois, répliqua Vaughn. Avec votre belle nouvelle République baptisée dans le sang. Cela en valait-il la peine, Theresa ?

— Pouvez-vous poser la question ?

— Pouvez-vous y répondre ?

— Pouvez-vous garder le dialogue platonicien pour une autre occasion ? demanda Miles en s'approchant de la marquise d'un pas lourd. Aussi fascinante que nous trouvions tous, j'en suis sûr, cette petite incursion dans votre passé, Vaughn, moi, du moins, je me sentirai mieux lorsque notre amie fleurie ici présente sera en sécurité sous la garde du ministère de la Guerre.

— J'appuie la proposition, dit Henrietta en frottant son bras contusionné.

De petites marques commençaient déjà à apparaître là où les doigts de la marquise s'étaient enfoncés dans sa peau, s'ajoutant à l'égratignure sur son front, aux éraflures sur ses genoux et à plus de contusions qu'elle pouvait en compter.

Le bruit de l'épée de Vaughn sortie de son fourreau résonna dans la pièce.

Miles se tourna brusquement et prit une posture défensive, cherchant des yeux quelque chose avec quoi se battre. Apercevant un gros objet en métal sur le sol, il attrapa la pelle abandonnée par Henrietta et se mit en position. Vaughn l'ignora. Plutôt que de tourner son épée contre Henrietta ou Miles, Vaughn en mit la pointe étincelante à la gorge de la marquise. D'un geste si délicat qu'il ne laissa même pas une marque sur sa peau pâle, il dégagea une chaîne en argent étincelante.

— Vous voudrez probablement montrer cette petite *bagatelle** à vos supérieurs lorsque vous leur livrerez notre charmante Theresa, dit doucement Vaughn.

Miles baissa la pelle, l'air plutôt déçu d'être privé de l'occasion de matraquer Vaughn.

Henrietta relâcha la respiration qu'elle avait retenue. Elle ne pensait pas que c'était si terriblement évident, mais Vaughn leva un œil de jade dans sa direction. Tandis que Miles se penchait pour examiner le collier de la marquise, Vaughn rengaina son épée et fit un pas vers Henrietta.

— Avez-vous vraiment cru que j'allais l'utiliser contre vous ?

Henrietta prit un air confus.

— La preuve était vraiment très accablante.

— Je reste donc condamné à la damnation, Lady Henrietta ? demanda Vaughn d'une voix chargée de souvenirs partagés aussi brumeux et évocateurs que l'encens.

Comme toujours avec Vaughn, Henrietta se fraya délicatement un chemin à tâtons à travers un labyrinthe verbal. Cette fois, en revanche, elle était pratiquement certaine qu'il n'y avait aucun dragon qui rôdait dans les profondeurs.

— Pas dans ce cercle précis des Enfers, dit-elle avec fermeté en inclinant la tête vers la marquise.

Miles examinait le collier de la marquise, qui se trouvait posé juste au-dessus d'un impressionnant étalage de décolleté. Chassant cette pensée, Henrietta s'efforça de reporter son attention sur Vaughn.

— Comme je vous l'ai déjà dit, le fait que vous vous attardiez dans d'autres Enfers ne concerne que vous.

— Dante, commenta Vaughn d'un ton léger, avait Béatrice pour l'arracher aux profondeurs.

Henrietta résista à l'envie de se tordre le cou pour surveiller Miles et s'efforça de sourire aimablement à Vaughn. Il était toujours plutôt flatteur d'être comparée à des héroïnes littéraires, même celles de la plus insipide espèce.

Et il était encore plus flatteur d'avoir séduit un homme intelligent et cultivé même si, à l'instar de la Béatrice de Shakespeare (à ne pas confondre avec celle de Dante), Henrietta le trouvait trop lourd pour un usage quotidien. Il deviendrait pénible, se dit Henrietta, d'évoluer sans cesse dans un labyrinthe conçu par quelqu'un d'autre, d'être toujours sur ses gardes et de peser ses mots tant au petit déjeuner qu'au lit.

Miles n'avait aucune subtilité. Henrietta perdit la bataille contre elle-même et jeta un coup d'œil. Miles faisait très peu attention aux attributs les plus évidents de la marquise, ce qui était très satisfaisant. Il fixait plutôt Henrietta et Vaughn d'un regard noir qui laissait très peu de place à l'interprétation.

Henrietta se tourna à nouveau vers Vaughn, se sentant infiniment réconfortée.

— Je crois que vous vous ennuieriez ferme avec une Béatrice, le prévint-elle avec fermeté. Ce dont vous avez besoin, c'est d'une Boadicée.

— Je m'en souviendrai la prochaine fois que je croiserai une bande de maraudeurs britanniques, répondit sèchement Vaughn. J'ai toujours aimé les femmes en bleu.

Le regard noir de Miles se transforma en un fort grognement.

— Si je puis me permettre ?

Henrietta s'empressa de franchir les quelques pas qui les séparaient pour regarder par-dessus l'épaule de Miles.

— Qu'as-tu trouvé ?

Du panneau central de la grande croix incrustée de diamants qui pendait au cou de la marquise, Miles avait extrait un mince rouleau de parchemin. L'écriture était petite, en français, et certaines parties se résumaient à des chiffres, mais il n'y avait tout de même aucun doute quant à la nature de son contenu.

– Mon Dieu, répéta Henrietta.

– Elle avait l'habitude de garder des lettres d'amour là-dedans, dit Vaughn en s'approchant derrière eux.

– Les vôtres ? demanda Miles.

– Parmi d'autres, répondit Vaughn, puis il haussa les épaules. Je considère qu'il s'agissait d'une phase passagère, comme la rougeole ; seulement, je m'en suis remis plus rapidement et avec moins de séquelles.

– Les côtés s'ouvrent aussi, dit Miles à Henrietta, ignorant Vaughn.

Il ouvrit la main pour révéler un petit sceau en argent. Henrietta le ramassa dans sa paume et le retourna. Gravé dans la surface, usé par la cire au fil des années, mais toujours visible, il y avait le contour arrondi d'une petite fleur caractéristique : une tulipe.

– Et ceci, dit sombrement Miles en ouvrant l'autre main pour révéler une petite fiole confectionnée en verre et remplie d'une substance granuleuse qui se déplaçait lorsque Miles bougeait la main.

– De quoi s'agit-il ? s'enquit Henrietta.

– De suffisamment de poison pour faire perdre l'appétit à la moitié de Londres... pour toujours, expliqua Vaughn en observant la poudre blanche d'un œil avisé.

– Assez pour la voir se balancer au bout d'une corde, ça, c'est certain, dit Miles en gratifiant Vaughn d'un sourire qui laissait peu de doute quant à savoir quel Londonien il aimerait voir perdre l'appétit pour toujours.

Vaughn se tourna vers Henrietta pour exécuter une révérence bien maîtrisée.

— Laissant ainsi Londres libre, dit-il, l'expression et la voix parfaitement neutres, de faire la fête sans entrave.

Henrietta, le visage taché de saletés et les cheveux en bataille, leva les yeux au ciel.

Miles réagit plus violemment. Il lâcha le collier de la marquise pour s'en prendre à Vaughn.

— Elle est prise, dit-il entre ses dents. Vous pouvez donc cesser de la regarder ainsi.

— Comment ? demanda Vaughn, qui s'amusait énormément.

— Comme si vous vouliez la ramener chez vous pour l'intégrer à votre harem !

Vaughn réfléchit.

— La dernière fois que j'ai vérifié, je n'en possédais pas, mais vous savez, Dorrington, c'est vraiment une excellente idée. Je devrais remédier à la situation immédiatement.

Henrietta, qui avait observé l'échange les mains sur les hanches avec une incrédulité grandissante, se posta entre les deux.

— Au cas où vous l'auriez oublié, je suis juste ici. Coucou ! fit-elle en exécutant un petit salut sarcastique. Et personne, ajouta-t-elle en lançant un regard noir dissuasif à Vaughn, ne m'emmènera dans son harem.

— Je le vois bien, répondit Vaughn, dont les rides du sourire aux coins des yeux se creusaient. Vous seriez terrible pour le moral. Bien qu'agréable pour les yeux. Non, fit-il en secouant la tête. Le chef des eunuques n'accepterait jamais.

— Ce n'est pas l'eunuque qui m'inquiète. Ce n'est qu'un dépravé, dit Miles, qui pointa Vaughn du doigt en regardant Henrietta d'un air féroce.

— Qu'un dépravé ? murmura Vaughn. Je préfère considérer ça comme un mode de vie.

Miles l'ignora.

— Il est peut-être capable de formuler de belles phrases et de faire cette... chose avec son foulard...

— Un style que j'ai moi-même créé, intervint platement Vaughn.

Il se retira avec un léger gémissement lorsqu'Henrietta lui marcha lourdement sur le pied.

Miles vit l'interaction, mais en interpréta mal la signification.

— Bon sang, Hen, comment peux-tu te laisser berner ainsi ? Tous ces compliments poétiques... Tous les dépravés font ça. Ce n'est que pur baratin. Ce n'est pas vrai. Peu importe ce qu'il dit, il ne t'aime pas comme... Euh...

Miles se tut, le visage figé en une grimace de désespoir horrifié.

Un silence choqué s'abattit sur la pièce. La tête de Navet émergea avec curiosité de sous le canapé.

— Comme ? l'encouragea Henrietta d'une voix qui ne semblait pas être la sienne.

Miles cligna rapidement des yeux, ouvrant et fermant la bouche sans rien dire d'un air affolé ; on aurait dit un condamné qui voyait la hache du bourreau pour la première fois. Concluant qu'il n'y avait aucune autre issue, Miles grimpa dignement sur l'échafaud.

— Comme moi, dit-il avec difficulté.

— M'aimer ? Toi ? Moi ? couina Henrietta, que le vocabulaire avait désertée en même temps que la voix. Vraiment ? ajouta-t-elle après un moment de réflexion.

— Ce n'est pas ainsi que je voulais te le dire, lâcha Miles en la regardant d'un air suppliant. J'avais tout planifié.

Le visage d'Henrietta s'illumina d'un sourire éblouissant.

– Peu m'importe comment tu l'as dit, tant que tu ne retires pas tes paroles, annonça-t-elle, prise de vertige, en secouant la tête pour écarter ses cheveux de son visage.

Miles pleurait toujours l'échec de son plan romantique.

– Il y aurait eu du champagne et des huîtres, tandis que toi, tu serais assise là, dit-il en levant les deux mains comme pour déplacer un meuble, et puis j'aurais mis un genou par terre et... et...

Les mots manquèrent à Miles. Il agita les bras dans les airs, muet d'angoisse.

Les mots manquaient rarement à Henrietta.

– Espèce de gros idiot, dit-elle d'un ton si affectueux que Vaughn recula discrètement de plusieurs pas et que Navet sortit complètement de sous le canapé pour mieux voir.

Tendant les deux mains à Miles, Henrietta leva des yeux brillants sur sa mine défaite.

– Je n'ai jamais espéré ni grandes déclarations d'amour ni gestes romantiques grandioses.

– Mais tu les méritais, répondit Miles, entêté. Tu méritais des fleurs, du chocolat et...

Il fit une pause et se creusa la mémoire. Il ne crut pas que c'était le meilleur moment pour évoquer les raisins pelés.

– ... de la poésie, termina-t-il d'un air triomphant mais sombre.

– Je crois que nous pouvons réussir à nous débrouiller sans cela, répliqua Henrietta d'un ton faussement solennel. Bien sûr, si tu trouvais le moyen de produire une ode occasionnelle...

— Tu méritais mieux, insista Miles. Pas un mariage à la hâte, ni une nuit de noces à la hâte, ni…

Une fossette se creusa sur la joue d'Henrietta.

— Je n'ai aucune plainte à formuler à ce sujet. Et toi ?

— Ne sois pas idiote, dit-il d'un ton bourru.

— Alors voilà, répondit fermement Henrietta.

Miles ouvrit la bouche pour argumenter. Henrietta l'arrêta très simplement en posant un doigt sur ses lèvres. La douce caresse fit taire Miles plus brusquement que s'il avait été plaqué par une horde de Français déchaînés. Henrietta avait la ferme intention de s'en souvenir lors de futures querelles. Elle espérait seulement que les Français ne le découvriraient jamais.

— Je ne veux pas mieux, ajouta-t-elle simplement, les yeux rivés aux siens avec éloquence. Je te veux, *toi*.

Miles émit un étrange bruit étouffé qui donnait l'impression de vouloir devenir un rire quand il serait grand.

— Merci, Hen, dit-il tendrement.

— Tu sais ce que je veux dire.

— Oui, répondit Miles en soulevant la main qu'elle avait mise sur ses lèvres pour en embrasser la paume d'un geste empreint d'une telle vénération que la gorge d'Henrietta se serra. Je sais.

— Je t'aime, tu sais, réussit-elle à articuler malgré l'étrange obstruction dans sa gorge.

— En fait, je ne le savais pas, répondit Miles en la regardant avec l'émerveillement d'un voyageur qui revient chez lui après une longue absence et qui revoit tous les endroits familiers d'un œil nouveau et plein de tendresse.

— Comment est-ce possible ? lui demanda Henrietta. Avec moi qui te suivais partout comme un caneton suit sa mère ?

— Un caneton ? répéta Miles, dont les lèvres s'étirèrent en un sourire incrédule tandis que ses épaules étaient secouées d'un fou rire étouffé. Crois-moi, Hen, tu n'as jamais ressemblé à un caneton. À une poulette, peut-être, poursuivit-il en remuant les sourcils, mais jamais à un caneton.

Henrietta grogna, puis elle le frappa au torse.

— Ce n'est pas drôle. C'était horrible. Et ensuite, quand tu as été forcé de m'épouser…

Miles toussa, et son amusement disparut.

— Je ne suis pas certain que « forcé » soit exactement le bon mot.

— Comment appellerais-tu ça, dans ce cas, lorsque quelqu'un menace de te provoquer en duel ?

— Il y a un petit problème avec cette logique.

Miles fit une pause, l'air légèrement penaud.

— Au cas où tu ne l'aurais pas remarqué, Richard n'était pas tout à fait d'accord pour que nous nous mariions.

Henrietta plissa les yeux à mesure qu'elle assimilait cette information. Elle regarda Miles attentivement.

— Tu veux dire que…

— Mmm-mmm, fit Miles en se passant la main dans les cheveux. Je craignais que, si je te donnais le temps de bien y réfléchir, tu reprennes tes esprits et que tu sois d'accord avec lui. L'affaire aurait pu être étouffée, tu sais. Le personnel de Richard est inhumainement discret, et en ce qui concerne les Tholmondelay…

Miles haussa les épaules.

— Ça, dit Henrietta avec autant d'émotion dans la voix que quelqu'un qui vient de recevoir d'un coup l'équivalent d'une décennie de cadeaux de Noël, c'est encore mieux que de la poésie.

– Excellent, répondit Miles en la serrant dans ses bras. Parce que je ne t'en écrirai pas, ajouta-t-il, ses lèvres à un chuchotement des siennes.

Leurs lèvres se touchèrent avec une émotion tellement pure qu'elle était à la fois ode, sonnet et sextine. Aucune rime n'avait jamais été plus douce, ni aucun mètre plus parfait, ni aucune métaphore plus harmonieuse que la fusion de leurs bouches et de leurs bras, que la sensation de leurs corps pressés tandis qu'ils étaient appuyés l'un contre l'autre dans une bulle dorée enchantée où il n'y avait ni espion français, ni ex-prétendant sardonique, ni camarade de classe importun ; rien d'autre qu'eux deux qui flânaient langoureusement dans leur propre idylle bucolique.

– Que le diable m'emporte, je savais que quelque chose sentait le roussi, dit Navet, qui était complètement sorti de sous le canapé et avait l'air aussi sévère que possible pour quelqu'un qui portait une veste rose œillet.

– Ça ne sent pas le roussi, rétorqua Miles sans quitter des yeux Henrietta, qui avait les joues adorablement rouges et paraissait encore plus adorablement troublée. Nous sommes mariés.

Navet réfléchit.

– Je ne sais pas si c'est mieux ou pire. Les mariages secrets, ce n'est pas très convenable, vous savez.

– Ça le deviendra, prédit Miles. Alors pourquoi n'irais-tu pas t'en trouver un avant que tout le monde se mette à en contracter aussi ?

Vaughn toussa discrètement. Comme cela ne provoqua aucune réaction, il toussa un peu moins discrètement.

– Aussi charmant que cela puisse être, dit-il d'un ton qui fit monter le rouge aux joues de Miles, je suggère que vous reportiez votre extase jusqu'à ce que la Tulipe noire soit entre les mains des autorités compétentes. Je suppose que vous connaissez les autorités compétentes, Dorrington?

Afin de regarder Vaughn en face, Miles lâcha à contrecœur l'épaule d'Henrietta, mais garda une main à sa taille d'un air protecteur, juste au cas où Vaughn caresserait toujours des projets de harem.

– En effet, dit-il. Ce sont les mêmes qui m'ont mis sur vos traces, ajouta-t-il avec une toute petite pointe de satisfaction malveillante dans la voix.

Vaughn soupira tout en époussetant une tache de poussière imaginaire sur les ruches de sa manche.

– Je ne comprends pas. Je mène une existence si paisible.

– Aussi paisible que Covent Garden au coucher du soleil, grommela Miles. Aïe!

– C'est à ça que servent les tibias, expliqua gentiment Henrietta.

– Si c'est ce que tu crois, rappelle-moi de porter un caleçon plus épais, répondit Miles en frottant le membre endolori. Potentiellement muni d'une cuirasse.

– Je t'en confectionnerai moi-même, répliqua Henrietta.

– Je préférerais que tu me l'enlèves toi-même, lui chuchota Miles à l'oreille.

Ils échangèrent un regard complice tellement brûlant que Vaughn estima nécessaire de tousser à nouveau.

– Discuter des sous-vêtements d'un gentilhomme, ce n'est pas très convenable en présence du sexe opposé, vous savez! lâcha Navet.

– Nous sommes mariés, répondirent en chœur Henrietta et Miles.

— Répugnant, n'est-ce pas ? commenta Vaughn, ne s'adressant à personne en particulier. Rappelez-moi de ne jamais être un nouveau marié. Il s'agit d'un état insupportable.

Une voix sarcastique s'éleva du sol.

— Pourriez-vous s'il vous plaît vous occuper de décider de mon sort ? Ce plancher est extrêmement inconfortable, et la conversation est pire encore.

Henrietta baissa les yeux.

— Vous n'avez pas l'air excessivement perturbée.

— Pourquoi devrais-je l'être ? répondit la marquise d'un ton qui sous-entendait qu'elle voyait cela comme un simple contretemps. Vous n'êtes qu'une bande d'amateurs.

— Qui a réussi à vous attraper, fit remarquer Henrietta.

— Un simple détail technique, répliqua la marquise d'un ton brusque.

— Il faut l'emmener au ministère de la Guerre, l'interrompit Miles. Et ensuite, nous rentrons à la maison, termina-t-il en échangeant avec Henrietta un autre regard qui la fit rougir jusqu'au bout des oreilles.

À la maison. Quelle adorable expression.

— Une fois de plus, je me trouve enclin à la galanterie, intervint Vaughn d'un ton extrêmement las. Si vous le désirez, je me chargerai de livrer notre amie commune au... ministère de la Guerre, vous avez dit ?

Miles hésita manifestement.

— Ou alors, dit doucement Vaughn en inclinant la tête vers Navet, il pourrait le faire pour vous.

Miles tendit les bouts de la corde à Vaughn.

— Vous êtes un chic type, Vaughn. Et si elle s'échappe, je saurai où chercher.

– Vous possédez une perle rare, Dorrington. Assurez-vous d'en prendre bien soin.

Miles n'eut absolument aucune difficulté à le promettre.

Tandis que le soleil se couchait sur la ville, Miles et Henrietta marchèrent main dans la main dans les rues sinueuses de Londres pour regagner Loring House. Telle une bannière héraldique signalant la victoire, le ciel était strié de rouge et d'or. Henrietta et Miles ne s'en rendirent même pas compte. Ils errèrent dans le crépuscule baigné de leur propre lueur rosée, n'ayant d'yeux pour personne d'autre que pour eux-mêmes. La Providence particulière qui prenait soin des fous et des amoureux veillait sur leur chemin. Si des ordures salissaient le sol sous leurs pieds, ni l'un ni l'autre ne s'en aperçut. Si des malandrins vaquaient à leurs sinistres occupations, ils le faisaient ailleurs. Et si, de temps à autre, le couple tira avantage des ombres qui s'allongeaient pour échanger autre chose que des chuchotements, il ne craignait ni les yeux indiscrets ni les mauvaises langues.

Étant donné la profusion d'ombres allongées et de cul-de-sac opportuns, ce fut en fait une très longue marche jusqu'à la maison. Au moment où Grosvenor Square fut en vue, la nuit était tombée, et ils avaient convenu d'un programme satisfaisant pour la soirée, lequel incluait un bain (une suggestion à laquelle Miles accéda avec un empressement alarmant qui n'augurait rien de bon pour la vieille baignoire), un lit (Miles), un souper (Henrietta), puis un lit (Miles).

– Tu l'as déjà dit, protesta Henrietta.

– Certaines choses valent la peine d'être répétées, répondit Miles d'un air suffisant. Encore, et encore, et encore, termina-t-il en s'approchant davantage de sorte que ses lèvres frôlent les oreilles d'Henrietta tandis qu'ils montaient les marches jusqu'à l'entrée principale dans la lumière vacillante des *torchères**.

– Incorrigible, soupira Henrietta en lui lançant un regard faussement désespéré.

– Indubitablement, acquiesça Miles à l'instant où la porte s'ouvrit à la volée devant eux.

Miles ouvrit la bouche pour informer son majordome qu'ils ne seraient pas disponibles pour recevoir des visiteurs. Ni aujourd'hui, ni demain, ni même, idéalement, la semaine prochaine.

– Ah, Stwyth, commença Miles avant de s'interrompre subitement et de rentrer dans Henrietta, qui imitait à la perfection une statue de sel.

Ce n'était pas Stwyth à la porte. Ce n'était pas non plus la domestique à qui Henrietta avait emprunté son déguisement actuel.

Sur le seuil de la porte de Loring House se tenait une petite femme vêtue de somptueux vêtements de voyage. Les mains gantées de Lady Uppington étaient sur ses hanches, et une de ses bottes tapait ostensiblement du pied sur le plancher en marbre. Derrière elle, Henrietta pouvait voir son père, en tenue de voyage lui aussi, les bras croisés sur sa poitrine. Ni l'un ni l'autre ne semblait heureux.

– Oh, ciel, fit Henrietta.

Chapitre 37

Bonheur éternel : 1) *incarcération des ennemis de l'Angleterre* ; 2) *heureux résultat du pouvoir transcendant de l'affection réciproque* ; 3) *toutes les réponses susmentionnées.*
– tiré du livre de codes personnel de l'Œillet rose

– Entrez, dit Lady Uppington d'un ton qui n'augurait rien de bon. Tous les deux. Tout de suite.

Henrietta entra avec autant d'enthousiasme qu'un aristocrate qui montait les marches de la guillotine. Miles la suivit humblement.

– Bonsoir, mère, père, dit Henrietta d'une voix légèrement étouffée. Avez-vous passé du bon temps dans le Kent ?

Son père haussa un sourcil gris de sorte à produire un regard qui réussit à exprimer à la fois l'incrédulité, la déception et la colère, ce qui était plutôt impressionnant pour un seul sourcil. Henrietta lutta contre un éclat de rire nerveux, craignant que celui-ci n'aide pas beaucoup à améliorer sa situation aux yeux de ses parents.

Lady Uppington ne misa pas sur des expressions faciales pour communiquer ses émotions. Claquant la porte avec une véhémence qui laissait peu de place au doute quant à la nature de ses sentiments, elle se tourna vivement pour regarder sa progéniture dévoyée en face.

– *À quoi* avez-vous pensé ? leur demanda-t-elle en faisant furieusement les cent pas autour d'Henrietta et de Miles. Répondez ! À quoi *avez-vous* pensé ?

– Nous avons capturé un espion français, intervint Miles, plein d'espoir, puisque la distraction avait déjà fonctionné avec Lady Uppington auparavant.

Cela échoua misérablement.

– N'*essayez* même pas de changer de sujet ! cracha Lady Uppington qui était, si possible, davantage en colère qu'avant. Je ne peux pas m'éloigner pour une fin de semaine ! *Une fin de semaine !* Je suis sans voix, poursuivit Lady Uppington en levant les bras dans les airs, *sans voix* devant la pure imprudence de vos actes et le manque de respect total dont vous avez fait preuve envers votre réputation, votre famille, ainsi que la nature solennelle du mariage.

– Tout est de ma faute, l'interrompit galamment Miles en posant une main protectrice sur l'épaule d'Henrietta.

Lady Uppington le pointa du doigt.

– Ne t'inquiète pas. Tu auras ton tour dans une minute, dit-elle avant de reporter l'appendice accusateur vers Henrietta. Est-ce ainsi que je t'ai élevée ?

– Non, mère, répondit Henrietta. Mais, ce qui est arrivé, c'est que…

– Nous savons ce qui est arrivé, dit son père d'un air grave. Richard nous a informés.

– Pfff, fit Henrietta.

– Manifestement, j'ai échoué, déclara Lady Uppington. J'ai échoué dans mon rôle de mère.

Par-dessus son épaule, Henrietta jeta un regard désespéré à Miles, qui semblait tout autant qu'elle sur le point de se dissoudre en une flaque de remords coupables sur le plancher en marbre défraîchi.

Lord Uppington intervint en les regardant tous les deux d'un air irrité mais résigné.

– Ce n'est pas l'union en soi qui nous dérange, dit-il doucement. Nous sommes très heureux que tu fasses officiellement partie de la famille, Miles. Nous n'aurions pas pu trouver un meilleur parti pour Henrietta.

Cela remonta légèrement le moral de Miles.

Son visage se décomposa à nouveau lorsque Lord Uppington poursuivit sur le même ton mesuré et las.

– Toutefois, nous n'arrivons pas à comprendre ce qui a pu vous inciter à vous conduire de façon si précipitée et – Lord Uppington regarda sévèrement tant sa fille que son gendre avant de prononcer le mot suivant avec une douloureuse clarté – *inintelligente*. Je vous aurais cru tous les deux plus raisonnables que ça. Nous sommes terriblement déçus de chacun de vous.

– À moins, l'interrompit Lady Uppington en regardant attentivement sa fille, qu'il y ait une raison à votre empressement inconvenant ?

Henrietta releva brusquement la tête une fois de plus – d'indignation.

– Mère !

Lady Uppington toisa les joues rouges de sa fille d'un œil maternel avisé et en tira ses propres conclusions.

– Ne monte pas sur tes grands chevaux avec moi, jeune femme. Que croyais-tu que les gens allaient penser ?

– Euh, répondit intelligemment Henrietta.

– Et ton frère ! poursuivit Lady Uppington en secouant la tête d'une manière qui n'augurait rien de bon pour Richard lorsqu'elle lui mettrait la main dessus. Je ne sais pas à quoi il a pu penser pour vous laisser vous marier de façon si précipitée. J'ai élevé une couvée d'enfants qui n'ont pas un gramme de bon sens tous ensemble.

Elle émit l'un de ses raclements de gorge tristement célèbres, le bruit qui avait décontenancé des comtesses et fait fuir des ducs de la famille royale.

Henrietta tressaillit.

— Désolée ? hasarda-t-elle.

Lady Uppington remarqua le tressaillement et poussa son avantage.

— N'est-il passé par la tête d'aucun d'entre vous qu'un mariage si précipité ferait éclater le scandale plutôt que de l'étouffer ? Hein ?

Henrietta sentit les mains de Miles se resserrer sur ses épaules et son souffle ébouriffer ses cheveux emmêlés.

— Mais nous *sommes* mariés, dit-il d'un ton résolu.

— Oui, oui, dit Lady Uppington avec humeur. Nous devrons inventer une histoire quelconque. Des fiançailles secrètes, peut-être, marmonna-t-elle pour elle-même en battant l'air de la main, ou une étrange maladie dégénérescente… Hum. Miles croyait qu'il n'avait plus que trois jours à vivre.

Henrietta leva les yeux vers Miles qui, bien qu'un peu meurtri, représentait un vigoureux spécimen de la gent masculine. Un spécimen si vigoureux qu'elle n'osait pas y penser en présence de ses parents. Le rose lui monta aux joues.

— Je ne pense pas que les gens y croient, dit-elle.

— Tu pourras critiquer lorsque tu auras trouvé une meilleure idée, dit sévèrement Lady Uppington.

— Pourquoi ne dirions-nous pas à tout le monde que ç'a été une cérémonie privée ? proposa Miles. Ce qui était le cas, ajouta-t-il après coup. Ce n'est pas comme si nous étions allés à Gretna Green. L'évêque de Londres était là.

– Et je ne sais pas à quoi il a pensé lui non plus, dit Lady Uppington d'un ton qui laissait présager des ennuis pour le diocèse.

– Miles tient peut-être quelque chose, commenta Lord Uppington en croisant le regard de son épouse. Si nous pouvons jouer sur le snobisme des gens…

Il haussa un sourcil.

Lady Uppington devint aussi attentive qu'un explorateur de la Renaissance qui viendrait d'apercevoir la terre après un long et périlleux voyage ponctué de scorbut et de serpents de mer.

– C'est ça ! Si nous disions que c'était très intime, très sélect… Seulement les gens les plus nobles, bien entendu…

Henrietta comprit et bondit d'excitation.

– Les gens se mettront en quatre pour prétendre qu'ils y étaient ! Et personne ne voudra avouer le contraire !

Elle se tourna pour attraper les deux mains de Miles dans les siennes.

– Fantastique !

Miles serra les mains d'Henrietta et tenta de faire comme si c'était ce qu'il avait en tête depuis le début.

Lord Uppington gloussa.

– Le temps que ta mère en ait fini, la moitié de la noblesse aura assisté à ton mariage.

– Au moins trois ducs de la famille royale, renchérit Lady Uppington d'un air suffisant qui disparut aussitôt. Mais j'aurais vraiment souhaité qu'un de mes enfants se soumette à un mariage normal !

– Il y a eu Charles, fit remarquer Henrietta.

Lady Uppington balaya l'air de la main.

— Ça ne compte pas.

— Je ne dirai pas à Charles que tu as dit ça, dit Lord Uppington.

Lady Uppington le regarda en battant des cils.

— Merci, mon chéri.

Henrietta et Miles échangèrent un regard de pur soulagement. Si sa mère charmait son père, cela signifiait qu'elle avait retrouvé sa bonne humeur. Évidemment, cela ne signifiait pas qu'ils cesseraient d'entendre parler de leur union précipitée d'ici les cinquante prochaines années ; Lady Uppington était plutôt douée dans l'art de ressortir d'anciennes peccadilles dans les moments gênants, mais le pire était passé.

Et une fois ses parents partis… Le regard qu'ils échangèrent devint beaucoup plus éloquent. Miles regarda l'escalier du coin de l'œil de façon suggestive. Henrietta rougit et détourna les yeux juste à temps. Lady Uppington se retourna vers eux et fit signe à Henrietta de s'approcher.

— Allons, rentrons à la maison, ma chérie. Il y a beaucoup à faire. Demain, nous irons essayer des robes de mariée et puis il y a des rumeurs à propager…

Tout en parlant, Lady Uppington se dirigea vers la porte, mais Henrietta s'entêta à rester immobile.

— Je serai heureuse d'aller essayer des robes demain, dit Henrietta sans lâcher la main de Miles. Mais j'habite ici maintenant.

Les yeux verts de Lady Uppington se plissèrent.

— Je ne suis pas certaine d'aimer ça.

— Vous saviez bien que je me marierais un jour ou l'autre, répondit Henrietta.

— Je pensais, répliqua Lady Uppington d'un ton moralisateur, qu'on me donnerait d'abord un préavis quelconque.

Henrietta se mordit les lèvres. Puisqu'il n'y avait rien à répondre à cela, elle ne tenta même pas de formuler une réponse ; elle modela simplement son visage en une expression de remords exagérée.

– Désolée ? essaya-t-elle une fois de plus.

Si elle le répétait assez souvent, peut-être cela finirait-il par fonctionner.

Lord Uppington vint à sa rescousse, s'appropriant le bras de son épouse.

– Allons, viens, très chère. Tu pourras revenir persécuter le personnel d'Henrietta demain.

– Je ne persécute personne ! protesta Lady Uppington. Et pourtant, Dieu sait que votre personnel aurait grand besoin de fermeté. Je n'ai jamais rien vu d'aussi miteux.

Lord Uppington échangea avec sa fille un regard résigné.

Merci, articula silencieusement Henrietta.

Lord Uppington hocha légèrement la tête et haussa le sourcil d'une manière qui disait clairement, encore plus clairement que des mots, « mais que je ne te reprenne plus jamais à faire quelque chose d'aussi stupide ».

Henrietta décida d'être un modèle de rectitude conjugale. Du moins, lorsque ses parents seraient dans les parages.

Lord Uppington se tourna vers Miles.

– Je passerai demain pour discuter de la dot d'Henrietta.

Miles hocha la tête avec sérieux.

– Oui, monsieur.

– Et puis, Miles ? dit Lord Uppington en s'arrêtant sur le seuil, Lady Uppington à son bras. Bienvenue dans la famille.

La porte se ferma avec force derrière lui.

Miles et Henrietta se regardèrent simplement dans leur hall soudain très vide. Les mains sur les épaules d'Henrietta, Miles laissa tomber sa tête jusqu'à ce que leurs fronts se touchent.

— Pfiou, fit-il en laissant échapper un profond soupir.

— Pfiou, acquiesça Henrietta, prenant plaisir au simple fait d'être appuyée contre lui après les émotions tumultueuses des dernières heures — des derniers jours, en fait.

Miles leva la tête juste assez pour pouvoir la regarder.

— Maintenant que tes parents sont partis..., commença-t-il, ses yeux rivés sur la bouche d'Henrietta de sorte que ses lèvres picotèrent, que ses jambes ramollirent et que le hall lui parut soudain beaucoup, beaucoup plus chaud.

— Oh, ils sont partis, répondit Henrietta à bout de souffle en se pendant à son cou. Ils sont très, très partis.

— Dans ce cas...

Miles se pencha délibérément en avant.

Vlan ! La porte s'ouvrit violemment.

— Aïïïe...

Miles recula en titubant, une main sur le nez, lequel avait brutalement heurté le front d'Henrietta.

— Je suis venu aussi vite que j'ai pu, annonça Geoff en traversant la pièce d'un pas résolu.

— Hein ? fit Miles avec humeur en regardant Geoff à travers ses yeux larmoyants. T'a-t-on déjà dit que tu tombais aussi mal que le diable en personne ?

Geoff s'arrêta doucement tandis que ses yeux passaient de Miles à Henrietta et revenaient à Miles avec une certaine perplexité.

— Ton message ? dit-il. La crise urgente qui nécessitait mon attention immédiate ?

– Ah, ça.

– Oui, ça, confirma sèchement Geoff.

– Tu arrives un peu tard, répondit calmement Miles. *Nous* avons capturé la Tulipe noire. Où diable étais-tu passé ?

Geoff pinça les lèvres.

– C'est sans importance.

– Sans doute occupé à composer un sonnet à la gloire des sourcils de Mary Alsworthy, commenta Miles, prétendument à l'intention d'Henrietta.

Plutôt que de répondre de la même manière, Geoff enfonça son chapeau sur sa tête.

– Si vous n'avez pas besoin de moi, dit-il d'une voix atone, je m'en vais. Wickham a une mission pour moi. Avec un peu de chance, elle sera fatale.

Miles enroula un bras autour de la taille d'Henrietta.

– Tu connais le chemin.

Henrietta croisa le regard perplexe de Geoff et se libéra de l'étreinte de Miles.

– Ce n'est pas ce que tu crois, s'empressa-t-elle de clarifier en levant machinalement la main pour se lisser les cheveux. Nous sommes mariés.

Miles et elle échangèrent un regard fait pour précipiter les célibataires directement dans les bras d'une bouteille.

Geoff fit la moue.

– Mariés, répéta-t-il, l'air sombre.

– Merci, mon vieux, répondit Miles.

Geoff ferma les yeux très fort.

– Oh, bon Dieu, dit-il.

Henrietta le regarda attentivement. Elle n'avait jamais entendu Geoff prononcer une seule grossièreté en sa présence, même en cas d'extrême provocation comme la fois où Richard avait été capturé par le ministère de la Police français.

Geoff secoua la tête d'un air confus.

— Ce n'est pas ce que je voulais dire. C'est simplement que… Laissez tomber. Je vous souhaite beaucoup de bonheur à tous les deux. Sincèrement.

— Quelque chose ne va pas ? s'enquit Henrietta.

Geoff avait des cernes sombres sous les yeux et il paraissait exténué.

— Rien que le temps et un peu de ciguë ne puissent arranger, dit Geoff avec une gaieté forcée, la main sur la poignée de la porte.

— Pour qui est la ciguë ? lui demanda Miles.

— Pour moi, répondit Geoff.

— Bon, amuse-toi bien, répliqua évasivement Miles.

Remettant fermement le bras autour de la taille d'Henrietta, il commença à l'entraîner vers l'escalier.

Henrietta leur fit faire demi-tour.

— Souviens-toi, dit-elle en tendant une main vers Geoff, que nous sommes là si tu as besoin de nous.

— Mais pas ce soir, ajouta Miles.

— D'accord. Félicitations à vous deux. Même si je ne peux pas dire que je sois le moindrement étonné, ajouta Geoff avec un petit sourire en coin.

La porte s'ouvrit, se referma et s'immobilisa.

Henrietta regarda Miles.

— Charlotte, Geoff, mes parents… Comment se fait-il que tout le monde sauf nous savait que nous allions nous marier ?

— Et Richard, corrigea tristement Miles.

Henrietta reprit son sérieux. Elle leva nerveusement les yeux vers lui.

— Ça t'ennuie vraiment ? Pour Richard, je veux dire.

Tout était silencieux dans le hall en marbre. Miles regarda Henrietta droit dans les yeux, puis il secoua doucement la tête.

— Beaucoup moins que si je t'avais perdue toi.

— Alors cette histoire d'être presque aussi importante que Richard à tes yeux…

Miles gémit.

— J'ai dit beaucoup de choses stupides.

Le prenant en pitié, Henrietta glissa les bras autour de sa taille.

— Je me souviens d'au moins une chose intelligente que tu as dite.

Miles posa un baiser sur le dessus de sa tête.

— Passe-moi les biscuits au gingembre ?

— Non.

— Albatros ?

Henrietta le poussa du doigt.

— Tu n'es même pas proche.

— Que dirais-tu de…

Le souffle de Miles fit onduler les cheveux près de l'oreille d'Henrietta.

— … je t'aime ?

Au rez-de-chaussée, dans le hall des domestiques, on fit passer le mot que le maître avait été vu en train de porter son épouse en haut de l'escalier — encore.

Chapitre 38

– Éloïse ?

La lumière jaune grisâtre du soleil éclairait en oblique de longs rectangles du tapis de la bibliothèque, mais je l'avais à peine remarqué. Au cours des dernières heures, j'avais d'une manière quelconque glissé de la chaise rembourrée sur laquelle j'étais assise jusque sur le plancher devant. Mes épaules étaient appuyées contre le siège recouvert de tissu rouge et bleu, tandis que de pratiques pieds à griffes et à boules de style Queen Anne me servaient de repose-mains de chaque côté de mes hanches. Mon dos émettait le genre d'élancements d'avertissement qui annonçaient des douleurs à venir, mais pour l'instant, je m'en moquais. Sur mes genoux repliés, qui me servaient de bureau improvisé, était posé un folio recouvert de cuir rouge. Le folio en soi datait de l'époque victorienne ; il était orné de papier de garde marbré et du genre de gaufrage complexe si cher aux tanneurs du XIXe siècle, avec des volutes et des enjolivures rigoureusement tracées en or. À l'intérieur, en revanche, c'était une tout autre histoire. Sur les pages jaunies qui tombaient en miettes, on avait collé du matériel plus ancien, que la compilatrice de l'époque victorienne avait choisi d'intituler *Quelques mémoires d'une dame de la lignée des Selwick*. Il y avait un sous-titre encore bien plus long, mais puisqu'il n'était d'aucun intérêt pour quiconque à part l'enthousiaste archiviste amatrice, je me retins de le transcrire.

La compilatrice de la fin du XIXe siècle avait fait de vaillants efforts pour supprimer les parties les plus croustillantes, rayant des paragraphes entiers à coups de crayon outrés. Heureusement pour moi, l'encre d'Henrietta s'était avérée plus résistante. C'était un peu comme lire un palimpseste médiéval, ces documents rédigés serrés dans lesquels l'auteur écrivait littéralement entre les lignes pour économiser le précieux parchemin, mais à force de plisser les yeux, de jurer et de tourner les pages d'un côté puis de l'autre, je pouvais toujours discerner le texte original sous l'encre brune pâlie des marques de la censeure.

À leur manière, les annotations étaient hilarantes, et je suis persuadée qu'un historien de la culture qui travaillerait sur la fin du XIXe siècle pourrait en tirer au moins un article, peut-être deux. L'archiviste anonyme — qui s'était évasivement identifiée comme un autre rejeton de la lignée des Selwick, mais sans plus — semblait ne vraiment pas savoir que faire de son ancêtre aventureuse et continuait désespérément d'essayer de justifier les agissements les plus outrageants d'Henrietta. Un mariage impromptu ? Il ne pouvait certainement pas avoir été si impromptu, rationalisait anxieusement la rédactrice, si l'évêque de Londres avait présidé à la cérémonie. Écouter aux portes d'un espion potentiel ? C'était très certainement arrivé par accident, puisqu'elle ne se serait jamais prêtée volontairement à une activité qui offenserait très certainement la conscience de toute jeune dame convenablement éduquée. S'introduire chez quelqu'un déguisée en domestique ? Bien sûr que non. Lady Henrietta ne faisait que plaisanter pour la postérité.

J'ai tiré tout l'amusement possible de ces annotations.

Je n'avais toujours aucune idée de ce qui s'était passé hier soir. Zéro. Rien. *Nada*. Je ne faisais pas référence à ces trous de mémoire occasionnels qui peuvent survenir en cas d'abus d'alcool (après le fiasco de jeudi, je m'étais très scrupuleusement limitée à deux verres de vin), mais plutôt à mon incapacité totale de trouver une explication claire à ce qui était arrivé dans le cloître. Je savais comment j'aurais aimé l'expliquer, mais il y avait un manque absolu de preuves concluantes, du moins de preuves concluantes qui convaincraient n'importe quelle tierce partie impartiale. Et je ne parlais pas de Pammy.

Je m'étais complue dans ma propre vertu pour ne pas avoir cédé à l'envie irrésistible de demander à Sally si son commentaire sarcastique était né du comportement de Colin envers moi ou du mien envers lui. De là, il n'y avait qu'un tout petit pas à franchir pour atteindre le stade « Mais crois-tu que je lui plais ? Que je lui plais VRAIMENT ? ». J'avais plutôt, avec autant de subtilité qu'un boulet de démolition, ramené la conversation aux ruines monastiques.

Après que Sally m'eut fait visiter le cloître, j'étais retournée à la fête avec tous mes sens en état d'alerte maximale à Colin, le genre d'hypersensibilité qui annonce un béguin avec la même extrême précision que le fait de nommer cette personne sans raison dans une conversation ou de faire de furtives incursions dans son passé sur Google. Cependant, j'avais été piégée par le pasteur, qui nourrissait l'ambition de me transmettre plusieurs vers moins connus de Gilbert et Sullivan sans lesquels ma vie se trouverait infiniment appauvrie (c'est du moins ce qu'il avait juré solennellement). Colin était reparu au beau milieu de *The Gondoliers* et s'était joint immédiatement à un groupe à l'autre bout de la pièce. J'ignorais si c'était moi ou la voix perçante de ténor du pasteur qu'il évitait. J'aurais pu remplir un journal entier sur le sujet « Regards, l'interprétation des ». Vieux regards, nouveaux regards, regards perdus. Tous à moitié imaginaires, aucun de nature à prouver quoi que ce soit. Mis à part des vœux pieux.

Le retour à Selwick Hall avait été… cordial. Il n'y avait pas d'autre mot pour le décrire. Colin m'avait demandé si je m'étais amusée, je lui avais répondu que oui, et il avait exprimé son contentement. Si une nuance dans le ton de ces paroles insinuait autre chose que de fades conventions sociales… Eh bien, rien ne s'était concrétisé. Dans le hall d'entrée, tandis que Colin extrayait sa clé et que je jouais avec ma veste, son téléphone avait sonné. Il m'avait souhaité distraitement bonne nuit, puis m'avait laissée retrouver mon lit vertueux et me demander s'il était possible que Pammy eût raison à propos de ce bustier.

Avais-je tout imaginé ? J'avais grimpé dans mon lit, mais n'avais pu dormir ; mon esprit courait dans une roue pour hamster sans fin faite de « L'a-t-il fait ? Ou ne l'a-t-il pas fait ? ». J'envisageai l'idée de m'aventurer jusqu'à la cuisine pour une tasse de chocolat de minuit dans l'espoir de le rencontrer « par hasard », mais il y avait un niveau en dessous duquel on ne pouvait décemment tomber. En outre, j'avais peur de me perdre sur le chemin de la cuisine. C'était tellement pathétique de tituber dans l'obscurité dans une maison inconnue dans l'espoir d'être compromise !

Compromise – j'avais passé trop de temps au début du XIXe siècle. Imaginer Colin en hauts-de-chausses ne faisait rien pour améliorer les choses non plus.

Dormir était manifestement impossible. Enroulant le châle en pashmina de Séréna par-dessus mon débardeur, je traînai mes pieds nus dans le couloir jusqu'à la bibliothèque. Après une heure passée avec Henrietta, l'incident du cloître n'était plus qu'un vague murmure en arrière-pensée. Après deux, je ne me souvenais plus de mon propre nom, et encore moins du sien.

Oh, quel chapitre croustillant cela ferait ! Le contre-espion le plus meurtrier de France, une femme ! Les amateurs d'histoire des femmes allaient être fous de joie. J'imaginai des conférences, des bourses qui me tombaient dessus comme des confettis, des entretiens d'embauche et des articles dans *Past and Present*, l'équivalent du *New York Times* pour les historiens anglais. C'était comme regarder les roulettes d'une machine à sous s'arrêter une à une en position gros lot.

Oubliez le simple chapitre ; cela pouvait contenir le germe d'un deuxième livre. Je m'amusai à y trouver un titre. *Un modèle de sédition : les espionnes pendant les guerres napoléoniennes.* Je rejetai celui-là parce qu'il ressemblait trop à celui de ma thèse, mais avec un angle féministe pour faire tendance. Je pourrais m'essayer à la microhistoire en utilisant la marquise comme étude de cas. *La marquise de Montval : naissance d'une révolutionnaire.* Là, je tenais quelque chose : comment une jeune Anglaise de bonne famille était-elle devenue une fervente partisane des principes révolutionnaires ainsi qu'une tueuse à la solde de Bonaparte ? Mieux encore, je pourrais faire une étude comparative de l'Œillet rose et de la Tulipe noire en mettant en parallèle leurs origines, leurs allégeances et leurs méthodes.

Il n'y avait qu'un léger problème.

— Éloïse !

La voix se faisait plus insistante maintenant, et comme s'il s'agissait d'un souvenir lointain, je me rappelai qu'il s'agissait de mon nom et qu'y répondre était généralement considéré comme une question de savoir-vivre.

Je laissai donc échapper ce qui me préoccupait.

— La Tulipe noire s'est *échappée* !

Je levai fébrilement les yeux de la pile de papiers sur mes genoux en écartant les cheveux ébouriffés devant mes yeux.

— Je n'arrive pas à croire qu'ils l'ont laissée s'échapper !

— Éloïse !

Le ton sec de Colin me fit oublier mes préoccupations. Il ne se donna même pas la peine d'entrer complètement dans la bibliothèque ; sa tête désincarnée dépassait de l'encadrement de la porte à l'instar de celle d'un membre de la noblesse française après un tour de guillotine, sans la perruque ni le foulard ruché.

— Oui ?

Je me redressai, soudain très consciente que je ne portais rien d'autre qu'un vieux débardeur blanc lavé si souvent qu'il était pratiquement réduit à néant ainsi qu'un pantalon de pyjama duveteux à motifs de caniches qui batifolaient à côté de la tour Eiffel. Oui, j'avais fait mes bagages en vitesse vendredi après-midi. Je tentai de ramener mes genoux contre ma poitrine, mais Colin ne portait pas plus attention à Fifi le caniche enjoué qu'à la transparence de mon débardeur.

— Écoute, dit-il laconiquement. Il y a un imprévu. Peux-tu être prête à partir dans quinze minutes ?

— Dans quinze minutes ? répétai-je, ahurie.

Partir. Quinze minutes. Partir ?

L'information n'avait pas de sens.

— Il y a un train qui part à sept heures trente-deux, poursuivit Colin sur le même ton stressé.

J'eus l'impression qu'il était déjà complètement ailleurs et que l'apparition devant moi n'était qu'une simple machine chargée de transmettre le message. Tout ce qui manquait, c'était « Merci d'avoir appelé Selwick Hall. Bonne journée ».

— Je suis terriblement désolé, mais je ne peux pas faire autrement.

— Bien sûr, bredouillai-je en me levant péniblement à l'aide du fauteuil. Je vais juste…

— Merci.

— … ramasser mes affaires, terminai-je pour l'intérieur de la porte de la bibliothèque.

Colin était déjà parti. Quinze minutes. Il avait dit quinze minutes, n'est-ce pas ?

Je rassemblai la pile de papiers et de folios que j'avais lus et les rangeai à leurs places respectives avec une efficacité apathique née de la confusion. Je jetai un coup d'œil à la grosse horloge de parquet contre le mur à l'autre bout de la pièce. Quatre minutes s'étaient déjà écoulées. J'attrapai mes cahiers et les coinçai sous mon bras. J'allais pouvoir repasser mes notes dans le train.

Le train. Je me serais appesantie sur la question, mais je n'avais pas le temps pour l'instant de chercher à comprendre pourquoi je me faisais chasser de la maison comme une domestique de l'époque victorienne qu'on découvrait enceinte. « Fiche-moi le camp, espèce de créature immorale, et qu'on ne te reprenne pas à frapper à la porte du maître ! » Seulement, je n'avais malheureusement pas eu l'occasion de faire preuve de morale douteuse. Alors pourquoi me mettait-il dehors ?

Oh, mon Dieu. Je m'arrêtai, une main sur la poignée de la porte de la bibliothèque. Était-ce parce qu'il regrettait son impulsion d'hier soir et qu'il tentait de se débarrasser des preuves (c'est-à-dire, moi) avant que je me jette sur lui encore une fois ? Je pouvais l'entendre d'ici discuter avec un de ses amis autour d'une bière au pub : « Je n'avais pas l'intention de la faire marcher. C'est simplement que… Elle était *là*. Les femmes, t'sais. » L'ami répondrait d'un sage hochement de tête en disant : « Je ne sais pas où elles prennent ces idées. » Puis ils boiraient tous deux une longue gorgée de leurs bières et secoueraient la tête en pensant aux femmes désespérées. Puis ils couronneraient probablement le tout d'une longue éructation.

Je tressaillis rien qu'à y penser.

Cinq minutes s'étaient écoulées. Je remis ces pensées à plus tard et courus jusqu'à ma chambre empruntée pour lancer mes vêtements n'importe comment dans mon sac, enfiler le même pantalon en tweed que je portais la veille ainsi qu'un pull beige propre. En jurant, je repassai le pull par-dessus ma tête, projetant accidentellement mes lunettes par la même occasion, j'ajoutai un soutien-gorge, replaçai le pull et tâtonnai à la recherche de mes lunettes, qui avaient glissé jusqu'en dessous du lit comme les objets inanimés ont tendance à le faire lorsqu'on est pressé. Avais-je mis du déodorant ? Je ne m'en souvenais pas. Je soulevai mon pull et étalai une généreuse couche de pâte blanche partout sauf où il fallait, dont la majeure partie sur le cachemire « nettoyage à sec seulement ».

Douze minutes écoulées. Je n'avais pas le temps de mettre mes lentilles. Après avoir nettoyé mes lunettes avec un coin de mon pull très maltraité, je m'assurai que les couvercles étaient bien vissés sur mon étui à lentilles avant de le lancer dans mon sac avec mon étui à lunettes et ma bouteille de solution pour lentilles. Je déchirai un bout de papier à la fin de mon cahier de notes et sortis un crayon de mon sac pour écrire un bref message : « Séréna, merci pour le prêt de vêtements ! J'espère que cela ne te dérange pas. Je serai heureuse de te rendre la pareille un de ces jours. Biz, Éloïse. »

C'était tout ce qu'il me restait du temps alloué. Je passai rapidement en revue la commode, les tables de chevet et le lit ; je récupérai la montre que j'allais presque oublier sur le dessus de la commode, me battis avec mon manteau pour l'enfiler, jetai mon sac sur mon épaule, puis me précipitai dans l'escalier.

Colin était déjà dans la voiture, le moteur en marche, et il pianotait nerveusement sur le volant.

— Ça, c'était rapide, dit-il d'un ton approbateur.

La voiture s'élança avant même que j'aie entendu le déclic réconfortant qui m'indiquait que la portière était bien fermée.

— Eh bien, tu sais, haletai-je en lançant mon sac sur la banquette arrière et en me retournant pour attacher ma ceinture, je n'avais pas apporté beaucoup de choses.

— C'est vrai, répondit Colin en se penchant sur le volant dans cette posture étrange que prennent les hommes lorsqu'ils ont l'intention d'imiter le Grand Prix ; l'équivalent automobile de la guitare imaginaire. C'est bien, ajouta-t-il comme s'il avait l'impression que sa première réponse n'était peut-être pas adéquate.

Toute l'effervescence qu'il y avait eu entre nous la veille s'était éventée tel du champagne resté ouvert toute la nuit.

Je m'adossai à mon siège. Il me vint tardivement à l'esprit qu'à aucun moment je ne m'étais brossé les cheveux, mais je fus incapable de rassembler l'énergie nécessaire pour m'en soucier. Par la fenêtre, la campagne défilait en cahotant, couverte de la brume matinale. Si j'avais été dans un autre état d'esprit, peut-être me serais-je laissé enthousiasmer par l'aspect mystérieux de la lumière du petit matin. Dans l'état actuel des choses, cela m'apparaissait uniquement triste et décoloré, comme si le paysage, épuisé, n'arrivait pas à rassembler l'énergie nécessaire pour revêtir ses couleurs habituelles et s'était laissé réduire à un brouillard indifférent.

Je regardai Colin, mais il était perdu dans le lointain – « avec les fées », comme disait l'expression locale ; seulement, à en juger par les rides d'inquiétude entre ses yeux, il frayait plutôt avec des farfadets. La lumière grise du matin, qui ne l'avantageait pas plus qu'elle ne le faisait pour les arbres, le transformait en une photo sépia de lui-même. Son teint sain avait pris la couleur taupe cireuse d'un vieux parchemin, et la peau de ses joues paraissait trop tendue. Les cernes creusés sous ses yeux me faisaient penser aux vieilles photos du duc de Windsor, qui semblait toujours se remettre d'une perpétuelle gueule de bois.

Observatrice comme je l'étais, j'avais vu ce que Colin avait bu la veille. Il n'avait pas la gueule de bois.

Pendant que je le regardais, il se frotta la tempe à deux doigts comme pour se débarrasser d'un mal de tête. Ce simple geste me frappa aussi fort qu'un coup de pied au ventre – non, nulle part ailleurs. Visiblement, Colin avait d'autres choses en tête qu'une séance de pelotage avortée et une invitée indésirable.

Je me rappelai cet appel hier soir lorsque nous rentrions de la fête et me demandai s'il s'était agi de mauvaises nouvelles quelconques. La partie de mon imagination transmise par ma mère se mit instantanément à produire d'atroces scénarios catastrophes. Un ami aurait pu avoir été impliqué dans un accident de voiture : un éclat de lumière soudain, un coup de volant, une voiture dont on avait perdu la maîtrise fonçant sur une route sombre. Sa tante aurait pu avoir été victime d'une crise cardiaque. Madame Selwick-Alderly paraissait en assez bonne santé, mais on ne savait jamais ce qui pouvait se cacher dans les artères de quelqu'un au bout de toute une vie de rôtis de bœuf et de crème caramel collante. Évidemment, de nos jours, il était plus probable qu'il s'agisse d'œufs de poules élevées en plein air et de *döner kebab,* mais madame Selwick-Alderly avait grandi à une époque où la viande qu'on mettait dans votre assiette beuglait encore et était accompagnée de légumes mijotés dans du beurre. Et puis il y avait aussi Séréna, la sœur de Colin. Elle avait souffert d'une légère intoxication alimentaire jeudi soir. Et s'il ne s'agissait pas du tout d'une intoxication alimentaire, mais plutôt de quelque chose de beaucoup plus grave ? Le choléra, peut-être. Pouvait-on seulement attraper le choléra en Angleterre ? Même si c'était impossible, j'étais persuadée qu'il y avait des tas d'autres maladies horribles qui n'attendaient que d'être contractées. Sans parler de tous les périls qu'impliquait le fait de traverser la rue, de manier un séchoir à cheveux ou de boire des boissons très chaudes.

En imaginant Séréna reliée à un système complexe de fils et de tubes, un masque à oxygène sur la bouche et une main molle qui dépassait de sous une couverture d'hôpital usée, je me sentis tout à fait minable. Minable et égoïste, de surcroît.

– Tout va bien ? lui demandai-je.

– Hein ? Quoi ?

Colin dut faire un effort évident pour émerger des profondeurs du sombre lagon du pays imaginaire.

– Oui.

De toute ma vie, jamais je n'avais entendu de réponse affirmative aussi peu convaincante.

Avant que j'aie le temps de décider si je devais insister ou non – s'immiscer ou ne pas s'immiscer? –, Colin poursuivit :

– Je suis désolé de devoir te virer ainsi.

– Ça va, mentis-je. Ça ne me dérange pas de prendre le train.

J'attendis. Patiemment. Évidemment, ce que j'avais réellement envie de faire, c'était de le saisir par le bras et de hurler « POURQUOI ? ». Je me disais que le moment serait parfaitement choisi pour m'expliquer la raison pour laquelle j'étais dans sa voiture en direction d'une gare inconnue à une heure indue de la matinée. La vertu ne devrait-elle pas être récompensée?

Les yeux de Colin glissèrent vers les miens dans le rétroviseur. Je modelai mon visage en une expression qui se voulait neutre mais encourageante, chaleureuse sans montrer de légèreté déplacée. Cela donna une grimace de travers.

Colin se renfrogna à nouveau.

Pas exactement la réaction que j'espérais provoquer.

– Je vais payer ton billet de train, bien entendu, dit-il brusquement.

Argh. Tant pis pour l'explication.

– Ce n'est pas nécessaire.

– C'est la moindre des choses.

– Je peux très bien payer moi-même.

– Là n'est pas la question, dit Colin, l'air las.

– Fais un don à une œuvre de charité, proposai-je. Il doit bien y avoir quelque part un organisme qui vient en aide aux moines fantômes indigents, ajoutai-je après m'être sentie coupable de ma rudesse.

Colin haussa la moitié d'un sourcil, comme si même le sarcasme n'arrivait pas à l'émouvoir. D'un efficace mouvement de mains sur le volant, la voiture prit un virage et s'arrêta en dérapant devant la gare de Hove.

Laissant le moteur tourner au ralenti, Colin s'étira en arrière pour attraper mon sac sur la banquette. Ce fut un peu difficile puisque, fidèle à cette exaspérante tendance qu'ont les objets inanimés, il avait décidé de se coincer dans l'espace devant la banquette. Il était évidemment tombé à l'envers. N'osant pas imaginer ce qui avait pu s'en échapper – la prochaine fois, j'achèterai un sac à fermeture éclair –, je me jetai par-dessus le siège pour aider Colin.

Naturellement, je plongeai au-dessus du levier de vitesse à l'instant même où il se relevait, le sac à la main. Si vous pensez qu'il s'agit de l'une de ces scènes où l'héroïne réussit à se retrouver collée contre le héros, leurs lèvres à un souffle tandis qu'elle s'arrête, sonnée mais indemne, contre son torse viril, détrompez-vous. Mon coude s'enfonça douloureusement dans le torse de Colin. Lâchant mon sac, il laissa échapper un grognement de douleur semblable à celui d'un quart-arrière qui reçoit le ballon en plein ventre. Je reculai en me tenant le coude et en émettant de petits gémissements incohérents. Ces coups sur l'endroit sensible du coude faisaient *mal*. Mais pas autant, j'imagine, qu'un grand coup porté directement au plexus solaire avec un objet à peine moins pointu que l'ombrelle de mademoiselle Gwen.

Génial. S'il ne se réjouissait pas à l'idée de se débarrasser de moi auparavant, j'étais convaincue que c'était désormais le cas.

— Désolée, bredouillai-je en attrapant mon sac sur ses genoux et en remettant des vêtements et des articles de toilette dedans n'importe comment. Désolée, désolée, désolée.

Colin tendit le bras vers le plancher de la voiture et le remonta avec le soutien-gorge de la veille.

— C'est à toi ? demanda-t-il avec un sourire en coin.

— Merci.

Plus rouge que mes cheveux, je le lui arrachai des mains pour le fourrer dans mon sac.

— Je vais y aller maintenant. Avant de te blesser encore une fois.

— C'est quand tu veux, répondit Colin tandis que je me dépêchais de sortir maladroitement de la voiture, le sac cognant contre mon dos.

Je n'arrivais pas à déterminer s'il voulait dire que je pouvais partir quand je voulais ou si je pouvais continuer de le blesser. La première option semblait beaucoup plus plausible.

— C'était sympa, dis-je sans conviction en me dandinant d'une jambe sur l'autre juste devant la portière ouverte de la voiture et en hissant mon sac sur mon épaule. Merci de m'avoir accueillie. C'était vraiment, euh, sympa de ta part.

Alors que je m'apprêtais à fermer la portière, Colin s'étira au-dessus du siège passager vide et posa une main sur la poignée de la portière ouverte.

— Je suis désolé pour tout ça.

J'écartai les cheveux qui me tombaient devant les yeux ; mon sac tomba de mon épaule et s'arrêta douloureusement au creux de mon coude.

– Pas autant que moi, dis-je en regardant son torse d'un air contrit.

– Nous devrions aller boire un verre un de ces quatre.

– Ce serait chouette, répondis-je en essayant de hisser mon sac sur mon épaule à nouveau en espérant ardemment que rien d'embarrassant n'en dépasse encore. Je n'avais vraiment pas besoin qu'il ait un net aperçu de ce pyjama à caniches.

Il hocha la tête.

– Je ne sais pas combien de temps je serai parti, mais… Je t'appellerai quand je serai de retour à Londres.

– Génial ! m'exclamai-je.

Cependant, ma démonstration d'enthousiasme fut, heureusement, interrompue lorsque Colin claqua la portière. La voiture s'éloigna, me laissant là à me répéter en boucle « Un verre… Je t'appellerai… », simplement pour m'assurer que ç'avait bien été dit, jusqu'à ce que l'impact de mon sac tombé sur mon pied me sorte de ma *rêverie** médusée.

Tripotant les boutons de ma veste, je me dirigeai d'un pas chancelant vers la gare et remontai mon sac sur mon épaule lorsqu'il commença à en glisser. Il retomba immédiatement. Ça m'était égal. Un verre. J'avais agressé le type et, malgré tout, il avait toujours envie de boire un verre avec moi. Qui avait dit que les véritables héros étaient chose du passé ? Après avoir poussé de l'argent sous la fenêtre de la billetterie et avoir souhaité une journée exceptionnelle à un agent perplexe, je traînai les pieds jusqu'au quai tout en essayant de faire entrer les pièces dans mon porte-monnaie et de le ranger dans les profondeurs de mon sac sans lâcher mon billet ni tomber sur les rails telle une Anna Karénine distraite.

Je n'avais aucune envie de me jeter devant le train de la déception amoureuse. Au contraire, je conclus gaiement que l'offre de boire un verre devait signifier qu'il n'essayait pas de se débarrasser de moi ! Il devait vraiment y avoir eu un imprévu, quelque chose d'urgent et de terrible. Tralala et nananère ! Je me rappelai tardivement que se réjouir du malheur des autres était mal et mis fin à la chanson, bien que mon cœur chantât secrètement « tirra lirra » comme Sir Lancelot dans le poème.

Des images de dîner en tête à tête me vinrent à l'esprit. J'imaginai un charmant petit restaurant quelque part loin de l'agitation des environs de mon appartement à Bayswater. South Kensington ferait l'affaire, ou alors les coins moins connus de Notting Hill. Je me représentai un endroit minuscule avec des murs en briques et ces tables miniatures où on ne pouvait asseoir plus de deux personnes, et ce, uniquement si leurs genoux se touchaient. La musique serait aussi douce que l'éclairage, et les serveurs seraient du genre qui ne débarque pas toutes les deux secondes pour demander si tout se passe bien. Il n'y aurait ni Sally, ni Pammy, ni moine fantôme. Seulement deux grands verres ballons remplis de vin rouge foncé, moi et, bien entendu, Colin.

Et je m'assurerais doublement d'avoir bien éteint mon satané téléphone.

Tant que j'y étais, pourquoi ne pas tout simplement ajouter quelques violons ? Je me fis une grimace affreuse, puis je regardai autour de moi d'un air coupable pour m'assurer que personne sur le quai n'avait remarqué. Personne n'avait remarqué, en grande partie parce qu'il n'y avait personne d'autre. Merci, mon Dieu. Je détestais quand mon monologue intérieur s'échappait jusque sur mon visage.

À sept heures trente le dimanche matin, il n'y avait pas de banlieusards qui attendaient pour se rendre à Londres. Il n'y avait que moi, toute seule sur le quai extérieur. Il était si tôt que même l'omniprésent kiosque à café AMT n'avait pas encore ouvert ses portes — ou peu importe comment on appelait l'ouverture d'un kiosque extérieur. J'aurais été prête à tuer pour un café, tant pour la chaleur que pour la caféine. Aussi pénétrant qu'un souvenir, le vent me râpait les joues et me transperçait la peau jusqu'aux nerfs à vif dessous.

J'enfonçai mes mains exsangues dans les manches de ma veste pour les frotter contre mes avant-bras, mais ce fut presque aussi efficace que d'essayer de les réchauffer près d'un chauffage d'appoint non branché. Le froid provenait tant de l'intérieur que de l'extérieur ; c'était ce froid qui glaçait jusqu'aux os, résultat du manque de sommeil et de nourriture, et qui ne pouvait être vaincu qu'au moyen de plusieurs heures de sommeil sans rêves sous une pile de couettes, le réveille-matin commodément éteint.

Par miracle, le train arriva réellement à l'heure. Le train de sept heures trente-deux entra doucement en gare en haletant, comme s'il se félicitait de ne pas être tombé en panne en chemin. Il s'agissait du genre de train qu'on ne voyait jamais aux États-Unis : porte après porte après porte, chaque groupe de sièges avait sa propre entrée privée. Je supposai que cela devait améliorer l'efficacité pour monter et descendre, mais cette suite interminable de portes identiques qui s'enchaînaient les unes après les autres avait quelque chose de légèrement étourdissant. Vous savez que vous êtes trop fatiguée lorsque vous commencez à voir les trains de banlieue comme une allégorie de la vie. Le compartiment du train le moins populaire ?

Puisqu'il n'y avait personne d'autre à la gare, il était impossible de savoir quelles portes étaient les moins fréquentées. Choisissant un compartiment au hasard, j'ouvris la porte jaune et me traînai entre les sièges, puis je laissai tomber mon sac sur l'un et m'affalai sur un autre. Je m'installai avec gratitude sur le siège usé et appuyai ma tête sur l'appuie-tête en essayant de ne pas penser à celles qui l'avaient précédée. À l'extérieur, le paysage commença à défiler lentement, comme le décor dans un vieux film ; un paysage à damier fait de champs inexploités pour l'hiver, entrecoupé à intervalles réguliers de petits groupes de maisons mitoyennes marron crasseuses blotties près du chemin de fer. Tout en regardant le décor silencieux défiler, je me laissai emporter par une agréable vague de fatigue et de pensées futiles, réfléchissant à ce que j'avais lu à la bibliothèque la nuit dernière.

Particulièrement à cette dernière lettre. Salie et tachée comme si Henrietta avait appuyé avec trop de force sur sa plume, elle n'avait pas perdu de temps avant d'en arriver au cœur du problème : la marquise s'était échappée.

Ma première idée avait été que Vaughn les avait trahis. Cependant, selon Henrietta, Vaughn s'était acquitté de sa tâche et avait livré la marquise sans encombre à la prison. Une fois rendue là, elle avait persuadé le gardien du fait qu'il y avait manifestement une erreur ; elle était, après tout, une dame de bonne famille provenant d'une ancienne lignée anglaise et ne pouvait vraisemblablement pas être liée à l'espionnage international. Elle ? Une fleur de féminité qui se flétrissait ? Une espionne ! Cette idée en soi — battements de cils et sourires affectés — était absurde. Henrietta se fit extrêmement cinglante et grossière au sujet des effets des stratagèmes de la marquise sur les gens peu éclairés. La tactique avait fonctionné. Le gardien avait informé Wickham (qui l'avait dit à Miles, qui l'avait dit à Henrietta) que la marquise avait eu l'immense amabilité d'accepter ses excuses. Henrietta avait marqué si fortement le point de ce « i » dans « amabilité » que la pointe de la plume avait percé le papier. Une femme correspondant à la description de la marquise avait été aperçue pour la dernière fois sur un bateau en partance pour l'Irlande.

L'Irlande. Un endroit excessivement populaire tout à coup. Je ne pensais pas qu'il pouvait s'agir d'une coïncidence que l'Œillet rose et la Tulipe noire aient convergé tous deux vers le même endroit. La Tulipe noire aurait pu, peut-être, alors qu'elle usait de ses charmes auprès du personnel du ministère de la Guerre pour s'échapper, avoir eu vent de la présence de l'Œillet rose en Irlande (bien que j'aie des doutes), mais pourquoi Wickham avait-il envoyé Jane là-bas au départ ? Pourquoi ne pas la garder en France, où elle était bien établie à la cour de Bonaparte et bien placée pour recueillir des renseignements ainsi que commettre d'ingénieux actes de sabotage ? L'éloigner de tout soupçon aurait constitué une explication logique – mais, d'après tout ce que j'avais lu, personne ne soupçonnait la cousine d'Édouard de Balcourt de quoi que ce fût, mis à part peut-être de quelques liaisons étranges. Les Français étant ce qu'ils étaient, ce n'était pas demain la veille qu'ils condamneraient cela.

D'ailleurs, d'autres raisons faisaient que cette excuse ne passait pas. Une autre raison, en fait. Geoffrey Pinchingdale-Snipe. Si c'était une question d'éloigner Jane de France, pourquoi envoyer Pinchingdale la rejoindre en Irlande ? Parce que c'était, selon la dernière lettre d'Henrietta, exactement ce que William Wickham venait d'ordonner.

Pinchingdale avait été détaché pour rejoindre Jane en Irlande, et sa mission lui serait transmise en cours de route.

Mais pourquoi l'Irlande ?

Les historiens britanniques se plaignent que, étant donné la façon dont le domaine est partagé, les gens qui se disent historiens britanniques étudient rarement autre chose que l'Angleterre. De temps à autre, quelqu'un exige une nouvelle histoire « britannique », puis il y a une série d'articles, peut-être un colloque ou deux, qui mettent l'accent sur les interrelations entre les trois royaumes, qui détaillent le nombre de soldats écossais et irlandais dans l'armée britannique ou qui évaluent le rôle de l'Irlande dans les entreprises coloniales britanniques, mais, par la suite, la plupart sont heureux de recommencer à s'intéresser uniquement à l'Angleterre. Le terme « insulaire » s'applique de plus d'une manière.

Je représentais bien le stéréotype. Je n'avais pas la moindre idée de ce qui avait pu se passer en Irlande en 1803. Je savais – cela faisait partie des dates de base qu'aucun historien anglais qui se respectait pouvait ignorer sans risquer l'extrême embarras dans le salon de thé de l'Institute of Historical Research – que le gouvernement d'Irlande avait été officiellement intégré à celui de la Grande-Bretagne, que son parlement avait été dissous et qu'un terme avait été mis à son indépendance législative par l'Acte d'union en 1801. L'Écosse était passée par là en 1707. J'étais consciente que ce fait n'avait rien à voir avec l'état de l'Irlande en 1803, mais cela me rassurait de savoir que les longues heures passées à étudier pour mes examens terminaux n'avaient pas été perdues.

Je savais aussi, ce qui était beaucoup plus utile, que William Wickham avait été, à un certain moment, secrétaire en chef du Lord lieutenant d'Irlande. Ou, plutôt, il serait utile que je puisse me rappeler exactement quand Wickham était allé en Irlande. Si c'était en 1803... Était-ce trop demander ?

Probablement. Mais je ne perdrais certainement rien à vérifier. *Après* une longue sieste, suivie d'une douche, d'une collation et d'un grand café au lait caramel et noix, m'empressai-je de préciser pour moi-même.

Et il y avait aussi Jane, Geoff et la marquise à pourchasser. Si seulement nous n'étions pas dimanche ! La British Library serait fermée, tout comme l'Institute of Historical Research. Pour une raison quelconque, je doutais que j'obtienne beaucoup de résultats en entrant l'un de leurs noms dans la base de données de la British Library, mais essayer valait certainement la peine. Je me demandai si Colin savait où étaient conservées les archives familiales des Pinchingdale. Même s'il n'y en avait pas, cela me fournirait un bon prétexte pour l'appeler...

Ou cela m'en aurait fourni un si j'avais eu son numéro.

Cette pensée décourageante fut suivie d'une autre, encore plus pénible. Je me redressai si subitement sur mon siège que mon front effleura le siège devant le mien.

Oublions l'idée d'avoir son numéro de téléphone ; je ne lui avais jamais donné le mien. Aucun de mes numéros. Il n'avait même pas mon adresse courriel. Ce qui signifiait que son « Je t'appellerai » assuré avait pratiquement la même valeur que la devise d'un petit pays de l'ex-URSS.

Ç'aurait pu être un simple oubli de sa part.

Ç'aurait pu. Et j'avais entendu qu'on vendait des actions du pont de Brooklyn pour presque rien.

J'aurais dû savoir que « Nous devrions aller boire un verre un de ces quatre » revenait à dire, en jargon masculin,

« Bonne continuation ». Je n'arrivais pas à croire que j'avais été idiote à ce point.

Ou, plutôt, j'arrivais à le croire, mais cela ne me plaisait pas.

Holà ! Je m'empressai de reprendre la maîtrise de mon imagination débridée avant de passer véritablement en mode femme en furie, tel un attelage de chevaux affolés qui foncent droit vers une falaise. Ce n'était pas parce que le dernier homme avec qui j'étais sortie était un tas de boue infidèle qu'ils étaient tous des arnaqueurs accomplis aussi disposés à mentir aux filles qu'à boire un verre avec elles. Après tout, Colin était manifestement préoccupé par quelque chose. Peu importe ce que cela pouvait être.

Feindre l'inquiétude, me chuchota mon démon intérieur (qui était manifestement un ami des farfadets de Colin), pouvait être un bon moyen de se débarrasser d'une invitée indésirable qui avait commencé à montrer des signes de béguin. Mais il avait l'air réellement malheureux, argumenta la meilleure partie de moi. Ces cernes sous ses yeux n'étaient pas du maquillage. Et pourquoi aurait-il proposé de boire un verre s'il n'en avait pas l'intention ?

Je fus bien obligée de reconnaître que ce dernier argument manquait de poids. Si j'avais eu une pièce de dix cents chaque fois qu'une de mes amies s'était plainte qu'un mec avait promis de l'appeler et ne l'avait pas fait… Eh bien, je pourrais financer ce voyage de recherche en Irlande. J'étais moi-même coupable, puisque j'avais nonchalamment lancé « nous devrions aller prendre un café » à des connaissances de l'Institute of Historical Research tout en sachant très bien qu'il n'y avait pas plus de chances que j'y donne suite qu'eux me rappellent.

Le fait qu'il n'ait pas mon numéro de téléphone n'était pas fatal. S'il était sérieux au sujet de se rencontrer pour boire un verre, il avait une demi-douzaine de moyens de trouver mon numéro de téléphone. Bon, peut-être pas une demi-douzaine, mais j'en voyais au moins deux. Sa tante Arabella qui, au départ, lui avait imposé ma présence cette fin de semaine, ou sa sœur, Séréna, qui n'aurait qu'à claquer des doigts pour arracher l'information à Pammy. Si j'y avais pensé, il le pouvait aussi.

S'il trouvait effectivement le moyen de se procurer mon numéro de téléphone, cela prouverait au moins qu'il était sérieux au sujet de ce verre. Dans les vieux contes de fées, les héros étaient fréquemment mis à l'épreuve d'une manière quelconque : rapporter la tête d'un dragon à la princesse, arracher les plumes de la queue d'un oiseau mythique ou vaincre un ogre à l'haleine pestilentielle en combat à mains nues. Je ne m'imaginais pas avoir ce qu'il fallait pour être une héroïne ; je n'avais même pas la moitié d'un royaume à offrir en récompense, à moins que la moitié d'un royaume veuille dire la moitié d'un très petit appartement de location dans un sous-sol de Bayswater. Mais si la récompense était moindre, l'épreuve l'était aussi. Braver le redoutable téléphone en échange d'un verre avec bibi. Comparé au fait d'abattre un fourré épineux, se procurer un numéro de téléphone paraissait négligeable.

Je lui donnerais jusqu'à… mercredi, était-ce trop tôt ? S'il y avait une véritable situation de crise, je ne voulais pas me précipiter dehors pour acheter une poupée vaudou sans raison valable. Jeudi, décidai-je généreusement. S'il ne m'avait pas appelée d'ici jeudi, je saurais que « je t'appellerai » n'était qu'une version simplifiée de « pas intéressé ».

Entre-temps, il y avait une espionne dont je devais retrouver la trace.

Je ne pouvais pas suivre la Tulipe noire et l'Œillet rose jusqu'en Irlande, mais je pouvais les chercher dans la salle des manuscrits de la British Library. Si cela échouait… Eh bien, madame Selwick-Alderly m'avait demandé de la tenir au courant des développements en ce qui concernait ma thèse. C'était la moindre des politesses que de l'appeler.

Appuyant une joue contre la fenêtre, je me demandai qui, de Colin ou de la Tulipe noire, réapparaîtrait en premier.

NE MANQUEZ PAS
LE TOME 3

NOTES HISTORIQUES

Une fois de plus, il est temps de séparer la réalité de la fiction et de me repentir devant l'autel de l'exactitude historique. Les espions aux noms de fleurs ont effectivement leur place dans les récits historiques. Bien que le Mouron rouge, la Gentiane pourpre et l'Œillet rose soient tous fictifs, des espions aux noms de fleurs se sont bel et bien activés de part et d'autre de la Manche. La *Rose** était le plus célèbre, mais un agent réel était aussi connu sous le pseudonyme le *Mouron** – et ils s'identifiaient au moyen de petites cartes marquées d'une fleur rouge. L'idée d'un personnage fleuri féminin comme l'Œillet rose n'est pas non plus une pure invention. Mademoiselle Nymphe Roussel de Préville a confondu le gouvernement révolutionnaire sous le nom de code *Prime-rose**. Réputée tout comme Jane pour son éblouissante beauté, la *Prime-rose** était une experte du déguisement, tout aussi à l'aise à orner un salon qu'à se faire passer pour un homme. Le cercle d'espions qui se font passer pour des marchands de foulards, que Miles démantèle au début du livre, trouve aussi son pendant historique parmi les agents secrets français dispersés dans Londres sous le couvert de tailleurs, de domestiques, de marchands et de modistes.

Pour revenir au quartier général à Londres, certains lieux et personnages ont été remaniés pour répondre aux besoins du roman. Pendant les guerres napoléoniennes, l'espionnage était largement dirigé depuis un sous-département du ministère de l'Intérieur appelé le Bureau des étrangers (*Alien Office*). Afin d'éviter la confusion, ainsi que d'inquiétantes images d'extraterrestres qui se baladent à travers Londres, j'ai suivi la tradition de la fiction, selon laquelle les actes de bravoure furtifs sont associés au ministère de la Guerre. En hommage à la mémoire de ces hommes qui ont travaillé au Bureau des étrangers, je leur ai emprunté leur immeuble et leur personnel pour les besoins de mon ministère de la Guerre fictif. Le 20, Crown Street, où Miles reçoit ses ordres de William Wickham, a été le quartier général du Bureau des étrangers depuis sa création en 1793.

Quant à William Wickham… Je ne suis pas très chanceuse en ce qui concerne les chefs des services secrets ; ils semblent avoir la mauvaise habitude de démissionner juste avant que j'en aie besoin. En 1802, Wickham a quitté le Bureau des étrangers et a mis les voiles vers Dublin dans le cadre de son nouveau poste en tant que secrétaire en chef du Lord lieutenant d'Irlande. Cependant, Wickham est l'équivalent, pour les services secrets anglais, de Fouché chez les Français. Utilisant le Bureau des étrangers comme base, il a monté un réseau d'espions – ou, comme l'appelait Wickham lui-même par euphémisme, une « police préventive » – qui couvrait tout le Continent et terrifiait les ennemis de l'Angleterre. Le nouveau titre de Wickham y changea peu de choses ; il a continué d'exercer son emprise sur les efforts d'espionnage de l'Angleterre, d'abord à partir du ministère de l'Irlande et, ensuite, du Trésor. Malgré son affectation en Irlande, Wickham était en fait physiquement présent à Londres au début de l'été 1803 et aurait été en mesure de renvoyer Miles.

Mon *mea culpa* final est destiné aux fervents étudiants de l'époque de la Régence, qui auront remarqué quelques éléments empruntés un peu plus tard dans le siècle. Almack's, « le marché du mariage », où Miles se cachait des mères entremetteuses derrière de pratiques affleurements de maçonnerie, était en activité depuis 1765. La limonade tiède, les hauts-de-chausses obligatoires pour les gentilshommes (le duc de Wellington s'est déjà vu refuser l'entrée pour avoir commis l'impardonnable bévue de s'y être montré en pantalon) et l'inflexible fermeture des portes au nez de n'importe quel infortuné qui désirait y entrer après l'heure magique de vingt-trois heures auraient tous été des éléments familiers pour Henrietta et Miles. Toutefois, ils auraient cligné des yeux éberlués à la mention du quadrille, qui n'a été introduit en Angleterre qu'en 1808, même s'il était déjà populaire de l'autre côté de la Manche. De même, Sarah, Lady Jersey, n'avait que dix-sept ans en 1803 ; ce n'est qu'un an plus tard qu'elle a épousé le futur comte de Jersey, et elle n'est devenue que Lady Jersey qu'en 1805 (ne pas confondre avec l'autre Lady Jersey, sa belle-mère, surtout connue pour ses ébats extraconjugaux avec Prinny). Néanmoins, tant le quadrille que Lady Jersey sont tellement représentatifs de l'époque que, sans eux, la salle de bal paraissait incomplète.

Comme toujours, pour l'essentiel des détails relatifs à l'espionnage durant les guerres napoléoniennes, j'ai une dette immense envers l'ouvrage qui traite des recherches méticuleuses d'Elizabeth Sparrow sur le sujet, *Secret Service : British Agents in France 1792-1815*. Pour presque tout le reste, mes sincères remerciements vont à Dee Hendrickson et à son magnifique *Regency Reference Book* (aussi connu sous le titre *Tout ce que vous avez toujours voulu savoir sur la Régence sans jamais oser le demander*), ainsi qu'aux dames toujours pleines de ressources du Beau Monde et de la Writing Regency, dont les connaissances encyclopédiques sur le XIXe siècle ont sauvé Henrietta – et son auteure – d'un certain nombre de bourdes scandaleuses.

GUIDE DU LECTEUR
ENTREVUE AVEC LAUREN WILLIG
(À travers des questions posées par ses personnages)

Q. ***Éloïse Kelly :*** *Ce n'est pas que je ne suis pas reconnaissante pour tout ce que vous avez fait – je veux dire, la thèse n'est jamais allée aussi bien –, mais pourriez-vous me donner un tout petit indice concernant Colin ? Ai-je, une fois de plus, eu l'air complètement folle pour rien ?*

R. Pauvre Éloïse ! Il n'y a que dans les livres que l'héroïne a le droit de jeter un œil au résumé sur la couverture pour découvrir comment cela se terminera. Oh, un instant. Tu es dans un livre. Oublions cela. En tant que personnage d'un récit écrit à la première personne, tu devras te débrouiller avec les mêmes désavantages que le reste de la population qui fréquente quelqu'un dans la vraie vie : impossible de savoir à l'avance exactement comment cela tournera. En attendant, à l'instar de nous toutes, il ne te reste qu'à analyser en profondeur le comportement de Colin – et probablement à en tirer des conclusions erronées. Malgré cela, je dirais qu'il y a de bonnes chances que Colin soit intéressé. Pas follement amoureux ni consumé par le désir, mais certainement intéressé. Tiens bon !

Q. ***Éloïse Kelly :*** *Salut, c'est encore moi ! Je veux dire, Éloïse. Je voulais simplement savoir : pourquoi le nom de l'abbaye de Donwell me semble familier ? Merci.*

R. Il te semble familier parce qu'il l'est. C'est ce que j'appelle la « malédiction des études en arts et lettres » (une phrase avec une consonance gothique appropriée dans ce cas-ci). Mon cerveau est bourré de faits et de phrases qui flottent librement et remontent à la surface sans rime ni raison particulière. Alors que je cherchais un nom pour l'abbaye hantée à côté de Selwick Hall, le nom Donwell a surgi, telle la réponse dans une boule magique numéro 8. « Donwell » sonnait tout simplement bien avec « abbaye » ; les deux noms allaient ensemble comme « gentiane » et « pourpre ». Évidemment que c'était le cas. Quatre jours plus tard, je me suis rappelé pourquoi : l'abbaye de Donwell était le nom de la demeure des Knightley dans *Emma* de Jane Austen. À ce moment-là, le domaine voisin était fermement ancré dans mon imagination comme étant l'abbaye de Donwell, alors j'ai décidé de garder le nom en espérant que ceux qui allaient reconnaître la référence l'interpréteraient comme une espèce de blague.

Le moine fantôme, quant à lui, vient d'un autre roman de Jane Austen. Il n'y a pas réellement de moine fantôme — du moins, selon mes souvenirs — dans *L'Abbaye de Northanger,* mais je me suis inspirée des accents gothiques en général. J'avais *L'Abbaye de Northanger* bien en tête lorsque j'ai écrit les chapitres modernes du *Masque de la Tulipe noire,* surtout parce que Catherine Morland, comme quelqu'un d'autre que je connais, est experte dans l'art de sauter à des conclusions erronées. Désolée, Éloïse, mais c'est bien vrai.

Q. ***Lady Henrietta Selwick*** *(considérablement troublée)* ***:*** *Une fille appelée Brooke, qui prétend être une de tes proches parentes, n'arrête pas de me dire qu'en fait, je suis elle. Certes, nous nous ressemblons, mais étant donné sa façon de parler et sa robe étranges, je ne vois vraiment pas comment c'est possible. Est-ce vrai ?*

P.-S. Qu'est-ce qu'un « jean taille basse » ?

R. Je craignais que tu me poses la question un jour ou l'autre. Je n'avais certainement pas l'intention de créer une copie conforme de ma petite sœur. En fait, je crois que même si je le voulais, je n'arriverais pas à créer une reproduction exacte d'un être vivant. Peu importe à quel point on croit connaître une personne, on ne peut jamais cartographier assez bien tous les recoins cachés de son âme pour les reproduire fidèlement sur papier. Il est beaucoup plus intéressant (et moins susceptible de mener à des accusations de diffamation) de prendre des petits bouts et des détails, puis de les mélanger pour créer des entités entièrement nouvelles.

Cela dit, tandis que je travaillais sur l'histoire de Richard et d'Amy, c'est devenu une plaisanterie récurrente que n'importe quel personnage de petite sœur devait naturellement être basé sur Brooke. Encouragée par Brooke et plusieurs autres, j'ai commencé à inclure les caractéristiques les plus évidentes de Brooke, telles que sa couleur de cheveux, sa magnifique voix de chanteuse, ainsi que son vieil animal en peluche, Toutou-le-chiot (craignant la publicité embarrassante, Toutou a demandé qu'on lui accorde un pseudonyme pour les besoins du livre et apparaît sous son nom de scène, *Lapinou-le-lapin*). Mais ne panique pas, Henrietta – Brooke m'a déjà dit que Miles n'était pas son genre, alors tu n'as pas à t'inquiéter de la compétition.

Quant au jean, mieux vaut ne pas savoir. Crois-moi. Tiens-t'en à la mousseline fleurie.

Q. ***L'honorable Miles Charles Edward Arthur Dorrington :*** *Pourquoi est-ce toujours Richard qui joue l'élégant ?*

R. Oh, Miles, tout le monde n'est pas capable d'être suave sans relâche. Ne t'inquiète pas, ça fait partie de ton charme. En fait, l'idée principale derrière *Le masque de la Tulipe noire* (mis à part « Hé ! Miles et Henrietta sont manifestement faits l'un pour l'autre ») était la suivante : qu'arrive-t-il lorsqu'on prend deux personnes fondamentalement ordinaires et qu'on les met dans une situation extraordinaire ? Ce que j'avais en tête, en grande partie, c'était *Andromaque* de Racine. Dans un cours de littérature française à Yale, il y a longtemps, nous avions eu une longue conversation sur la psychologie des personnages de la « deuxième génération », ces personnages qui ont grandi et vécu leur vie dans l'ombre de l'héroïsme sans être eux-mêmes héroïques — dans ce cas-là, la veuve d'Hector et le fils d'Achille ; dans ce cas-ci, la petite sœur et le meilleur ami de la Gentiane pourpre. Évidemment, l'un est tragique, et l'autre ne l'est absolument pas, pas plus qu'il y a des Grecs qui courent autour des villes troyennes et tirent dessus dans *Le masque de la Tulipe noire* ; la comparaison doit donc nécessairement s'arrêter là. Mais c'était le concept derrière le tout.

En fin de compte, j'espérais que mes personnages principaux comprennent que (prends note, Miles), bien qu'ils ne soient peut-être pas les plus doués au monde pour filer les espions français, ils n'avaient pas besoin d'être la Gentiane pourpre pour être adorables, aimés et heureux. Après tout, la terre serait un endroit beaucoup moins intéressant si tous les héros et héroïnes sortaient du même moule. La normalité a, à sa façon, beaucoup de charme – sinon, pourquoi aurions-nous tous ces films au sujet de la fille ordinaire ? Si Henrietta est la fille ordinaire, Miles est le parfait garçon ordinaire, un vrai garçon jusqu'au bout des ongles, et c'est pour cela qu'on l'aime tant.

N'est-ce pas beaucoup mieux que d'être capable d'entrer sans problème par une fenêtre en se balançant au bout d'une corde ?

Q. ***Gaston Delaroche*** *(ex-adjoint au ministre de la Police et onzième sur la liste des hommes les plus redoutés en France) : D'abord, vous vous moquez de moi et, ensuite, vous me méprisez en enlevant l'unique* chapitre* *dans lequel j'apparais en Tulipe noire. C'est un manque de respect envers la France. Pourquoi haïssez-vous les Français ?*

R. **Reginald « Navet » Fitzhugh :** Il y a beaucoup de choses françaises qui me plaisent. Le brie, le champagne, Voltaire. Ah oui, et ma mère. Mère a quitté la France alors qu'elle était très jeune, mais sa nationalité précédente a souvent eu des avantages pour moi pendant mon enfance, dont les deux plus importants furent la croyance de ma mère que le vin était un ingrédient essentiel de toute entreprise culinaire (que ce soit dans la recette ou dans le verre), et le fait qu'aussitôt que je répétais « *ma mère est née à Paris** », mes professeurs de français à l'école primaire ajoutaient automatiquement un boni de cinq points à ma note, que je l'aie mérité ou non. Mais dans n'importe quel roman de capes et d'épées, il doit y avoir des bons et des méchants. Évidemment, les types avec la guillotine sont les méchants. S'ils voulaient être les bons, ils n'avaient qu'à y penser avant de commencer à trancher des têtes et à défiler à travers de larges pans de l'Europe. Ma foi, mille mercis de m'avoir inclus dans ce truc de papier et tout. Mais un homme doit-il vraiment être un navet ? Les œillets sont beaucoup plus à la mode, vous savez.

R. Désolée, Navet, vieux, mais tu ne pouvais vraiment pas être autre chose. Exactement comme les moutons dans le règne animal, les navets sont des légumes amusants en soi, surtout après avoir regardé *La vipère noire* pendant des années. Et j'ai bien peur que le nom Œillet fût déjà réservé à quelqu'un d'autre.

*Q. **Mademoiselle Gwendolyn Meadows :** Après m'être donné la peine de réviser le manuscrit, j'ai été atterrée de constater que je n'y figurais nulle part. Les lecteurs avertis ne pourront faire autrement qu'être révoltés par ce manque de jugement de la part de l'auteure. J'interprète cela comme un signe de travail bâclé et espère qu'on y remédiera dans le prochain tome.*

R. Eh bien, vous auriez dû y penser avant de retourner en France, à la fin de *La mystérieuse histoire de l'Œillet rose*. Puisque *Le masque de la Tulipe noire* se passe en grande partie à Londres, ç'aurait été très gênant de toujours ramener l'histoire en France. Cependant, j'ai tenu compte de votre plainte et je peux vous assurer que le prochain tome fait une place considérable à votre génie. N'oubliez pas votre ombrelle.

*Q. **Geoffrey, vicomte de Pinchingdale :** Je me trouve dans une situation quelque peu embarrassante. Peut-être pourriez-vous m'aider à trouver un mot qui rime avec* « délice » *? De l'aide,* *quelle qu'elle soit, serait fort appréciée – tout comme le prêt d'une blague à faire à un certain monsieur Miles Dorrington.*

R. Mon cher Lord Pinchingdale, je serais plus qu'heureuse de vous offrir mon aide (j'ai moi-même, dans ma jeunesse, rédigé quelques sonnets d'amour languissants), mais je crains que vous n'ayez pas besoin de ce poème dans le prochain livre. En fait, vous aurez peut-être envie de vous défaire de toute poésie, de toute correspondance ou de tout portrait miniature relié à Mary Alsworthy, puisque vous êtes sur le point d'épouser quelqu'un d'autre. Sa sœur Letty, en fait. Tout est là, dans le troisième tome. Avant que vous ne vous énerviez contre moi, je voudrais souligner que si vous n'aviez pas essayé de vous enfuir avec Mary (franchement, Lord Pinchingdale, à quoi avez-vous pensé ?), Letty n'aurait pas été enlevée par accident, et vous n'auriez jamais été forcé de l'épouser.

Je vais chercher cette blague pour Miles pour vous, d'accord ? Je pense que vous en aurez besoin…

DE LA MÊME SÉRIE

Tome 1